Frauenmystik im Mittelalter

Wissenschaftliche Studientagung der

AKADEMIE DER DIÖZESE ROTTENBURG-STUTTGART

22.–25. Februar 1984 in Weingarten

Frauenmystik
im Mittelalter

Herausgegeben von
Peter Dinzelbacher
und Dieter R. Bauer

Schwabenverlag

INHALT

VORWORT

Frauen bemühen sich heute intensiv um eigenständiges – auch historisches – Bewußtsein, um „weibliche Identität". Dabei kann die Frauenforschung zum Mittelalter – nicht neu, aber in vielem doch noch in den Anfängen – einen wichtigen Beitrag zu einer neuen und befreienden (christlichen) Anthropologie leisten. Die Untersuchung der Selbsterfahrung und -darstellung von Frauen in der Mystik bildet dazu eine wichtige Voraussetzung.

Lange blieb diese Thematik dem Fachinteresse der Literaturwissenschaftler vorbehalten; nur am Rande beschäftigten sich Historiker damit, Theologen ebenfalls kaum. Deren Interesse gilt bis heute – wenn überhaupt – der intellektuell interpretierenden, spekulativen Mystik; die Erfahrung in Bildern, die Schau, die mystische Vision bleiben suspekt. Doch wächst auch hier die Einsicht, daß es an der Zeit ist, „die Rolle des Psychosomatischen, des Leibhaften und Narrativen zu entdecken".

In einer Wissenschaftlichen Studientagung der Akademie der Diözese Rottenburg-Stuttgart wurde versucht, in einem breit angelegten, fächerübergreifenden Gespräch verschiedenste Einzelforschungen zusammenzuführen und das Phänomen „Frauenmystik im Mittelalter" als Ganzes in Blick zu nehmen – zweifellos noch ein recht vorläufiges Bemühen, aber wohl ein wichtiger Neuansatz. Die Vorträge dieser Tagung, ergänzt um einige interessante Diskussionsergebnisse, können nun in gedruckter Form einer breiteren Öffentlichkeit vorgestellt werden.

Zwei Anliegen bestimmten die Zusammenstellung der Themen und Referenten (bzw. Autoren): Formal sollte – bei im Rahmen der Akademiearbeit geforderter Deutschsprachigkeit – ein international und interdisziplinär besetztes Forum geschaffen werden. Inhaltlich kam es darauf an – trotz selbstverständlicher Begrenzung und notwendiger Auswahl –, Frauenmystik im Mittelalter als umfassendes gesamteuropäisches Phänomen vorzustellen und zu diskutieren. Das Hauptgewicht lag dabei auf dem deutsch-flämisch-niederländischen Raum, doch wurden auch Nordeuropa, England, Frankreich und Italien (mindestens in einzelnen Vertreterinnen) behandelt.

Die Wissenschaftliche Studientagung fand vom 22. bis 25. Februar 1984 im Haus der Akademie in Weingarten (Oberschwaben) statt, geleitet von den Herausgebern dieses Dokumentationsbandes. Verantwortlich im Auftrag der Akademie war dabei Dieter R. Bauer. Der besondere Dank der Akademie gilt Peter Dinzelbacher, ohne dessen Engagement und spezielle fachliche Kompetenz die Durchführung eines solchen Projekts nicht möglich gewesen wäre.

Unsere editorische Aufgabe war es, die Beiträge fremdsprachiger Kollegen, die diese dankenswerterweise in Deutsch zur Verfügung gestellt hatten, durchzusehen und in einigen wenigen Fällen Literaturnachträge zu geben. Bei den Anmerkungen wurde eine gewisse Vereinheitlichung vorgenommen.

An dieser Stelle möchten wir danken: der Akademieleitung wie auch der Leitung der Diözese für die grundlegende Ermöglichung des ganzen Vorhabens; allen Tagungsteilnehmern für die engagierte Beteiligung, die in den Plenumsdiskussionen, aber auch in vielen Gesprächen am Rande deutlich war und durch die die Veranstaltung erst zu einem vollen Erfolg wurde; besonders nachdrücklich den Referenten, die als kundige Gesprächspartner und Informanten die ganze Tagung begleiteten und die ihre Manuskripte bereitwillig und ohne Verzögerung für die Publikation zur Verfügung stellten; nicht zuletzt dem Schwabenverlag für die freundliche Betreuung des Bandes.

Stuttgart, im Herbst 1984   *Peter Dinzelbacher*
                                            Dieter R. Bauer

Bei mittelhochdeutschen Zitaten wurden die übergestellten Vokale einheitlich nachgestellt.

Peter Dinzelbacher

EUROPÄISCHE FRAUENMYSTIK DES MITTELALTERS

Ein Überblick[1]

I

Was ist mittelalterliche Frauenmystik? Überlassen wir die Antwort einem gelehrten Autor des 13. Jahrhunderts, einem hohen Würdenträger der römischen Kirche, nachmals Bischof von Akkon, Patriarch von Jerusalem und Kardinalbischof von Frascati, vor allem aber einem Mann, der sein Wissen aus persönlichem und vertrautem Kontakt mit den „mulieres religiosae" seiner Zeit hatte: Jakobus von Vitriaco (1180—1254). Er schreibt an Fulko, Bischof von Toulouse:

> Aliquas etiam vidisti mulieres, tam speciali et mirabili in Deum amoris affectione resolutas, ut præ desiderio languerent, nec a lecto per multos annos, nisi raro surgere possent; nullam aliam causam infirmitatis habentes nisi illum, cujus desiderio animæ eorum liquefactæ, cum Domino suaviter quiescentes, quanto spiritu confortabantur, tanto corpore infirmabantur; clamantes corde, licet aliud præ verecundia ore dissimularent, Fulcite me floribus, stipate me malis, quia amore langueo. [. . .] Quædam autem tantam lacrymarum gratiam perceperat, ut quoties Deus erat in corde per cogitationem, lacrymarum rivulus ab oculis fluebat per devotionem, ita ut lacrymarum vestigia in genis ex consuetudine fluendi apparerent; quæ tamen caput non evacuabant, sed quadam plenitudine mentem refovebant, spiritum suavi unctione dulcorabant, corpus etiam mirabiliter recreabant, et Sancto fluminis impetu totam Dei Civitatem lætificabant.
>
> Aliæ vero extra se tanta spiritus ebrietate rapiebantur, quod in illo sancto silentio fere per totum diem quiescentes, dum esset Rex in accubitu suo, non erat eis vox neque sensus ad aliqua exteriora; pax enim Dei ita exuperabat et sepeliebat sensus earum, quod ad nullum clamorem evigilare poterant; nullam penitus læsionem corporalem,

11

etiamsi vehementer pungerentur, sentirent. [. . .] Vidi aliam, quæ dum
extra se frequenter quinque et viginti vicibus in die raperetur; quæ
etiam me præsente plusquam septies, ut credo, rapta est; in quocumque
statu inveniebatur, in eo [. . .] immobilis permanebat: nec tamen, [. . .]
cadebat. [. . .] quæ dum ad se reverteretur, tanto gaudio replebatur,
quod [. . .] gaudium interius plausu corporali cogeretur ostendere, sicut
David coram arca saliendo, juxta illud: Cor meum et caro mea exulta-
verunt in Deum verum.

Du hast auch einige Frauen gesehen, die in so besonderer und wunderbarer Liebesergriffenheit zu Gott aufgehen, daß sie vor Verlangen
krank wurden und sich durch viele Jahre nur selten vom Bett erheben
konnten. Sie hatten keinen anderen Grund für ihre Krankheit als Ihn,
aus Verlangen nach Dem ihre Seelen vergingen, süß ruhend mit dem
Herrn. Um wie vieles sie im Geiste gestärkt wurden, um so vieles wurden sie am Leib geschwächt. Im Herzen riefen sie — mochten sie es
auch anders mit der Stimme verheimlichen —: „Stützt mich mit Blumen, stärkt mich mit Äpfeln, denn krank bin ich vor Liebe"[2]. [. . .] Die
eine aber empfing eine so große Gabe der Tränen, daß, sooft Gott in ihrem Denken war, der Tränenstrom vor Andacht aus ihren Augen floß,
so daß an den Wangen Tränenspuren durch das häufige Herabfließen
erschienen. Trotzdem machten sie den Kopf nicht leer, sondern erfüll-
ten den Verstand mit einer gewissen Stärke, versüßten den Geist mit
lieblicher Salbung, erfrischten sogar den Leib wundersam und er-
freuten im heiligen Ansturm ihres Flusses die ganze Gottesstadt. Die
anderen aber wurden von solcher Geistestrunkenheit aus sich entrafft,
daß sie in jener heiligen Stille fast den ganzen Tag über ruhten, solange
der König an seinem Tafelplatz war und sie weder Wort noch Sinn für
irgendein Äußeres hatten. Der Friede Gottes überwältigte und begrub
ihre Sinne nämlich so, daß sie bei keinem Geschrei aufwachen konnten
und sie überhaupt keine körperliche Verletzung, sogar wenn sie heftig
gestoßen wurden, spürten. [. . .] Ich sah eine andere, die öfters fünfundzwanzig Mal am Tage außer sich entrafft wurde. Auch in meiner Anwesenheit wurde sie, wie ich glaube, mehr als sieben Mal entrafft. Sie
blieb in eben der Stellung, in der sie sich gerade befand, unbeweglich,
ohne [. . .] zu fallen [. . .] Wenn sie zu sich zurückkehrte, wurde sie von
solcher Freude erfüllt, [. . .] daß sie [. . .] gezwungen war, die innerliche
Freude mit körperlichem Tanz zu zeigen, wie David bei der Bundes-
lade sprang nach jenem Vers: „Mein Herz und mein Fleisch jauchzten
zum wahren Gott."[3]

Diese Beschreibung der Begnadungen mystisch begabter Frauen in der Diözese Lüttich — ich konnte nur einen kleinen Ausschnitt zitieren — darf geradezu als locus classicus der Frauenmystik bezeichnet werden. Es wäre nämlich leicht, diese und viele ähnliche psychosomatische Phänomene anhand der überkommenen Lebensbeschreibungen und Selbstaussagen als für die weibliche Erlebnismystik des 13. bis frühen 16. Jahrhunderts typisch nachzuweisen. Ekstasen, Visionen, Erscheinungen, das donum lacrymarum ... galten sowohl den Betroffenen selbst als auch ihren Zeitgenossen als Zeichen der Heiligkeit (wenn auch bisweilen erst nach strenger Prüfung, ob sie nicht vielleicht vom bösen Feind wären), wie umgekehrt ja etwa die Tränenlosigkeit in den Hexenprozessen ein Indiz für Teufelshörigkeit war.[4]

Mag es auch möglicherweise unserem heutigen religiösen Empfinden schwer verständlich sein — es stünde in schärfstem Gegensatz zu unseren Quellen, die Stunden seelischer und leiblicher Befindlichkeit in Zuständen der Ergriffenheit vom vergänglichen gustus suavitatis zur unbeschreibbaren unio mystica nicht als Lebensmitte der praktischen Mystik des Mittelalters anzuerkennen, namentlich der Frauen, und zwar unbeschadet mancher schon zeitgenössischen Kritik oder auch wertmäßigen Minderschätzung gegenüber etwa der Tugend tätiger Nächstenliebe.

Aber mit der Beschreibung, wie sie sich manifestierte, ist die Frage nach dem Wesen der Frauenmystik noch keineswegs hinreichend beantwortet: Ein Teilaspekt nur, wenn auch ein von wohl nahezu allen mittelalterlichen Mystikerinnen bezeugter, ist damit angesprochen. Denn: Durchwandelten wir die Säle eines musée imaginaire der mystischen Literatur, so stießen wir auf manche Schrift aus Frauenhand, die zwar in ihrem gewichtigsten Teil Herzensergießung sein mag, aber doch auch abstrakt-spekulative Überlegung kennt, stießen wir auch auf einige Bände, in denen Theorien mystischer Lehre aufbewahrt sind, deren geschilderter Erlebnishintergrund gering oder nicht existent ist. Wo sprächen Hadewijchs religöse Liebesgedichte von Ekstasen? Mischen sich nicht bei Mechthild von Magdeburg oder Angela von Foligno ohne Unterlaß Vision und Gebet, Erlebtes und Gedachtes? Bietet nicht Katharina von Genua in ihren Werken geradezu eine Psychologie der mystischen Liebe und ihre Namensschwester aus Bologna eine des spirituellen Kampfes gegen die Mächte der Finsternis? Wenn eine einstmals erlebte Schauung Jahr für Jahr überarbeitet wird, mit anderen Bildern zusammengeflochten zu einem höchst homogenen System, wie bei Hildegard von Bingen, ist da der Anteil rationaler Überformung, willentlicher Gestaltung nicht dominierend? Und gewiß muß man die längere Fassung der Shewings Julianas von Norwich weniger als Erlebnisniederschrift ansprechen, sondern eher als Visionsexegese, um die die Reklusin fast zwanzig Jahre im Gebet gerungen hat. Der Traktat der Marguerite von Porète von der Vergottung der Seele und ihrem Aufstieg zur totalen Freiheit kann nur der theoretischen Mystik zugerechnet werden, und der großen Gertrud Exercitia spiritualia hat man mit „et la richesse de l'Aréopagite et la précision de saint Thomas"[5] verglichen. So wäre es also unzutreffend, mittelalterliche Frauenmystik nur einfach mit Erlebnismystik gleichzusetzen, vielmehr zeigen die genannten, durchaus unvollständigen Beispiele, daß auch die mystisch-philosophisch-intellektuelle Spekulation von nicht ganz wenigen Frauen der Epoche nicht bloß passiv rezipiert, sondern auch aktiv gefördert wurde.

Ein Drittes: Mystikerinnen haben nicht nur über ihre religiösen Erlebnisse berichtet, haben nicht nur geistliche Briefe und Traktate verfaßt, sondern auch manches formuliert, das zum Bleibenden und Ergreifenden der mittelalterlichen Dichtung in gebundener und ungebundener Sprache gehört. Da sind die Hymnen und Sequenzen der Hildegard von Bingen, die man geradezu mit dem fast antimittelalterlichen Wort musikalisch und metrisch „originell" nennen muß, da gibt es die fast höfischen Minnelieder der Hadewijch und die faszinierende Prosa ihrer Visionen, da haben wir die von Reimen durchsetzten Aufzeichnungen vom fließenden Licht der Mechthild in rhythmischer Prosa und die schlichten, innerlichen Verse der Zuster Bertken. Es fällt jedoch auf, daß sich diese lyrische Begabung auf die niederländisch-niederdeutsche Frauenmystik zu beschränken scheint, mag sich auch sonst manch eine auch von der Formulierung her ästhetisch faszinierende Passage im Latein und Provenzalisch der Marguerite d' Oingt oder im Italienisch der Katharina Benincasa finden.

Ein Letztes: Mehr als ihre männlichen Geistesverwandten haben sich besonders im späten Mittelalter Mystikerinnen berufen gefühlt, aktiv in das Leben von Kirche und Staat einzugreifen, das in kontemplativer Schau Erfahrene in Handeln innerhalb der Gemeinschaft umzuwandeln. Den eindringlichen Mahnungen einer Hildegard von Bingen an Papst und Kaiser, den hartnäckigen Bemühungen Birgittas, Katharinas und Ursulinas in Rom und Avignon, der Reformtätigkeit Colettas im Franziskanerorden ist auf Seiten charismatisch begnadeter Männer nicht allzuviel zu vergleichen, pace Nikolaus von Flüe und Girolamo Savonarola.[6]

Ekstatisches Erleben, Vision und Erscheinung, tiefstes Fühlen mit allen Kräften von Leib und Seele: dies möchte ein, wenn nicht vielleicht *das* Typikum der Frauenmystik des Mittelalters sein, die davon stärker geprägt erscheint als jene der Männer, geht diese mit Bernhard auch zeitlich voran, findet sich auch manch wesensverwandter Mystiker wie Johannes von Alvernia oder Heinrich Seuse. Der Anteil am rationalen, theoretischen Denken über Gott mit dem Ziel der Einung tritt dagegen deutlich zurück; dieses bleibt primär Domäne der Männer, findet seinen intellektuell schärfsten Höhepunkt in Eckhart — auch Katharina von Siena diktiert ja ihre Traktate in der Ekstase. Daß wenige der mystischen Frauen wie sie ein großes, explizites Lehrsystem geschaffen haben, ist verständlich, denn eine wissenschaftlich-theologische, universitäre oder wenigstens priesterliche Ausbildung war ihnen verschlossen, so daß sie sich kaum im gelehrten Stil eines Hugo von St. Viktor oder Bonaventura von Bagnorea bewegen konnten. Es wäre zu erwägen, inwieweit so zu erklärende Unterschiede in den sprachlichen Ausdrucksmöglichkeiten den Texten der Frauenmystik eher den Charakter des Spontanen und Assoziativen geben, wogegen Mystiker — vielleicht nach ganz ähnlichen Erlebnissen — theoretische Systeme entwickelten, da ihnen aus bildungsgeschichtlichen Gründen ein sprachlich-literarischer Apparat zur Verfügung stand, der auf die bei mystischen Frauen dominierende Ich-Perspektive verzichten konnte. Wenn z. B. Bernhard von der Gottesbegegnung der Braut predigte, so konnte sich mit ihr jeder seiner Zuhörer identifizieren, denn Bernhard sprach vom Aufstieg *der* anima, nicht aber von den Entraffungen seiner eigenen Seele.

Wie viele Leser dagegen des Legatus divinae pietatis oder eines anderen Offenbarungsbuches hätten für sich selbst den geschilderten ähnliche Gnaden erwarten dürfen?

Die Dichtung andererseits ist nicht die für das europäische Mittelalter gemäße Ausdrucksform mystischen Erlebens und Lehrens. Der Hymnus Jesu dulcis memoria, die Laude des Iacopone von Todi, die Lyrics des Richard Rolle sind Einzelphänomene im Meer der prosaischen Traktate, Predigten und Gnadenviten. Hier erscheint weibliche Urheberschaft nach Zahl und Qualität vergleichsweise eher wieder überrepräsentiert. Wo sich mittelalterliche Mystik in Dichtung ausdrückt, gehören gerade die vielleicht schönsten Zeilen religiösen Frauen.

Was schließlich die kirchenpolitische Tätigkeit der Mystikerinnen angeht, so mag sie vielleicht die großen Linien der Geschichte nicht allzu tiefgehend verändert haben, aber sie gab Frauen von intensiver Religiosität die Möglichkeit, aus der diesem Geschlecht im Mittelalter allenthalben vorgeschriebenen Passivität herauszutreten, gab einen Ersatz für das verweigerte Priester- und Predigeramt — und wurde von einer rigoros patriarchalischen, doch gläubigen Gesellschaft nicht ohne Zögern und Prüfungen, aber endlich doch und mit Verehrung anerkannt.

Die genannten Eigenschaften bezeichnen insofern eine frauenspezifische Mystik, als sie im Mittelalter statistisch gesehen bei Frauen wesentlich häufiger auftraten als bei Männern. Damit ist selbstredend nicht ausgeschlossen, daß es auch einige Mystiker gab, deren Erleben und Denken ebenfalls diese Eigenschaften besaß (z. B. unter den frühen Franziskanern). Andererseits wissen wir auch von einigen Frauen, die, wie gesagt, mehr zur spekulativen Mystik hinneigten, wie Marguerite von Porète. Doch waren diese beiden Gruppen jeweils die Ausnahmen. Die schönste und anspruchsvollste Verbindung sowohl der praktischen als auch der theoretischen Mystik des Mittelalters verkörpern, wenn dies subjektive Urteil gestattet ist, die Werke der Hadewijch. Sie war, wie fast alle diejenigen Frauen, die sich mit spekulativer Mystik beschäftigten, als Ekstatikerin auch praktische Mystikerin. Dagegen werden von vielen Männern, die über spekulative Mystik schrieben, keine Erlebnisphänomene berichtet; Tatsachen, die mit keinerlei Werturteil verbunden sein sollten.[7] Es wäre noch zu diskutieren, inwieweit diese Unterschiede auf geschlechtsspezifische Verschiedenheiten der weiblichen und männlichen Anthropologie bzw. Psychologie zurückzuführen und inwieweit Verschiedenheiten der sozialgeschichtlichen Situation (jeweils andere Bildung, Sozialisation, Rollenideale ...) zur Erklärung heranzuziehen sind. Gewiß konnten mittelalterliche Frauen aus Offenbarungserlebnissen die Legitimation zu kritischer und reformatorischer Tätigkeit in der Kirche gewinnen, die Männer aufgrund ihrer Stellung in der Amtskirche auch ohne übernatürliche Autorisierung besitzen konnten.

II

Mag der Geist auch wehen, wo er will, so tut er dies keineswegs plan- und zusammenhangslos. Denn wollte man eine Geschichte der Frauenmystik im Mittelalter schreiben, was sinnvoll selbstverständlich nur im Zusammenklang des großen Stromes der Mystik beider Geschlechter geschehen könnte, so sähe man, daß es hier durchaus an bestimmte Regionen gebundene zeitliche Entwicklungen gibt.

Mystische Frauen scheinen uns erst in nachbernhardischer Zeit, also ab der 2. Hälfte des 12. Jahrhunderts, zu begegnen. Dies ist vielleicht ein Irrtum, denn das wenige, was wir über eine Aldegunde von Maubeuge († 684) wissen, läßt die Deutung zu, daß es wenigstens Vorformen schon im Frühmittelalter gegeben habe.[8] Der große Strom der Frauenmystik bricht aber erst im 13. Jahrhundert hervor, um sich bis weit in die Neuzeit hin fortzusetzen. Überwiegt in den Anfängen, bei Hildegard von Bingen (1098—1179) und Elisabeth von Schönau (1129—64), noch das Prophetentum, steht für die nächste Generation schon die Einigungsmystik im Mittelpunkt ihres Seins, die liebende Verschmelzung mit dem schönsten der Menschensöhne und der leidende Nachvollzug seines Todeswegs.

Schon seit dem frühen 13. Jahrhundert haben wir ein ganz deutliches Zentrum der Frauenmystik, nämlich die heute belgisch-niederländischen Regionen: Maria von Oignies (1177/8 bis 1213),

Odilia von Lüttich (1165—1220), Christine von St. Trond (1150—ca. 1224), Ivetta von Hoei (1157—1228), Ida von Nijvel (1199—1231), Margarete von Ypres (1216—37), Luitgard von Tongeren (1182—1246), Alix von Schaerbeck († 1250), Hadewijch (fl. 1. H. 13. Jh.), Ida von Leeuw (ca. 1201—ca. 60), Beatrijs von Nazareth (1204/5—68), Ida von Leuven (1220/30—ca. 1300), Elisabeth von Spaelbeck (fl. 2. H. 13. Jh.).[9] Beginentum und Zisterzienserorden sind die sozial-geistlichen Organisationsformen, aus denen die dortigen Charismatikerinnen kommen; dieser Raum bringt im ganzen 13. Jahrhundert bedeutende Mystikerinnen hervor.

Ebenfalls in diesem Jahrhundert breitet sich das Charisma im Gebiet des Oberrheins, im südwestlichen Deutschland aus, hier aber sind es weniger große Einzelgestalten, sondern bestimmte Klöster der Dominikanerinnen, deren Angehörige in großer Zahl von dieser neuen Spiritualität ergriffen werden: Unterlinden, Adelhausen, Oetenbach, Katharinenthal, Engelthal, Kirchberg, Töß, Schönensteinbach, Weiler. Die mystische „Bewegung" reicht in manchen der genannten Klöster ins 14. und 15. Jahrhundert.

Während der Südosten des Reiches kaum berührt wird — in Österreich sind nur Wilbirg von St. Florian (1230—89) und Agnes Blannbekin († 1315) zu nennen, in Ungarn Helena von Veszprim († 1270) —, vereinigt das sächsische Kloster Helfta drei der berühmtesten mulieres sanctae des ausgehenden Jahrhunderts: Mechthild von Magdeburg († 1282/97), Mechthild von Hackeborn (1241—99), Gertrud d. Gr. (1256—1302). Auch Elisabeth von Thüringen (1207—31), Jutta von Sangerhausen (1220—60) und Lukardis von Oberweimar (1274—1309) gehören in diesen nordöstlichen Bereich, während Christina von Retters (1269—91) und Christine von Stommeln (1233—1312) noch zur rheinischen Mystik zählen.

Im 13. Jahrhundert erwächst der Christenheit auch in der Romania eine Fülle begnadeter Frauen. Norditalien steht hier an erster Stelle, wo die Bettelorden und namentlich ihre Tertiarinnen der Mystik besonders zugewandt sind: Bona von Pisa (ca. 1156—1207), Helena Enselmini († 1230/4—42), Umiliana Cerchi (1219—46), Rosa von Viterbo (1235—52), Clara von Assisi

(1193/4—1253), Gerardesca von Pisa (1210—69), Margareta Colonna († 1280), Guglielma von Böhmen († 1282), Margareta von Cortona (1247—97), Benevenuta de Bojanis (1255—99), Vanna (Iohanna) von Orvieto (1264—1306), Clara von Montefalco (1268—1308), Angela von Foligno (1248—1309), Aldobrandesca von Siena (1249—1309), Emilia Bicchieri (1238—1314), Agnes von Monte Pulcano (1270—1317), Margherita von Città Castello (1287—1320), Margareta von Faenza († 1330).

Frankreich dagegen tritt weit zurück, abgesehen von der noch kaum als Mystikerin zu bezeichnenden Alpais von Cudot († 1211) und Marguerite von Porète († 1310) hören wir nur im „entkatharisierten" Süden von mystischen Frauen: Doucelina von Digne (1214—74), Beatrix von Ornacieux († 1303), Marguerite d'Oingt († 1310).

Das Spanien der Reconquista schweigt im ganzen Mittelalter, bis hin zur großen Theresa. Auch England ist im 13. Jahrhundert vom mystischen Strom noch nicht ergriffen.

Mit den Generationen des späten 13. und frühen 14. Jahrhunderts scheint die Welle der Frauenmystik in ganz Europa zahlenmäßig ihren Höhepunkt zu erreichen: Das 14. Jahrhundert bewahrt im wesentlichen die angedeuteten Züge: von Bedeutung sind immer noch die Klöster im Südwesten des Reiches, dazu tritt Bayern und die Schweiz: Elsbeth von Oye (1. H. 14. Jh.), Luitgard von Wittich (1291—1348), Margarethe Ebner (1291—1351), Christina Ebner (1277—1356), Elsbeth Stagel († ca. 1360), Adelheid Langmann (1312—75). Doch auch im Nordosten des Reiches finden wir eine Frau, die sich ganz der Liebe zu ihrem Heiland ergibt: Dorothea von Montau (1347—94).

Die skandinavische Mystikerin des 14. Jahrhunderts, Birgitta von Schweden (1303—73), lebte freilich viele Jahre in Italien, wo die Zahl der uns namentlich Bekannten nun aber zurückzutreten scheint: Clara von Rimini (1280—1346), Michelina von Pesaro († 1356), Sibyllina von Pavia (1287—1367), Katharina von Siena (1347—80), Katharina Colombini († 1387).

Frankreich bleibt wenig berührt: Flora von Beaulieu (ca. 1300—47), Johanna von Maillé (1331—1414). England kennt nun seine erste Mystikerin: Juliana von Norwich (E. 14., A. 15. Jh.), denn Christina von Markyate († nach 1154) kann noch kaum als solche angesprochen werden.

Das bis ins frühe 14. Jahrhundert so reiche flämisch-niederländische Gebiet tritt nun zurück. Bekannt sind Heylwighe Bloemardinne (ca. 1260—1335), Gertrud von Oosten (1300—58) und Brigida von Holland († ca. 1390).

Im 15. Jahrhundert finden sich hier einige „mystische" Frauenklöster der Devotio Moderna und Lidwina von Schiedam (1380—1433). In Deutschland wird noch von Begnadeten in einigen Dominikanerinnenkonventen berichtet; die Zahl der Einzelpersonen ist gleicherweise geringer als im 14. Jahrhundert: Elisabeth von Reute (1386—1420), Margareta Beutlerin († 1428), Alijt Bake († 1455), Magdalena Beutlerin (1407—58), Ursula Haider (1413—98), Christina von Hamm (2. H. 15. Jh.).

Dagegen bringt das Italien der katholischen Reform wiederum zahlreiche bedeutende Namen hervor: Ursulina Venerii (1375—1408/10), Maria Mancini (1350/5—1431), Francesca von Rom (1384—1440), Rita von Cascia († 1457?), Helena von Udine († 1458), Katharina von Bologna (1413—63), Eustochia Calafato (1434—85), Veronika von Binasco (1445—97), Clara von Foligno († 1500), Columba von Rieti (1467—1501), Osanna von Mantua (1449—1505), Caecilia von Ferrara († 1507), Katharina von Genua (1447—1510), Paula Montaldi (1443—1514), Clara Bugni (1471—1514), Camilla Baptista Varani (1458—1524/7), Stefana Quinzani (1457—1530), Ludovica degli Albertoni (1474—1533), Lucia von Narni (1476—1544), Dominica da Paradiso (1473—1553).

Aus Frankreich kennen wir dagegen nur Coletta Boilet (1381—1447), aus Egland Margery Kempe (1373—1440). Die meisten Charismatikerinnen der frühen Neuzeit werden ebenfalls der Romania angehören, auch der in die Neue Welt verpflanzten.

Diese rasche Überschau hatte vor allem das Ziel, deutlich zu machen: Die Frauenmystik des Mittelalters ist eine gesamteuropäische Erscheinung, fast alle Völker der katholischen Christenheit haben, in verschiedener Zahl in den einzelnen Perioden jener Epoche, ihre mystisch begabten Frauen hervorgebracht. Dies sollte betont werden, da die Forschung sich bisher fast ausschließlich in eng begrenzt nationalem oder ordensgeschichtlichem Rahmen bewegte, nicht selten das als ein spezifisch eigenes Phänomen betrachtend, was — in seiner Eigenheit, aber sehr verwandten Eigenheit — auch sonst im Abendland zu finden war.

So viele Namen, so viele Schicksale, so viele Menschen. Wenn wir die Mystikerinnen jener fernen Jahrhunderte ernst nehmen als Persönlichkeiten, so ist ihnen bei aller individuellen Verschiedenheit doch gemein, daß sie so sehr liebten und litten, da sie das vornehmste Ziel verfolgten, das dem Menschen auferlegt und geschenkt ist: Gott zu suchen.

Nicht eine unter ihnen gibt es, über deren Leben man nicht jene Worte des hl. Augustinus hätte schreiben mögen: Inquietum est cor nostrum, donec requiescat in te[10]. Ist dies nicht der Kernsatz jeder christlichen Mystik?

Bibliographie

Eine hinreichend ausführliche Zusammenstellung der europäischen Mystikerinnen (und Mystiker) des Mittelalters fehlt. Viele der genannten Personen sind in die entsprechenden Nationalbiographien sowie in die allgemeinen theologischen Nachschlagewerke aufgenommen; z. B. Lexikon für Theologie und Kirche, Freiburg ²1957 ff.; Dictionnaire d'histoire et de géographie ecclésiastique, Paris 1912 ff.; Dictionnaire de spiritualité ascétique et mystique, Paris 1932 ff.; Bibliotheca Sanctorum, Rom 1961 ff.

Besonders hinzuweisen ist auf die Artikel im Lexikon des Mittelalters, München 1977 ff.

Für *Deutschland* existiert eine umfassende Bibliographie: Gertrud Jaron Lewis, Bibliographie zur deutschen mittelalterlichen Frauenmystik, Berlin 1984. — Für den *belgisch-niederländischen* Raum sind heranzuziehen: Stephanus Axters, Geschiedenis van de vroomheid in de Nederlanden, Antwerpen 1950 ff., und Alcantara Mens, De „kleinen armen van Christus" in de brabants-luikse Gewesten, Ons Geestelijk Erf 36, 1962, 282—331. — Für *Italien* vergleiche man Massimo Petrocchi, Storia della spiritualità italiana, Rom 1978 ff., sowie bes. die Aufsätze von A. Benvenuti Papi und C. Frugoni in: Temi e problemi nella mistica femminile trecentesca, Todi 1983, 107—136, 137—180.

Für *Frankreich* scheint jede Zusammenfassung zu fehlen, doch liegt dem Verfasser das Material für eine solche vor. — Über die Mystikerinnen

Englands handeln zahlreiche Beiträge in den Akten der an der University of Exeter stattfindenden und dort publizierten Mystikkongresse seit 1980. Die laufende Bibliographie enthält das 14th-Century English Mystics Newsletter der University of Iowa, 1975 ff., künftig: Mystics Quarterly.

Zahlreiche der visionär begabten Mystikerinnen sind bei PeterDinzelbacher, Vision und Visionsliteratur im Mittelalter, Stuttgart 1981, genannt, nur die allerbekanntesten in dem Sammelband Medieval Women Writers, ed. Katharina M. Wilson, Athens, Georgia 1984.

Zur Hintergrundsinformation über die Stellung der Frau im Mittelalter allgemein sei nur auf folgende jüngere Arbeiten verwiesen: C. Erickson, K. Casey, Women in the Middle Ages: A Working Bibliography, Medieval Studies 37, 1975, 340–359; The Role of Women in the Middle Ages, ed. R. Tr. Morwedge, New York 1975; Women in medieval Society, ed. Susan M. Stuard, Pennsylvania 1976; Cahiers de civilisation médiévale 20/2–3, 1977 pass.; Frances u. Joseph Gies, Women in the Middle Ages, New York 1978; St.-Gertrud-Symposium: Women in the Middle Ages, ed. Birte Carlé, København 1980; Idee sulla donna nel medioevo, ed. Maria C. De Matteis, Bologna 1981; Shulamith Shahar, Die Frau im Mittelalter, Königstein 1981 u.ö.; Adriana Valerio, La questione femminile nei secoli X-XII, Napoli 1983.; Angela M. Lucas, Women in the Middle Ages, Brighton 1983; Edith Ennen, Frauen im Mittelalter, München 1984; Distant Echos. Medieval Religious Women, ed. J. Nichols, M. T. Shanka, Kalamazoo 1984 ff.; Peter Ketch, Frauen im Mittelalter, Düsseldorf 1983/84.

Anmerkungen

[1] Dieser Vortrag wurde zur Einleitung der Tagung „Frauenmystik im Mittelalter" gehalten. Da es zu diesem Thema m. W. kaum regional zusammenfassende und schon gar keine gesamteuropäischen Arbeiten gibt, versteht es sich von selbst, daß er, sowohl was die genannten Charakteristika als auch besonders die Vollständigkeit der aufgezählten Personen betrifft, nur ein vorläufiger Versuch sein kann. Die Lücken dürften für den von hier aus bibliographisch schwer bearbeitbaren italienischen Raum am größten sein. Berücksichtigt werden im allgemeinen nur namentlich bekannte Mystikerinnen.
[2] Cant. 2,5.
[3] Ps. 83,3. Acta Sanctorum Juni V, 1867, 548 D-F, gekürzt, eigene Übersetzung.
[4] Cf. André Vauchez, La sainteté en Occident aux derniers siècles du moyen âge, Rom 1981, 472 ff., 608 ff., bes. 612, u.ö.; Michael Goodich, Vita perfecta. The Ideal of Sainthood in the 13th Century, Stuttgart 1982, 182 ff.; — H. v. Hentig, Über das

Indiz der Tränenlosigkeit im Hexenprozeß, Schweizerische Zs. f. Strafrecht 48, 1934, 368—81.

[5] Mgr Gay, zitiert im Dictionnaire de Théologie Catholique VI/1, 1333.

[6] Cf. P. Dinzelbacher, Das politische Wirken der mittelalterlichen Mystikerinnen in Kirche und Staat (unveröffentlichtes Manuskript).

[7] S. u. S. 391 ff.

[8] Jedem Kenner der mittelalterlichen Geistes- und Mystikgeschichte wird diese Vermutung befremdlich erscheinen, daher die Belege: Aldegunde hat zahlreiche „tam mirabiles et pene inauditas visiones", die sie selbst aufzeichnete; Christus schaut sie „in specie pueri speciosissimi", führt vertrauliche Gespräche mit Engeln und Teufeln, „rapitur inter choros caelestium" usw. Vita anonyma, Acta Sanctorum Jan. II, 1643, 1034 ff. Dies sind alles Züge, die dauernd bei spätmittelalterlichen Visionärinnen auftauchen, aber für das 7. Jahrhundert ganz ungewöhnlich sind. Die Vita datiert aus der 1. Hälfte des 9. Jahrhunderts, wohl unter Verwendung ihres Revelationsbuches, cf. M. van Uytfanghe, Aldegundis, Lexikon d. Mittelalters I/2, 344.

[9] Cf. Anm. 1.

[10] Confessiones 1,1.

Elisabeth Gössmann

DAS MENSCHENBILD DER HILDEGARD VON BINGEN UND ELISABETH VON SCHÖNAU VOR DEM HINTERGRUND DER FRÜHSCHOLASTISCHEN ANTHROPOLOGIE

Meine Aufgabe ist es, das Menschenbild zweier Mystikerinnen des 12. Jahrhunderts vorzustellen, die in der gleichen historischen Situation mit wachem Geist auf ihre Umwelt reagieren, die persönlich miteinander verbunden sind durch einen Briefwechsel, wobei die jüngere es gegenüber der älteren an Bewunderung nicht fehlen läßt, während umgekehrt Hildegard gegenüber Elisabeth einen leicht kritischen Ton anschlägt.[1] Beiden ist auch der Stil von Visionsbeschreibung und belehrender Visionserklärung gemeinsam, wobei man die Visionen Elisabeths, selbst wenn sie vom Himmel zur Erde reichen, mit liebevoll ausgemalten, vielfarbigen Miniaturen vergleichen könnte, während diejenigen Hildegards, obwohl in Form von Buchmalerei erhalten, eher großflächigen, Wände füllenden Mosaiken ähnlich sind, wenn überhaupt ein solcher Vergleich von Nutzen ist.

In der Erfahrung ihrer Visionen jedoch sind beide Frauen voneinander total verschieden, sofern Elisabeth sich expressis verbis viele Male zu ekstatischen Zuständen bekennt, Hildegard aber ein Erlöschen des Tages- und Umweltbewußtseins durch ihre Visionen entschieden für sich bestreitet. Mit einer an Routine grenzenden Häufigkeit sagt Elisabeth von sich, sie sei collapsa in extasim oder ab extasi in extasim gegangen – wogegen nach anfänglicher Ignorierung der entgegengesetzten Beteuerungen Hildegards die Forschung auf der einen Seite bei ihr die Mystik in Frage zu stellen geneigt ist[2], auf der anderen jedoch, um es mit P. Dinzelbachers Worten zu sagen, Hildegard als die einzige nichtekstatische Visionärin des Hochmittelalters anerkannt wird[3], man also in der Mystik zwischen Visionen in und solchen ohne Ekstase unterscheidet. Ekstase gilt also hier nicht als das notwendige Merkmal von Mystik.

24

Unter den von E. Benz unterschiedenen Visionsarten trifft die der Lehrvision insofern am deutlichsten auf Hildegard zu, als diese in die als Audition gekennzeichneten Visionserklärungen ganz eindeutig ihre eigene Lehre in Form von Stellungnahmen zu frühscholastischen Fragestellungen einfließen läßt, während Elisabeth mehr dem prophetisch-offenbarungsmäßigen Visionstyp zuneigt, zumal sie sich auch berufen fühlt, Lücken zu füllen, die historische Quellen offenlassen.

Für unseren Zusammenhang ist es wichtig, daß beide Frauen, ebenso wie später Mechthild von Magdeburg, aber im Gegensatz zu Gertrud der Großen und Mechthild von Hackeborn, ihre Weiblichkeit thematisieren.[4] Hildegard bezeichnet sich bekanntlich als mulier paupercula, auch als simplex homo, und Elisabeth, ebenfalls als „inerudita et latine locutionis nullam vel minimam habens periciam"[5] bezeichnet, rechnet sogar damit, daß viele ihre Visionsbeschreibungen für „muliebria figmenta" halten, wogegen sie ihr prophetisches Selbstbewußtsein anführt[6].

Die Thematisierung der eigenen Weiblichkeit, die das zeitgenössische Stereotyp von der weiblichen Schwäche geschickt benutzt, um es umzupolen im Sinne des Autoritätsgewinns für Frauen, da Gott die Schwachen erwähle, um durch sie die Starken zu beschämen, wird noch unterstützt durch männliche Interpreten. Im Falle Hildegards ist es die Biographie der Mönche Gottfried und Theoderich[7], die sie der alttestamentlichen Richterin und Prophetin Deborah an die Seite stellt, während es bei Elisabeth der Bruder Ekbert ist, der ihre Visionen niederschreibt bzw. redigiert und in der Einleitung ihres zweiten Visionsbuches[8] darauf hinweist, daß „in his diebus" — also sieht er es als besonderes Zeichen seiner Zeit an — Gott vor allem „in sexu fragili" seine Barmherzigkeit offenbare, was jedoch denjenigen, die sich in der Welt für groß halten, ein Skandalon sei.

Alles dieses deutet darauf hin, daß der Begriff Mystik bei vielen weiblichen Autoren weiter zu fassen ist als bei männlichen, obwohl ihre Werke die spezifischen Kennzeichen mystischen Schrifttums durchaus teilen, wenn auch in verschiedener Weise. Da es für Frauen nicht möglich war, als Autoritäten in der theologisch-philosophischen Gelehrsamkeit aufzutreten, suchten sie nach anderen Wegen, ihre Meinung zu den in ihrer Zeit heiß diskutierten Themen beizutragen, politischen Einfluß zu nehmen und Zeitkritik zu üben. Sie fanden dazu Gelegenheit vor allem bei der Ausdeutung ihrer Visionen. Die Mystik der Frauen ist daher durchsetzt von didaktischen, moral- und geschichtsphilosophischen Passagen, die in ähnlicher Weise in außermystischen Werken ihrer männlichen Zeitgenossen auch vorkommen. Denn allein der als Offenbarung erlebte visionär-mystische Bereich war den Frauen zugestanden, aus ihm legitimierten sie daher ihr prophetisches Sprechen, da sie vom offiziellen Lehramt ausgeschlossen waren.

Während die Frauen es nötig haben zu betonen, daß ihre Werke eigentlich von Gott geschrieben sind, daß sie selbst nur die unwürdigen Werkzeuge seien, können Männer im eigenen Namen ihre Anschauungen über das Wirken Gottes in der Geschichte darstellen. Dies berücksichtigend, hat Alois Dempf Hildegard von Bingen dem Geschichtssymbolismus zugerechnet, wie er ähnlich auch von vielen anderen Autoren des 12. Jahrhunderts vertreten wurde.[9]

Bei Hildegard, die den Vulgatatext der Bibel kennt, der die lateinischen Kirchenväter vertraut sind und die sogar in lateinischer Sprache zu predigen verstand, muß man mit H. Grundmann[10] annehmen, daß sie ihre literarische Bildung bewußt herabsetzte, um als ungebildete Prophetin zu gelten. Ähnliches läßt sich von Elisabeth von Schönau sagen, die, unbekümmert um den Widerspruch zu ihrer Beteuerung des Ungelehrtseins, verschiedentlich ihre Lesungen der Psalmen und der Passion Christi erwähnt, ganz abgesehen einmal von allem, was wir über das Curriculum der septem artes liberales auch in weiblichen Benediktinerklöstern wissen.

Ich stelle an diese beiden Mystikerinnen des 12. Jahrhunderts die von der gegenwärtigen philosophie- und theologiehistorischen Frauenforschung inspirierte Frage, ob sie das in der zeitgenössischen Frühscholastik vertretene Frauenbild übernehmen, sich damit identifizieren oder aber es zu korrigieren bzw. zu unterwandern versuchen. Daher muß — leider mit allzu großer Vereinfachung — das frühscholastische Menschenbild kurz vor Augen geführt werden. Ich bediene mich dazu einer Abhandlung von

Marie-Thérèse d'Alverny, Comment les Théologiens et les Philosophes voient la Femme.[11]

Die Sentenzenbücher und Bibelkommentare oder auch schon Summen aus der Zeit der Frühscholastik bearbeiten anthropologische Themen vorwiegend anhand folgender biblischer Stellen: Gen 1,27 (Erschaffung des Menschen bzw. der Menschheit in beiden Geschlechtern nach dem Bild Gottes); Gen 2.3 (Sondererschaffung der Frau aus dem Mann, Sündenfall, Strafe); 1 Kor 11,2ff. (absteigende Hierarchie Gott-Christus-Mann-Frau); Kol 3,18f.; Eph 5,21—33; 1 Petr 3,1—7; 1 Tim 2,8—14; Tit 2,3—5 („Haustafeln" etc.).

Rezipiert wird von den Frühscholastikern aus der patristischen Anthropologie vor allem Ambrosius mit seiner wahrscheinlich durch eine zu seiner Zeit verbreitete und für die Frau positive Bibelinterpretation angeregten Polemik gegen eine Privilegisierung der Eva durch ihr Geschaffensein im Paradies. In De paradiso führt Ambrosius aus, daß die vollkommenere Art ihrer Erschaffung die Frau nicht davor bewahrt habe, als erste verführt zu werden, wogegen der unter ungünstigeren Bedingungen geschaffene Mann sich als der Überlegene erweise. Das Mittelalter wiederholt diese Polemik, auch noch im 13. Jahrhundert. Ambrosius hat zudem von Philon von Alexandrien den folgenschweren Vergleich des Mannes mit dem nous und der Frau mit der aisthesis übernommen, den auch Augustinus im Sinne einer allegorischen Vertiefung der Geschlechterhierarchie übernimmt: Der Geist herrscht über die sinnliche Wahrnehmungsfähigkeit wie der Mann über die Frau. Bei solchem allegorischen Sprechen (De vera religione, De genesi contra Manichaeos) ist zwar nie vergessen, daß ratio und sensualitas zu jedem menschlichen Individuum gehören, ob männlich oder weiblich, aber dennoch kann es nicht ausbleiben, daß derartiges dazu beiträgt, im Menschenbild den negativen Pol dem weiblichen Geschlecht zuzuschreiben.

Dagegen überliefern die augustinischen Schriften De genesi ad literam und De trinitate auch Gleichheitselemente: Mann und Frau sind nach dem Bild Gottes erschaffen, aber der Mensch ist nur dort imago Dei, „ubi sexus nullus est"[12], Leiblichkeit und Geschlechtlichkeit sind also von der Gottbildlichkeit ausgespart. Die imago Dei in der menschlichen Seele besteht im trinitätsähnlichen Auseinander-Hervorgehen der Seelenkräfte: Intelligentia aus memoria wie der Sohn aus dem Vater, und voluntas aus memoria und intelligentia wie der Geist aus Vater und Sohn, und hier gibt es die Gleichheit von Mann und Frau. Hinzu kommt bei Augustinus die mystische Deutung der Evaserschaffung, nach der die Bildung der Frau aus der Seite des Mannes dem Hervorgang der Kirche aus der Seitenwunde Christi entspricht.

Entgegen der späteren Tradition betont Augustinus die Gleichheit der Verantwortung von Mann und Frau beim Sündenfall, wogegen die Strafe der Frau für ihn eine Verschärfung der ursprünglich um der Liebeseinheit willen von ihr geleisteten freiwilligen Unterordnung zu einer der Sklaverei vergleichbaren Dienstbarkeit bedeutet. Aber immerhin: „Maritum habere dominum meruit mulieris non natura, sed culpa."

Hieronymus wird für das Mittelalter einflußreich mit einer starken Antithese, einerseits seinem Sammelbecken antiker Antifeminismen in Adversus Jovinianum, andererseits seiner Einbeziehung theologisch gebildeter, sprachenkundiger Frauen in seine wissenschaftliche Arbeit, so daß noch mittelalterliche und frühneuzeitliche Frauen sich deren Gelehrsamkeit zum Vorbild genommen haben.

Isidor von Sevilla überliefert dem Mittelalter die Ableitung des Wortes vir von vis und virtus bzw. des Wortes mulier von mollities und mutabilitas und seine Lehre von der Unterordnung der Frau durch die lex naturae. Der Name Eva wird in der Ableitung aus vita und vae sowohl als Heil wie als Unheil für den Mann gedeutet.

Wie stellen sich die Frühscholastiker nun zu diesen überkommenen Lehren, und wie entwickeln sie sie weiter zu jenem Menschenbild, das die zeitgenössischen Frauen zur Identifizierung bzw. Auseinandersetzung herausfordert?

Befürworter der Gleichheit der Geschlechter unter der Voraussetzung „si homo non peccasset" finden sich nur verschwindend wenige, etwa ein Rupert von Deutz und ein Andreas von St. Viktor, der über Eva sagt: „Forsitan par illi futura esset, si peccandi auctor non fuisset." Damit fällt bereits das in den Augen der Theologen am meisten die Frau belastende Stichwort: peccandi auctor, und es scheint fast, daß bei manchen Frühscholastikern diese Schmach der Eva zurückwirkt auf die Bestimmung des geschöpflichen Seins der Frau, denn zahlreiche Autoren der Frühscholastik sprechen ihr nicht in gleicher Weise wie dem Mann die imago Dei zu, was mit 1 Kor 11,7 begründet wird. Sicher spielt dabei aber auch die ursprünglich philonische Unterscheidung von männlichem Geist und weiblicher Sinnlichkeit eine Rolle, weil diese Allegorie die Frau von dem Bereich abrückt, in dem nach augustinischer Tradition die imago Dei als Interaktion von memoria, intelligentia, voluntas oder mens, notitia, amor etc. sich abspielt. So finden sich auch Autoren, die nach Gen 1,27 dem Mann die imago, der Frau jedoch nur die similitudo Dei zusprechen, z. B. Abaelard in seinem Hexaemeron-Kommentar, ein Schema übrigens, das anderwärts mit der von Scotus Eriugena in De divisione naturae vertretenen Anthropologie zusammenhängt, wonach das Frausein nicht nur durch emanatio aus dem männlichen Menschsein stammt, sondern auch durch eschatologische reductio in dieses zurückgenommen wird. Hier wird Hildegard von Bingen ähnlich wie später Thomas von Aquin sich noch ein bedeutsames Wort der Mitsprache vorbehalten.

Ansätze dafür, daß auch das Mittelalter schon vom rein männlichen Gottesbild abgerückt ist, finden sich bei Alanus de Insulis, der die Frau mit der verlorenen Drachme im lukanischen Gleichnis (Luk 15,8—10) auf Christus als die Sophia Gottes deutet, da er gekommen ist, das Verlorene zu retten. Auch hier geht Hildegard noch einen Schritt weiter. Der Preis auf die starken und heiligen Frauen der Bibel findet sich bei vielen Frühscholastikern, er ist jedoch gerade dadurch gekennzeichnet, daß die Leistung dieser Frauen abgehoben wird von der Schablone der Schwäche der weiblichen Natur, die zu überwinden im Gegensatz zur Durchschnittsfrau diesen wenigen Exemplaren weiblichen Menschseins gelungen sei, weshalb man in Patristik und Scholastik des öfteren der virgo bescheinigt, sie habe ihr Geschlecht transzendiert und sei dem vir in seiner virtus gleich geworden.

Über die Schwäche der Frau äußern sich besonders die Moralisten wie Petrus Comestor z. B. mit seiner Behauptung, bei der Frau sei der Widerstreit zwischen Fleisch und Geist größer wegen der Schwachheit ihres Fleisches, oder auch Radulphus Ardens mit seiner ironischen Frage, ob so sehr entgegengesetzte Termini wie mulier und fortis überhaupt zusammensetzbar seien.

Auch Liturgiker lassen sich die Schwäche der Frau bei ihren allegorischen Interpretationen nicht entgehen, wie etwa Honorius in seiner Gemma animae, der dem starken Geschlecht im Kirchenraum die Südseite zuweist, da es fähig sei, die Hitze der Versuchung zu überstehen, während das schwache Geschlecht aus entsprechendem Grund mit der Nordseite vorliebzunehmen hat.

Hugo von St. Viktor weitet den philonischen Vergleich auf drei Glieder aus, indem er dem Mann die Symbolik der ratio superior, der Frau die der ratio inferior und der Schlange die der sensualitas zukommen läßt. So rückt einerseits die Frau „einen Platz höher", andererseits aber nimmt sie bei dieser allegorisch-psychologischen Rekonstruktion des Sündenfalls als Verführerin der ratio superior eine Schlüsselstellung ein. Bei jeder Sünde — so spekuliert die Hochscholastik weiter — geht immer der Antrieb von der Schlange über die Frau zum Mann.

Im übrigen greift Hugo von St. Viktor eher die Gleichheitsaussagen von Augustinus auf, wie etwa das berühmte „nec domina, nec ancilla, sed socia" und die Lehre von der gleichen Verantwortung von Mann und Frau beim Sündenfall. Dem stimmt auch Alanus zu, während der einflußreiche Sentenzenmeister Petrus Lombardus der Meinung zuneigt, die Sünde Evas sei größer als die Adams, womit er die theologische Zukunft bestimmt.

Man kann also die scholastische Anthropologie, weil sich in ihr Gleichheits- und Hierarchiemodelle gegenseitig durchdringen, in ihrer Intention zumindest als ambivalent bezeichnen, wenn nicht als frauenfeindlich. Daß überhaupt Elemente der Gleichheit vorkommen, beruht auf theologischen und nicht philosophischen Gründen, nämlich der Lehre von der Erschaffung beider Geschlechter durch Gott und von der Erlösung beider Geschlechter durch Christus.

Wenden wir uns nun dem Menschenbild Hildegards von Bingen zu, wie es sich in ihrer Visionstrilogie von Scivias, Liber vitae meritorum und De operatione Dei entfaltet. Die naturkundlichen, nicht im Visionsstil geschriebenen Werke müssen hier leider unberücksichtigt bleiben, obwohl sie den gleichen schöpfungstheologischen Ansatz zeigen.

Des ersten Buches zweite Schau von Scivias, die den weiblichen Pol in Gestalt einer weißen Wolke darstellt, die aus der Seite einer wunderschönen Mannesgestalt hervorgeht und zahlreiche Sterne als Sinnbild der künftigen Menschheit in sich trägt, hat zum Thema den Ursprung des Bösen. Ein finsterer Nebel aus dem Schlund der Unterwelt verjagt die Mannesgestalt mitsamt der sternenträchtigen hellen Wolke aus dem lichtdurchfluteten Paradiesesland, versetzt die Elemente der Erde in Aufruhr und stört ihre Harmonie, so daß sie zu zerstörerischen Mächten werden.

Dieses schnell überschaubare Meditationsbild, so möchte ich es einmal nennen, wird zum Anlaß einer langen, im Ich Gottes gesprochenen Abhandlung über das Verhältnis der Geschlechter und den Einbruch von Schuld in die zwischenmenschlichen Beziehungen. Moralische Verhaltensweisen werden daraus abgeleitet. Wenn in der Sekundärliteratur das Frauen- bzw. Menschenbild Hildegards angesprochen wird, so nimmt man meistens diesen Text als Ausgangspunkt und zeichnet die Weisungen Hildegards mit recht patriarchalischen Linien nach.[13]

Aber bei genauerem Zusehen hält unsere mulier paupercula auch hier schon ihre zunehmend befolgte Methode ein, das gängige Menschenbild erst einmal zu repetieren und dann durch eigene Nuancierungen zu verändern. Allerdings springen auf den ersten Blick die Übereinstimmungen mit scholastischer Theologie ins Auge, wenn es z. B. heißt, daß der durch den Nebel aus dem Abgrund versinnbildete Teufel zuerst die sternenträchtige Wolke anfällt, weil für ihn die Schwäche des Weibes leichter zu besiegen sei als die Stärke des Mannes und dieser wegen seiner Liebe zur Frau ihrem Rat nicht widerstehen könne. Die Erstverführung der Eva und ihr Verführen des Mannes werden also repetiert, wenn auch nicht mit der bei männlichen Theologen häufig anzutreffenden Unterschiebung bösartiger Motive.[14]

Die Mystikerin entwickelt nun ihre natursymbolische Anthropologie in Form von Bibelauslegung: Wie die Härte des Steins sich der Weichheit der Erde eingräbt, so ist die Frau sub potestate viri[15], was eine Variation ihrer Redeweise von der Stärke des Mannes

und der Schwachheit der Frau darstellt, nun gegenüber der Ver-
führungssituation merklich ins Positive gewendet, da die Funktion der Geschlechter bei der procreatio der Kinder gemeint ist.
Daß die Frau „viro subiecta" ist, hat den ganz konkreten Sinn „in
qua ipse semen suum seminet"[16]. Die Frau als der weiche Ackerbo-
den, der den Samen aufnimmt, ist zwar ein Bild, das heutigen
Menschen als misogyn erscheinen mag, bei Hildegard jedoch darauf zielt, geschlechtliche Vorgänge in ihrer schöpfungsmäßigen
Würde zu beschreiben, was insbesondere ihre naturkundlichen
Schriften erweisen. „Qui mulierem de viro tulit, coniunctionem
istam bene et honeste instituit [. . .] Quapropter ut Adam et Eva
caro una exstiterunt, sic et nunc vir et mulier caro una in coniunc-
tione caritatis [. . .] efficiuntur."[17]

Wer scholastische Moraltheologie und insbesondere Ehetrak-
tate kennt, weiß, daß diese zum überwiegenden Teil nicht fähig
sind, über die geschlechtliche Beziehung als Gottes gute Schöpfung und als Ausdruck von caritas zu sprechen. Hier hebt sich Hildegard sehr von ihren männlichen Zeitgenossen unter den Theologen ab, wenngleich auch bei diesen Ausnahmen vorkommen,
wie etwa die ebenfalls auf der Liebe fundierte Ehelehre Hugos von
St. Viktor.

Hildegards Ehetraktat wird aber auch dafür angeführt, daß sie
getreu der kirchlichen Tradition nicht nur die Verführung des
Mannes durch die Frau, sondern auch die Gehorsamspflicht der
Frau betone, da bei ihr die Worte „potestas viri" und „subiectio
mulieris" fallen. Wie sieht es nun damit aus?

Ohne Zweifel ist sie für ein lebenslängliches Beisammensein
von Mann und Frau, aber in der Lösung von Konflikten gibt sie
nicht der Frau die Schweige- und Dulderolle, sondern der Frau das
gleiche Recht, derartiges öffentlich auszutragen: „Maritus autem
de uxore et uxor de marito coram Ecclesia et praelatis ipsius de
transgressione coniunctionis suae secundum iustitiam Dei conqueretur."[18]

Vor allem aber betont Hildegard die positive Zusammenarbeit
von Mann und Frau, die Angewiesenheit beider auf einander. Daher wagt sie es auch, Paulus in 1 Kor 11,9 ergänzend zu korrigieren: „Mulier propter virum creata est, et vir propter mulierem fac-

tus est."[19] Wie in der gesamten Schöpfung verschiedenartige Kräfte ex divina dispositione einander zur gemeinsamen Wirkung zugeordnet sind, so versteht Hildegard auch die cooperatio des Männlichen und Weiblichen in diesem kosmischen Rahmen.

Von der zeitgenössischen Lehre, daß die Erbsünde durch den konkupiszentiellen Zeugungsakt übertragen werde, hat sie sich jedoch nicht befreien können, da diese unter den Theologen allgemein vertreten wurde.[20] Daher zieht sich die Spannung zwischen Geschlechtlichkeit als Gottes guter Schöpfung und als Gefahrenquelle und Perversion durch ihr ganzes Werk, indem sie versucht, mit ihrer Unterweisung die Menschen vom incendium libidinis ab- und zur durch Christus heilen Schöpfung hinzubewegen: „Nam a lapsu Adae non inveni in humano semine iustitiam quae in eo esse debuit [. . .] Idcirco misi Filium meum in mundum sine ullo peccato de Virgine natum."[21] Jungfräulichkeit ermöglicht nach Hildegard gute Ehen, so wie diese wiederum auch den Nachwuchs an jungfräulichen Menschen sichern, was Hildegard als zehntes Kind und von ihren Eltern zum Klosterleben bestimmte Tochter — mit späterer eigener Zustimmung — erfahren hat.

Daß die Gottebenbildlichkeit als imago et similitudo Dei beide Geschlechter betrifft, ist schon hier in der 2. Vision von Scivias eine Selbstverständlichkeit, aus der die Hildegard folgert, daß der mehr als alle andere Kreatur gottähnliche Mensch seine Würde nicht ohne Anfechtung behaupten kann. „O stulti homines, hoc quod ad imaginem et similitudinem Dei factum est, quomodo sine probatione posset subsistere?"[22]

Damit ist das Thema der gebrochenen und restituierten bzw. durch die Inkarnation intensivierten Gottebenbildlichkeit des Menschen angesprochen. Der befreite Mensch, so heißt es in dieser Vision, „fulget in Deo, et Deus in homine".[23] Erst jetzt leuchten die in der weißen Wolke verborgenen Sterne so recht. Man denkt an Hildegards von Dante wiederholte Trinitätsvision[24], die 2. Vision des 2. Buches von Scivias, wenn sie hier zu Beginn des 1. Buches sagt: „Deus in homine et homo in Deo per Filium Dei apparuit."[25]

Die bereits angeklungene Thematik von der Stärke des Mannes und der Schwachheit der Frau zieht sich durch die drei Visionsschriften Hildegards. Bei ihrer Beschreibung der eschatologischen Wirren in De operatione Dei wird die männliche Stärke im negativen Sinne als Vergleich gebraucht: „Sicut enim vir fortitudine sua femineam mollitiem vincit, [. . .] ita et crudelitas quorundam hominum quietem aliorum in diebus illis [. . .] consumet."[26] Für die der Grausamkeit parallel gesetzte fortitudo viri als Negativsymbol wird sich so leicht keine Entsprechung bei männlichen Autoren finden lassen. Ähnlich ist im Liber vitae meritorum die allegorische Gestalt der superbia von Hildegard mit weiblichem Gesicht, aber männlicher Brust geschaut, als Sinnbild für die mit diesem Laster verbundene Aufgeblasenheit, die sie an Männern zu beobachten Gelegenheit gehabt haben muß. „Et pectus virile habet [sc. superbia], quoniam tumorem vanae magnitudinis in corde suo semper gerit."[27]

Entsprechend wird auch die Schwäche der Frau nicht nur wie im zeitgenössischen scholastischen Menschenbild negativ gedeutet, sondern bei aller weiblichen Selbstkritik, die einen solchen Gebrauch auch bei Hildegard mit sich bringt, durch positive Prädikate wie zart, weich und agil ergänzt. Sie wird mit einer der sieben Geistesgaben, der Gottesfurcht, in Beziehung gebracht, von wo der Weg nicht weit ist zur sapientia. „Deus feminam ita constituit, ut timorem ad ipsum, timorem etiam ad virum suum habeat. Unde iustum est quod mulier semper timida sit. Ipsa domus sapientiae est, quoniam terrestria et coelestia in ipsa perficiuntur. Nam in altera parte homo per eam procedit, in altera autem bona opera cum verecundia castitatis in ipsa apparent."[28] In diesem „Frauenlob" faßt Hildegard das Werk der Mütter und das der jungfräulich lebenden Frauen unter dem Symbol „Haus der Weisheit" zusammen.

Nicht nur in bezug auf ihren eigenen mystisch begründeten Auftrag, sondern ganz allgemein sagt Hildegard, daß aus der weiblichen Schwäche Starkes hervorgehen kann. Im Liber vitae meritorum zeichnet sie folgende Parallele zwischen der Frau und Christus als Erlöser: „Ipse etiam Deus virum fortem et feminam debilem creaverat, cuius debilitas mundum generavit. Et divinitas fortis est, caro autem filii Dei infirma, per quam mundus in priorem vitam recuperatur."[29] Die Ähnlichkeit liegt für Hildegard darin, daß aus der Schwäche der Frau ebenso wie aus der Schwäche des menschgewordenen Gottessohnes Leben hervorgeht. Die Frau-Christus-Parallele erscheint in Hildegards Werken unter verschiedenen Gesichtspunkten.

Weil die Schwache das Starke hervorbringt, kommt es auch vor, daß Hildegard die Frau selbst stark nennt, wie etwa in folgendem Text aus De operatione Dei: „[Deus] creavit hominem, masculum scilicet maioris fortitudinis, feminam vero mollioris roboris."[30] Hildegard will damit sagen, daß die von ihr geschätzte Lieblichkeit und Zartheit der Frau durchaus mit Kraft verbunden ist. Der Vergleich der Stärke des Mannes mit der Härte des Steins, der Weichheit der Frau aber mit der fruchtbaren Erde findet noch andere Konnotationen, wenn Hildegard auch von der Härte des alttestamentlichen Gesetzes spricht, das der menschlichen Herzenshärte korrespondiere wie das Evangelium dem weichen Herzen des neutestamentlichen Menschen. „Deus in veteri lege duritiam hominibus proposuit, quia ad eum duritiam et non mollitiem habebant, cum postea in nova lege emollita corda eorum divina verba perciperent."[31]

Dies legt zumindest nahe, daß Hildegard die Weichheit als positiv gewertete Schwäche der Frau dem Neuen Testament zuordnet, so daß sie in diesem Sinne gegenüber dem in der negativen Seite seiner Stärke die alttestamentliche Herzenshärte versinnbildenden Mann die Vollkommenere ist.

So durchläuft jedes männliche und weibliche Stereotyp bei ihr die Skala von negativer zu positiver Wertigkeit bzw. umgekehrt, und es bedarf sehr genauen Einlesens, um jede einzelne Aussage Hildegards in der jeweils nuancierten Wertung zu verstehen.

Verschiedentlich schimmert bei Hildegard etwas von jener anderen Deutung der Schöpfungsgeschichte durch, die in Eva das privilegierte Geschöpf erblickt, jene Deutung, deren Ablehnung sich in der patristisch-scholastischen Tradition verfolgen läßt. Hildegard betont, daß die „Materie" der Evas-Erschaffung eine vornehmere war als die der Erschaffung Adams. In Causae et curae heißt es, den Händen der Frau sei ein kunstreicheres Werk anvertraut, da sie nicht wie der Mann aus Lehm in Fleisch verwandelt werden mußte.[32] In De operatione Dei sieht Hildegard die Erschaffung der Frau „non ex semine"[33] und „caro de carne" als Parallele zur Menschwerdung Christi: „Deus namque masculum de terra creavit, et illum in carnem sanguineam mutavit; sed mulier de eodem viro sumpta, caro de carne in aliud non mutanda permansit."[34] Diese Parallele besteht nur zwischen Eva und Christus, aber nicht zwischen Adam und Christus.

An einer stark allegorischen Stelle der 4. Schau von De operatione Dei sagt Hildegard von der Frau, daß sie „opera scientiae suae", also durch den Dienst oder die Mühe ihres Wissens oder ihrer Kunstfertigkeit, den Mann zu bedecken vermöge – vielleicht eine Anspielung auf Herstellung von Textilien? –, und die Befähigung zu diesem Dienst wird darauf zurückgeführt, daß die Frau „de carne et de sanguine plasmata est, quod vir non est".[35]

Der Dienst der Frau für den Mann ist also nach Hildegard auf eine besondere Fähigkeit zurückzuführen, die sie ihrer privilegierten Erschaffung verdankt. Die Unterordnung der Frau wird so durch Signale weiblicher Überlegenheit kompensiert.

Diese Textstelle wird eingeleitet mit den Worten, daß die Frau den Mann anblickt, „ad virum aspicit", was eine Entsprechung findet in den Worten, daß der Mann „ad mulierem respicit", also beides auf gleicher Ebene.[36] Solche starken Gleichheitsakzente sind bei Hildegard durchgehalten, obwohl sie die in Patristik und Scholastik für die Frau negativen Vergleiche der beiden Geschlechter mit Sonne und Mond, Seele und Leib beibehält. Sie identifiziert sich jeweils in umgewerteter, positiver Bedeutung mit dem Leib-, Erde- bzw. Mondsein der Frau. Gegenseitiges Angewiesensein der beiden Kräfte — „alterum ab altero sustentatur"[37] — wird in bezug auf Seele und Leib im Hinblick auf Mann und Frau folgendermaßen beschrieben: „Anima quippe carnem adiuvat, et caro animam, quia per animam et per carnem unumquodque opus perficitur, unde etiam anima cum carne bona et sancta opera faciendo reviviscit."[38] Dies heißt in der Anwendung auf die Geschlechter, daß außer dem Prototyp männlich-weiblichen Zusammenwirkens bei der Zeugung auch andere bona et sancta opera ihrem gemeinsamen Wirken entspringen. Die Untrennbarkeit von Leib und Seele in ihrem Werk ist das Gleichbild dafür, daß Mann und Frau in ihrem Werk aufeinander angewiesen sind.[39]

Das von Gott dem Mann gegebene adiutorium, „quod specula-
tiva forma mulieris fuit"[40], gibt ihm seinen Namen, so wie er ihr,
wiederum ein starker Ausdruck von Gegenseitigkeit. „Vir itaque
et femina sic adinvicem admisti sunt, ut opus alterum per alterum
est, quia vir sine femina vir non vocaretur, nec femina sine viro femina nominaretur. Femina enim opus viri est, et vir aspectus con-
solationis feminae est, et neuter eorum absque altero esse posset."[41]

Wegen dieser starken Angewiesenheit der Geschlechter auf einander ist es nicht zu verwundern, daß bei Hildegard sowohl die
Frau als auch der Mann für beide Geschlechter stehen kann und
daß der Kosmosmensch, den sie inmitten der kosmischen Kreise
mit ausgebreiteten Armen sieht, ebenfalls eine beiden Geschlechtern gemeinsame Bedeutung hat.[42]

Ganz abgesehen von den beiden weiblichen „Kollektivperso-
nen" Synagoge und Ecclesia in Hildegards Visionen ist hier an ihr
Verständnis der sapientia zu denken. Die mulier fortis (Spr 31), als
sapientia gedeutet, wird zum Prototyp auch für den männlichen
Menschen, wenn an ihr eine wohlausgewogene Synthese als
männlich wie als weiblich bekannter Eigenschaften demonstriert
wird, so daß man fast von einer Antizipation gegenwärtiger Gedanken vom integrierten, um nicht zu sagen: androgynen, Menschen sprechen kann: „Cuius sensus talis est, homo qui fidelis esse
desiderat, muliebrem levitatem abiciat, atque virilem fortitudi-
nem in specie mansuetudinis studiose quaerendo arripiat."[43]

Weder negative Weiblichkeit noch krasse Männlichkeit, sondern durch Sanftheit gemilderte Stärke sind der erwünschte Ausgleich in einem solchen, der Weisheit als mulier fortis gleichge-
stalteten Menschen.

Das entgegengesetzte Beispiel des beide Geschlechter bezeichnenden Adam kommt bei Hildegard auch vor, des Adam, den
Gott zu ewig unveränderlichem Leben bildete, der aber auf die
Schlange hörte und dennoch nicht zugrunde ging in seinem Unge-
horsam[44], weil Gott ihm in seinem Sohn eine neue potestas der
Gotteskindschaft schenkte, nämlich „omnibus hominibus utrius-
que sexus qui eum receperunt", wie es in der Erklärung des Johan-
nesprologs bei Hildegard heißt[45].

Daß diesem kollektiven Adam, der Menschheit auf ihrem Weg durch die Heilsgeschichte, nun bei besonders krisenhaften Zuständen von Hildegard bescheinigt wird, sie sei in einem tempus muliebris debilitatis angekommen, hat ebenfalls recht abwegige Interpretationen hervorgerufen, als verachte sie ihr eigenes Geschlecht. Wenn sie ihrer als voreschatologisch verstandenen Zeit, die sie scharf kritisiert, das Prädikat muliebris debilitatis verleiht, so nur deshalb, weil dies für sie die Zeit der Wiederkehr der Evasschuld ist, denn nach Hildegards typologisch-zyklischem Zeitverständnis können Unheilszeiten ebenso wiederkehren wie Heilszeiten. „Et tunc muliebre tempus fere primo casui simile venit, ita ut omnis iustitia secundum infirmitatem mulieris debilitata est."[46]

Aber die Frau wird auch zum Symbol der Heilszeit, wenn Hildegard die bald darauf erwartete Unterbrechung der eschatologischen Wirren durch eine Zeit des Friedens und der Gerechtigkeit ebenfalls unter ein weibliches Zeichen stellt, nämlich als Zeit der Jungfrau, aus welcher Christus als endzeitlicher Friedensbringer hervorgeht. „In diebus itaque supradictis suavissimae nubes cum suavissimo aere terram tangent, [...] quia homines ad omnem iustitiam tunc praeparabunt [...] diem illum inspicientes quem nobis stirps aurorae videlicet stellae maris Mariae ostendit."[47]

Hildegard zitiert in diesem Zusammenhang den Propheten Joel, der auch von Petrus in der Pfingstrede der Apostelgeschichte mit jener Stelle zitiert wird, wonach Söhne und Töchter, Knechte und Mägde die Geistesgabe der Prophetie empfangen, ohne Unterschied also der sozialen Klasse und des Geschlechts (Apg 2,17 f.).

Der männlichen Rede von der zum vir gewordenen virgo stimmt Hildegard nicht bei.[48] Sie hat andere Assoziationen, wie ihre Sequenz O virga ac diadema zeigt. Sie feiert ihr Frausein in ihrer benediktinischen Schwesterngemeinschaft, deren Liturgie sie durch ihre Dichtungen und Kompositionen bestimmt hat. Das jungfräuliche Frausein erscheint ihr als komplementär zum ehelichen und als intensivste Form der Weiblichkeit.[49]

Gegen gnostisch-manichäische Einflüsse vom Verschwinden des Frauseins im Eschaton setzt sie sich zur Wehr, wenn sie betont, daß die Menschheit am Ende der Geschichte „in integritate corporis et sexus sui" dem Gericht Gottes entgegengehe.[50] Die Christus-Unmittelbarkeit der jungfräulichen Frau nach Hildegard geht gerade aus der Stelle hervor, wo sie erklärt, daß die Virgo als Christus Anverlobte des Priestertums nicht bedürfe, weil sie an allem Anteil besitze, was Christus zukommt: „Sacerdotium et omne ministerium altaris [. . .] habet, atque omnes divitias ipsius [sc. Christi] cum eo possidet."[51]

Es bleibt nun noch die Frage, ob das ausgewogene Menschenbild Hildegards im Gottesbild seine Entsprechung findet. In diese Richtung weist ihr Wechsel der Worte Deus und divinitas. Neben den zahlreichen Verbildlichungen Gottes als Mann — vor allem im Liber vitae meritorum, wo der Mann Gott sich im Verlauf der Visionen in die vier Himmelsrichtungen wendet —, läßt Hildegard Gott aber auch unter weiblicher Bildlichkeit begriffen sein. Im Anschluß an Is 42,14, wo Gott mit einer Gebärenden verglichen wird, paraphrasiert Hildegard in weiblichen grammatischen Formen der lateinischen Sprache den Text.[52]

Der locus classicus ist jedoch die Auslegung des Gleichnisses von der Frau mit der verlorenen Drachme, die für die sancta divinitas steht. Also nicht Christus als sapientia Dei wie bei Alanus und sicher noch manchen patristischen und scholastischen Kommentatoren ist hier die Frau mit der verlorenen Drachme, sondern Gott selbst; ein erheblich intensiveres Verständnis des Weiblichkeitssymbols für den göttlichen Bereich.[53]

Die Entsprechung zwischen Gottesbild und menschlicher imago Dei wird von Hildegard angedeutet, wenn sie in der 5. Schau von De operatione Dei Gen 1,27 folgendermaßen deutet: Der Mensch ist so geschaffen, daß Gott im Menschen und der Mensch in Gott erkannt werden kann. Gott schafft in ihm die Stärke der klaren Gerechtigkeit, „quod quasi virile est", und er salbt ihn mit der misericordia, „quod quasi femineum est".[54] Die Spiegelung von göttlichen Eigenschaften im Menschen hat also mit der Geschlechterdifferenz zu tun, weshalb Hildegard von dem in der Scholastik grundlegenden Verständnis menschlicher Gottebenbildlichkeit „ubi sexus nullus est" sich absetzt, ohne daß sie bipolare geschlechtliche Züge in die Gottheit hineintragen würde, sosehr sie diese auch unter weiblicher Symbolik erfaßt.

Wie nimmt sich nun neben dieser strengen, aber auch zarten, monumentalen, aber auch filigranhaften Vision des Menschseins in seiner Transparenz auf den Schöpfergott bei Hildegard die der in ihrer Zeit wohl beliebteren Elisabeth von Schönau aus? Die relativ häufigere Erwähnung der Schwesterngemeinschaft, in der sie lebt, läßt erkennen, daß Elisabeth sich mehr von diesen Frauen mittragen läßt, mehr auf deren Hilfe angewiesen ist als die in ihrer Führungsposition eher das Gemeinschaftsleben aktiv gestaltende und mit all seinen Krisen durchstehende Hildegard.

Das ausgeprägte Bewußtsein, mit ihrer Gabe der Schau für die sorores und auch für die domini fratres eine Funktion zu erfüllen und dafür in ihrer Gebrechlichkeit deren Hilfe erwarten zu dürfen, in der congregatio sororum et fratrum also zu geben wie zu nehmen, findet in Elisabeths häufig wechselnden Visionsbildern eine Entsprechung, wenn sie nicht nur in der Schau individueller männlicher und weiblicher Heiliger eine Balance einhält, sondern auch in der Schau großer Gruppen oder Chöre von Männern und Frauen. Ebenso sieht sie bei den Gerichtsvisionen unter den Verworfenen „etiam nostri ordinis viros et mulieres".[55]

Bei den mehrfach wiederkehrenden Visionen des geöffneten Himmels, in dem sie der multa milia sanctorum ansichtig wird, unterscheidet Elisabeth deutlich den ordo virginum, die auch mit den Insignien des Martyriums versehen sind, in Apostelnähe, von dem Chor der gekrönten Jungfrauen, die nicht Märtyrinnen sind, und den verehrungswürdigen mulieres cum velaminibus candidis[56]; auch hier also eine komplementäre Sicht von Frauen, die Mütter sind, und solchen, die jungfräulich leben, den entsprechenden männlichen Lebensformen gegenübergestellt.

Während Hildegard im Medium des Wortes ihre Mariologie darstellt, die großen Frauengestalten ihrer Visionen aber typologisch-allegorischer Art sind, ist Elisabeths Mystik durch zahlreiche Marienvisionen gekennzeichnet. In ihren üblichen Sonntagsvisionen — „vidi visionem, quam dominicis diebus videre soleo" — sieht sie Maria umgeben von den zuvor gekennzeichneten drei Frauenchören: den Jungfrauen, die auch Märtyrinnen sind, den Gekrönten ohne Märtyrerinsignien und den weiß verschleierten Frauen[57], also eine Demonstration des weiblichen Menschseins in der Vollendung, dessen eschatologisches Erlöschen auch für diese Mystikerin unvorstellbar ist.

Es gibt aber auch die Kontrastvision der Jungfrau Maria als regalis femina, vor dem Vollmond stehend, flankiert von zwei männlichen Heiligen. Der häufige Visionshintergrund einer kreisenden Lichtrota, in etwas anderer Weise auch Hildegard nicht fremd, hat als Mandala auch makrokosmischen Sinn.

Es gibt ebenso die Vision von der Himmelskönigin, umgeben von den Chören der Apostel, männlichen Märtyrer und Bekenner, der Jungfrauen, Mönche und Witwen, in der die Vollständigkeit der eschatologischen Menschheit zum Ausdruck kommt.

Die zahlreichen visionären Nachempfindungen biblischer Szenen mit Frauen oder entsprechender liturgischer Feste, unter denen bei Elisabeth die Verkündigung an Maria besonders beliebt ist, dienen den zeitgenössischen Problemen der Dogmatik ebenso wie der Volksfrömmigkeit mit ihrer Neugier. So hat die Visionärin, beauftragt von ihrer Gemeinde, an die Assumpta die Frage zu richten, ob sie auch dem Leibe nach vollendet sei, und an die Maria der Verkündigung die Frage nach ihrem derzeitigen Alter, was bei einer Hildegard von Bingen nahezu undenkbar wäre.

Die zeitgenössische Theologie ist an Elisabeth von außen herangetragen, sie reflektiert sie nicht eigenständig wie Hildegard, sie schaut und fragt und wird häufig von den Gestalten in ihrer Vision nur als Medium benutzt, um bestimmte Botschaften, von ihr selbst unverstanden, an die doctores Ecclesiae weiterzugeben, weshalb auch von ihr keine spekulative Weiterentwicklung des Menschenbildes zu erwarten ist.

Trotz dieser Einschränkungen in der Bedeutung Elisabeths findet sich aber bei ihr eine sehr bemerkenswerte Vision, die an das erinnert, was Hildegard in ihren Visionsdeutungen an Frau-Christus-Parallelen bringt. Elisabeth sieht eine Jungfrau, von der Sonne umgeben, zuweilen von einer dunklen Wolke heftig beschattet und deshalb in Tränen ausbrechend, und der Engel, der sie durch die Vision führt, erklärt ihr: „Virgo illa quam vides, domini Jesu sacra humanitas est. Sol in quo sedet virgo, divinitas est, quae totam possidet et illustrat salvatoris humanitatem."[58] Die menschliche Natur Christi in Frauengestalt als das Medium des

Heils scheint aber bei Elisabeth eine sie unbewußt überkommende Vorstellung zu sein. In einer Folgevision fragt sie den evangelista Johannes, warum ihr die Menschheit Jesu nicht in männlicher Gestalt gezeigt werde, als sei etwas Befremdliches an solcher weiblichen Verbildlichung des Erlösers. Der gleiche Visionsinhalt erhält dann sekundär eine mariologische Deutung: „Hoc idcirco fieri dominus voluit, ut tanto congruentius etiam ad significandam beatam matrem eius visio posset aptari. Nam et ipsa vere est virgo sedens in sole, quia eam maiestas dei altissimi totam illustravit pre omnibus."[59]

Elisabeth zeichnet ebenfalls die Parallele zwischen der Schwäche der menschlichen Natur Christi, aus welcher das starke Heil aller hervorgeht, und der Erschaffung der Frau als der schwachen Starken: „Omnis virtus et fortitudo ecclesie a salvatoris infirmitate, qua secundum carnem infirmatus est [. . .] Quod bene in primis parentibus figuratum est, quando subtractum est robur ossis ex Adam, ut fieret Eva, et inde firmaretur mulier, unde infirmatus est vir." Mit diesem Satz schließen die drei Bücher der Visionen Elisabeths.[60]

In ihrem Liber viarum Dei mit der Vision von den verschiedenen Wegen, die bergaufwärts führen, geht es wieder um große Menschengruppen, hier aber nicht nach Geschlechtern getrennt: den Weg der Kontemplativen, der Aktiven, der Märtyrer, der Eheleute, der Enthaltsamen, der kirchlichen Vorgesetzten, der Verwitweten, der Eremiten, der Jugendlichen und der Kinder. Von diesen zehn sich zum Teil überschneidenden Gruppen ist für unser Thema des Menschenbildes vor allem interessant, was Elisabeth den Eheleuten gesagt sein läßt.

Ohne daß, wie bei Hildegard, zuerst der Preis auf Gottes gute Schöpfung angestimmt wird, beginnt Elisabeth mit einem Katalog von Lastern, die die Weltleute bedrohen, also nicht nur Sünden des sexuellen Bereichs. Danach erst erfolgt eine Legitimerklärung der Ehe, durch antihäretische Intention — die Katharer werden genannt — motiviert: „Non est enim ab inventione hominis honorabile coniugium vestrum, sed ab ipso conditore universitatis in paradiso innocentie institutum est."[61] Da hier eine Entsprechung zur reinen Schöpfungsfreude der naturkundigen Hildegard nicht vorausgeht, hören sich Elisabeths Mahnungen zur Begierdenzügelung — „non more bestiarum omnem impetum desiderii vestri sequamini" — und zur Enthaltsamkeit zu den vorgeschriebenen liturgischen Zeiten düsterer an.

Die Ehe wird nicht von der caritas her beschrieben, sondern als remedium der Schwäche. Mann und Frau werden zwar gemahnt, die jeweiligen schwachen Seiten des Partners mit Geduld zu ertragen und einander in Ehren zu halten, aber die Gehorsamspflicht der Frau gegenüber dem Ehemann wird nicht wie bei Hildegard zu kompensieren versucht, und vor allem bleiben die Rechte der beiderseitigen Klage im Fall von Eheverfehlungen unerwähnt. Schließlich kommt es doch zur einseitigen Empfehlung der Dulderolle für die Frau: „Mores viri etiam pravos toleret."[62] Der Mann wird zu einer Art Liebespatriarchalismus gemahnt, und kaum wird daran gedacht, daß beide Geschlechter auf einander angewiesen sind.

Obwohl Elisabeth in ihren Visionen auch die verheirateten Frauen nicht vergißt, läßt sie bei ihren verbalen Aussagen die weibliche Solidarität zurücktreten, oder anders gesagt, sie hat für die virgines eher ein religiös-emanzipatorisches Verständnis und überläßt die Ehefrauen mehr dem hierarchisch-patriarchalischen Menschenbild. Jedenfalls ist diese Tendenz gegenüber Hildegard verstärkt.

Dennoch wird auch bei Elisabeth die Eheverfehlung des Mannes ebenso verurteilt wie die der Frau, und in diesem Gleichheitselement trifft sie sich mit der christlichen Korrektur am patriarchalischen Denken allgemein, sowohl in der Patristik wie in der Scholastik.

Beide Mystikerinnen des 12. Jahrhunderts lockern das frühscholastische Menschenbild auf, wenngleich mehr im Hinblick auf eine Gleichheit von beiden Geschlechtern im Jungfräulichkeitsstand, aber sie vergessen auch nicht die Zusammengehörigkeit aller Frauen. In einer insgesamt patriarchalisch denkenden Zeit sind sie keineswegs „man-identified", wenn auch die Spuren des zeitgenössischen Denkens nicht an ihnen vorübergegangen sind. Sicher lassen sich nicht nur bei ihnen, sondern auch bei vielen anderen Frauen der christlichen Tradition, soweit ihre Werke für überliefernswert gehalten wurden, Modifikationen des „offiziellen" Menschenbildes feststellen. Es wäre wünschenswert, wenn die theologie- und philosophiegeschichtliche Frauenforschung darauf künftig ihr Augenmerk richten könnte.

Anmerkungen

[1] Vgl. Adelgundis Führkötter, Hildegard von Bingen, Briefwechsel. Nach den ältesten Handschriften übersetzt und nach den Quellen erläutert, Salzburg 1965, 190—200.

[2] Vgl. etwa Joseph Bernhart, Hildegard von Bingen, in: Archiv für Kulturgeschichte 20, 1929/30, 259: „Allerdings, hier berühren sich Prophet und Mystiker. Dennoch ist kein Anlaß, Hildegard unter die Mystiker zu reihen." Ähnlich Josef Koch, Der heutige Stand der Hildegard-Forschung, in: Histor. Zeitschr. 186, 1958, 568: „Was für Hildegard wesentlich ist, nämlich die Visionen und deren Deutung durch die Stimme vom Himmel, ist für die Mystiker ganz unwesentlich, und etwa Meister Eckhart wird nicht müde in der Mahnung, sich von allen ‚Bildern' zu lösen. [. . .] Ekstase, das kennt Hildegard nicht, wie sie selbst sagt."

[3] Peter Dinzelbacher, Vision und Visionsliteratur im Mittelalter, Stuttgart 1981, 88.

[4] Vgl. dazu Caroline Walker Bynum, Jesus as Mother, Berkeley, Los Angeles, London 1982, im Register unter den entspr. Namen. Zum Weiblichkeitstopos bei Hildegard vgl. Elisabeth Gössmann, Theologische Frauenforschung: Das Menschenbild des Mittelalters und die Stellungnahme der zeitgenössischen Frau. Hildegard von Bingen, Elisabeth von Thüringen, Mechthild von Magdeburg, in: Frauenstudien Frauenforschung, ed. Zentraleinrichtung zur Förderung von Frauenstudien und Frauenforschung an der FU, Berlin/West 1983, 64—87, bes. 73 f.; dieselbe, Hildegard von Bingen, in: Gestalten der Kirchengeschichte, hrsg. v. Martin Greschat, Bd. 3,1, Stuttgart 1983, 224—237.

[5] F. W. E. Roth (Hrsg.), Die Visionen der hl. Elisabeth und die Schriften der Äbte Ekbert und Emecho von Schönau, Brünn 1884, 2, vgl. 155.

[6] A.a.O. (Anm. 5) 2, vgl. 122.

[7] Adelgundis Führkötter (Hrsg.), Das Leben der hl. Hildegard von Bingen, Düsseldorf 1968, 73 f.

[8] A.a.O. (Anm. 5) 40.

[9] Vgl. Alois Dempf, Sacrum Imperium. Geschichts- und Staatsphilosophie des Mittelalters und der politischen Renaissance, München ³1962, 262—268.

[10] Herbert Grundmann, Die Frauen und die Literatur im Mittelalter, in: Archiv für Kulturgeschichte 26, 1936, 129—161, bes. 136.

[11] Stellenangaben zum folgenden Abschnitt des Referats über das frühscholastische Frauenbild entnehme man aus dieser Arbeit von M. Th. d'Alverny, in: La Femme dans les Civilisations des Xe—XIIIe siècles, Actes du Colloque tenu à Poitiers, Septembre 1976, Cahiers de Civilisation médiévale 1977, 15—39. Vgl. auch Elisabeth Gössmann, Anthropologie und soziale Stellung der Frau nach Summen und Sentenzenkommentaren des 13. Jahrhunderts, in: Miscellanea Mediaevalia 12,1, ed. Albert Zimmermann, Berlin 1979, 281—297.

[12] Stellenangaben dazu außer bei M. Th. d'Alverny auch bei Elisabeth Gössmann in dem Kapitel „Der Mensch als Mann und Frau" in dem Buch: Metaphysik und Heilsgeschichte. Eine theologische Untersuchung der Summa Halensis, München 1964, 215—229, ebenso in dem Kapitel „Der Schöpfungsauftrag von Mann und Frau" in dem Buch: Mann und Frau in Familie und Öffentlichkeit, München 1964, 18—29. Vgl. ebenfalls das 5. Kapitel in meinem Buch: Die streitbaren Schwestern. Was will die Feministische Theologie?, Freiburg 1981.

[13] Dies gilt leider auch für die verschiedensten Übersetzungen von Heinrich Schipperges, einem Pionier in der Hildegard-Forschung, der als Medizinhistoriker das Verdienst hat, Hildegards naturkundliche Lehren historisch einordnen und infolgedessen voll würdigen zu können. Nachdem in der Forschung des 19. und des frühen 20. Jahrhunderts Hildegards Heiligkeit wegen ihrer freimütigen Darstellung der menschlichen Geschlechtlichkeit des öfteren angezweifelt worden war, haben die Schriften von Schipperges in dieser Hinsicht bahnbrechend gewirkt. Darin liegt sein bleibendes Verdienst. Nur übersieht er leider Hildegards Unterwanderung des zeitgenössischen scholastischen Frauenbildes. Auf den Urtext kann daher bei allen Studien zu Hildegards Menschenbild nicht verzichtet werden. Abgesehen davon, daß es keine vollständige Hildegard-Übersetzung gibt, sind die Übersetzungen „patriarchalischer" als Hildegard selbst.

[14] Leider macht die deutsche Übersetzung von Maura Böckeler mehrere Auslassungen an wichtiger Stelle, wohl weil sie die Einzelheiten von Hildegards Lehre nicht mehr als zeitgemäß und heute vermittelnswert ansah. Hildegard von Bingen, Wisse die Wege, Scivias, nach dem Originaltext . . . ins Deutsche übertragen und bearbeitet, Salzburg 1954, 98—107; mehrmals wiederaufgelegt.

[15] PL 197, 392; ed. A. Führkötter, Corpus Christianorum, Continuatio mediaevalis 43. 43A, Turnholt 1978, (CC); CC 43,20.

[16] PL 197, 398; CC 43,29. Wegen dieses auf den Zeugungsakt bezogenen Sinnes von „potestas viri" und „subiectio mulieris" bei Hildegard empfiehlt sich nicht die Übersetzung „dem Manne unterworfen", Heinrich Schipperges, Geheimnis der Liebe. Bilder von des Menschen leibhaftiger Not und Seligkeit, Freiburg 1957, 49.

[17] PL 197,392. CC 43,20 schreibt constituit statt instituit.

[18] PL 197,392. CC 43,20 schreibt inclamabitur statt conqueretur.

[19] PL 197,393. CC 43,21.

[20] Vgl. Elisabeth Gössmann, Die Verkündigung an Maria im dogmatischen Verständnis des Mittelalters, München 1957.

[21] PL 197,394. CC 43,23.

[22] PL 197,400. CC 43,33.

[23] PL 197,401. CC 43,34.

[24] Vgl. Heinrich Ostlender, Dante und Hildegard von Bingen, Deutsches Dante-Jahrbuch, Bd. 18, Weimar 1948, 159—170. Zu erwarten ist, daß auch Christel Meier sich in ihrer mir noch nicht greifbaren Habilitationsschrift über Hildegard von Bingen zu dieser Frage äußern wird.

[25] PL 197,402. CC 43,36.

[26] De op. Dei III, 10, PL 197,1019s.

[27] Liber vitae meritorum III, 34,42, ed. J. B. Pitra, Sanctae Hildegardis opera, Analecta Sacra 8, Monte Cassino 1882, 120.

[28] Liber vitae meritorum I, 82,96, ed. Pitra, 44.

[29] Liber vitae meritorum IV, 24,32, ed. Pitra, 157s.

[30] De op. Dei II, 5, PL 197,945. Dieser geschickt kompensierende Satz Hildegards,

in dem sie der größeren Stärke des Mannes die weichere Kraft der Frau gegenüberstellt, wird von Schipperges folgendermaßen wiedergegeben: „Gott schuf den
Menschen, indem Er den Mann mit größerer Kraft ausstattete, das Weib aber mit
der zarteren Weichheit versah." Geheimnis der Liebe (Anm. 16), 50. Was Hildegard sagen will, geht so verloren.

[31] Liber vitae meritorum II, 27,36, ed. Pitra, 74. Vgl. II, 1, ed. Pitra, 62.

[32] Heinrich Schipperges, Hildegard von Bingen, Heilkunde. Das Buch von dem
Grund und Wesen und der Heilung der Krankheiten. Nach den Quellen erläutert,
Salzburg 1967, 124. Hildegardis Causae et curae, ed. Paulus Kaiser, Leipzig 1903, 59:
„et ideo datum est ei artificiosum opus manuum."

[33] De op. Dei III, 7, PL 197,974.

[34] De op. Dei III, 7, PL 197,963.

[35] De op. Dei I, 4, PL 197,851.

[36] In der Übersetzung von Heinrich Schipperges heißt es jedoch leider entstellend:
„Die Frau blickt zum Mann auf." Hildegard von Bingen, Welt und Mensch. Das
Buch De operatione Dei, aus dem Genter Kodex übersetzt und erläutert, Salzburg
1965, 126. Im übrigen ist zu hoffen, daß gerade diese im folgenden schwer ver-
ständliche Stelle durch eine künftige kritische Ausgabe geklärt wird.

[37] Scivias II, 6, PL 197,546. CC 43,292 schreibt sustentaretur.

[38] De op. Dei I, 4, PL 197,821s.

[39] „Opera corporis ardenti studio animae complentur. Ipsa enim corpus amore, ut
dura pars terrae mollem partem terrae sustentat, et omnia opera sua cum ipso inse-
parabiliter operatur, cui etiam ut mulier viro suo, a quo separari non potest, quoniam duo in carne una sunt, adhaeret." De op. Dei I, 4, PL 197,844.

[40] De op. Dei I, 4, PL 197,885. Auch Maria wird von Hildegard in ihrer Sequenz O
virga ac diadema „speculum" genannt. Vgl. Margot Schmidt, Hildegard von Bingen als Lehrerin des Glaubens. Speculum als Symbol des Transzendenten, in: Hildegard von Bingen. Festschrift zum 800. Todestag der Heiligen, hrsg. v. Anton Ph.
Brück, Mainz 1979, 95—157.

[41] De op. Dei I, 4, PL 197,885.

[42] Vgl. z. B. die Berücksichtigung beider Geschlechter in De operatione Dei I, 4, PL
197,850s. Zu Hildegards Kosmosmenschen siehe Elisabeth Gössmann, Maß- und
Zahlenangaben bei Hildegard von Bingen, in: Miscellanea Mediaevalia 16,2, ed.
Albert Zimmermann, Berlin 1984, 294—309.

[42] De op. Dei, PL 197,885.

[43] Liber vitae meritorum IV, 23,36, ed. Pitra, 160. Schipperges läßt die ausglei-
chende mansuetudo unübersetzt, vgl. Hildegard von Bingen, Der Mensch in der
Verantwortung, Salzburg 1972, 196.

[44] De op. Dei I, 4, PL 197,897.

[45] De op. Dei I, 4, PL 197,896.

[46] Vita S. Disibodi, ed. Pitra, 355. Vgl. dazu Hans Liebeschütz, Das allegorische
Weltbild der hl. Hildegard von Bingen, Leipzig 1930, 145: „Die Gegenbezeich-
nung ‚debilitas muliebris‘ hat für Hildegard jedenfalls die Bedeutung der Evasty-
pologie."

[47] De op. Dei III, 10, PL 197,1023.

[48] Männliche Interpreten jedoch können es bis in die jüngste Zeit nicht unterlassen,
Hildegard ihre angebliche Männlichkeit zu bescheinigen, so etwa Joseph Bernhart
(Anm 2), 252: „[. . .] bei einer Frau von solcher Männlichkeit, bei einer Prophetin,
die schlechte Zeitalter weibisch nennt." 254: „Diese im gemeinen Sinn kranke Na-

tur überrascht nun durch Züge männlicher Aktivität." 257: „Der männliche, aktivistische Wesenszug der Sibylle." Johannes Braun, Die hl. Hildegard, Äbtissin vom Rupertsberg, Regensburg 1918, 103, spricht von der „ernsten, fast männlichen Hildegard" und stellt ihr die „sanfte, frauenhafte" Elisabeth von Schönau gegenüber. Er liefert ferner eine verräterische Identifizierung von männlich mit menschlich: „Wußte sie doch nur zu gut, wie sehr es dem menschlichen Stolze widerstrebt, von einem Weibe sich mahnen zu lassen." 216. Heinrich Schipperges, Hildegard von Bingen. Ein Zeichen für unsere Zeit, Frankfurt 1981, 155: „Mannhaft streitet sie gegen das tempus muliebre, gegen ihr weibisches Zeitalter." Frei übersetzt dürfte auch das von Schipperges im folgenden ohne Stellenangabe gebrachte Hildegard-Zitat sein, bei dem es sich wahrscheinlich um ein der Tugend fortitudo in den Mund gelegtes Wort handelt: „Ich aber, ich werde der irdischen Gebrechlichkeit nicht weichen. Mannhaft will ich wider sie kämpfen; und wie ein Löwe sich verteidigt, so werde auch ich schon meinen Mann zu stehen wissen." Vgl. etwa das Wort der fortitudo im Liber vitae meritorum IV, 4,6, ed. Pitra, 149: „Sed ego fortitudini leonis, scilicet humanitatis salvatoris, in regali thalamo servio . . ."

[49] Vgl. etwa den Briefwechsel mit Meisterin Tengswich, bei Adelgundis Führkötter (Anm. 1) 200—204.

[50] Scivias III, 12, PL 197,727. CC 43A,608.

[51] Scivias II, 6, PL 197,545.CC 43,290.

[52] De op. Dei II, 5, PL 197,928.

[53] Scivias III, 2, PL 197,587. CC 43A,366. Nach De op. Dei III, 7, PL 197,977 findet Gott als sapientia die Drachme, indem durch den Sohn die Menschheit zum Heil zurückgeführt wird.

[54] De op. Dei II, 5, PL 197,952.

[55] Ed. Roth (Anm. 5) 22.

[56] A.a.O. 11.

[57] A.a.O. 13.

[58] A.a.O. 61.

[59] A.a.O. 62. Vgl. Gertrud Jaron Lewis, Christus als Frau. Eine Vision Elisabeths von Schönau, in: Jahrbuch für Internationale Germanistik 15,1983, 70—80. Die Verfasserin spricht die sehr plausible Vermutung aus, daß die Umdeutung der Vision durch eine Frage Ekberts veranlaßt wurde.

[60] A.a.O. 87.

[61] A.a.O. 101.

[62] A.a.O. 102.

Ulrich Köpf

BERNHARD VON CLAIRVAUX IN DER FRAUENMYSTIK

Die Wirkungsgeschichte Bernhards von Clairvaux (1090—1153) ist noch nicht geschrieben und wird auch nicht so rasch geschrieben werden können. Zu umfassend war die Ausstrahlung dieses Mannes, seines geschichtlichen Wirkens und seiner literarischen Hinterlassenschaft, zu vielfältig sind die Bereiche, auf die sich sein Einfluß erstreckt, und zu viele Vorarbeiten müssen noch geleistet werden, als daß wir heute schon eine zusammenfassende Darstellung seiner weitverzweigten Einflüsse wagen könnten.[1]

Obwohl Bernhards kirchen- und wissenschaftspolitische Aktivitäten zu seinen Lebzeiten keineswegs unumstritten waren[2], hat nie jemand an der Integrität seiner Person und an der Reinheit seines Glaubens gezweifelt. Selbst seine Kritik an der damals weit verbreiteten Anschauung von der unbefleckten Empfängnis Mariae[3] hat nicht verhindert, daß er später als großer Lehrer der Mariologie gefeiert wurde.[4] Seine Wirkungen erstrecken sich weit über den monastischen Bereich hinaus in die feudale und in die bürgerliche Lebenswelt des Mittelalters und enden keineswegs an dem Punkt, wo die Bedingungen seiner eigenen Existenz zerbrechen — die selbstverständliche Unterscheidung zwischen religio und saeculum, klösterlichem und weltlichem Leben, mit all ihren Folgen. Einer der fruchtbarsten Impulse, die von ihm ausgingen, traf den Augustiner-Eremiten Martin Luther, der ihn gründlich studiert und in mancher Hinsicht sehr hoch geschätzt hat. In der Rangordnung der kirchlichen Lehrer folgt Bernhard für Luther gleich auf Augustinus. Dieser Einfluß hörte auch nicht auf, als Luther schließlich den Ordensstand verließ, und er hat sich im Protestantismus bis ins 19. Jahrhundert lebendig fortgepflanzt. Er läßt sich in der Frömmigkeit und Theologie der altprotestantischen Orthodoxie ebenso verfolgen wie im Pietismus und in den Erweckungsbewegungen des 19. Jahrhunderts.[5]

Dabei hat Bernhard bezeichnenderweise weitgehend nicht als

Theologe, sondern als Erbauungsschriftsteller gewirkt, und als solcher wird er — trotz der Arbeiten von Gilson und Leclercq[6] — bis in die Gegenwart hinein fast ausschließlich verstanden. Man sieht ihn noch immer vorwiegend aus der Perspektive seiner Auseinandersetzung mit Petrus Abaelard und Gilbert Porreta — zwar als „das religiöse Genie des 12. Jahrhunderts"[7], aber zugleich als Gegner und Verhinderer des Fortschritts in der wissenschaftlichen Theologie[8]. Dieses Urteil wird natürlich durch die sprachliche Gestalt begünstigt, in der Bernhard seine Gedanken darbietet: Traktate und vor allem Predigten, die scheinbar keine theologische Vorbildung erfordern und deshalb jedem religiös empfänglichen Menschen zugänglich sind. Die Erfahrung scheint solchem Verständnis recht zu geben: Während die theologische Literatur der Schulen scheinbar nur den des Lateinischen mächtigen Klerus erreicht hat (die Erkenntnisse der neueren Forschung über die Existenz einer deutschen Scholastik[9] scheinen bisher leider kaum in die weitere Öffentlichkeit gedrungen zu sein), während also die scholastische Literatur nur einen relativ kleinen Leserkreis angesprochen zu haben scheint, liegen die Wirkungen Bernhards bei Gelehrten und Ungelehrten, bei Männern und Frauen, seit langem offen zutage.

Damit bin ich bei dem Thema, das mir für diese Tagung gestellt wurde: den Wirkungen Bernhards in der mittelalterlichen Frauenmystik.

Daß Bernhard in die Frauenmystik hineingewirkt, daß er sie befruchtet oder gar ihre Voraussetzungen geschaffen habe, kann man immer wieder lesen. So schreibt etwa die Verfasserin einer amerikanischen Dissertation über die Sprache der Mystik in Chroniken süddeutscher Dominikanerinnen-Konvente des 14. Jahrhunderts: „The ascetic-ecstatic Gottesminne, transmitted by the writings of Bernard and the Helfta Cistercians, formed the spiritual climate in which the mysticism of the thirteenth-century Dominican nuns took root, grew, and flowered"[10], und in der jüngst erschienenen, überaus materialreichen Geschichte eines oberschwäbischen Zisterzienserinnen-Klosters findet sich die Aussage: „Bernhard von Clairvaux, der ein knappes Jahrhundert vor der Klostergründung verewigte Charismatiker, war durch seine mystischen Schriften allen Nonnengenerationen vertraut"[11]. Beide Autoren bleiben freilich jeden Beleg für ihre Behauptungen schuldig, und man fragt sich, ob es sich dabei um eine Selbstverständlichkeit handelt oder ob etwa andere Gründe für diesen Mangel verantwortlich sind.

Kurt Ruh, der bei seinen Forschungen zur deutschsprachigen Bonaventura-Rezeption auf viele Handschriften mit deutschen Bernhard-Texten gestoßen war, schrieb 1956: „Von den mittelalterlichen Lehrern hat keiner auch nur annähernd einen ähnlichen Einfluß ausgestrahlt wie Bernhard von Clairvaux. Seine Schriften müssen auf die Generationen des Hoch- und Spätmittelalters eine fast magische Wirkung ausgeübt haben, nicht unähnlich jener überwältigenden Wirkkraft, die nach dem Zeugnis der Zeitgenossen von seiner Person und seiner Rede ausgegangen ist. Er, der die Theologie in bis dahin nie gehörter Weise vermenschlichte, fand in der Christus- und Kreuzesmystik den Zugang zu den großen Massen, entsiegelte die göttlichen Geheimnisse durch die Inbrunst und Kraft seiner Liebe [...] Er prägte die Frömmigkeit, ihre Formen und ihre Sprache, für ein ganzes Zeitalter. Unübersehbar sind die Übertragungen, Bearbeitungen, Auszüge seiner Schriften."[12] Fünfundzwanzig Jahre später, in seinem Münchner Akademievortrag von 1981, in dem er eine neue Geschichte der abendländischen Mystik im Mittelalter ankündigt, formuliert er schon zurückhaltender. Zwar erinnert er „an die mystische Interpretation des Hohenlieds durch Bernhard von Clairvaux [...], die als ,Brautmystik' eine Resonanz ohnegleichen fand"[13]; aber er fügt in einer Fußnote hinzu: „Ein Aufarbeiten dieser Tradition, das auf immense Schwierigkeiten stößt, fehlt."[14] Dabei kann er sich auf Werner Höver berufen, den Erforscher deutscher Bernhard-Übersetzungen[15], der soeben festgestellt hatte: „Die Bernhard-Rezeption in Form von mittelhochdeutschen, mittelniederdeutschen und mittelniederländischen Übertragungen und Bearbeitungen seiner echten und unechten Schriften ist bislang nur in Ansätzen gesichtet oder systematisch erfaßt worden. Das gilt auch für den Einfluß seiner Schriften auf die deutsche Literatur; es können darum zur Zeit nur Hinweise gegeben werden."[16]

So ist es in der Tat: wo immer man genauere Auskunft sucht,

stößt man auf Unsicherheiten und Lücken. Ich zitiere noch einmal Höver: „Obwohl die Bedeutung der (echten und unechten) Schriften Bernhards für die geistliche und weltliche deutsche Literatur unbestritten ist, fehlt es an näheren Untersuchungen [...] Vielfach ist es nicht gelungen, über allgemeine Hinweise auf den ‚Geist des Zeitalters‘ oder auf das durch Bernhard geschaffene neue ‚Frömmigkeitserlebnis‘ hinauszukommen.“[17]

Auch ich kann im folgenden keine wohlabgewogene Darlegung sicherer Ergebnisse bieten. Im Gegenteil — ich kann nur Hinweise auf einzelne Sachverhalte und verschiedene ungelöste Probleme geben, verbunden durch einige grundsätzliche Überlegungen zu einer umfassenderen Untersuchung der Wirkungen Bernhards in der Frauenmystik.

Als ein leitender Gesichtspunkt dieser Tagung ist mir vorweg die Frage genannt worden, inwiefern sich die Mystik der Frauen und die Mystik der Männer voneinander unterscheiden. Im Rahmen meines Themas verengt sich das Problem zu der Frage nach Unterschieden und allgemein nach Beziehungen zwischen den Wirkungen Bernhards auf Frauen und auf Männer, in der Mystik der Frauen und der Mystik der Männer. In einer Zeit, der die traditionelle Voraussetzung anthropologischer Unterschiede von Mann und Frau fragwürdig geworden ist, wird man nicht nur die überkommenen Problemlösungen auf dem Boden einer (nur vermeintlich naiven) Psychologie der Geschlechter, sondern bereits die Berechtigung der Problemstellung vielfach in Zweifel ziehen. Deshalb soll zunächst daran erinnert werden, daß die Suche nach spezifisch weiblichen Formen und Erscheinungsweisen der Frömmigkeit keineswegs erst in der bürgerlichen Kultur des 19. Jahrhunderts aufgekommen ist, sondern viel weiter zurückreicht. Ich führe dafür nur zwei Zeugnisse aus dem 16. und aus dem 13. Jahrhundert an, die von der besonderen Empfänglichkeit von Frauen für mystische Erlebnisse reden.

So betont Teresa von Avila in ihrer „Vida“, als sie auf die Rolle des Beichtvaters zu sprechen kommt, daß Gott viel häufiger Frauen als Männern dergleichen Gnadenerweise zuteil werden lasse. Sie beruft sich dafür sowohl auf die Aussage des Petrus de Alcántara als auch auf ihre eigene Wahrnehmung.[18]

Mitte des 13. Jahrhunderts schreibt der Franziskaner Lamprecht von Regensburg in seiner Versdichtung „Tochter Syon":

Swie tump ich doch anders sî,
mir ist iedoch diu wîsheit bî,
daz ich wol weiz Jesum Christ
daz er diu obrist wîsheit ist,
diu daz herze durhgrebet
und den inren sin erhebet
in die kunst, die nieman
mit rede zende bringen kan.
[...]
diu kunst ist bî unsern tagen
in Brâbant und in Baierlanden
undern wîben ûf gestanden.
herre got, waz kunst ist daz,
daz sich ein alt wîp baz
verstêt dan witzige man?

Er hat auch eine Erklärung für seine Beobachtungen zur Hand:

mich dunket des, daz sî dâran:
wirt ein wîp ze gote guot,
ir senftez herze, ir ringer muot
in einvaltigen sinnen
si enzündet schierer binnen,
daz ir gerunge begrîfet
die wîsheit diu von himel slîfet,
dan ein herter man tuo,
der ungelenke ist darzuo.

Der Mann hat aber auch gewisse Vorzüge:

swâ sie ein man aber hât,
swenne er dâmit umbe gât,
daz kan er verre baz heln
und den liuten vor versteln
dan ein blûdemigez wîp,
diu von ungebaerd ir lîp

ze der zît niht enthalten kan,
sô diu gnâde sie bestêt.
sich versinnet ouch ein man,
der mit den dingen umbe gêt,
baz danne ein wîp dâran.[19]

Ob sich die hier wiedergegebenen Beobachtungen verallgemeinern lassen und wie weit Lamprechts Erklärungen stichhaltig sind, das soll hier nicht erörtert werden. Ein begründetes Urteil über den eigentümlichen Charakter der Frauenmystik setzt zunächst eine möglichst umfassende Sammlung des Materials voraus. Erst in einem zweiten Schritt kann die Frage nach einer Erklärung — sei es aus anthropologischen Konstanten, sei es aus geschichtlichen, gesellschaftlich-kulturell bedingten Variablen — ins Auge gefaßt werden.

Ich stelle die folgenden Ausführungen unter drei Fragen:

I. Wie spricht Bernhard zu Frauen? Wie äußert er sich über spezifisch weibliche Phänomene?

II. Auf welchem Wege und in welcher Gestalt haben seine Wirkungen die frommen Frauen erreicht?

III. In welcher Weise sind Bernhard und seine Wirkungen in Zeugnissen der Frauenmystik gegenwärtig?

Alle drei Fragen können hier nur kurz angeschnitten werden.

I

Wo hat Bernhard Frauen angesprochen, oder wo konnten sich Frauen durch seine Äußerungen angesprochen fühlen?[20]

Zunächst sind hier die Beziehungen des Zisterzienserabts zu Frauen zu nennen, die sich in seinen Briefen niedergeschlagen haben.[21] Unter den rund 500 Briefen, die in etwa 400 Handschriften auf uns gekommen sind, finden sich zwei Dutzend an Frauen seiner Zeit gerichtete: in der Mehrzahl an Königinnen, an die Kaiserin Richenza, an adlige Damen in der Welt, aber auch an Frauen, die in religiösen Gemeinschaften leben. In diesen Schreiben erweist sich Bernhard als engagierter, einfühlsamer Freund, Ratgeber, Lehrer und geistlicher Vater. Besonders interessant ist in unserem Zusammenhang seine Beziehung zu Hildegard von Bingen während der Zeit seines Aufenthalts in Deutschland im Herbst und Winter 1147/48. Beide sind sich nie persönlich begegnet. Hildegard, die seit Jahren von der Fülle ihrer Visionen bedrängt wurde, bat Bernhard, der offenbar als Autorität ersten Ranges betrachtet wurde, mit leidenschaftlich bewegten Worten um ein Urteil über ihre Sehergabe und um Trost in ihren Anfechtungen.[22] Bernhard antwortete ihr in einem kurzen, ziemlich förmlichen, aber in der Sache vollkommen zustimmenden Brief, in dem er ihre Fähigkeit als göttliche Gnadengabe anerkannte.[23] Auch auf der Synode zu Trier setzte er sich vor Papst Eugen III. nachdrücklich für die Seherin ein.[24]

Gewichtiger als die zwei Dutzend Briefe an Frauen sind aber auch für weibliche Leser die Werke Bernhards. Ich beschränke mich auf einige Bemerkungen über sein bedeutendstes Werk, die Sammlung der 86 Hoheliedpredigten, die in einem Zeitraum von 18 Jahren — 1135/53 — entstanden sind und das Hohelied kontinuierlich von 1,1 bis 3,1 auslegen. Ich brauche nicht zu betonen, daß es sich dabei nicht um einen historischen Kommentar in unserem Sinne handelt, sondern um eine Interpretation, die den tieferen, geistlichen Sinn und die Gegenwartsbedeutung der nach historisch-wörtlichem Verständnis höchst profanen Liebesdichtung herausarbeiten möchte.

Im Hohenlied treten sich sponsus und sponsa, Bräutigam und Braut, in liebender Zwiesprache gegenüber. Dieses Werk und seine allegorische (inhaltlich: religiöse) Auslegung mußten allein schon durch die redenden Personen höchst anziehend wirken auf Frauen, die es seit jeher gewohnt waren, ihren Stand als Brautschaft zu verstehen. Seit Tertullian pflegte die Christenheit asketisch lebende Jungfrauen mit dem Ehrentitel einer „Braut Christi" zu bezeichnen[25], und dieser Titel wurde ganz selbstverständlich auf die Frauen übertragen, die in monastischen Gemeinschaften lebten. Was lag also näher, als daß sich auch die frommen Frauen des Hoch- und Spätmittelalters ohne weiteres in der Braut des Hohenliedes wiedererkannten — zumal in jener Auslegung, die Bernhard bevorzugte? Seit dem Kirchenvater Ambrosius gab es für die

Exegese grundsätzlich drei Möglichkeiten, das Hohelied allegorisch zu interpretieren.[26] Der Bräutigam war dabei gleichsam die Konstante, auch wenn es in seiner Bezeichnung Unterschiede gibt: Gott oder Christus oder das göttliche Wort. Die Braut war die Variable: Sie konnte 1. als die christliche Kirche, 2. als der einzelne Gläubige bzw. als dessen Seele und 3. als Maria, die Mutter Jesu und Repräsentantin der gesamten Kirche, gedeutet werden. Bernhard hat keine der drei Möglichkeiten ausgeschlossen; er beschränkt sich in den Hoheliedpredigten aber auf die ersten beiden, wobei er die Deutung auf den einzelnen Gläubigen entschieden in den Mittelpunkt stellt. Das bedeutet aber, daß sich jede einzelne der frommen Frauen in besonderer Weise mit der Braut des Textes identifizieren kann. Nach dem „mystischen" Verständnis des Hohenliedes wird die Beziehung der beiden Hauptpersonen als die Liebesbeziehung zwischen Christus und seiner geistlichen Braut, der Seele des einzelnen Gläubigen oder — in den Augen einer Nonne oder Begine — der Seele der einzelnen gottgeweihten Frau, gedeutet.

Über diese Grundstruktur hinaus, die in fast jeder der 86 Hoheliedpredigten Bernhards gegenwärtig ist, bieten das Hohelied und seine Auslegung aber auch eine ganze Reihe einzelner Äußerungen, die weibliches und männliches Empfinden vermutlich auf unterschiedliche Weise ansprechen.

Da wäre zunächst der erotische Charakter der Sprache im allgemeinen zu nennen, etwa in der Rede des Hohenliedes vom Kusse der Liebenden, die Bernhard Gelegenheit gibt, aus den drei Arten von Küssen (Fußkuß, Handkuß und Kuß von Mund zu Mund) die drei Hauptabschnitte des mystischen Weges herauszulesen[27], im spielerischen Gespräch der Liebe[28] oder im Vergleich des Höhepunktes mystischen Erlebens mit der hochzeitlichen Umarmung[29]. All diese Bilder haben die frommen Frauen aufs stärkste beeindruckt. Sie sind konstitutiv für das, was wir die „Brautmystik" des Mittelalters nennen. Aber sie beschreiben jeweils Vorgänge, an denen beide Partner gleichermaßen beteiligt sind. Es wäre zu fragen, wie weit sie von Frauen und Männern unterschiedlich empfunden und interpretiert werden.

Daneben bietet Bernhards Hoheliedauslegung aber auch viele

Erklärungen, Bilder und Vergleiche, die sich allein auf die Frau beziehen, die also eine Frau von vornherein anders ansprechen als einen Mann. Ich gebe nur ein paar Beispiele, in denen Bernhard über den weiblichen Körper redet.

So kann er sich etwa über Auge und Haar äußern: „Nicht alles, was schwarz ist, ist deshalb auch häßlich. Das Schwarze in der Pupille zum Beispiel verunstaltet [das Auge] nicht; [...] schwarze Haare erhöhen bei blassem Antlitz sogar noch Schönheit und Anmut."[30] Oder über den Hals: „Der Hals der Braut ist an sich so schön und gleichsam von Natur so zierlich gebildet, daß er keinen äußeren Schmuck verlangt. Was braucht sie denn Schminke mit fremden Farben, da ihr doch die eigene und gleichsam angeborene Schönheit so sehr genügt, daß sie es sogar mit dem Glanz der Halsketten, mit denen man sich zu schmücken sucht, aufnehmen kann."[31] Eine wichtige Rolle spielen in der Sprache des Hohenliedes die Brüste. Ihr Bild stellt Bernhard immer wieder vor Augen — auch dort, wo vom Text her gar keine Nötigung dazu besteht. So etwa, wenn er die kirchlichen Oberen ermahnt, ihren Untergebenen wie Mütter und nicht wie Herren zu begegnen: „Werdet milde, legt eure Wildheit ab, haltet ein mit der Rute, reicht die Brüste dar — die Brüste sollen von Milch strotzen, nicht von Stolz geschwellt sein."[32]

An einer zentralen Stelle charakterisiert er die mystische Erfahrung durch einen Vergleich mit der Schwangerschaft. Das Subjekt verhält sich nämlich im Vorgang mystischer (wie jeder religiösen) Erfahrung rein passiv und bemerkt nicht, daß und wie sich die Erfahrung vollzieht. Erst hinterher, nachdem sich die mystische Berührung vollzogen hat, erkennt es aus den Folgen, was sich inzwischen abgespielt hat. Die Folgen sind allerdings erfahrungsmäßig wahrnehmbar, und aus dieser Wahrnehmung schließt das Subjekt auf den nicht wahrnehmbaren Vorgang. Diesen Sachverhalt vergleicht Bernhard mit der Schwangerschaft. „Während die Braut vom Bräutigam spricht, ist jener [...] plötzlich da, gewährt ihre Bitte, gibt einen Kuß und erfüllt an ihr das Wort der Schrift: Du hast ihm seines Herzens Wunsch erfüllt und hast ihm nicht vorenthalten, worum seine Lippen baten (Ps. 20,3). Das bekräftigt er auch dadurch, daß er ihre [der Braut] Brüste füllt. Der heilige Kuß hat nämlich eine solche Wirkung, daß in der Braut sogleich, nachdem sie ihn bekommen hat, die Empfängnis eintritt, wobei ihre Brüste anschwellen und gleichsam zum Beweis von Milch zu strotzen beginnen. Wer sich bemüht, oft zu beten, der weiß, was ich sage. Oft treten wir mit lauem und trockenem Herzen vor den Altar und geben uns dem Gebet hin. Während wir aber dastehen, ergießt sich plötzlich Gnade in uns, weitet sich unsere Brust, und eine Woge frommer Empfindungen erfüllt unser Inneres . . . [Wer das erfährt, möge sagen:] ,Braut, nun hast du, was du erbeten hast, und das sei dir ein Zeichen, daß deine Brüste besser geworden sind als Wein. Daraus magst du nämlich erkennen, daß du den Kuß erhalten hast, weil du fühlst, daß du empfangen hast [. . .]'"[33]

Die Reihe der Beispiele ließe sich noch lange fortführen. Wir werden uns freilich hüten müssen, aus unserer gegenwärtigen Bewertung solcher Bilder und Vergleiche allzu rasch Schlüsse auf ihre Wirkung in der mittelalterlichen Frauenmystik zu ziehen. Aufschluß darüber kann nur eine Untersuchung der tatsächlichen Rezeption Bernhards durch die frommen Frauen geben. Zuvor aber müssen wir nach den Wegen fragen, auf denen diese Rezeption stattgefunden hat.

II

Auf welche Weise und in welcher Gestalt haben die frommen Frauen Kenntnis von Bernhard und seinen Äußerungen erhalten?

Zunächst müssen wir uns einmal die verschiedenen Möglichkeiten klarmachen, wie ein Wissen von Bernhard vermittelt werden konnte: von einem ganz allgemeinen Reden über den doctor mellifluus im Konvent über die gezielte Unterweisung des Kindes oder jungen Mädchens, das in eine Gemeinschaft frommer Frauen gebracht wird, die Predigt, das seelsorgerliche Gespräch und die individuelle Belehrung durch die ständigen geistlichen Betreuer ebenso wie die Vorträge auswärtiger Prediger, die liturgische Vergegenwärtigung des Heiligen und die regelmäßige Tischlesung in der Gemeinschaft bis hin zur mehr oder weniger planmäßigen privaten Lektüre seiner Schriften.

Die Wege Bernhards zu den Frauen sind natürlich wesentlich schwerer zu verfolgen als die zu den Männern, da bei jenen — ihrem Bildungsstand und ihrer Abhängigkeit von der Seelsorge durch Männer entsprechend — die mündliche Unterweisung eine viel größere Rolle spielt als bei diesen. Die mündliche Mitteilung ist aber nur dort sicher faßbar, wo wir schriftliche Zeugnisse über sie besitzen, wie etwa in dem Bericht des franziskanischen Beichtvaters der Wiener Begine Agnes Blannbekin aus dem letzten Jahrzehnt des 13. Jahrhunderts, in dem er erzählt, wie er ihr aus Bernhards Hoheliedpredigten vorlas.[34]

Eigene Lektüre setzt eine gewisse Bildung der Frauen voraus. Nun wissen wir, daß schon im Früh- und Hochmittelalter Frauen von adliger und später auch bürgerlicher Abstammung lesen und (in geringerem Maße) auch schreiben konnten, während den Männern derselben sozialen Schichten, wenn sie nicht gerade Kleriker waren, diese Fähigkeiten weitgehend fehlten.[35] Ein großer Teil der uns namentlich bekannten Mystikerinnen war imstande zu lesen, viele von ihnen konnten ihre eigenen und fremde Erfahrungen aufzeichnen und Bücher abschreiben.[36]

Eine zweite Voraussetzung für selbständige Lektüre ist natürlich der Besitz von Büchern. Wir kennen noch eine Reihe mittelalterlicher Bibliothekskataloge aus Frauenklöstern, deren Aussagewert allerdings dadurch begrenzt ist, daß sie erst einen relativ späten Besitzstand anzeigen.[37] Im übrigen hat der eigene Bücherbesitz nur einen Teil der klösterlichen Lektüre gebildet. Wir wissen zum Beispiel, daß Heinrich von Nördlingen die von ihm ins Oberdeutsche übertragenen Offenbarungen der Mechthild von Magdeburg leihweise an die Dominikanerinnen von Medingen und Engelthal sandte.[38] Nachdem er ein lateinisches Horologium Sapientiae, als dessen Verfasser er Tauler nennt, dem Prior des Zisterzienserklosters Kaisheim zum Abschreiben geschickt hatte, forderte er seine geistliche Freundin Margaretha Ebner auf, es sich von dort zu leihen und eine eigene Abschrift für den Medinger Konvent anfertigen zu lassen.[39] Ein solcher Bücheraustausch stellt einen wichtigen, freilich meist nur schwer faßbaren Weg der Ausbreitung und Wirkung von Literatur dar.

Wenn wir dem Einfluß Bernhards nachspüren, werden wir zunächst nach seinen Werken Ausschau halten — oder besser: nach all jenen Werken, die unter seinem Namen umliefen. Die Wirkungs- und Überlieferungsgeschichte Bernhards bietet ja ein Musterbeispiel für den in Antike und Mittelalter weit verbreiteten Vorgang, daß sich an den Namen berühmter Autoren Schriften anderer, weniger bedeutender Verfasser anheften. Schon 1891 hatte Leopold Janauschek in seiner Bernhard-Bibliographie 120 Schriften und 57 Gedichte zusammengestellt, die fälschlich mit Bernhards Namen verbunden waren.[40] Das berühmteste unter diesen Stücken ist wohl Wilhelms von St. Thierry ‚Epistola ad Fratres de Monte Dei‘. Wir scheiden heute aber nicht nur die als unecht erkannten Werke aus, sondern wir unterscheiden auch an Bernhards echten Schriften mehrere Stufen der Authentizität, entsprechend dem Anteil, den fremde Hände an ihrer Redaktion haben.[41] Dieser Gesichtspunkt kann hier freilich vernachlässigt werden. Bei der Frage nach Bernhards Wirkung dürfen wir aber auch nicht bei seinen erwiesenermaßen echten Werken stehenbleiben. Es ist ja keineswegs so, daß sich jene zu Unrecht unter seinem Namen umlaufenden Stücke immer auch inhaltlich von seinem Werk entfernten. Im Gegenteil: manche stehen Bernhard sehr nahe, sind von seinem Geist inspiriert, gebrauchen seine Sprache, denken seine Gedanken nach oder denken sie weiter, zitieren ihn oder fassen seine Ausführungen zusammen. Einige von ihnen werden wir noch näher kennenlernen.

Zunächst wenden wir uns aber nochmals Bernhards echtem Werk zu. Bevor wir die Überlieferung betrachten, muß eine Vorfrage geklärt werden: Wie weit konnten die Frauen Latein, wie weit waren sie fähig, die Schriften Bernhards in der Originalfassung zu lesen? Frauen adliger Herkunft, die nach der Regel Benedikts lebten, wie Hildegard von Bingen oder die Zisterzienserinnen von Helfta, besaßen ordentliche Lateinkenntnisse, und auch in einem Dominikanerinnenkloster wie Medingen muß es Schwestern gegeben haben, die ein lateinisches Buch abschreiben und doch wohl auch verstehen konnten — im Unterschied zur Mehrzahl der Frauen in den Bettelorden oder der Beginen wie Mechthild von Magdeburg.[42] Eine Breitenwirkung konnte seit dem 13. Jahrhundert vermutlich nur von deutschen Texten ausgehen.

Schon ein oberflächlicher Blick auf die Überlieferung von Bernhards Werken bestätigt diese Vermutung. Jean Leclercq hat 1953 über die Handschriften berichtet, die er zur Vorbereitung seiner großen kritischen Bernhard-Edition eingesehen hatte: fast 1500, von denen bei mehr als 900 die Provenienz bekannt ist.[43] Wenn ich recht sehe, sind unter den Herkunftsorten — Zisterzienser- und Benediktinerklöstern — so gut wie keine Frauenkonvente, und die Zahl der nicht einzeln aufgeschlüsselten Dominikaner- und Franziskanerkonvente ist verschwindend gering. Nun sind diese Angaben sehr grob; Leclercq hat sie auch nicht im Blick auf Bernhards Wirkungsgeschichte, sondern auf die Ermittlung der zuverlässigsten Überlieferungsträger zusammengestellt. Aber sie zeigen doch, daß von der lateinischen Überlieferung der echten Werke nur ein bescheidener Einfluß auf die Frauenmystik ausgegangen sein dürfte.

Sicher haben Frauenkonvente Schriften Bernhards besessen. So nennt z. B. ein Bücherverzeichnis des Zisterzienserinnenklosters Günterstal bei Freiburg i. Br. von 1457 „sermones Bernhardi" und vermerkt: „Item wir hand zu Friburg in uinserem hus: II nuiwi buecher von der omelig Bernhardi uiber kantika kantikorum".[44] Aber wir können nur Vermutungen darüber anstellen, ob es sich dabei um lateinische oder deutsche Texte handelt.

Eine möglichst vollständige Erfassung der Überlieferung Bernhards nicht unter textkritischen, sondern unter wirkungsgeschichtlichen Gesichtspunkten wäre genauso wünschenswert wie eine Rekonstruktion der Bibliotheken von Frauenkonventen. Dabei müßten gleichermaßen volkssprachliche Übersetzungen wie lateinische Originaltexte beachtet werden. Die Übersetzungen ins Deutsche hat bisher wohl Werner Höver am gründlichsten untersucht. Er kommt zu dem Ergebnis, daß die Hoheliedpredigten — also gerade jenes Hauptwerk Bernhards, das für seine Mystik bzw. für seine Theologie am aufschlußreichsten ist — „erstaunlich wenig übersetzt [wurden], ganz im Gegensatz zu seinen sonstigen Predigten", von denen ihm bisher mehr als hundert deutsche und niederländische Handschriften bekannt geworden waren.[45] Die neun codices mit oberdeutschen, d. h. im wesentlichen altbairischen Übertragungen der Hoheliedpredigten, die er in seiner Untersuchung verwertet, stammen durchweg aus der zweiten Hälfte des 15. Jahrhunderts, die meisten sogar von dessen Ende. Von ihnen kommen nur zwei aus Frauenklöstern.[46]

Diese sicher sehr vorläufigen und punktuellen Beobachtungen machen es mir wahrscheinlich, daß nicht nur der Einfluß der lateinischen Originaltexte von Bernhards Schriften, sondern auch der ihrer Übersetzungen ins Deutsche auf die Frauenmystik nicht zu hoch angeschlagen werden darf. Genauso groß oder vielleicht sogar noch größer war vermutlich die Wirkung jener vielen Einzelstücke, Auszüge, Zusammenfassungen und Referate, aber auch der nur von Bernhard inspirierten, zu Unrecht unter seinem Namen umlaufenden Texte, von denen es ja zahllose lateinische und deutsche Belege in der handschriftlichen Überlieferung gibt. Diese Vermutung wird wieder durch den Blick in einen mittelalterlichen Bibliothekskatalog bestätigt. Das Verzeichnis der Privatbücher der Schwestern des Nürnberger Dominikanerinnenklosters St. Katharina von 1451–57 enthält von Bernhard fast ausschließlich solche kurzen Stücke, darunter allein fünfmal die sogenannten ‚Acht Verse Sankt Bernhards‘.[47]

Wenn man sich fragt, weshalb die Wirkung der großen, echten Werke Bernhards anscheinend so bescheiden war, während die Bearbeitungen seiner Texte einem so häufig begegnen, dann kann nur eine Erklärung befriedigen: Offenbar stellten Bernhards Schriften an das Verständnis der frommen Frauen zu hohe Ansprüche. Es blieb Theologiehistorikern vorbehalten, die sich an den systematischen Sammelwerken der Scholastik orientieren, Bernhard den Charakter eines ernstzunehmenden Theologen abzusprechen und ihn unter die bloßen Erbauungsschriftsteller einzuordnen. Die frommen Frauen des Mittelalters haben seine Werke durchaus als schwierig empfunden. Es kostete sie zuviel Zeit und Mühe, einen umfangreichen Traktat wie ‚De consideratione‘, eine Reihe von 17 Predigten über Psalm 90 (Qui habitat) oder gar die ganze Sammlung von 86 Hoheliedpredigten durchzulesen und zu verarbeiten. Wesentlich leichter zugänglich waren überarbeitete Auszüge aus diesen Schriften — vielfach Texte von derart begrenztem Umfang, daß man sie an einem Stück lesen bzw. beten und anschließend noch darüber meditieren konnte, ohne mit dem klösterlichen Tagesablauf in Konflikt zu geraten. Durch ihre schematische Gliederung eigneten sie sich besonders gut als Gebrauchstexte für Gebet und Meditation. Diese verschiedenartigen, mehr oder weniger stark von Bernhard abhängigen oder auch nur von ihm beeinflußten Stücke waren — wie mittelalterliche Bibliothekskataloge und erhaltene Handschriften zeigen — sowohl in der mehr äußerlichen Zusammenfassung durch Gebet- und Erbauungsbücher als auch in planvoller angelegten Sammlungen greifbar. Unter den letzteren nenne ich zwei, die in der zweiten Hälfte des 13. Jahrhunderts entstanden sind und auch in Frauengemeinschaften zu wichtigen Trägern der Wirkung Bernhards wurden: den ‚St. Georgener Prediger‘, in seinem Kernbestand vielleicht von einem Zisterzienser geschaffen[48], und den ‚Baumgarten geistlicher Herzen‘, in franziskanischen Kreisen Augsburgs, wohl im Umkreis Davids von Augsburg, entstanden und vermutlich für eine dortige Schwesterngemeinschaft bestimmt[49].

Ich greife zunächst zwei besonders beliebte und wirkungsvolle Stücke heraus, die sich relativ eng an Bernhard anschließen und auch in den beiden zuletzt genannten Sammlungen enthalten sind:

— Die Betrachtung über „die vier Dimensionen Gottes" ist ein stark verkürzender und schematisierender Auszug aus dem an Epheser 3,18 anknüpfenden Schlußabschnitt von Bernhards Schrift ‚De consideratione‘ (5,13,27—14,32): „Waz got si. Sant Bernhart sprichet: O we, waz ist got? Wer seit mir, waz got si? Got ist vier dinch: Er ist div hohe, er ist div tieffe, er ist div lenge, er ist div breit. An der hohe ist er div magenchraft; an der tieffe ist er div wisheit; an der lenge ist er div ewicheit; an der braeit ist er div minne. Dar an ist er so groz, daz in himelriche noch ertrich begriffen mach [. . .]"[50]

— ‚Das Seelgerät [Testament] St. Bernhards‘ stellt eine leicht überarbeitete Übersetzung von Hoheliedpredigt 43,3 dar, eingeleitet durch die Situationsbeschreibung: „Do sant Bernhart an sinem tode lach, do liez er sinen iungern ditze selgereit vnd sprach: Lieben bruder, sit ich ein geistlich mensch wart [. . .]"[51] An die Betrachtung von Jesu Lebensweg als Leidensweg, auf die ich später noch einmal eingehen werde, schließen sich Überlegungen über deren siebenfachen Gewinn an: „Vnd von disen gedanchen chomen mir siben grozze nutze [. . .]"[52] Der St. Georgener Prediger fügt die Bemerkung hinzu: „Diz sel geraete lie der guote sant Bernhart sinen jungern, daz och sú mit soelicher materie umb giengent und daz bi im lernetind. und also sont och wir bi disen selben worten gemanet sin daz och wir mit súmlichen dingen únsrú hertzen bekúmberent dur der nútz willen die sant Bernhart der von enphie [. . .]"[53]

Im Zusammenhang mit dem ‚Seelgerät Bernhards' und unabhängig davon (aber doch wohl vielfach von ihm beeinflußt) finden sich immer wieder Betrachtungen über den mehrfachen Nutzen einer Passionsmeditation.[54]

Von den Texten, die Bernhard fälschlich zugeschrieben werden, nenne ich ebenfalls zwei:

— Die überaus verbreiteten ‚Acht Verse St. Bernhards' sind ein aus Psalmversen zusammengestelltes Gebet, das Bernhard durch den Teufel mitgeteilt worden sein soll.[55]

— Unter Bernhards Namen begegnet auch häufig eine in rund 60 Handschriften überlieferte Allegorie des „geistlichen Klosters", in der die einzelnen klösterlichen Ämter und Gebäude auf Tugenden u. a. hin ausgelegt werden:

Hie merk von aimm gaistlichen kloster,
wie vnd wa mit du dz in dir buwen vnd machun solt.
Navch Sant Bernhartz ler.
Ain fridsam hercz ist ain gaistlich kloster [. . .][56]

Manche Handschriften bieten eine ganze Sammlung von Bernhard-Auszügen und Bernhard zugeschriebenen Belehrungen. So fügt ein Heidelberger Codex an das ‚Seelgerät' allein 16 apokryphe, relativ kurze Bernhard-Texte in ununterbrochener Folge an.[57] Im St. Georgener Prediger spielt Bernhard — abgesehen von den umfangreicheren Auszügen — in zahlreichen (echten und unechten) Zitaten eine hervorragende Rolle; er wird namentlich noch häufiger genannt als Augustinus.

Mit einer derartigen Sammlung, die nicht mehr bloß das Werk eines Abschreibers oder gar des Buchbinders ist, sondern die Absicht widerspiegelt, für einen bestimmten Leserkreis geistliche Texte zusammenzustellen, berühren wir bereits einen weiteren wichtigen Zweig der Wirkungsgeschichte Bernhards: die Literatur, die von den Seelsorgern der Schwesterngemeinschaften hervorgerufen wurde. Wenn wir bedenken, daß wir die Aufzeichnung von Predigten und anderen deutschsprachigen Texten dieser Männer vielfach den von ihnen betreuten Frauen verdanken[58], dann wird klar, daß die Frauen zumindest jene Werke ihrer geistlichen Betreuer auch gründlich gelesen haben.

Auch die großen dominikanischen Vertreter der deutschen Mystik haben Bernhard geschätzt und zitiert. Selbst Meister Eckhart, dem man es auf den ersten Blick nicht zutrauen möchte, zitiert Bernhard mehr als vierzigmal mit Namen. Sicher gehört er für ihn nicht zu den Autoritäten ersten Ranges wie Augustin, Thomas von Aquin und Aristoteles; aber er hat ihm doch manchen wichtigen Gedanken geliefert.[59] Bedeutender ist sicher Bernhards Einfluß auf Johannes Tauler, der ihn als „Vater", als Autorität für das Ordensleben, neben Dominikus, Benedikt, Augustinus und Franziskus nennt.[60] Im Register zu Vetters Edition erscheint Bernhard nach Augustinus (42 Belege) und knapp vor Gregor d. Gr. (20 Belege) mit 21 namentlichen Erwähnungen. Sein Einfluß geht aber sicher weit über die ausdrücklichen Zitate hinaus.[61] Am höchsten unter den drei Dominikanern schätzt Heinrich Seuse Bernhard. In seiner Vita erzählt er, daß er sich zur Meisterung seiner Zunge in der Betrachtung an drei Lehrern ausrichtete, ohne deren Erlaubnis er nicht reden wollte: „daz waren die lieben heiligen: unse vater sant Dominicus, sant Arsenius [der ägyptische Wüstenvater aus der ersten Hälfte des 5. Jahrhunderts] und sant Bernhart".[62] Ihn preist er im ‚Büchlein der Ewigen Weisheit': „Gesegnet siest du ovch under allen lerern, suezer herr sant Bernhart des sel so durlûhtet waz mit dez ewigen wortes blozheit, und daz din suezú zunge so suézklich us tovwet von einem vollen herzen daz liden siner menscheit, do din minnendú sel sprach: ‚daz gebluemet mirrenbúschelli des bittren lidennes mins geminten herren hab ich minneklich gevasset entzwúschent minú brústlú und zartlich geneiget enmitten in min herz [. . .]' "[63] Er spielt hier auf Hoheliedpredigt 43,2 f. an, jenen Text, der im ‚Seelgerät St. Bernhards' verarbeitet ist. Wenn die Zahl der namentlichen Erwähnungen Bernhards in Seuses deutschen Schriften mit 14 Belegen gering erscheint, so liegt das einfach daran, daß Seuse ganz allgemein wenig Namen nennt. Bernhard liegt aber weit an der Spitze vor Gregor d. Gr. mit 9 und Augustinus mit 7 Erwähnungen. Sein tatsächlicher Einfluß auf Seuse ist jedoch viel größer, als die Zitate erkennen lassen.

Die beiden Äußerungen, die ich soeben wörtlich wiedergegeben habe, weisen auf eine bisher nicht erwähnte Form der Wirkung Bernhards hin. Neben den Einflüssen seiner echten und unechten Schriften und der Vermittlung durch Predigt, Seelsorge und Unterweisung dürfen wir den Eindruck nicht vernachlässigen, den die Gestalt, die Persönlichkeit des Heiligen auf die Nachwelt gemacht hat. Dieser Eindruck war zwar nicht so stark wie hundert Jahre später der eines Franz von Assisi; aber er hatte im 12. Jahrhundert nicht seinesgleichen und hat auch in den folgenden Jahrhunderten kräftige Spuren hinterlassen. Wie mir scheint, hat man der Überlieferungs- und Wirkungsgeschichte der Nachrichten über Bernhard in deutscher Sprache bisher viel zuwenig Aufmerksamkeit geschenkt; auch Höver läßt dieses Material in seinem Bernhard-Artikel im Verfasserlexikon unbeachtet.

Es handelt sich im wesentlichen um drei Gruppen literarischer Quellen:
— um die verschiedenen Viten,
— um Gedichte auf Bernhard bzw. Gebete zu ihm,
— um Predigten über den Heiligen.

Leclercq hat über das Material hinaus, das bei Migne abgedruckt ist, eine ganze Reihe handschriftlicher Zeugnisse der persönlichen Wirkung Bernhards gesammelt.[64] Eine vollständige Sammlung der Äußerungen über seine Person auch in den Volkssprachen ist für die Aufarbeitung seiner Wirkungsgeschichte unerläßlich. Dazu gehört auch eine Erfassung der formelhaften Aussagen über seine Person und sein Werk. Leclercq ist dem vielsagenden und wohl auch wirkungs- und verhängnisvollsten Epitheton „mellifluus" nachgegangen, ohne seinen Einfluß auch nur annähernd hinreichend zu beschreiben.[65]

Nicht unterschätzen sollte man schließlich den Anteil der bild-

lichen Darstellungen Bernhards an der Verbreitung und Vertiefung seiner Wirkungen. Auf diesen Aspekt werde ich im folgenden Abschnitt noch kurz eingehen. Dagegen muß ich auf die Besprechung von Bildern verzichten, in denen sich charakteristische
Anschauungen Bernhards — abgesehen von seiner Person — nie-
derschlagen.[66]

III

In welcher Weise ist nun Bernhard in der Frauenmystik gegenwärtig?

Es läßt sich eine ganze Skala von Möglichkeiten erkennen: von
der ausführlichen, mit Bernhards Namen verbundenen Würdi-
gung oder Schilderung von Erlebnissen über das Referat oder Zitat mit und ohne Namensnennung bis hin zu bloßen Parallelen
und Anklängen, deren Zusammenhang mit Bernhard oft nur sehr
schwer zu erweisen ist. Ich kann im folgenden wiederum nur einige ziemlich willkürlich ausgewählte Beispiele herausgreifen.

Zunächst für eine Gesamtvorstellung von Bernhard. In Ger-
truds von Helfta ‚Legatus divinae pietatis‘ und in Mechthilds von
Hackeborn ‚Liber specialis gratiae‘ sind Bernhard umfangreiche
Kapitel gewidmet.[67] Beide schildern Offenbarungen, die sie im
Zusammenhang mit Bernhards Fest am 20. August während der
Messe empfangen haben: Gertrud sowohl am Vortag als auch am
Tag, Mechthild nur am Tag des Heiligen. Das hat natürlich seinen
Grund darin, daß man sich an den Heiligentagen und in der Zeit
davor besonders intensiv mit dem betreffenden Heiligen beschäf-
tigt.

Gertrud sieht Bernhard angetan mit Kleidern in drei verschiedenen Farben: dem Weiß der jungfräulichen Reinheit, dem Vio-
lett der Vollkommenheit in der Lebensführung und dem Rot der
Liebesglut. Hinter diesem Bild steht die alte Vorstellung von den
drei Stufen des mystischen Weges von der Reinigung über die Bewährung in Werken und Erkenntnis bis zur Vereinigung in der
Liebe, den Bernhard in den ersten Hoheliedpredigten dargestellt
hat. Im übrigen charakterisiert Gertrud den Heiligen durch seine

honigsüße Sprache, seine vollendete Lehre und seine Gottesliebe — offenbar bereits damals feste und weitverbreitete Topoi, die auch Mechthild mit gewissen Abwandlungen benützt. Es verdiente eine eigene Untersuchung, wie weit sich in diesen und ähnlichen Texten bei anderen Mystikerinnen Erinnerungen an Bernhard-Lektüre, konventionelle Redeweise und persönliche Erfahrungen zu einem selbständigen Bild Bernhards verbinden. Mechthild berichtet zunächst von einer Audition, in der ihr die einzigartige Geistbegabung des Heiligen geoffenbart wurde. Sie konkretisiert sich in Bernhards liebender Erfahrung. Eine anschließende Vision des Heiligen in farbenprächtiger Stola weist auf seine Reinheit und Tugendhaftigkeit hin; andere Erscheinungen stellen seine liebeerfüllte Persönlichkeit und seine glänzende schriftstellerische Tätigkeit dar.

Während in den großartigen Offenbarungen Gertruds und Mechthilds verschiedene Elemente zusammentreten, konzentriert sich die folgende Erinnerung Margaretha Ebners aus dem Dominikanerinnenkloster Medingen auf einen zentralen Punkt: „ich het grozzen lust und begird, daz ich den kus enphieng mit minem herren sant Bernhart und umbvangen würde mit der minne siner arme, und daz er mir ain grif in daz hertz tät. und daz wart an mir ervollet aines nahtes. do wart mir geben, daz ez got an mir volbringen wolt. do sprach ich: ‚ich mag und wil ez niht anders dann uz allem dinem liden.‘ do wart mir der grif als crefteclichen, daz ich ez wachent und schlaufent vil zit enphant.“[68] Das Erlebnis, auf das Margaretha Ebner hier anspielt, fließt aus dem Leiden Jesu, mit dem sie ihr eigenes Leiden verbindet.

Die Betonung und Bejahung des Leidens finden die frommen Frauen bei Bernhard vorgezeichnet. Er legt in der 43. Hoheliedpredigt den Text „Ein Myrrhenbüschel ist mir mein Geliebter, das an meiner Brust ruht" (Cant. 1,12) in dem Sinne aus, daß er zur ständigen Erinnerung und fortwährenden Meditation alles Bitteren auffordert, das Jesus je für uns erlitten hat. In einer ganz persönlichen Wendung fährt er dann fort: „Auch ich, meine Brüder, habe von Anfang meines Lebens als Mönch an zum Ersatz für die Masse an Verdiensten, die mir — wie ich weiß — fehlen, mich bemüht, dieses Büschel zu sammeln und an meine Brust zu stecken.

Es ist gesammelt aus allen Ängsten und Bitternissen meines Herrn: zuerst nämlich aus jenen Nöten seiner Kindheit, sodann aus den Mühen, die er beim Predigen ertrug, seinen ermüdenden Wanderungen, seinen Wachen beim Beten, seinen Anfechtungen beim Fasten, den Tränen seines Mitleids, den Nachstellungen bei seinen Gesprächen, zuletzt aus seiner Gefährdung unter falschen Brüdern, den Schmähungen, dem Anspeien, den Ohrfeigen, den Verhöhnungen, den Beschimpfungen, den Nägeln und Ähnlichem, was der Wald des Evangeliums zum Heil unseres Geschlechts in so reicher Menge — wie wir wissen — hervorgebracht hat."[69] Diese Schilderung einer Meditation über das Leben Jesu gerade in seinen Schwachheitszügen und seinem Leidensaspekt, die in Bernhards Bekenntnis zur Konzentration seines Lebens und Denkens auf Jesus als den Gekreuzigten gipfelt[70], ist teilweise in das ‚Seelgerät St. Bernhards' aufgenommen.

Die Leiden des Heilands, die an sich jedem Christen nahegehen, haben die frommen Frauen aufs stärkste bewegt. Sie haben bei seiner Betrachtung Empfindungen entwickelt, die man doch wohl ohne Voreingenommenheit als mütterliches Erbarmen bezeichnen darf. Diese Empfindungen richten sich insbesondere auf zwei Phasen im Leben Jesu: auf die früheste Kindheit und auf das letzte Leiden und Sterben Jesu. Beides hat in den Frauenklöstern anschauliche Darstellung gefunden: einerseits im Abbild des kleinen, lieblichen und hilflosen Jesuskindes, das in manchen Klöstern geradezu Ersatzhandlungen hervorrief — man hat das Kindlein bekleidet und gepflegt, geherzt und geküßt wie eine Puppe[71]; andererseits im Vesperbild, in dem die schmerzerfüllte Mutter ihren vom Kreuz abgenommenen Sohn in den Armen hält.

An der Ausgestaltung der Erinnerung an die erste Phase, die früheste Kindheit, hat das ‚Seelgerät St. Bernhards' kräftigen Anteil. Während Bernhard nur sehr kurz und allgemein von den Nöten der Kindheit Jesu redet, führt der deutsche Text aus: „Ich gedacht an sin chintheit, wie er in die tüchlein gewindelt wart vnd geleit wart in die chrippe, wie er sin bluot vergoz in der besnidvnge, wie er in grozzer armuot erzogen wart".[72] Diese Vorstellung des armen, leidenden Jesuskindleins hat die Phantasie der frommen Frauen mächtig beeindruckt.

So zum Beispiel der Gedanke, daß Jesus in der Krippe litt. Als die Schwester Anne Vorhtlin in Engelthal „an einer cristnaht nach der metin [. . .] vor einem alter [lag]", da sah sie „daz minneclich kint ligen auf einem herten hev, daz het sin zartez leiblin durch gestochen, daz ez rote rennelin het".[73]

Die Wiener Begine Agnes Blannbekin hielt von Jugend auf eine besondere Andacht am Tage der Beschneidung. In mitleidendem Gedenken an das Blut, das der kleine Jesusknabe schon so früh hatte vergießen müssen, pflegte sie regelmäßig angsterfüllt ihre Tränen zu vergießen. Dabei wurde ihr einmal in höchster Erregung ein merkwürdiges Erlebnis zuteil: Sie spürte die Vorhaut Jesu wie ein feines Eihäutchen mit der Empfindung übergroßer Süße auf ihrer Zunge, und als sie sie verschluckte, kehrte sie auf ihre Zunge zurück. Der Vorgang wiederholte sich gut hundertmal und endete erst, als Agnes versuchte, das Häutchen mit dem Finger zu berühren.[74]

Dieses Erlebnis führt gewiß weit fort von den nüchternen Erfahrungen, über die Bernhard von Clairvaux berichtet; es scheint aber doch erst möglich nach der von ihm ausgelösten oder wenigstens entscheidend geförderten Hinwendung zum Leidensweg des irdischen Jesus. Am anderen Ende dieses Weges stehen Passion und Kreuz. Bernhards Konzentration auf den Gekreuzigten hat verschiedene bildliche Darstellungen mit seiner Person entstehen lassen. Ein Bildtypus zeigt den Heiligen, der das Kreuz und die Beine des Gekreuzigten umfaßt; davon abgeleitet ist das Andachtsbild, auf dem zu beiden Seiten des Kreuzes Bernhard und eine Nonne knien und einträchtig den Kruzifixus umfangen.[75] Ein anderer Bildtypus stellt Bernhard dar, wie er den Gekreuzigten, der sich zu ihm herabneigt, liebevoll in seine geöffneten Arme nimmt. Ein besonders schönes Zeugnis dieses Typus findet sich in einem Graduale des Zisterzienserinnenklosters Wonnental im Breisgau aus der ersten Hälfte des 14. Jahrhunderts.[76] Das Bild hat literarische Parallelen (Wirkungen?) — etwa in dem Bericht der Margaretha Ebner von einem Erlebnis mit dem Kruzifixus ihrer Medinger Klosterkirche. Während sie sich inbrünstig wünschte, dieses große Kreuz küssen und an ihr Herz drücken zu können, „so naigt sich min herr Jhesus Cristus her ab von dem criucz und

liezz mich küzzen in sin offen hercz und trankt mich mit sinem bluot dar usse, und enphieng ich da als grozze creftig gnaud und süezkait, diu an mir lang wert."[77] Es wäre zu fragen, ob und wie weit sich in derartigen Erlebnissen die Phantasie der Frauen vom Vorstellungsvermögen der Männer entfernt.

Viel weiter, als es die Bernhard gewidmeten Kapitel in den
Schriften der Mystikerinnen und die ausdrücklichen Zitate aus
echten und unechten Schriften erkennen lassen, geht seine Wirkung durch die von ihm geschaffenen Bilder und Deuteschemata

und überhaupt durch die von ihm geprägte Sprache. Freilich ist diese Art der Wirkung im einzelnen nicht leicht nachzuweisen. Steht etwa hinter Mechthilds von Magdeburg Aussage über jenes Höchste, das man kaum mit Worten erreichen kann: „mit cristanem gelouben mag man es vuelen, wie gros, wie hoch, wie wit, wie wunneklich [. . .]"[78] die Erinnerung an Epheser 3,18, an Bernhards Schrift ‚De consideratione' in deutscher Übersetzung oder Bearbeitung oder an einen Text ‚Von den vier Dimensionen Gottes'? Welche Kenntnis Bernhards oder einer von Bernhard ausgehenden Tradition dürfen wir voraussetzen, wenn wir im Buch der Margery Kempe die Worte Christi lesen: „Dowtyr, thow desyrest gretly to se me, & þu mayst boldly, whan þu art in þi bed, take me to þe as for þi weddyd husbond, as thy derworthy derlyng, & as for thy swete sone [. . .] & þerfor þu mayst boldly take me in þe armys of þi sowle & kyssen my mowth, myn hed, & my fete as swetly as thow wylt"?[79] Steht hinter dem Bild vom dreifachen Kuß[80] und hinter der Vorstellung von der geistlichen Hochzeit Bernhards Hoheliedauslegung? Woher stammt eine Metapher wie „the arms of thy soul"? An sich ist ja der ganze Satz — wie fast alle mystische Rede — von Anfang bis Ende metaphorisch zu verstehen, weil es in ihm um Vorgänge geht, für die unserer Sprache (übrigens, trotz aller Fortschritte der Psychologie, bis heute) die eigentlichen Bezeichnungen fehlen. Wir sind deshalb, wenn wir überhaupt über sie reden wollen, auf Umschreibungen und Vergleiche angewiesen. Seit der Antike hat sich eine reiche Metaphorik des Innenlebens ausgebildet, deren Bilder vorwiegend dem Alltagsleben entnommen sind: etwa dem Wohnen, den Gliedern und Organen unseres Körpers, den äußeren Sinnen und ihren Funktionen sowie den Vorgängen der Nahrungsaufnahme und Nahrungsverwertung. In Bernhards Darstellung religiöser (nicht nur mystischer) Erfahrungen finden wir eine Fülle solcher Metaphern des Innenlebens[81]; doch ist es sehr schwer, zu erkennen, wo er wirklich Neues geschaffen hat. Grete Lüers hat vor bald sechzig Jahren eine zwar ganz unzureichende, aber doch sehr aufschlußreiche und anregende Sammlung von Belegen zu einzelnen Metaphern der mystischen Sprache geliefert[82]; doch nur eine möglichst vollständige Erfassung des sprachlichen Materials, die bis auf die Antike zurückgreift — etwa in einem umfassenden Katalog der mystischen Bildersprache —, wird einigermaßen sichere Aussagen über wirkungsgeschichtliche Zusammenhänge ermöglichen. Solange ein derartiges Hilfsmittel fehlt, werden viele Vermutungen auch über Bernhards Einflüsse unsicher bleiben, wenn sie sich nicht auf namentliche Nennung oder auf eindeutig nachgewiesene Zitate stützen.

Meine Ausführungen enden mit einem Desiderat. Sie müssen überhaupt den Eindruck des Vorläufigen und Unfertigen machen. An der Bemühung um einen exakten Nachweis der Wirkungen Bernhards in der Frauenmystik läßt sich exemplarisch die gegenwärtige Situation der Mystikforschung erkennen: Wir sind von einer wirklich geschichtlichen Darstellung der mittelalterlichen Mystik noch weit entfernt.

Anmerkungen

[1] Vgl. vorerst Anselme Le Bail, Art.: Bernard (Saint) in: Dictionnaire de spiritualité, ascétique et mystique 1, 1937, (1454—1499) 1492—1498; Matthäus Bernards, Der Stand der Bernhardforschung, in: Bernhard von Clairvaux — Mönch und Mystiker. Internationaler Bernhardkongreß Mainz 1953 (Veröffentlichungen des Instituts für Europäische Geschichte Mainz, 6), hrsg. v. Joseph Lortz, Wiesbaden 1955, (3—43) 19—21.

[2] Vgl. den Vorwurf des Zisterziensers Otto von Freising, Bernhard sei „ex Christianae religionis fervore zelotipus" gewesen — ein Verhalten, das die Regel Benedikts (64,16) ausdrücklich mißbilligt (Gesta Frederici 1,50 [Ausgew. Quellen zur deutschen Geschichte des MA., Freiherr vom Stein–Gedächtnisausgabe, 17, Darmstadt 1974, 224, Z. 13 f.] in Zusammenhang mit der Geschichte Abaelards).

[3] Ep. 174 (S. Bernardi Opera, ed. J. Leclercq u. a. [im folgenden abgek.: Opp.], 7, 388—392).

[4] Vgl. z. B. Georg Söll, Mariologie, in: Handbuch der Dogmengeschichte III/4, hrsg. v. Michael Schmaus u. a., Freiburg - Basel - Wien 1978, 168 ff. (mit Literaturangaben).

[5] Diesem Einfluß hoffe ich noch ausführlicher nachgehen zu können. Über die Beziehungen Luthers zu Bernhard liegt schon eine Reihe von Untersuchungen vor. Vgl. zuletzt Theo Bell, Sermon von der Geburt Christi. Bernard van Clairvaux en Johann Tauler in Luther's Kerstpreek van 1520, Bijdragen 39, 1978, 289—309.

[6] Étienne Gilson, La théologie mystique de Saint Bernard (Études de philosophie médiévale, 20), Paris 1934; dt.: Die Mystik des heiligen Bernhard von Clairvaux, Wittlich 1936. Jean Leclercq in vielen Veröffentlichungen, vgl. bes. seine vorläufige

Zusammenfassung: L'amour des lettres et le désir de Dieu, Paris 1957; dt.: Wissenschaft und Gottverlangen, Düsseldorf 1963.

[7] Adolf von Harnack, Lehrbuch der Dogmengeschichte III, Tübingen 1910, 342.

[8] So charakterisiert ihn z. B. noch Elisabeth Gössmann, Glaube und Gotteserkenntnis im Mittelalter, in: Handbuch der Dogmengeschichte I/2b, hrsg. v. Michael Schmaus u. a., Freiburg - Basel - Wien 1971, 19 f.

[9] Seit Wolfgang Stammlers wegweisendem Aufsatz: Deutsche Scholastik, Zeitschrift für deutsche Philologie 72, 1953, 1—23, auch in: Kleine Schriften zur Literaturgeschichte des Mittelalters, Berlin 1953, 127—151. Vgl. den großen Forschungsbericht von Georg Steer, Germanistische Scholastikforschung, Theologie und Philosophie 45, 1970, 204—226; 46, 1971, 195—222; 48, 1973, 65—106.

[10] Hester McNeal Reed Gehring, The Language of Mysticism in South German Dominican Convent Chronicles of the fourteenth Century, Diss. phil. Univ. of Michigan 1957 (Mikrofilm), 17 f.

[11] Otto Beck, Die Reichsabtei Heggbach, Sigmaringen 1980, 470 f. Auch die Ausführungen über den Einfluß Seuses stellen reine Vermutungen dar.

[12] Kurt Ruh, Bonaventura deutsch (Bibliotheca Germanica, 7), Bern 1956, 29.

[13] Kurt Ruh, Vorbemerkungen zu einer neuen Geschichte der abendländischen Mystik im Mittelalter (Sitzungsber. d. Bayer. Akademie d. Wiss., Philos.-hist. Kl., Jg. 1982, H. 7), München 1982, 11.

[14] A.a.O. Anm. 27.

[15] Vgl. Werner Höver, Theologia Mystica in altbairischer Übertragung (Münchener Texte und Untersuchungen . . ., 36), München 1971.

[16] Art.: Bernhard von Clairvaux, in: Die deutsche Literatur des Mittelalters. Verfasserlexikon², 1, 755 (Abkürzungen von mir aufgelöst).

[17] A.a.O. 759 (Abkürzungen von mir aufgelöst).

[18] Libro de la Vida 40,8 in: S. Teresa de Jesus, Obras Completas. Edicion manual, ed. Efren de la Madre de Dios y Otger Steggink (Biblioteca de Autores Cristianos, 212), Madrid 1974, 186.

[19] Tochter Syon, v. 2827—2834, 2838—2863. Lamprecht von Regensburg, Sanct Francisken Leben und Tochter Syon, hrsg. v. Karl Weinhold, Paderborn 1880, 430—432.

[20] Über das Verhältnis Bernhards zur Frau und zum „Weiblichen" im allgemeinen hat Jean Leclercq in mehreren Veröffentlichungen gehandelt. Vgl. z. B.: Der heilige Bernhard und das Weibliche, Erbe und Auftrag 51, 1975, 161—179, auch als Kapitel VI des Buches: Nouveau visage de Bernard de Clairvaux. Approches psychohistoriques, Paris 1976; zuletzt: Die Frau in der Mönchstheologie des Mittelalters, Internationale katholische Zeitschrift 11, 1982, 353—359, mit der Ankündigung eines neuen Buches: St. Bernard et les femmes.

[21] Untersucht von Maria d'Elia Angiolillo, L'epistolario femminile di S. Bernardo, Analecta Sacri Ordinis Cisterciensis 15, 1959, 23—55. Vgl. auch Edith Russel, Bernard et les dames de son temps, in: Commission d'histoire de l'Ordre de Cîteaux (Ed.), Bernard de Clairvaux, Paris 1953, chap. XXIV, 411—425.

[22] Beste Edition bei Marianne Schrader, Adelgundis Führkötter, Die Echtheit des Schrifttums der heiligen Hildegard von Bingen, Köln/Graz 1956, 105—107.

[23] Ep. 366 (Opp. 8,323 f.).

[24] Vgl. Vita S. Hildegardis, PL 197, 94C—95C.

[25] Vgl. J. Schmid, Art.: Brautschaft, heilige in: Reallexikon für Antike und Christentum 2, 1954, (528—564) 559 ff.

[26] Zur Geschichte der Hohelied-Auslegung vgl. Friedrich Ohly, Hohelied-Studien. Grundzüge einer Geschichte der Hoheliedauslegung des Abendlandes bis um 1200 (Schriften d. Wiss. Gesellschaft an der Johann Wolfgang Goethe-Universität Frankfurt a. M., Geisteswiss. Reihe, 1), Wiesbaden 1958.

[27] Vgl. v. a. Sermo super Cant. 3 (Opp. 1,14—17).

[28] Vgl. z. B. Sermo super Cant. 61,2 (Opp. 2,149,9): litteralis lusus.

[29] Vgl. z. B. Sermo super Cant. 52,3 (Opp. 2,91); 83,3 (Opp. 2,299); 85,12 f. (Opp. 2,315 f.).

[30] Sermo super Cant. 25,3 (Opp. 1,164).

[31] Sermo super Cant. 41,1 (Opp. 2,28).

[32] Sermo super Cant. 23,2 (Opp. 1,139 f.).

[33] Sermo super Cant. 9,7 (Opp. 1,46).

[34] Ven. Agnetis Blannbekin, Quae sub Rudolpho Habspurgico & Alberto I. Austriacis Impp. Wiennae floruit, Vita et Revelationes auctore anonymo Ord. FF. Min. e celebri conv. S. Crucis Wiennensis . . ., ed. Bernardus Pez, Wien 1731, c.118, p.137: Quadam die legeram ei quaedam Beati Bernhardi super Cantica, quomodo anima sponsa cunctis affectionibus renuncians aliis soli et tota incumbat amori.

[35] Dazu noch immer grundlegend: Herbert Grundmann, Die Frauen und die Literatur im Mittelalter, in: ders., Ausgewählte Aufsätze III (Schriften der Monumenta Germaniae Historica, 25/3), Stuttgart 1978, 67—95.

[36] Dafür werden im folgenden einige Belege geboten.

[37] Vgl. insbesondere aus dem Dominikanerinnenkloster St. Katharina zu Nürnberg ein umfangreiches Verzeichnis der Privatbücher der Schwestern von 1451—1457 (Mittelalterliche Bibliothekskataloge Deutschlands und der Schweiz, hrsg. von der Bayer. Akademie der Wiss., 3. Bd., bearb. v. Paul Ruf, München 1932, 578—596), den Katalog der Klosterbibliothek von 1455—1461 (a.a.O. 596—638) sowie die Anweisung für die Tischlesungen von 1429—1431 (a.a.O 638—670). Bei manchen Büchern sind die Namen der Schreiberinnen verzeichnet.

[38] Vgl. den Brief Heinrichs an Margaretha Ebner bei Philipp Strauch, Margaretha Ebner und Heinrich von Nördlingen, Freiburg i. Br. — Tübingen 1882 [Nachdr. Amsterdam 1966], 246 f. (Brief XLIII, 117—141).

[39] Vgl. den Brief Heinrichs an Margaretha a.a.O. 228 f. (Brief XXXV, 82—87): Ein puch han ich gesant dem prior ze Kaiszheim, das ist das buch das man nent Orologium Sapientiae ze latin, und das ist unszers lieben vatters Taulers, der noch nit kommen ist von Cölen; das haiss dir lihen, so ers erst ab geschribt — das han ich im geschriben —, und schribent es den ab dem convent, das es allzeit bei euch belib.

[40] Leopold Janauschek, Bibliographia Bernardina, Wien 1891 [Nachdr. 1959], IV-XIV. Vgl. außerdem Ferdinand Cavallera, Art.: Bernard (Apocryphes attribués à saint) in: Dictionnaire de spiritualité, ascétique et mystique 1, 1937, 1499—1502.

[41] Vgl. Jean Leclercq, L'authenticité bernardine du sermon „In celebratione adventus", in: ders., Recueil d'études sur saint Bernard et ses écrits 2, Rom 1966 (Storia e letteratura, 104), 289.

[42] Mechthild betont selbst, sie könne kein Latein (Offenbarungen der Schwester Mechthild von Magdeburg oder Das fließende Licht der Gottheit, hrsg. v. Gall Morel, Regensburg 1869 [Nachdr. 1963], 30). Dagegen ist eine Frau wie Elsbeth Stagel in Töss fähig, lateinische Verse, die ihr Heinrich Seuse zugesandt hat, ins Deutsche zu übertragen (Heinrich Seuse, Deutsche Schriften, hrsg. v. Karl Bihlmeyer, Stuttgart 1907 [Nachdr. 1961], 397).

[43] Jean Leclercq, Études sur Saint Bernard et le texte de ses écrits, Analecta Sacri Or-

dinis Cisterciensis 9, 1953, Fasc. 1/2, bes. I. Aperçu de la tradition manuscrite de Saint Bernard, 11—31; vgl. auch: ders., Die Verbreitung der bernhardinischen Schriften im deutschen Sprachraum, in: Bernhard von Clairvaux . . . (wie Anm. 1), 176—191.

[44] Mittelalterliche Bibliothekskataloge Deutschlands und der Schweiz, hrsg. von der Bayer. Akademie der Wiss., 1. Bd., bearb. v. Paul Lehmann, München 1918, 150,34 f. 151,35 f.

[45] Werner Höver, Theologia Mystica . . . (wie Anm. 15), 3.

[46] Eine wahrscheinlich aus dem Straßburger Dominikanerinnenkloster St. Nicolaus in undis, die andere aus dem Münchner Kloster St. Christophorus der Schwestern vom 3. Orden des hl. Franziskus.

[47] Mittelalterliche Bibliothekskataloge . . ., 3. Bd. (wie Anm. 37), 578—596. Neben den „Acht Versen" sind mehrfach Bernhards „Gebet unter dem Kreuz" und seine „Predigt" (seine „Klage") vom Leiden des Herrn genannt.

[48] Der sogenannte St. Georgener Prediger, hrsg. v. Karl Rieder, Berlin 1908 (Deutsche Texte des Mittelalters, 10); dazu die Untersuchung von Wolfgang Frühwald, Der St. Georgener Prediger, Berlin 1962.

[49] Helga Unger, Geistlicher Herzen Bavngart. Ein mittelhochdeutsches Buch religiöser Unterweisung aus dem Augsburger Franziskanerkreis des 13. Jahrhunderts (Münchener Texte und Untersuchungen . . ., 24), München 1969.

[50] Zitiert nach der Fassung im „Baumgarten", Unger a.a.O. 229.

[51] Nach dem „Baumgarten", Unger a.a.O. 252.

[52] Unger a.a.O. 253,14.

[53] Rieder a.a.O. (wie Anm. 48) 339.

[54] So in der Münchner Handschrift cgm. 354: drei Gnaden bei der Betrachtung von Jesu Marter (vgl. Unger a.a.O. 114); acht Nutzen (Unger a.a.O. 110) und neun Nutzen der Betrachtung der Marter (Unger a.a.O. 112).

[55] Bei Wolfgang Stammler, Spätlese des Mittelalters II. Religiöses Schrifttum (Texte des späten Mittelalters und der frühen Neuzeit, 19), Berlin 1965, 13 f.

[56] Text bei Gerhard Bauer, Claustrum animae. Untersuchungen zur Geschichte der Metapher vom Herzen als Kloster. Bd. 1: Entstehungsgeschichte, München 1973, 23 f.

[57] Unger a.a.O. 123 f.

[58] So hat z. B. Elsbeth Stagel heimlich aufgezeichnet, was ihr geistlicher Betreuer Heinrich Seuse ihr über sein religiöses Leben erzählte (Heinrich Seuse, Deutsche Schriften, hrsg. v. Karl Bihlmeyer, Stuttgart 1907 [Nachdr. 1961], 7, 9 ff.).

[59] Vgl. Bernard McGinn, St. Bernard and Meister Eckhart, Cîteaux 31, 1980, 373—386.

[60] Die Predigten Taulers, hrsg. v. Ferdinand Vetter (Deutsche Texte des Mittelalters, 11), Berlin 1910 [Nachdr. 1968], 59,4 f.

[61] Vgl. Louise Gnädinger, Der minnende Bernhardus. Seine Reflexe in den Predigten des Johannes Tauler, Cîteaux 31, 1980, 387—409.

[62] Heinrich Seuse, Deutsche Schriften, hrsg. v. Karl Bihlmeyer, Stuttgart 1907 [Nachdr. 1961], 38,5 ff.

[63] A.a.O. 254,17 ff.

[64] Zuletzt: Nouveaux témoins de la survie de saint Bernard, Studia Silensia 4, 1977, 93—109.

[65] Jean Leclercq, Études . . . (wie Anm. 43), VIII. Éloges de saint Bernard, IV. „Mellifluus", 184—191.

⁶⁶ Vgl. den Beitrag von Elisabeth Vavra in diesem Band.

⁶⁷ Gertrud, Legatus divinae pietatis 4,49 (Revelationes Gertrudianae ac Mechtildianae . . . Solesmensium O.S.B. monachorum cura et opera, I, Poitiers - Paris 1875, 445—448); besserer Text jetzt in der kritischen, aber noch unvollendeten Edition: Gertrude d'Helfta, Oeuvres spirituelles II-IV, Le héraut, ed. P. Doyère u. a., Paris 1968—1978 (Sources chrétiennes 139, 141, 255), tom. IV, 396—402. — Mechthild, Liber specialis gratiae 1,28 (Revelationes . . ., II, Poitiers - Paris 1877,97 f.).

⁶⁸ Philipp Strauch, Margaretha Ebner und Heinrich von Nördlingen, Freiburg i. Br. — Tübingen 1882 [Nachdr. 1966], 21,26—22,7.

⁶⁹ Sermo super Cant. 43,3 (Opp. 2,42).

⁷⁰ Sermo super Cant. 43,4 (Opp. 2,43,20—22): haec mihi in ore frequenter, sicut vos scitis; haec in corde semper, sicut scit Deus; haec stilo meo admodum familiaria, sicut apparet; haec mea subtilior, interior philosophia, scire Iesum, et hunc crucifixum; 45,3 (Opp. 2,51,19 f.): nolo iam scire nisi Iesum, et hunc crucifixum.

⁷¹ Vgl. z. B. Margaretha Ebners Umgang mit ihrem aus Holz geschnitzten Jesuskind (Strauch [wie Anm. 68] 87 f., 90 u. ö.).

⁷² Zitiert nach der Fassung im „Baumgarten", Unger a.a.O. 252, 5—8.

⁷³ Der Nonne von Engelthal Büchlein von der Genaden Uberlast, hrsg. v. Karl Schröder (Bibliothek des litterarischen Vereins in Stuttgart, 108), Tübingen 1871, 36,1—3.

⁷⁴ Ven. Agnetis Blannbekin . . . (wie Anm. 34) c. 37, p. 36 f.; auch abgedruckt von Chmel in den Sitzungsber. d. Philos.-hist. Cl. d. kaiserl. Akad. d. Wiss., Wien, 2, 1849, (46—102) 56 f.

⁷⁵ Unsere Abbildung der Tuschezeichnung aus der 1. Hälfte 14. Jahrh. im Schnütgen-Museum Köln nach: Kaspar Elm (Hrsg.), Die Zisterzienser. Ordensleben zwischen Ideal und Wirklichkeit. Ergänzungsband (Schriften des Rheinischen Museumsamtes, 18), Köln 1982, 212.

⁷⁶ Unsere Abbildung nach: Ambrosius Schneider u. a. (Hrsg.), Die Cistercienser, Köln ²1977, 498.

⁷⁷ Strauch a.a.O. (wie Anm. 68) 21,18—21. [Zahlreiche Parallelbelege aus der mittelalterlichen Frauenmystik bei P. Dinzelbacher, Das Christusbild der hl. Lutgard von Tongeren im Rahmen der Passionsmystik und Bildkunst des 12. und 13. Jahrhunderts, Ons Geestelijk Erf 56, 1982, 217—277. Anm. d. Hrsg.]

⁷⁸ Offenbarungen . . . (wie Anm. 42), 199.

⁷⁹ The Book of Margery Kempe, vol. I, ed. Sanford Brown Meech, Hope Emily Allen (Early English Text Society, OS 212), London 1940, 90.

⁸⁰ Ist der Text verderbt? Neben mowth und fete erwarten wir nicht hed, sondern die Hand.

⁸¹ Über die Metaphorik des Innenlebens bei Bernhard vgl. Ulrich Köpf, Religiöse Erfahrung in der Theologie Bernhards von Clairvaux (Beiträge zur historischen Theologie, 61), Tübingen 1980, v. a. 143—161.

⁸² Grete Lüers, Die Sprache der Deutschen Mystik des Mittelalters im Werke der Mechthild von Magdeburg, München 1926 [Nachdr. 1966]. [Eine weitere umfangreiche Sammlung bietet J. Reynaert, De Beeldspraak van Hadewijch, Tielt-Bussum 1981. Anm. d. Hrsg.]

Herman Vekeman

BEATRIJS VAN NAZARETH. DIE MYSTIK
EINER ZISTERZIENSERIN

I. Prolegomenon

Der Arbeitstitel eines wissenschaftlichen Vortrages hat manches
gemein mit den Imponderabilien einer Vision: auch er kündigt etwas an, das noch geschehen und verwirklicht werden muß, und
man hat genauestens herauszufinden, ob er — wie eine Vision —
von Gott, den Engeln oder vom Teufel stammt oder ob er aus den
Abgründen der eigenen gesunden oder kranken Einbildung her-
aufgestiegen ist. Ohne Arbeitstitel aber könnten eine Reihe wissenschaftlicher Kongresse nicht organisiert werden. Wir alle wissen das: aus persönlicher, oft zur Demut verpflichtender Erfahrung.

Dennoch werde ich voller Bestimmtheit unter der Flagge meines Arbeitstitels segeln; vielleicht präsentiere ich Ihnen ja am
Schluß den eigentlichen Titel meiner Vorlesung. Denn der Arbeitstitel, den ich gewählt habe, ist ein Abenteuer. Das möchte ich
— als Prolegomenon — zunächst erläutern.

Ich habe geschrieben: Beatrijs van Nazareth, der Name einer
Frau, mit Vornamen Beatrijs, von Juli 1237 bis wahrscheinlich
29. August 1268 Priorin der Abtei Nazareth, gelegen nahe der
Stadt Lier in Brabant. Zuweilen nennt man sie auch Beatrijs van
Tienen, wo sie im Jahre 1200 kurz vor Ostern als das jüngste von
sechs Kindern des Bartholomeus und der Gertrude geboren
wurde. Der Geschichtsschreiber der mittelniederländischen Literatur befindet sich hier in der vorzüglichen Lage, über den weiblichen Verfasser der ältesten datierbaren mystischen Prosa in mit-
telniederländischer Sprache so viel biographisches, oft sogar auto-
biographisches Material zur Verfügung zu haben, daß er den Eindruck gewinnen mag, diese Frau ausgezeichnet zu kennen. Wenn
ich durch Tienen fahre, denke ich zuweilen sehr spontan: hier also
hat sie in ihrer Kindheit gespielt. Aber stimmt das wirklich? Das,
was ich von ihr und über sie lesen kann, ist doch alles „narratio",

mittelalterliche „narratio", den enthüllenden und verhüllenden Gesetzen einer mittellateinischen Vita unterworfen wie auch den Gesetzen ihrer eigenen mittelniederländischen mystischen Prosa, die sich damals noch — mutig und zugleich gefährlich — ihren Platz neben dem Lateinischen erobern mußte. Ich sage also: Beatrijs van Nazareth: ein bekannter Name einer bekannten Frau, aber dennoch ein Name, über den nur behutsam gesprochen werden darf.

Und was bedeutet „die Mystik einer Zisterzienserin"? Das kleine Wort „einer" ist das einzige, das uns hier sogleich Halt bietet. Ich wage zu behaupten, daß Beatrijs in den beiden „narrationes", in der ‚Vita Beatricis' und in ‚Van Seuen Manieren van Heileger Minnen' erkennbar bleibt als Ordensfrau von Cîteaux — und zwar in einer ganz besonderen Weise, in der Art und Weise nämlich, in der sie ihr eigenes Leben selbst geformt hat entsprechend dem, was ich — reduzierend — als die Spiritualität von Cîteaux bezeichne, wie auch in der Art und Weise, in der sie selbst und der anonyme Confessor von Nazareth reflektierend und ordnend dieses Leben in den beiden „narrationes" beschrieben haben: in der Vita und in den ‚Seuen Manieren'. Dort wird eine gehörige Portion Cîteaux beschrieben, und es trägt die Handschrift der heroischen Frau Beatrijs. Dort wird Beatrijs beschrieben, und zwar mit den Augen eines in dem Genre groß gewordenen Zisterziensers, eines Mannes außerdem.

Was haben die „narrationes" zu bieten: Spiritualität oder Mystik? Spiritualität und Mystik sind nach meiner Überzeugung keine gleichwertigen Größen. Ich glaube, daß ich den zweiten Teil meines Arbeitstitels wie folgt umformulieren muß: die Mystik im Rahmen einer persönlichen, klösterlichen, weiblichen Verwirklichung der Spiritualität von Cîteaux. Die Bezeichnung „einer Zisterzienserin" ist damit vorläufig ausreichend präzisiert.

Gleichwohl bleibt die Frage, ob man Mystik und Spiritualität direkt miteinander verbinden darf und ob das überhaupt einen Sinn hat. Das wäre u. a. dann der Fall, wenn die Mystik die Spiritualität oder die Spiritualität die Mystik beeinflussen würde. Wie aber sollte das möglich sein? Diese Möglichkeit oder Unmöglichkeit hängen gewiß zusammen mit den Definitionen der Begriffe

Mystik und Spiritualität, deren man sich bedient: zwei sehr umstrittene Dinge. Aber gerade deshalb muß ich, müssen auch Sie Farbe bekennen: nur so können wir wissen, worüber wir gemeinsam nachdenken.

Man hat in unserem Jahrhundert zu Recht von einer Spiritualität der katholischen Arbeiterjugend gesprochen. Das, was Cardijn für die katholische Arbeiterjugend getan hat, ist — mutatis mutandis — vergleichbar mit dem, was Bernhard von Clairvaux für Cîteaux getan hat. Hinsichtlich unserer Zeit denke ich etwa auch an Charles de Foucauld, Prior Schutz von Taizé, vielleicht auch Teilhard de Chardin und andere natürlich. Die Geschichte der Spiritualität wird offensichtlich rascher geschrieben als die Geschichte der Mystik. Es handelt sich hier um zwei sehr verschiedene Dinge, unterschiedlich, aber dennoch wieder nicht so ohne weiteres voneinander getrennt; wäre doch Mystik im letzteren Falle ausschließlich das Terrain Gottes, und das ist aus christlicher Perspektive, also auch meiner Perspektive, nicht so ohne weiteres wahr. Dort, wo der Mensch Gott ernst nimmt, da nimmt auch Gott den Menschen ernst. Mystik ist auch das Terrain des historischen Menschen. Mystik und Geschichte sind nicht voneinander zu lösen.

Im bisher Gesagten habe ich zumindest suggeriert, daß Spiritualität stärker mit der Entwicklung der menschlichen Geschichte verbunden ist als die Mystik. Selbstverständlich ist auch Mystik mit dem Verlauf der Geschichte verbunden, allein schon deshalb, weil uns diese Wirklichkeit als „narratio" erscheint. Und dennoch ist Spiritualität stärker historisch gekennzeichnet als Mystik, da Spiritualität wesentlich mehr mit Geschichte zu tun hat. — Gesunde Mystik übrigens ist auch historisch gekennzeichnet, aber dann doch über die direkte und passive Erfahrung der Anwesenheit Gottes.[1]

Ich wage nun eine Zusammenfassung, bevor ich nunciere. Christliche Spiritualität ist historisches Engagement aufgrund der gläubigen Ergriffenheit vom Evangelium. Christliche Mystik ist die direkte und passive Erfahrung der Anwesenheit Gottes. Auch diese Mystik gibt meistens Anstöße hinsichtlich des Umgangs mit der Welt.

Das eine und andere möchte ich nun verdeutlichen.

Was ist eigentlich christliche Spiritualität?

Spiritualität im Mittelalter und heute ist weder, was der Pariser Kanzler Jean Gerson die „cognitio spiritualis Dei" nannte, noch was der Glaubenspsychologe P. Maréchal in diesem Jahrhundert als „sentiment de présence" definierte, beide Gelehrte übrigens in einem gelungenen Versuch, deutlich zu machen, daß in der mystischen Erfahrung weder die intellektuelle noch die affektive Komponente des Menschen vorherrschen, weil Gott dann doch selbst der einzige Herrscher und dynamische Faktor ist.

Das Neue Testament ist die erste geschriebene christliche Spiritualität. Es berichtet von den ältesten gläubigen Interpretationen der Erfahrung von Menschen mit Jesus und von den von diesem Glauben bestimmten Konsequenzen für den Umgang mit Gott und der Welt. Als Urspiritualität ist diese Spiritualität unersetzlich und nicht wegzudenken. Sie ist und bleibt die Urquelle. Sie muß die Grundlage bilden jeder späteren, neuen Spiritualität innerhalb des Christentums. Neue Spiritualitäten sind notwendig aus der Historizität des menschlichen Lebens heraus. Die Urspiritualität bleibt der unveränderliche Prüfstein; aber die Geschichte stellt immer wieder neue Aufgaben, beispielsweise in unseren Tagen die Frage, ob die Bergpredigt und die Atombewaffnung Schlaglichter aufeinander werfen. Die Geschichte der christlichen Spiritualität ist die Geschichte der Konfrontation von Christen in immer neuen Kontexten mit der christlichen Urspiritualität. Dort, wo Menschen die Geschichte begreifen als die Erde, die primär mit dem Pflug des Neuen Testamentes bearbeitet und fruchtbar gemacht werden muß, dort entsteht Spiritualität.

So hat Bernhard von Clairvaux in der ersten Hälfte des 12. Jahrhunderts eine Spiritualität für Cîteaux formuliert. Er formuliert diese Spiritualität im Rahmen der Gregorianischen Reformation und an das charismatische, heroische, äußerst asketische Leben der Gründer anschließend. Ich werde ihn zitieren. Doch wollen wir vorsichtig sein. Für uns, 800 Jahre später, ist dieses Zitat nichts als eine „narratio". Für die besten seiner Zeitgenossen war dieser Text neu. Neu: ein Schlüsselbegriff aus Spiritualität und Mystik zu allen Zeiten.

Nun also das Zitat.

„Unser Orden bedeutet Entsagung, Demut, freiwillige Armut, Gehorsam, Friede und Freude im Heiligen Geist. Unser Orden heißt, sich einem Meister zu unterwerfen, einem Abt, einer Regel, einer Disziplin zu gehorchen. Unser Orden verlangt Schweigen, Fasten und Wachen. Unser Orden ist schließlich Übung des Gebets und der Hände Arbeit. Vor allem besteht er darin, den vornehmsten Weg zu gehen, der da die Barmherzigkeit ist."[2]

Die Intention dieser Kernnarratio ist es, Mönche heranzubilden, die rein, friedvoll, fromm und fröhlich sind, da sie ungeteilt und ein-fach geworden sind, Söhne der Liebe Gottes: und dies sowohl im Chor, in der Zelle, auf dem Feld als auch überall sonst. Die Dialektik menschlicher Einsamkeit und brüderlicher Gemeinschaft, die Dialektik von Armut und einer ziemlich revolutionären und produktiven Landwirtschaft und Ökonomie hoffen sie zu überwinden, indem sie Gott Zugang verschaffen zum Grunde ihres Herzens. Falls Gott dann will — und nur dann —, ist die Spiritualität von Cîteaux Stätte mystischer Erfahrung. Wenn Gott es will. Denn dies ist der entscheidende Unterschied zwischen Spiritualität und Mystik. Auch wenn es eine Verbindung zwischen beiden gibt.[3]

Das möchte ich noch kurz erläutern.

Der Kern aller christlichen Mystik ist die „cognitio experimentalis Dei"[4], eine Erfahrung, die der Mensch auf keinerlei Art und Weise beeinflussen oder programmieren kann, eine reine Gabe Gottes an den ganzen Menschen, dem gerade in dieser Erfahrung jede Verschiedenartigkeit seiner vielen Fähigkeiten fehlt und der eben ungeteilt von der Dynamik der Anwesenheit Gottes ergriffen wird. Diese Erfahrung übertrifft dann alles, sie stellt einen Bruch mit allen anderen Erfahrungen dar: der Mensch ist bar seiner selbst, unmittelbar ergriffen von Gott. Zugleich ist er passiv, da in diesem Falle Gott allein die Antriebskraft allen menschlichen Vermögens ist. Der Mensch erfährt in dieser Passivität die wirbelnde Dynamik der Anwesenheit Gottes. Und doch bleibt dieser Gott — auch dann noch — der Andere, die strenge Instanz, gegenüber der man sich verantwortlich weiß und vor der man sich zu verantworten hat. So verstanden ist Mystik eigentlich die direkte und passive Erfahrung der intimen Anwesenheit Gottes als Mutter und als Richter. Das ist, so meine ich, der Kern der christlichen Mystik als Gabe Gottes. Und das ist auch ihre Unizität.

Aber: es gibt auch eine natürliche, christliche Mystik: das ungeteilte, selbst-gewollte Verweilen bei Gott als der einzigen Antwort auf menschliche Einsamkeit und menschliche Liebe und das Verweilen bei der Erde als dem irdischen Terrain des „regnum Dei". Und auf diesem Niveau können Spiritualität und Mystik einander tiefgreifend beeinflussen.

Das andere, tiefste Niveau, Mystik als Bruch, ist reine Gottesgabe. Dort hat man auch Cîteaux herauszuhalten. Es sei denn, in dem stets fehlerhaften Ausdruck dererlei Erfahrungen in Worten, der sich der Historizität der menschlichen Sprache nicht entziehen kann.

Mein Arbeitstitel nähert sich immer mehr seiner Verwirklichung. Ich werde jetzt sprechen über „Beatrijs van Nazareth. Die Mystik einer Zisterzienserin".

II. Vita Beatricis. Ein Zisterziensermönch schreibt über Beatrijs [5]

Ich lege Ihnen ein Diptychon über Beatrijs vor. Das linke Tafelbild zeigt ein Porträt von Beatrijs aus dem späten 13. Jahrhundert, geschrieben von einem Zisterziensermönch und verfaßt nach einem seither verschwundenen mittelniederländischen Tage- und Übungsbuch von Beatrijs selbst und nach Aussagen der älteren Mitschwestern in Nazareth, unter anderem der Schwester Christina, derjenigen Schwester, die Beatrijs in Nazareth überlebt hat. Der Zisterziensermönch arbeitete mit Material „quod [non] ex libro vite sue [sed] et ex fidelium narratione comperi, maxime venerabilis christine sororis sue, sibi in prioratus regimine succedentis".[6] Diese Vita wurde in vier Codices bewahrt, während drei weitere noch eine Zusammenfassung bieten.

Das rechte Tafelbild bildet der mittelniederländische Prosatext ‚Van Seuen Manieren van Heileger Minnen‘, überliefert in drei Handschriften: ein Text, den Beatrijs als Priorin selbst verfaßt hat.[7]

Am Schlusse werde ich dieses Diptychon schließen und die Frage stellen, was uns beide Tafelbilder zusammen über Beatrijs van Nazareth zu sagen haben.

Das erste Tafelbild besteht aus drei Darstellugen: dem „status inchoantium", dem „status proficientium" und dem „status perfectionis", einem klassischen Dreiteilungsprinzip, das meiner Ansicht nach sinnvoll auf der Entwicklungsdynamik dessen beruht, was ich die natürliche, christliche Mystik genannt habe, und also nicht auf der „cognitio experimentalis Dei". Diese kann man schließlich nirgendwo logisch einfügen. Es gelten dort andere Gesetze. Sie ist ein Bruch mit allem. Auch mit dieser klassischen Dreiteilung.

II. a. Status inchoantium

Unsere „perfectissim[a] monialis"[8], so der anonyme Verfasser, wurde im Frühling des Jahres 1200 von „parentibus mediocribus"[9] im brabantischen Tienen geboren, also zu Zeiten des Herzogs Heinrich I. von Brabant. Ihre Mutter, Gertrude, verschrieb sich der Frömmigkeit und Keuschheit, regierte ihre Familie mit fester Hand, war ihrem Manne untertan, gab Gott, was Gottes ist, und widmete sich mit mehr als nur mittelmäßigem Eifer der Mildtätigkeit. Hier also das Porträt einer verheirateten Frau aus dem späten 12. und frühen 13. Jahrhundert, gesehen mit den Augen eines Mönches, in einer Vita.

Ist diese Darstellung zuverlässig, oder ist sie nichts anderes als eine Ansammlung hagiographischer Topoi?

Beatrijs' Vater, Bartholomeus, typisiert unser Autor wie folgt. Er fiel auf durch fromme und gute Taten, insbesondere als er als „conversus" die Liturgie, die Armenpflege, die Askese, das aufmunternde Gespräch, das Verlangen nach dem Klosterleben, aber vor allem doch die Pflege der Armen mit vollster Inbrunst ausüben und fördern konnte. So das Porträt eines verheirateten Mannes, später „conversus", von einem Mönch aus dem 13. Jahrhundert. Ist dieses Bild denn zuverlässig, oder ist es rein hagiographisch? Waren die Eltern der Beatrijs wirklich so? Sie gleichen verheirateten Zisterziensern, wie ich meine. Aber vielleicht waren sie verheiratet mit einer Spiritualität, die nicht auf den Raum innerhalb der Klostermauern beschränkt bleiben muß. Meiner Ansicht nach sind beide Darstellungen bei aller hagiographischen Schematisierung recht zuverlässig. Hagiographische Porträts bleiben zuweilen doch Porträts.

Um 1250 nämlich wird Beatrijs, die dann bereits eine im Klosterleben gereifte Priorin ist, mit kundiger Hand die Vollendung der natürlichen, christlichen Mystik wie folgt beschreiben: *„Ende dan es si gelijc ere husurouwen die hare husce wale heeft begert ende wiseleke besceden ende scone gheordineert ende vorsienlike bescermt ende vroedelike behoedt ende met onderscede werct: ende si doet in ende si doet ute ende si doet ende laet na haren wille.“*[10] („Und dann ist sie wie eine Hausfrau, die sich voll und ganz ihrer Wohnung gewidmet und diese klug eingerichtet hat. Sie hat sie schön gestaltet. Umsichtig führt sie den Haushalt, und alles tut sie mit Überlegung. In all ihrem Tun und Lassen folgt sie spontan ihrem Willen.“) Mütter und Töchter sind zwei Paar Schuhe. Aber die Tatsache, daß die gereifte Priorin den Vergleich mit der Hausfrau für die Beschreibung des Höhepunktes der natürlichen, christlichen Mystik heranzieht, unterstützt den Gedanken, daß das verehrungswürdige Bild der Mutter von dem anonymen Zisterzienser zu Recht als ein Stützpfeiler des „status inchoantium" der Tochter präsentiert wurde.

Noch einmal kurz zurück zum Vater. Ein Leben wie Martha und Maria zusammen, Handeln und Kontemplation[11], ausgeprägte Verehrung des leidenden Christus[12], Reinheit des Geistes, Sorgfalt im Gebrauch der Sprache, Gedankentiefgang[13], eucharistische Frömmigkeit: dies waren weitere Merkmale eines Vaters, der seine Töchter viele Jahrzehnte als „conversus" begleiten sollte, nachdem sie bereits im Jahre 1207 ihre Mutter verloren hatten, die ihren Kindern die Frömmigkeit der Psalmen nahegebracht hatte.

1207 wird das Kind Beatrijs dem „collegium beghinarum" in Zoutleeuw anvertraut.[14] Darüber hinaus erhält das Mädchen Unterricht in den „artes liberales".[15] Die beiden letzten Jahre des Triviums und das gesamte Quadrivium scheint sie in der Klosterschule der Zisterzienserinnenabtei Bloemendael bei Waver verbracht zu haben.

Ihr Novizenjahr, 1215—16, weist vor allem zwei Aspekte auf.

Das körperliche und das egozentrische Selbstbewußtsein werden gnadenlos angegangen; die uns heute schrecklich erscheinenden Einzelheiten erspare ich Ihnen. Diese Kasteiung brachte Beatrijs an den Rand des physischen Untergangs. Gleichwohl interessant ist ihre Motivation. Als „christi paupercula" — als „sponsa" fühlt sie sich noch überhaupt nicht — will sie dem leidenden Christus nachfolgen, um am Ende ihres Lebens geläutert von aller Schuld und Sünde vor Gott hintreten zu können. Dieses Streben nach Sauberkeit und Reinheit: es ist eine typische Kraftlinie des Ideals von Cîteaux. Zuweilen denke ich: so, wie die Mönche der ersten Generation in Cîteaux ihren Körper bezwungen haben und stärkten im Kampf mit der Natur — Erde, Bäume, Berge, Moore, Bauplätze —, so haben viele Nonnen der ersten Generation den Körper in ihren Zellen bezwungen. Hat denn Cîteaux, jedenfalls für den „status inchoantium" bis zu Beatrijs, vielleicht keine ausgeglichene Frauenaskese zustande gebracht?

Was jedoch die Innenseite dieser Askese anbelangt, so erkennt man auf den ersten Blick die zielgerichtete Treffsicherheit des Noviziats im jungen Bloemendael. „Ut autem ad hanc cordis omnimodam puritatem facilius potuisset ascendere [. . .]"[16]

Die körperliche Sinnlichkeit wird der Kraft des Lebens mit dem Geiste unterworfen: die Evangelien, die Allmacht des Vaters, die Weisheit des Sohnes, die Süße des Geistes Gottes, die Unzulänglichkeit des Irdischen und — sehr wichtig — die Erforschung des Selbst im Lichte dieser Wahrheiten bestimmen das alltägliche Leben immer stärker.

Aber in Cîteaux muß auch gearbeitet werden. Seit ihrer Einkleidung am 16. April 1215 arbeitet Beatrijs zusammen mit ihren Mitschwestern Christina und Sybilla im Scriptorium und kopiert Chorbücher. In den Jahren 1216—17 wird Beatrijs in das Kloster Rameia bei Nijvel geschickt, um sich dort in der „ars scriptoria" zu vervollkommnen. Und hier, in Rameia, erblüht eine der schönsten und tiefsten uns bekannt gewordenen Freundschaften im Brabant des 13. Jahrhunderts. Die Weisheit Ciceros, der geistliche Humanismus Aelreds von Rievaulx und die ekstatische Kraft zweier jungen „mulieres religiosae" bilden das Fundament dieser Freundschaft. „Deus amicitia est." Hier wird die Freundschaft zwischen zwei Frauen zum Fahrzeug zu Gottes Absichten. Ida von Nijvel, die ein wenig ältere Freundin, versichert Beatrijs, daß Gott sie als „sponsam fidelissimam"[17] auserwählen wird. Freundschaft als Wechsel auf die geistliche Zukunft.

In den allerersten Januartagen des Jahres 1217 hat Beatrijs in Rameia eine visionäre Erfahrung. Sie ist gerade 16 Jahre alt. Was berichtet der anonyme Zisterzienser?

Während des Psalmodierens der Komplet ist Beatrijs fasziniert von dem Wechselgesang „Propter nimiam caritatem suam qua dilexit nos deus, filium suum misit in similitudinem carnis peccati uit omnes saluaret".[18] Sie vergißt Chorgesang und Mitschwestern und konzentriert sich ganz auf den Text des Wechselgesanges: „verba diligenter examinans"[19], „materiam investigans"[20]. Und „meditando"[21] erinnert sie sich eines Responsoriums aus der Osterzeit: „Et Dauid cum cantoribus cytharam percutiebat in domo domini".[22] Fortwährend wiederholt sie für sich dieses Responsorium. Dann folgt plötzlich der „raptus".[23] Sie erkennt „non corporalibus sed intellectualibus, non carnis sed mentis oculis"[24] den Glanz der Allmacht der Dreifaltigkeit, den Lobgesang der himmlischen Chöre unter Führung Davids, den Lobgesang der Engel und der Heiligen. „Quasi dormitans"[25] bleibt sie sitzen, als das Chorgebet in Rameia zu Ende geht. Klosterschwestern schütteln sie, und Beatrijs weint sich später im Schoße einer der Mitschwestern aus. Nun begreift sie allmählich, daß es für diese „iocunditas"[26], die sie erfahren hat, keine Worte gibt. Sie fühlt sich gleichwohl sehr gut: „perfectam corporis sanitatem".[27] Es ergreift sie eine „immoderata leticia".[28] Als sich Ida, ihre Freundin, ihr nähert, verrät sie ihr nicht, daß ihre „cordis tolerantia"[29] an neue Grenzen gestoßen ist. Die Nacht ist fortan die ihr liebste Zeit für ihren Kultus der Freudegefühle um des Herrn willen.

Ich habe diese an sich weitgehend natürliche Vision so ausführlich wiedergegeben, um zu illustrieren, daß Cîteaux offensichtlich die Möglichkeit für einen menschlichen, natürlichen, allmählichen, affektiven Zugang zur Spiritualität und Mystik bot.

Beatrijs wurde übrigens, inzwischen in der „ars scriptoria"[30] gründlich ausgebildet, im Februar 1217 nach Bloemendael zurückgerufen. Aus welchem Grunde, berichtet uns die Vita nicht.

Aber vielleicht erzählt uns die Gründe . . . der Teufel. Als sie nach Bloemendael zurückgekehrt ist, bemüht sie sich, die körperliche Ausdruckskraft ihrer Frömmigkeit abzuschwächen. Mit weiblicher Feinfühligkeit erkennt sie, daß man bemerkt hat, daß sie länger betet, intensiver lernt, sich öfter hinkniet und andere Handlungen der Ergebenheit vollzieht als die anderen. Aber der Herr läßt sie wissen: Gehe deinen Weg! Und Er fügt hinzu: Fange noch einmal von vorne an, aber diesmal mache alles besser. Erneut beginnt die Ausübung der eucharistischen Frömmigkeit, das wachsame Streben nach einem reinen Herzen, „puritas cordis et conscientiae"[31], die Intensivierung des Verlangens, das Gedenken an den leidenden Herrn[32]. Und siehe: langsam ändert sich ihr Gottesbild: der Liebende und die Liebende[33], der Meister und der Lehrling[34], der Hirte und das Schaf[35], der Vater und die Tochter[36], der Bräutigam und die auserwählte Braut[37].

Das Ende des „status inchoantium" sieht meiner Ansicht nach folgendermaßen aus: die Verliebte will die Geliebte werden. Aber sie möchte das immer noch selber in die Tat umsetzen: „desiderium", „aspirare"[38]. Beatrijs hat die endlose Dynamik der natürlichen, christlichen Mystik entdeckt. Als Intention, als ihr Verlangen. Wie aber soll es damit weitergehen? Ist dies denn zugleich auch der Wille des göttlichen Bräutigams? Denn auch die christliche, natürliche Mystik hat ihre Grenzen: den Sprung zu einer „cognitio experimentalis Dei" kann diese natürliche Mystik nicht aus eigener Kraft vollziehen.

II. b. Status proficientium

Der „status proficientium" wird völlig von zwei Kräften beherrscht. Beatrijs, die Verliebte, macht sich schön für den Herrn. Und der Herr unterweist sie in der „scola caritatis" durch den läuternden Genuß seiner Abwesenheit und durch visionäre Versprechungen.

Wer sich schön und ansprechend für den Herrn machen will, der muß wissen, welche Art Schönheit der Herr vorzieht. Um dies in Erfahrung zu bringen, ist Selbsterkenntnis notwendig: „ad cognitionem sui ipsius omnimodam aspirauit"[39]. Mit weiblichem Erfindungsreichtum entwickelt sie nun Strategien zur systematischen und zielgerichteten Selbsterforschung. Es ist dies die Suche nach der Fülle der natürlichen, christlichen Mystik.

In ihrem Herzen errichtet Beatrijs zwei Zellen: in der oberen wohnen die Treue und die Gnade Gottes, in der unteren die Sündhaftigkeit, die natürlichen Gefahren für den Menschen, das Exil auf Erden, die verschleierte Wahrheit und die Sterblichkeit. Zugleich errichtet sie in ihrem Herzen fünf Spiegel: Gott als gerechter Richter, die Gebrochenheit der Erde, die Nächstenliebe, der Gekreuzigte und schließlich Tod und Jüngstes Gericht. Darüber hinaus organisiert sie ihr Herz wie ein geistliches Kloster. Die Hauptfunktionen werden von der „ratio", der „providentia" und der „caritas"[40] wahrgenommen. Nach einiger Zeit erscheinen ihr diese Modelle als zu kompliziert — sie wird also reifer —, und sie reduziert ihre Modelle auf zwei Wächter vor dem Kloster: „humilitas" und „obedientia". Des weiteren versucht sie es noch mit einer geistigen Gartenkultur in ihrem Herzen. Aber den Gesetzen von Cîteaux zufolge gelangt man nicht aus eigener Kraft zur Selbsterkenntnis. Selbsterkenntnis ist ein Gottesgeschenk.

Und siehe, diese Selbsterkenntnis wird ihr zuteil, eine Selbsterkenntnis, die ich als die Entdeckung von Cîteaux bezeichne und durch die Beatrijs jetzt zu einer wirklichen Zisterzienserin werden kann. Ihr wird Einsicht zuteil in die volle Größe der natürlichen, christlichen Mystik nach der Spiritualität von Cîteaux!

Beatrijs entdeckt „naturalem quoque decorem anime, quem ex eterne similitudine diuinitatis impressum acceperat, cum ad ymaginem et similitudinem suam illam deus creauerat".[41] In Cîteaux ist das sehr konkret. Es ist meiner Meinung nach das spirituelle Wagnis von Cîteaux, daß man dort dies wortwörtlich aufgefaßt hat.

Beatrijs besitzt dafür dann auch ein vollständiges Wortregister: „naturalis superbia, naturalis subtilitas et simplicitas, naturalis severitas, cordis quieta tranquillitas, generositas, largitas, habilitas, affabilitas"[42], „puritas conscientie, cordis dulcedo"[43] sowie das Verlangen nach dem himmlischen Reich.

Noch ist dies alles nichts als ein Programm, dennoch könnte ich meine erste Darstellung hier beinahe abschließen. In diesem „naturalis decor anime" der Beatrijs wird das Klosterideal von Benedictus und Bernardus verwirklicht: die besondere Spiritualität und die natürliche, christliche Mystik von Cîteaux!

Dennoch macht Beatrijs nach dieser Entdeckung drei lange, dunkle Jahre der Verlassenheit von Gott durch, einen inneren Zweikampf und innere Verwirrung, die sie an den Rand der Verzweiflung, des Wahnsinns und des Glaubensverlustes treiben.[44] Weshalb? Vielleicht ist die Antwort darauf sehr einfach. Weil sie sich auserwählt und berufen fühlte für die andere Mystik, die „cognitio experimentalis Dei". Hier muß der natürliche Weg zu Gott verlassen werden, und deshalb verbirgt sich Gott vor dem Menschen. Der Mensch kann Gott suchen, voller Liebe suchen. Aber letztendlich ist es Gott, der den Menschen findet. In diesem Sinne muß man solche Finsternis Licht nennen, solchen Wahnsinn Hoffnung, solche Verzweiflung Sicherheit, solche Nacht den verborgenen Tag.

In der Vita folgen nun eine Reihe von Visionen, die ich zusammenfassend kennzeichnen will als die göttliche Pädagogik der Vorbereitung auf und Einführung in die direkte und passive Erfahrung der Anwesenheit Gottes. Auf eine einzige Vision vom November 1231 in Maagdendael gehe ich kurz ein. Der Herr wendet sich an Beatrijs.

„Propter me, [. . .] et propter nomen sanctum meum hanc me tibi gratiarum affluentiam infudisse memineris; nec aliam huius rei causam inuestigare curaueris, preterquam ipsius rei simplicem evidentiam, procendentem ex mee beneplacito voluntatis."[45]

Die totale Umkehrung der Perspektive ist deutlich. Danach wird ihr die „cognitio experimentalis Dei" geschenkt. „Ibi diuinam essentiam in plenitudine glorie sue., perfectissimeque maiestatis sue potentia, continentem omnia., gubernantem vniuersa. disponentem singula, clara contemplationis acie, si fas est dicere, videre promeruit:; et creatorem suum illum intelligens., inexcogitabili delectationis amplexu sibi firmiter inherendo., laudans et ardens, in summa quadam, et humanis sensibus incomprehensibili beatitudine, requieuit."[46]

Die „narratio" hat alle Komponenten der wirklichen mystischen Erfahrung formuliert. Es ist dies eine Erfahrung, die niemand verdienen oder programmieren kann: „propter me, et propter nomen sanctum meum". Diese Erfahrung ist direkt: „videre promeruit, intelligens, delectatio". Und darüber hinaus ist diese Erfahrung passiv: „laudans et ardens, in summa quadam, et humanis sensibus incomprehensibili beatitudine, requieuit". Demzufolge ist hier von dem „naturalis decor anime" keine Rede mehr.

Die Verliebte ist zur Geliebten geworden, zur auserwählten Braut. Wir schreiben November 1231. Ihr Leben dauert noch lange genug, um auch Mutter zu werden. Mystische Berufung ist zugleich auch Sendung: „vocatio" und „missio".[47]

II. c. Status perfectionis

„Status perfectionis" ist ein nicht ungefährlicher Terminus. Er klingt sehr statisch: als könne in diesem Zustand ein Mensch vollkommen sein. Tatsächlich ist dieser Zustand gekennzeichnet durch die Dynamik der endlosen Kraftlinien der natürlichen Mystik. Der „naturalis decor anime" ist für diese „amoris filia" eine nicht zu vollendende und dennoch absolut zwingende Aufgabe. „Languens amoris incendio, corporalis infirmitas, spiritualis insania, caritatis indissolubile vinculum, ordinis observantiam, effrenata fortitudo spiritus eius, totaliter in diuina voluntate transfusa": Diese Sprache ist deutlich genug.

Noch zwei abschließende Bemerkungen. Beide sollen das Heranreifen von Beatrijs zur mystischen Mutterschaft illustrieren. Berufung ist Sendung.

Ein Zitat. „[. . .] mox mirum in modum super omnem latitudinem mundi cor suum dilatari pariter et extendi sibi visum est."[48] Werden hier nicht die Grenzen der Spiritualität überschritten? Die Geliebte Gottes sieht die Welt aus der Perspektive der Liebe Gottes. Das ist mystische Mutterschaft.

Die zweite Bemerkung betrifft eine Vision, die sie erfährt, als sie Priorin in Nazareth ist. Ein Strahl aus der Hostie durchdringt ihr Herz bis auf den Grund und führt ihren Geist zu Gott. Das, was als höchste Intimität erscheint und es auch ist, ist zugleich Sendung. „[. . .] ad exercendum dilectionis et caritatis officium"[49] muß sie ihr Leben auf Erden einsetzen. Das ist der Minnedienst der Mystikerin.

„Status perfectionis": das sind Braut und Mutter, Spiritualität,

natürliche Mystik und „cognitio experimentalis Dei" in einem.
Hier schließe ich meine erste Darstellung ab.

III. Van Seuen Manieren van Heileger Minnen[50]

Das rechte Bild auf meiner zweiflügligen Darstellung ist entstanden, als Beatrijs bereits eine gereifte Priorin war.[51] Als solches ist es
ein Dokument über die Aktivität der Zisterzienserin während des
„status perfectionis". ‚Van Seuen Manieren van Heileger Minnen',
in drei Handschriften bewahrt geblieben, ist ein aus historischer
Sicht überraschend früher, äußerst einfach und klar formulierter,
treffsicher strukturierter Prosatext, der kulminiert in einem mit-
reißenden Stück Prosalyrik und in einem von Liebesfeuer durch-
zogenen Verlangen der Braut, für immer mit dem Bräutigam vereinigt zu werden und so die „cognitio experimentalis Dei" fort-
dauern zu lassen. Beatrijs verfaßt ausgezeichnete Prosa, als habe
der „naturalis decor anime" die Feder geführt.

Die kurze Analyse der ‚Seuen Manieren' beginne ich mit einer
Überraschung. Über die von Beatrijs so eifrig praktizierte, christologische und trinitarische Frömmigkeit, über ihr sehnsüchtiges
Band mit der Eucharistie, über die Umsetzung der Tugenden, das
Schriftstudium, die präzise Einteilung des Tages und die peinlich
genaue Beachtung der Regel: über dies alles ist in den ‚Seuen Manieren' auch nicht die leiseste Andeutung zu finden. Auch auf ihre
visionären Erfahrungen weist der Prosatext kaum hin.

Die erste „Maniere" beschreibt, wie das menschliche Herz, die
menschliche Persönlichkeit, ergriffen wird vom Verlangen „te
vercrigene ende te wesene in die purheit ende in die vriheit ende in
die edelheit, daer si in ghemaket es van haren sceppere na sijn
beelde ende na sijn ghelikenesse" (rr. 16—20): das Verlangen nach
dem „naturalis decor anime". Dann folgt das Streben nach allgemeiner Selbsterkenntnis: „wat si es, ende watsi wesen soude, ende
wat sie heeft, ende wat hare begerten ghebrect" (rr. 39—41). Und
weiter geht es um das Verlangen, die Sündhaftigkeit zu durchbre-
chen und zu leben „met urier consciencien ende met puren gheest
ende claren verstannisse" (rr. 60—61). Das erkennt man sofort. Das

ist Cîteaux. Das ist die Beatrijs aus dem Jahre 1231, das ist die große Entdeckung der natürlichen Mystik vor den Jahren der Verzweiflung. Aber — und nun kommt die zweite Überraschung — zugleich ist das doch etwas völlig anderes. Imago-Spiritualität und Mystik haben ihren Ursprung und ihr Ziel nicht im Bräutigam oder im Herrn, sondern in der Minne!

„Maer die minne es allene werkende ende staende na die purheit ende na die hoecheit ende na die ouerste edelheit, alsi selue es in hare seluen wesende. Ende aldus gedane werc so leert si den ghenen die hars plegen." („Die Minne aber zielt mit ihrer Wirkung allein auf die Reinheit, die Erhabenheit und den göttlichen Adel, die ihr Wesen bestimmen. Dies nachzuvollziehen lehrt sie diejenigen, die sich ihr anvertrauen.") (rr. 70—75). Um etwa 1250 propagiert Beatrijs mit Überzeugung Minne-Spiritualität und Minne-Mystik. Sie denkt und formuliert wie eine „filia amoris".

Die zweite „Maniere" beschreibt in vier kraftvollen Sätzen die Selbstlosigkeit, die „gratuitas" als Ideal des Minnedienstes, und dies in Termini, die stark an die höfische Minneliteratur erinnern. In der ‚Vita' ist die „gratuitas amoris" ein Merkmal Gottes. Hier aber stellt sie eine Haltung des Menschen dar, einen Exponenten des Wagnisses von Cîteaux, formuliert jedoch in der Minneterminologie.

In der dritten „Maniere" wird uns der maßlose, verbissene Versuch präsentiert, im Wollen und Begehren so uferlos zu werden wie die Endlosigkeit der Minne selbst. Die immer breiter werdende Kluft zwischen dem Verlangen und der Minne wird bewußt kultiviert. Ich fasse dies auf als die heroische Erkenntnis der Grenzenlosigkeit von Wille und Affekt: das ist gewiß ein Merkmal der reiferen Beatrijs. Hier gerät die Äbtissin „ratio" des geistigen Klosters in Schwierigkeiten. Darüber hinaus könnte man hier — aufgrund der ‚Vita' — eine Vision erwarten. Aber es scheint, als erlaube die Minne keine Visionen.

„Imago, gratuitas, effrenata fortitudo": diese drei Termini bringen die ersten drei „Manieren" auf eine Kurzformel.

Die vierte und fünfte „Maniere" erscheinen als eine zweiflüglige Darstellung auf psychischer Ebene. Die vierte „Maniere" beschreibt Augenblicke der unerwarteten Euphorie: wenn die

Minne den Menschen erfaßt, ihn verschlingt, ihm den Atem nimmt, ihn zerfließen läßt, ihn umarmt und ihn aus dem Gleichgewicht bringt. Bilder der Erfahrung höchsten Glücks, aus dem die intuitive Gewißheit der ewigen Bestimmung erwächst. Und die fünfte „Maniere" analysiert das Ringen mit dem Fehlen dieser intimen Glücksmomente: die Wunden der Minne.

Beatrijs hat diese Minne-Dialektik als Minne-Pädagogik interpretiert. Der einmalige Charakter dieser Glücksmomente bindet das Herz des Menschen an die Minne. Die Erfahrung dieses Mangels lehrt, das Unverdiente und Vorläufige des Glückes zu begreifen. Das überraschende Hauptmerkmal beider Texte ist wiederum die psychologische Zerfaserung und Kultivierung beider Erfahrungen.

Die sechste „Maniere" beschreibt die Vollendung der Liebe Gottes im Rahmen der irdischen Grenzen. Das erste Merkmal dieser Vollendung ist die Spontaneität, mit der sich der erneuerte Wille nach der Minne verzehrt. Diese Transformation des Willens wird analysiert in einem Fächer von Aspekten: Erfahrung der wiederhergestellten Imago-Struktur, Gefühle innerlicher Klarheit und Süße, Substitution der göttlichen Liebe, Einswerdung des Menschen, Gabe der Weisheit, geistige Freiheit. Diese Spontaneität wird durch den herrlichen Vergleich mit der idealen Hausfrau illustriert: auch bei ihr fallen Intention und Tat zusammen.

Das zweite Merkmal ist die „geweldicheit" der Minne, illustriert durch den Vergleich mit dem Fisch und dem Vogel. Sie manifestiert sich vor allem im „regneren" der Minne: der Möglichkeit zur fortwährenden Aktualisierung der vollendeten Minne-Beziehung.

Und schließlich beinhaltet der Text eine deutliche Warnung an die Adresse des Lesers: Wer den Willen zu dieser Spontaneität und Kraft erwachsen lassen will, der darf keinen Schritt auslassen. Die geistige Entwicklung folgt ihrer eigenen, unentrinnbaren Gesetzmäßigkeit.[52]

Wie die siebte „Maniere" zeigt, hat das Minne-Erlebnis auf Erden zugleich noch eine Ewigkeitsdimension. Diese Dimension ist zweifacher Art: einerseits die „cognitio experimentalis Dei", andererseits das maßlose Verlangen nach dem Himmelreich und

sein Pendant: der „contemptus mundi". Die vollkommene Erfüllung von allem, was Minne ist und verspricht, ist bestimmt für die
Zeit nach der Minne.

In der siebten „Maniere" singt Beatrijs schließlich ihr Lebens-
lied der Minne: „in einer langen Reihe von Paradoxa wird die
Minne besungen als die psychische Spannung der Liebe, die in das
Verlangen nach dem Himmelreich mündet."[53]

„Uerlancnisse, geuancnisse, eweliker glorien": das sind die
Kernbegriffe der siebten „Maniere". Sehr wahrscheinlich sind
dies auch die Kernbegriffe im Leben der Beatrijs in Nazareth.

Dennoch dürfen wir nicht außer acht lassen, daß die ‚Vita' prak-
tisch mit einem Kapitel endet, das „De caritate proximi" heißt.[54]
Ein Zitat. „Tantam quoque compassionis affluentiam in eius
sancto pectore diuina gratia propinauerat:, ut non solum hominibus, sed ipsis brutis animalibus quoque in suis necessitatibus ple-
nissimo compateretur affectu; et sic minutissimis quoque bestiolis
aut auiculis in suarum sufferentia passionum affectuose condes-
cenderet [. . .]"[55] Nicht nur die eigene Seele, sondern auch die Mit-
menschen, die Vögel und anderen Tiere müssen zum Paradies zurückkehren, hin zur ersten Woche der Schöpfung.

IV. Schluß

Beatrijs van Nazareth. Die Mystik einer Zisterzienserin. Darüber
wollte ich sprechen. Und das habe ich auch getan. Muß ich nun
wirklich meinen Arbeitstitel ändern? Ich fasse zusammen.

1. Die Spiritualität von Beatrijs hält uns vor Augen, daß es wichtiger sei, sich für den neuen Menschen einzusetzen, als gegen den
alten Menschen zu kämpfen. Das ist eine Äußerung des merkwür-
digen Optimismus und freudvollen Realismus von Cîteaux. Die
Grundlage dieses Optimismus beruht auf der Würde des Menschen als Geschöpf Gottes, auf dem Wagnis, diesen Schöpfungs-
adel erneut zu gewinnen und anschließend so mit sich, der Welt
und mit Gott umzugehen.

2. Bei heroischen Charakteren mündet diese Spiritualität in
eine natürliche, christliche Mystik. Der zerrissene Mensch wird

eins mit seinem Kern, mit seinem Grund. Wer sich selbst wieder-
findet, der wird erneut zum Geschöpf des Schöpfers.

3. Die „cognitio experimentalis Dei" steht losgelöst von dem
Vorhergehenden. Die Initiative zur Verwirklichung der „unio
mystica", der direkten und passiven Erfahrung der Anwesenheit
Gottes, ruht ausschließlich bei Gott. Sie spielt sich ab in der Geschichte, aber sie stellt einen Bruch mit der Geschichte dar.

4. Dennoch beeinflußt und intensiviert die Erfahrung der „unio
mystica" die natürliche Mystik und die Praxis der Spiritualität auf
vielfältige Art und Weise. Eine Manifestation davon ist, wie ich
meine, das Hinwachsen zu geistiger Mutterschaft.

5. Abschließend wage ich die Behauptung, daß Beatrijs in Nazareth herausgefunden hat, was Gott und Minne unterscheidet und
was sie bindet. Für den Menschen auf Erden ist Gott anwesend als
Minne, eigentlich auch in der „unio mystica", die eben diese einmalige Minne-Erfahrung ist, die Manifestation der Liebesintimi-
tät Gottes. Nach diesem Leben wird Minne transparent werden
als Gott, Drei und Eins. Falls diese Behauptung begründet ist,
ziehe ich die rechte Seite meiner zweiflügligen Darstellung vor.
Beatrijs übertrifft ihren Biographen in der Darstellung der Spiritualität und der natürlichen, christlichen Mystik. Die Beschreibung der „unio"-Erfahrung in der Vita ist meiner Ansicht nach die
beste. Aber auch dies ehrt die „filia amoris" in ihrer heroischen
Bescheidenheit. Und anders war es auch gar nicht zu erwarten.

Anmerkungen

[1] Mein Verständnis von Spiritualität wurde von zwei Werken beeinflußt: G. Thils,
Sainteté chrétienne. Précis de théologie ascétique, Tielt, s.a. (1958). E. Schille-
beeckx, Jezus. Het verhaal van een levende, Bloemendaal 1974 (dt.: Jesus. Die Geschichte von einem Lebenden, Freiburg [7]1980).
[2] J. Leclercq, Die Spiritualität der Zisterzienser, in: Die Zisterzienser. Ordensleben
zwischen Ideal und Wirklichkeit (Schriften des Rheinischen Museumsamtes
Nr. 10), Köln 1980, 152.
[3] Dies wird am Schluß dieser Untersuchung näher erläutert.
[4] Für meine Definition bin ich sehr zu Dank verpflichtet: A. Deblaere, Témoignage
mystique chrétien, in: Studia missionalia (XXVI), 1977, 117—147.
[5] Die Vita wurde herausgegeben von L. Reypens, Vita Beatricis. De autobiografie
van de Z. Beatrijs van Tienen O. Cist. 1200—68 (Studiën en Tekstuitgaven van Ons

Geestelijk Erf, deel XV), Antwerpen 1964. Im weiteren als ‚Vita' bezeichnet. Der Verweis bezeichnet den Absatz und die Zeile(n).

[6] Vita, 2,2.

[7] Der Text wurde zuletzt herausgegeben von H. W. J. Vekeman und J. J. Th. M. Tersteeg: Beatrijs van Nazareth. Van Seuen Manieren van Heileger Minnen. Uitgegeven naar het Brusselse handschrift. Zutphen, s.a. (1971). Im weiteren bezeichnet als Beatrijs.

[8] Vita, 2,2.

[9] Vita, 8,7.

[10] Beatrijs, 335—342.

[11] Vita, 12,75—80.

[12] Vita, 12,83.

[13] Vita, 13,91—92.

[14] Vita, 20,11—12.

[15] Vita, 21,27.

[16] Vita, 42,12—13.

[17] Vita, 51,76.

[18] Vita, 54,15—16.

[19] Vita, 54,17.

[20] Vita, 54,18.

[21] Vita, 54,21.

[22] Vita, 54,24-25.

[23] Vita, 55,27.

[24] Vita, 55,24—25.

[25] Vita, 55,44.

[26] Vita, 56,69.

[27] Vita, 56,74—75.

[28] Vita, 57,83.

[29] Vita, 57,92.

[30] Vita, 60,4—5.

[31] Vita, 68,57.

[32] Vita, 71,14—15.

[33] Vita, 71,15—18.

[34] Vita, 74,23.

[35] Vita, 74,31.

[36] Vita, 74,35.

[37] Vita, 74,39—40.

[38] Vita, 79,7—8.

[39] Vita, 86,120.

[40] Vita, 112,20—34.

[41] Vita, 121,31—34.

[42] Vita, 122.

[43] Vita, 124,101.

[44] Vita, 146,21—22.

[45] Vita, 171,31—35.

[46] Vita, 173,65—72.

[47] Siehe hierzu auch die Untersuchung, auf die in Anmerkung 4 verwiesen wird.

[48] Vita, 218,118—119.

[49] Vita, 239,32—33.

[50] Siehe hierzu Anmerkung 7.

[51] Hierzu H. Vekeman, Vita Beatricis en Seuen Manieren van Minne. Een vergelijkende studie, in: Ons Geestelijk Erf XLVI, 1972, 3—54.

[52] Beatrijs, 18.

[53] Beatrijs, 20.

[54] Vita, 263—269.

[55] Vita, 268,104—109.

Esther Heszler

STUFEN DER MINNE BEI HADEWIJCH

Keine externen Textzeugen — weder profane noch kirchliche —
berichten uns etwas vom Leben der flämischen Mystikerin Hadewijch. Ihr umfassendes und vielseitiges Werk — nämlich Prosa-
und Reimbriefe (Mengeldichten), Strophische Gedichte und Visionen —, das vermutlich noch vor der Mitte des 13. Jahrhunderts
entstanden sein dürfte, überliefern uns erst Handschriften aus
dem 14. Jahrhundert.[1]

Aus dieser Zeit stammt auch das früheste Zeugnis der Hade-
wijch-Rezeption, das Elogium des Mystikers Jan van Leeuwen. Er,
der Schüler Ruusbroecs, sagt von ihr:

> Aldus sprect oec een heylich glorieus wijf heet hadewijch een ghewa-
> reghe lereesse; want hadewijchs boeke die sijn seker goet ende ghe-
> recht wt gode gheboren ende gheoppenbaert. (Also spricht auch eine
> heilige verklärte Frau, die Hadewijch heißt, eine wahrhaftige Lehrerin.
> Denn Hadewijchs Bücher die sind sicher gut und gerecht aus Gott ge-
> boren und geoffenbart.)

Doch gleichzeitig verweist er auch auf den fast hermetischen
Charakter ihrer Schriften:

> Want haywichs leeringhe es in vele steden alle menschen te edele ende
> te subtijlijc verborghen (Denn Hadewijchs Lehre ist an vielen Stellen
> allen Menschen zu edel und zu hochsinnig verborgen),

der v. a. daraus resultiere, daß ihre Lehre nur demjenigen zugänglich sei, der selbst über entsprechende mystische Erfahrung ver-
füge. Dementsprechend führt er aus,

> dat vele menschen haywighen leeringhen niet verstaen en connen, die
> welke haer inwendeghe oghen to doncker hebben ende hen niet ont-
> ploken en sijn ouermids ghebrukelike aencleuende bloete stille minne
> gods[2] (daß viele Menschen Hadewijchs Lehre nicht verstehen können,
> nämlich diejenigen, deren innere Augen noch voll Finsternis sind, de-
> nen die Augen noch nicht geöffnet sind durch die im Gottesgenuß an-
> hängende, reine, stille Minne).

Es ist zu vermuten, daß Hadewijch für einen Kreis Eingeweihter schrieb, zu dem sicher Beginen gehörten. Da sich aus ihren Werken kein Hinweis auf die eigene Zugehörigkeit zu einem Orden findet, ist eher anzunehmen, daß auch sie als Begine lebte.

Mit Ausnahme einiger Reimbriefe, die einen eher distanzierten, traktatähnlichen Stil aufweisen, spricht die Verfasserin in allen sonstigen Gattungen aus einer uneingeschränkten Ich-Perspektive. Sowohl ihre theologischen Reflexionen als auch ihre praktischen ethischen Anweisungen werden von ihrer eigenen mystischen Erfahrung getragen, so daß hinter allem ihre ganz persönliche, subjektive Überzeugung sichtbar hervorleuchtet.

Doch sieht sich die Mystikerin nicht nur als erwähltes Individuum um ihrer selbst willen. In Askese und Verklärung fühlt sie sich zugleich auch stellvertretend für eine Gemeinschaft, für die sie lebendes Vorbild und dadurch Ansporn zur eigenen mystischen Vollendung sein soll. So werden in den Strophischen Gedichten sprechendes „Ich" und angesprochenes „Ihr" im kollektiven „Wir" aufgehoben, und dementsprechend ist selbst im visionären Erleben noch eine Gemeinschaft impliziert, als deren Mittlerin zu Gott sich Hadewijch versteht. Daher erhält sie in Vision VIII von Christus den Auftrag:

Die vre hebbe ic die ghesent met mi / ende di sent voert den dinen met mi (49–50)[3] (Diese Stunde habe ich dir mit mir gesandt, und die gib weiter an die Deinen mit mir)

und in Vision XIII folgende Prophezeiung:

Ende na dattu nu weder coms saldi die werelt cume laten leuen [. . .] Maer omme die die du vercoren hebs met di [. . .] te volwassene die noch niet volwassen en sijn ende te vorst die du alre meest mijns, so wiltuut noch versten. (243–248) (Wenn du nun [in dich selbst] zurückkehrst, so wird dich die Welt kaum leben lassen [. . .] Aber um deretwillen, die du auserwählt hast, mit dir [. . .] vollkommen zu werden, die noch nicht vollkommen sind, und vor allem um deretwillen, die du am meisten liebst, wirst du noch warten.)

In Übereinstimmung mit der Laudatio in Vision X:

sich hier, bruut ende moeder, du heves me / allene god ende mensche connen leuen (49—50) (Sieh her, Braut und Mutter, du allein hast mir als Gott und Mensch nachleben können)

faßt Hadewijch selbst ihre mystische Lehre in einem Brief folgendermaßen zusammen:

Metter menscheit gods suldi hier leuen in arbeide ende in ellenden, Ende metter moghenden eweleken god suldi Minnen ende Jubilieren van binnen ende in enen sueten toeuerlate. Ende hare beider warheit es een enigh ghebruken. (Br. VI, 117—121) (Mit der Menschheit Gottes sollst Du hier in Mühe und Elend leben, und mit dem allmächtigen ewigen Gott sollst du innerlich lieben und jubilieren in süßer Zuversicht. Und die Wahrheit beider ist ein einiges Genießen.)

Diese Formel „als Gott und Mensch leben" umfaßt den Außen- und Innenpol des Bezugs zu Gott, nämlich das mühevolle Dienen in der Imitatio und das beglückende Jubilieren in der gnadenhaften Verklärung. Die Seele zeigt sich als wahres Abbild der Doppelnatur Christi, wenn sie beide Existenzweisen verwirklicht. Denn er vollbrachte als Mensch den Willen des Vaters und blieb doch als Gott in ständiger Einheit mit dem Vater verbunden. Daher ist auch für den Menschen die Imitatio nicht nur Voraussetzung für die Einung; sie ist Zweck in sich selbst — ebenso wie die Unio sich nicht in der Zweierbeziehung von Gott und entrückter Seele erschöpft, sondern fruchtbar gemacht werden muß für die Gemeinschaft. Leidvolles Aufgeben des Eigenwillens in der Nachfolge und glückseliges Aufheben des Ichbewußtseins in der Unio sind daher komplementär aufeinander bezogen. In beiden Seinsweisen realisiert sich gleichermaßen die gegenseitige Liebe zwischen Gott und Mensch.

Doch wie ist eine Vereinigung zwischen dem ungeschaffenen Gott und der geschaffenen Seele denkbar?

God ende menschen in ene minne: / Dits drieheit bouen alle sinne. (Md. XVI, 195—196) (Gott und Mensch in einer Minne, das ist eine Dreiheit über jeden Verstand.)

Daer twee dinghen selen een werden daer en mach niet tusschen dan lijm daer ment met te gader bendet. Die bant van lime dat es die Minne, daer god ende de salighe ziele in een met ghebonden sijn. (Br. XVI, 28—32) (Wo zwei Dinge eins werden sollen, da darf nichts zwischen ihnen sein als der Leim, mit dem man sie verbindet. Das Bindende des Leimes, das ist die Minne, womit Gott und die selige Seele in eins gebunden sind.)

Diese Aussagen zeigen die Minne als das Umfassende zwischen Gott und Mensch. Sie kann dies sein, da Gott selbst Minne ist und den Menschen nach seinem Bilde schuf. Die Urbild-Abbild-Relation in der Liebe wird Hadewijch auf sehr eindrucksvolle Weise in der XIII. Vision geoffenbart. Hier erkennt sie nämlich im Auge Gottes die Minne in der Gestalt einer Königin und ihre eigene Seele als deren vollkommenes Ebenbild, wenn letzteres auch in unendlich verkleinertem Maßstab geschaut wird:

Ende die seraphin die mine es ende di mi daer brachte, hi hief mi op ende alte hant saghic in die oghe dies anschijns enen setel, ende daer op sat de minne gheciert in die vorme van eenre coninghinnen. (66–70) (Und der Seraph, der zu mir gehört und der mich dahin brachte, der hob mich hoch, und sogleich sah ich in den Augen dieses Antlitzes einen Thron, und darauf saß die Minne in der Gestalt einer geschmückten Königin.)

Denn der Seraph verkündigt ihr, daß sie selbst geschmückt sei

met al [. . .] daer ghi die minne met gheciert / siet. Ende alse ic mi besach soe waest alsoe (120–124) (mit allem, womit Ihr die Minne geziert seht. Und als ich mich betrachtete, war es so).

Das Sein Gottes ist Minne. Ihre Erscheinungsweise ist jedoch in den einzelnen göttlichen Personen verschieden. Der Vater ist die Substanz, aus der Sohn und Geist im innertrinitarischen Prozeß hervorgehen:

dat es die nature vanden vader; daer met es hi enich vader. Dit vte gheuen ende dit op houden: dit es pure godheit ende gheheele nature van Minnen. (Br. XVII, 18) (Das ist die Natur des Vaters; damit ist er der Vater in Einung. Dieses Ausgießen und Einbehalten: Das ist die reine Gottheit und ganze Natur der Minne.)

Er ist die Einheit der Personen, die Hadewijch auch als

dat enighe ghebruken, daer die eneghe moghende godheit Minne met es (Br. XVII, 76–77) (das einige Genießen, in dem die einige allmächtige Gottheit Minne ist) bezeichnet. Diese Minne des Vaters offenbart sich für den Menschen in den „opera dei ad extra", nämlich der Inkarnation des Sohnes und der Geistsendung. So heißt es von der Inkarnation:

Die vader van anebeghinne / Hadde sinen sone, die minne, / Verborghen in sinen scoet, / Eerne ons maria / Met diepen oetmoede ja, / verholentlike ontsloet. (St. G. 29,V)
Daer mochtemen der minnen / Ierst clare werc bekinnen. (VIII)
(Der Vater hatte von Anbeginn seinen Sohn, die Minne, in seinem Schoß verborgen, bis ihn uns Maria mit tiefer Demut, ja geheimnisvoll aufschloß [...] Da konnte man erst das leuchtende Werk der Minne erkennen.)

Das dem Menschen in der väterlichen Einheit Verborgene und Unzugängliche wird im Sohne enthüllt und – worauf besonders die Lichtmetaphorik verweist – dem Menschen einsichtig gemacht.

Auch das Wirken des Heiligen Geistes kann durch die Lichtmetaphorik charakterisiert werden: Er gewährleistet für den einzelnen das fortdauernde Heil aus dem einmaligen geschichtlichen Akt der Erlösung. Er ist die Minne, die den Menschen ergreift und erleuchtet:

De heyleghe gheest goet vte sinen name in groeter claerheit sijns gheests ende sijns lichts Ende in groter volheit van vloyeliken goeden wille Ende in iubilatien van hoghen sueten toeuerlate om ghebrukenisse van minnen. (Br. XXII, 274–278) (Der Hl. Geist goß aus seinen Namen im großen Leuchten seines Geistes und seines Lichtes und in großer Fülle des überfließenden guten Willens und im Jubel der hohen süßen Zuversicht auf das Genießen der Minne.)

Ja, durch ihn wird die menschliche Seele so überformt, daß sie im mystischen Präsenzerlebnis der väterlichen Glorie teilhaftig werden kann. Denn er ist das bereits genannte „bant van lime", das die Einheit von Gott und Seele verbürgt:

Ende soe werden wi metten vaste lime der anecleuennesse een gheest met gode. (Br. XII, 57–58) (Und so werden wir durch den festen Leim des Anhängens ein Geist mit Gott.)

Auf diese Weise kann die Seele durch den Heiligen Geist in den innertrinitarischen Prozeß miteinbezogen werden:

Die vader goet vte sinen name ende gaf ons den sone ende haeldene weder in hem seluen. De vader goet wte sinen name ende sinde ons den heyleghen gheest. De vader goet vte sinen name doen hi den heyleghen gheest maende weder inte comene met al dat hi hadde ghegheest. (Br. XXII, 279—284) (Der Vater goß aus seinen Namen und gab uns den Sohn und holte ihn wieder in sich zurück. Der Vater goß aus seinen Namen und sandte uns den Hl. Geist. Der Vater goß aus seinen Namen, als er den Hl. Geist mahnte zurückzukehren, mit allem, was er vergeistet hatte.)

Was muß der Mensch tun, um dies zu erreichen? Wie sieht sein Weg aus der gefallenen Welt zu Gott aus?

Dat eerste es: ghi sult vraghen omme den wech; dat seghet hi selue: Jc ben de wech; ay na dien dat hi de wech es, soe merket sine weghe die hi ghinc: [. . .] Ende hoert hoe hi gheboet den mensche hoe sere si Minnen souden haren god van alre herten, van alre zielen, van alre cracht [. . .] Dit es die wech dien ihesus wiset ende selue es, Ende dien hi selue ghinc, daer dat eweghe leuen in leghet Ende die ghebrukenisse der waerheit sijns vader glorie. (Br. XV, 16—35) (Das Erste ist, ihr sollt nach dem Weg fragen; das sagt er selbst: Ich bin der Weg. Nun, da er doch der Weg ist, so achtet auf seine Wege, die er ging, und hört, wie er den Menschen gebot, wie sehr sie ihren Gott von ganzem Herzen lieben sollten, aus ganzer Seele und mit aller Kraft [. . .] Das ist der Weg, den Jesus zeigt und der er selbst ist und den er selbst ging, worin das ewige Leben liegt und das Genießen der Wahrheit in der Glorie des Vaters.)

Christus ist der Weg, und sein Leben nachvollziehen heißt, diesen Weg gehen. Charakteristisch für Hadewijch ist dabei, daß sie in freier Paraphrase Joh 14,6 mit Deut 6,5 verbindet, nämlich „ende hi gaf ter Minnen al sijn herte ende al sine ziele ende al sine crachte". Das „große Gebot" zitiert Hadewijch mehrfach als Grundregel für die Hinwendung der ganzen Seele zu Gott:

Dit gheboet hi moysen ende inder ewangelien aldus ter minnen al te sine. (Br. XII, 168—169) (Das gebot er Moses und im Evangelium, der Minne so ganz anzugehören.)

Wer dieses Gebot erfüllt, kann — in Anlehnung an das Hohe Lied „dilectus meus mihi et ego illi" — von sich sagen „ic al minne ende minne al me" (St. G. 12, VII). Darin nämlich sieht Hadewijch die Vollendung der gottgeweihten Seele.

Deshalb soll der mystische Aufstieg anhand der an dieser Stelle genannten Trias untersucht werden, nämlich welche Funktion den einzelnen Seelenkräften dabei zukommt und inwiefern diese Gliederung hierarchisch aufzufassen ist.

Da auch Bernhard von Clairvaux in seinen Predigten zum Hohen Lied diese Bibelstelle als Ausgangspunkt für sein dreistufiges Schema „amor cordis" bzw. „carnalis", „amor animae" bzw. „rationalis" und „amor virtutis" bzw. „spiritualis" nimmt, will ich zunächst kurz auf seine Interpretation eingehen. Denn sie als die ältere und vermutlich auch von Hadewijch rezipierte Quelle soll als Hintergrundsfolie für ihre eigene Auffassung dienen.

Entsprechend diesen drei Graden soll sich nach Bernhard die antwortende Liebe der Seele zu Christus vollziehen, der ja dem Menschen durch seine Inkarnation diese Liebe schon entgegengebracht hat: „ipse prior dilexit nos" (cant. cant. 20,2). Christus hat nämlich durch seine Menschwerdung den Menschen „dulciter, sapienter, fortiter" geliebt. „Dulciter", indem er Mensch wurde und dadurch als Antidotum gegen die „dulcedo" der Welt wirkte; „sapienter", indem er seine Gottheit vor dem Teufel verborgen hielt und — obgleich er Mensch war — nicht sündigte; und „fortiter" dadurch, daß er getreu bis zum Tode die Schuld des Menschen gegenüber dem Vater tilgte. Er hat somit das Wollen, Wissen und Können für die Erlösung des Menschen eingesetzt, und genau diese Kräfte werden auch vom Menschen gefordert:

> Disce, o Christiane, a Christo, quemadmodum diligas Christum. Disce amare dulciter, amare prudenter, amare fortiter. Dulciter, ne illecti; prudenter, ne decepti; fortiter, ne oppressi ab amore Domini avertamur [. . .] Et vide ne forte tria ista tibi et in lege tradita fuerint, dicente Deo: Diliges Dominum Deum tuum ex toto corde tuo, et ex tota anima tua, et ex tota virtute tua [. . .] Mihi videtur (si alius competentior sensus in hac trina distinctione non occurrit) amor quidem cordis ad zelum quemdam pertinere affectionis; animae vero amor ad industriam seu judicium rationis; virtutis autem dilectio ad animi posse referri constantiam vel virgorem.[4]

Denn nur auf diese Weise kann die „conniventia voluntatum" zwischen Gott und Mensch wieder erreicht werden, die durch die Sünde verlorenging. Sie ist Voraussetzung für den „raptus" und die damit verbundene göttliche Überformung der Seele. Daher verbindet Bernhard auch die Theosis mit dieser Bibelstelle:

> O pura et defaecata intentio voluntatis! Eo certe defaecatior et purior quo in ea de proprio nil jam admistum relinquitur: eo suavior et dulcior, quo totum divinum est quod sentitur. Sic affici, deificari est [. . .] Manebit quidem substantia, sed in alia forma, alia gloria, aliaque potentia. Quando hoc erit? [. . .] Ego puto non ante sane perfecte impletum iri: Diliges Dominum Deum tuum ex tota corde tua, et ex tota anima tua, et ex tota virtute tua.[5]

Auf diese Schlüsselwörter und ihr Umfeld soll nun Hadewijchs Werk untersucht werden, d. h. welche Bedeutung kommt bei ihr dem Herzen zu, welche dem Intellekt, wie interpretiert sie den „amor virtutis"?

> Ay, dat hoghe minne, Die so soete scijnt / Dat haer sueticheit al andere soetheit verteert, / Soe wondet herte ende sinne. (St.G. 21,IV) (Ach, daß die hohe Minne, die so süß erscheint, daß ihre Süßigkeit jede andere Süße verzehrt, so Herz und Sinn verwundet.)

Bereits bei Augustinus ist das Herz das Zentrum des Begehrens, das den Menschen entweder zur Süßigkeit der Welt oder zu Gott treibt. Damit er so — wie im o. g. Gedicht — zu empfinden vermag, müssen alle seine affektiven Kräfte, die im Herzen angesiedelt sind, von der Gottesliebe erfaßt werden. Dieses Ergriffensein stellt Hadewijch — in Übereinstimmung mit der höfischen Dichtung — als das absolute Überwältigtsein von einer unbegreiflichen äußeren Macht dar. Für das Inbesitznehmen des Herzens gebraucht sie daher auch dieselben Metaphern wie die profane Dichtung, nämlich den Herzensdiebstahl. So sagt sie über die Minne „Die mijn herte met luste hevet ghevaen" (St.G. 24,VIII) („Die mein Herz mit Begierde gefangenhält") — im Ton des persönlichen Bekenntnisses, aber auch ganz allgemein: „die hem [dem ihr Dienenden] sen ende herte stal" (St.G. 18,II) („die ihm Sinn und Herz stahl"). Am eindrucksvollsten und häufigsten steht bei ihr dafür jedoch das Bild der Verwundung durch den Minnepfeil — vielleicht deshalb, weil es auch in der religiösen Dichtung bereits eine feste Tradition besaß:

Alsenne der minnen strale ruren, / So gruwelt hem dat hi leuet. (St.G. 14,II)

In allen tiden als ruert die strale / Meerret hi die wonde ende brenghet quale. (III)

(Wenn sie [die Seele] der Pfeil der Minne trifft, so graut ihr, daß sie lebt. Immer, wenn der Pfeil trifft, vertieft er die Wunde und bringt Qual.)

Diese Verwundung ruft das Verlangen nach der Gegenwart der Verursacherin hervor. Nur sie allein kann sie wieder heilen. Dementsprechend ist Hadewijchs Bitte an die Minne: „Sijt medicina/ condimentum!" (St.G. 45,III/IV), und es zeigt sich die Erfüllung darin,

[so] dat sie hem in corter stonden / Der begheerten wonden al heilde (St.G. 11,VI) (daß sie ihm in kurzer Zeit die Wunden der Begierde ganz heilte).

Auch hier findet sich die Parallele zur höfischen Dichtung.

Den Hunger und Durst — weitere Metaphern für die Sehnsucht der Seele — kann nun nicht mehr die Welt stillen, sondern nur noch die Minne selbst:

Want al sijn begheren / Es voeden ende teren / Ende ghebruken minnen natueren. (St.G. 15,II) (Denn all sein Begehren ist, zu zehren und aufgezehrt zu werden und die Natur der Minne zu genießen.)

Der Terminus „ghebruken" verweist hier natürlich auf das mystische Präsenzerlebnis. Dementsprechend wird auch in folgenden Gedichten Sättigung und Trunkenheit damit verbunden:

Ic soude noch der minnen al minne wesen / [. . .] / So soude mijn hongher wesen sat. (St.G. 3,VIII) (Würde ich der Minne ganz Minne sein, [. . .] so sollte mein Hunger gesättigt werden.)

daer minne [. . .] / [. . .] met minne hare vriende al dronken drinket. (St.G. 12,VI) (wo Minne [. . .] mit Minne ihre Freunde bis zur Trunkenheit tränkt.)

Die Sehnsucht treibt die Seele also auf die Suche nach der Minne. Sie läuft nun den „loep [Lauf] der minnen" (St.G. 40,VIII) bzw. geht auf „avontuere" (St.G. 22,XV/45,IV) nach der „minnen lant". Denn Bewegung auf Einung hin ist Kennzeichen der vom Affekt geprägten Liebe. Zwar ist der Affekt das Movens:

Wien minne ie van binnen scoet / Hi es van so fieren moede (St.G.
13,VIII) (Auf wen die Minne je von innen schoß, der ist von so hoher
Gesinnung),

er ist auch auf ein bestimmtes Ziel gerichtet, aber er kann den Weg
nicht aufzeigen.

Zum Finden des Wegs bedarf es weiterer Seelenkräfte, nämlich
der des Intellekts, wie die Unterscheidungskraft und die Weisheit.
Dies erläutert Hadewijch am Beispiel der Braut des Hohen Lieds,
die als ein Archetyp für das Verwundetsein von der Liebe gelten
kann — „vulnerata caritate ego sum" —, von ihr sagt die Mystikerin
nämlich:

> si sochte haren brugom niet allene begherleke, Mer oec wiseleke [. . .]
> Dus soude doen elc vroede ziele die in roere war van minnen. Sie soude
> altoes harre gracie met begherten ende wiseleke meeren. (Br. X,
> 103—108) (Sie suchte ihren Bräutigam nicht nur mit Begierde, sondern
> auch mit Weisheit [. . .] Dies sollte jede kluge Seele tun, die von der
> Minne berührt wurde. Sie sollte immer ihre Gnade mit Begierde und
> weise vermehren.)

Dies kann die Seele aber nur, wenn alle Verstandeskräfte ebenfalls auf die Minne ausgerichtet werden, wenn, wie Hadewijch
ausführt, „die redene dan valt in begherten van Minnen" (Br.
XVIII, 95—96) („die Vernunft von der Begierde nach Minne ergriffen wird"). Die „redene" ist der Seelenteil, in dem sich die natürliche Erkenntnis vollzieht, der aber auch in der Kontemplation
der gnadenhaften Erleuchtung zugänglich ist.

Welches sind nun die Aufgaben der Vernunft? Sie lassen sich in
zwei Kategorien teilen: Selbsterkenntnis und Gotteserkenntnis.
Beide sind jedoch direkt aufeinander bezogen. Die Seele muß zunächst erkennen, daß sie nach dem Bilde Gottes geschaffen ist,
dieses aber durch die Sünde entstellt hat. Den ursprünglichen Zustand — frei von Sünde und Leid zu sein — kann die Seele wieder
erreichen, wenn sie ein Leben nach dem Vorbild von Jesus führt,
der seinen Willen ganz dem des Vaters unterwarf:

> Die hem cleden wilt ende rike sijn ende een metter godheit, hi sal hem
> seluen cieren met allen doechden, Ja daer god hem seluen met cledde
> ende cierde, doen hi mensche leuede. Ende dies salmen beghinnen ane

die selue oetmoedicheit daer hijs ane began. (Br. XXX, 84—89) (Wer sich kleiden will und reich sein und eins mit der Gottheit, der soll sich selbst mit allen Tugenden schmücken, womit Gott sich selbst kleidete und schmückte, als er als Mensch lebte. Und dies muß man mit derselben Demut beginnen, mit der er selbst begann.)

Konkret kann dies für den Mystiker bedeuten:

Altoes bedet ocht mint, ocht werct doghet, ocht dient den sieken; om Minnen ere verdraghet den erren ende den onwetenden. (Br. XVI, 63) (Also betet oder liebt oder vollbringt ein Werk der Tugend oder dient den Kranken. Der Minne zu Ehren ertragt den Zornigen und den Unwissenden.)

Dabei kommt der Vernunft in der „vita activa" die Aufgabe zu, die Differenz zwischen dem erstrebten Vorbild und der eigenen Seele richtig einzuschätzen, d. h. das bereits Erreichte zu beurteilen und das, was noch zu vollbringen ist, aufzuzeigen:

Want si haer [begherte] alle uren daertoe ghevet / Te roepenne: ‚Ay, minne, wes al mine!' / Oec wect se redenne, die hare dat seghet: / ‚Sich hier dit stet die noch te volsine.' (St.G. 25,V)
Begherte en mach niet swighen stille, / Ende redenne ghevet hare clare den raet, / Want sise verlicht met haren wille, / Ende toent hare dat werc der hoechster daet. (VI)
(Denn die Begierde ist jederzeit dabei zu rufen: ‚Ach, Minne, sei ganz die Meine!' Andererseits erweckt sie die Vernunft, die sagt: ‚Sieh her, dies steht dir noch bevor zu sein.'
Begierde kann nicht stillschweigen, und Vernunft gibt ihr deutlich den Rat, denn sie erleuchtet sie mit ihrem Willen und zeigt ihr das Werk der höchsten Tat.)
Dan comt redenne die sterke / Met nuwen werke. (St.G. 19,XII) (Dann kommt Vernunft, die Starke, mit neuen Werken.)

Dies aber geht nicht ohne Schmerz:

Ay, daer redenne ghenuechte ontseghet / Dat quest meest boven alle pine. (St.G. 25,V) (Ach, wenn die Vernunft das Genügen verweigert, das schmerzt über alle andere Pein.)

Dementsprechend schreibt die Mystikerin von sich selbst, daß sie zwar durch ihr überstarkes Gefühl bisweilen glaubte, daß Christus nieman soe herteleke ghemint en heuet alse ic. Mer redene dede mi onderwilen wel weten Dat ic die naeste niet en was (Br. XV, 32–34) (niemand so herzlich geliebt hat wie ich, aber die Vernunft ließ mich bisweilen wissen, daß ich [ihm] nicht die nächste war).

Die Seele darf sich also nicht vom Übermaß des Gefühls zu einer falschen Selbsteinschätzung verleiten lassen. Sie darf sich nicht „verliggen" (Br. II,134), wie Hadewijch es höfisch ausdrückt. Es gehört zum Menschsein, sich im unablässigen Dienen zu bewähren „Doghende prouen de Minne ende niet soeticheit" (Br. X,1–4) („Tugenden erweisen die Liebe und nicht Süßigkeitsempfinden"), auch wenn die „begherte" noch so sehr auf Einung dringt. Daher muß die „redene" insofern zur Gegenspielerin des Verlangens werden, als es ihr zukommt, die Differenz zwischen dem realen Zustand der Seele und ihrem Ideal aufzuzeigen und damit auch die Distanz zum „ghenuechen".

Die affektiven Kräfte des Herzens können allein durch das Dienen jedoch nicht befriedigt werden. Die Seele verlangt daher auch danach, in der Erkenntnis – sowohl der natürlichen als auch der übernatürlichen – auch der Gottheit nahe zu sein. Neben dem Dienst bedarf es also noch einer besonderen Aktivierung der höheren Verstandeskräfte in der Kontemplation. Dementsprechend gibt Hadewijch in Brief XVIII folgende Anweisung:

Du salt altoes staerkeleke sien op dijn lief dattu begheers: Want die anestaert dat hi begheert, hi wort ontstekelike ontfunct, soe dat sijn herte in hem beghint te faelgerenne Omme de soete bordene der Minnen. Ende hi wert in getrect ouermids ghestadicheit dies goeds leuens der contemplacien. (189–194) (Du sollst immer fest auf dein Liebstes sehen, nach dem du verlangst. Denn wer seine Augen auf das heftet, was er begehrt, der wird entzündet und entbrennt, so daß sein Herz in ihm nach der süßen Bürde der Minne zu schmachten beginnt, und er wird entrafft durch die Stetigkeit des heiligen Lebens der Kontemplation.)

Hier wird zugleich deutlich, daß das „anestaren" die Emotio vorübergehend befriedigt, denn es versüßt die Bürde des Dienstes. Je mehr die Seele sich von Sünde und ungeordneten Affekten befreit, desto klarer kann sie Gott erkennen. Sicherheit der Erkenntnis und das Empfinden geistiger Süße lassen in der eingegossenen Erleuchtung die Nähe Gottes erfahren:

Jn de rijcheit der claerheit des heilichs gheests, Daer inne maket de salighe ziele verweende feeste. Die feeste dat sijn heileghe woerde gheuoeghet in heilicheden metter heilicheit ons heren [. . .] Sie gheuen hare gheuoelicheit Ende soetheit Ende bliscap Ende verweentheit Ende al in ghewaregher gheestelijcheit. (XXVIII,1—8) (Im Reichtum der Klarheit des Heiligen Geistes, darin feiert die selige Seele herrliche Feste. Diese Feste, das sind heilige Worte, gewechselt in Heiligkeit mit der Heiligkeit unseres Herren [. . .] Sie geben ihr Empfinden der Süße und Glückseligkeit und Verklärtheit und alles in wahrhaftiger Vergeistigung.)

Deshalb gehört zu den stehenden Epitheta für die Minne nicht nur „soete", sondern auch „clare", da sie die Quelle der Erleuchtung für die Vernunft ist.

Doch wie in der „vita activa" die „redene" untrennbar mit Leid verbunden ist, so auch in der „vita contemplativa". Hier sogar in noch intensiverer Form. An das vollkommene Menschsein des Gottessohnes konnte die Seele noch mit eigener Anstrengung und der Hilfe der Gnade heranreichen. Doch jetzt, wo dieses Ziel schon fast erreicht ist, zeigt die „redene" der Seele erst in unerbittlicher Klarheit die Ur-Distanz zwischen dem unendlichen, allmächtigen Schöpfer und seinem endlichen, schwachen Geschöpf. Je deutlicher sie die Majestät in ihren Appropriationen von Gerechtigkeit, Weisheit, Güte und Allmacht erkennt, um so geringer muß sich die Seele selbst einschätzen:

Ende de verlichte redene die toent waerheit [. . .] hem so cleyne ende minne so groet. (Br. XXX,165—168) (Und die erleuchtete Vernunft, die zeigt die Wahrheit [. . .] nämlich sich selbst so klein und die Minne so groß.)

Ja, das „Neigen der Zeit", wie Hadewijch in einem Brief (XII,155) das mystische Einungserlebnis umschreibt, scheint aufgrund der sich immer klarer abzeichnenden Distanz immer unmöglicher. Am schönsten zeigt dies die Personifikation der „redene" in der IX. Vision. Sie trägt ein Kleid, von dem es heißt:

ende dat cleet was al vol oghen; Ende alle die oghen waren alle doersiende alse viereghe vlammen, ende nochtan ghelijc cristalle (9—11) (und das Kleid war voller Augen, und alle die Augen waren durchsichtig wie Feuerflammen und dennoch wie Kristall), was die Mystikerin folgendermaßen interpretiert:

Die cristallenheit der oghen veruwaren ende verstoruen hondertfout in bekinleken doghene. (60—61). Die Kristallklarheit der Augen [bedeutete] hundertfaches Erschrecken und Ersterben im Leid der Erkenntnis.)

Doch gerade dieses Leid soll die Seele zur höchsten Anspannung führen. In diesem Sinne tröstet sie auch die Adressatin eines Briefes:

Al gheuoeldi oec bi wilen ellendicheit van herten alse ocht ghi van hem begheuen waert Daer omme en mestroest v seluen niet. Want ic segghe v waerleke dat alle die ellende die men doghet met goeden wille te gode die is bequame in die ghehele nature gods. Mer wisten wi hoe lieue gode daer toe es, Dat ware ons ontidich, Want soe en wart ons ghene ellende. (Br. II, 51—58) (Selbst wenn Ihr euch zuweilen im Herzen verlassen fühlt, als ob Ihr von ihm aufgegeben worden wäret, so verzweifelt doch selbst nicht, denn ich sage Euch wahrlich, daß all das Leid, das man um Gottes Willen gutwillig erträgt, der ganzen Natur Gottes gefällig ist. Aber wüßten wir, wie lieb Gott dies ist, so wäre es zu früh für uns, denn dann würde es ja kein Leid für uns sein.)

Dies ist unabdingbarer Bestandteil von Hadewijchs Lehre, die sie selbst als „cost", d. h. als „ars amandi" auffaßt. In ihrer „scole" der Minne besteht der Magistergrad in der „wonde sonder genesen" (Str.G. 14,X) („unheilbaren Wunde"). Die Seele muß also diese Spannung ertragen und beide Lebensformen, die aktive und die kontemplative, weiterhin vertiefen.

Das heißt, sie muß sich also in der Stärke und in der Beständigkeit bewähren. Die Tugend der „trouwe" umfaßt daher bei ihr diese beiden Komponenten. Sie ist die eigentliche Vollenderin des Aufstiegs, indem sie nämlich dem rechten Wollen und richtigen Erkennen auch noch das starke und beharrliche Können hinzufügt:

Die dit met trouwen wel versteet / Te werkenne in allen sinnen, / Hi eest dien minne al beveet / Ende hi wert al een in minnen. (St.G. 34,IX) (Wer das mit Treue in jeder Hinsicht zu vollbringen versteht, der ist es dann, den die Minne ganz umfängt, und er wird ganz eins in der Minne.)

112

Dementsprechend wird auch von Christus gesagt (Br. III, 1—5), daß er als Gott „trouwe" ist und daß er sie als Mensch im Tun vollzog. Ja, die Erlösung selbst wird an diese Tugend geknüpft — was Christus im innertrinitarischen Rat auf sich nahm, löste er getreu bis zum Kreuzestod auch ein:

> Ende quijte metter hogher trouwen dienst de scout menschliker naturen ieghen de vaderlike godlike waerheit. (Br. VI, 101—102) (Und er löste mit dem Dienst der vollkommenen Treue die Schuld der menschlichen Natur gegenüber der göttlichen Wahrheit des Vaters ein.)

Deshalb ist die höchste Form der Treue auch beim Mystiker die der Todesbereitschaft für Christus bzw. die Minne. So spricht Hadewijch von

> Heren, vrouwen, end ioffrouwen, / Die dore minne der hoechster trouwen / Onderdanich waren toter doet / In al dat hem die minne gheboet: (Md. 3,45—48) (Herren, Damen und Jungfrauen, die um der Minne willen der höchsten Treue untertan waren bis zum Tod in allem, was ihnen die Minne gebot).

Daher gebraucht sie die Todesmetapher für das letzte Abtöten des Eigenwillens:

> Jc wille met al mi daertoe voeghen [...] / Uwen liefsten wille willic vore al / gestaen, in quale, in doet, in mesval. (St.G. 35,X) (Ich will mich mit allem dazu fügen [...] Eueren liebsten Willen will ich vor allem auf mich nehmen — in Qual, in Tod, im Unglück.)

Was in den Gedichten in einer sehr konzentrierten poetischen Sprache zum Ausdruck kommt, arbeitet Hadewijch in ihren Briefen noch deutlicher heraus. Dem Präsenzerlebnis muß das Hineinsterben in den Willen Gottes vorausgehen. Erst wenn sich die Seele nur noch mit den Augen Gottes sieht, „Want alse [ziele] haer el niet en es dan god" („Wenn sie sich selbst nichts anderes ist, als was sie Gott ist"), d. h. wenn sie sich auch nur noch um Gottes willen liebt, dann kann sie auch mit ihm erhöht werden:

> Ende si ghenen wille en behoudet Dan dat si sijns enechs willen leuet. Ende de ziele te nieute wart, Ende metsinen wille wilt al dat hi wilt [...] soe wertse met hem al dat selue dat hi es. (Br. XIX, 55—61) (Und [wenn] sie keinen Willen mehr behält als den, daß sie in Willenseinheit mit

ihm lebt. Und die Seele zunichte wird und mit seinem Willen alles will, was er will [. . .] so wird sie mit ihm ganz dasselbe, was er ist.)

Nur im totalen „Fiat voluntas tua" verlangt die Liebe keinen Lohn mehr, sondern ist sich selbst genug. Diese Einstellung verkörpert auch das lyrische Ich, wenn es zur Minne sagt:

U slaghe sijn mi ghenoech genade / [. . .] / Dat ic u, minne, ghenoech voldade / Unde mori. Amen, Amen. (St.G. 45,V) (Eure Schläge sind mir Gnade genug [. . .] damit ich Euch, Minne, Genüge tue bis zum Tode. Amen, Amen.)

Wenn der Seele nichts mehr von ihrem Eigensein — das gleichbedeutend mit sündig sein ist — übrigbleibt, dann kann sie der gnadenhaften Vergottung teilhaftig werden. Dann kann Christus zur Seele sagen:

Dine doet ende de mine selen een sijn [. . .] ende ene Minne sal onser beider hongher saden. (Br. XXXI, 17—20) (Dein Tod und der meine sollen eins sein [. . .] und eine Minne soll unser beider Hunger stillen.)

Die Seele trägt jetzt nicht mehr die „ymagie vanden erdschen man" (Md. II,98). Nachdem sie erwiesen hat, daß ihre Liebe — dem Hohen Lied entsprechend — „stark wie der Tod ist", erlangt er durch diese höchste Form der Selbstentsagung seine ursprüngliche Freiheit wieder, nämlich die von Sünde und Leid, die er im Paradies besaß. Durch den Eigenwillen verlor er sie, durch Christus wurde sie ihm wieder zugänglich. Daher sagt Hadewijch über die Erlösung:

Ende [Christus] was ons op draghende Ende op treckende met godleker cracht Ende met menschliker rechte te onser eerster werdicheit, ende te onser vriheit, daer wi in ghemaect waren ende ghemint, Ende nu gheroepen ende vercoren in siere predestinacien, daer hi ons van ewen in versien heuet. (Br. VI, 338—343) (Und [Christus] trug uns und zog uns hinauf mit göttlicher Macht und mit menschlicher Gerechtigkeit in unsere anfängliche Würde und in unsere Freiheit, worin wir geschaffen wurden und geliebt und wozu wir nun gerufen und erwählt sind in seiner Vorausbestimmung, in der er uns von Ewigkeit erwählt hat.)

Er aber vollbrachte dies, denn:

Met alre herten, met alre zielen met alre cracht stont hi in elken ende in allen sinnen euen gheeet te voldone dat ons ontbleuen was (Mit ganzem Herzen, mit ganzer Seele, mit ganzer Kraft stand er in allem und in jeder Hinsicht gleichermaßen bereit, das zu vollbringen, was wir versäumt hatten).

Der Mensch ist damit aufgerufen, durch die Vernichtung des Eigenwillens die Freiheit von Sünde auf die in Deut 6,5 angegebene Weise wieder anzustreben, auf daß ihm in der Glorie die Freiheit von Leid gegeben werde. Deshalb verbindet Hadewijch einerseits diesen Begriff mit der Todesmetaphorik:

Die Vriheit die de minne can gheuen, sine spaert doet noch leuen. (Br. XIX,23) (Die Freiheit, die die Minne geben kann, sie achtet weder auf Leben noch auf Tod.)

Hier steht er für die aktive Loslösung von der Sünde. Sie verbindet ihn andererseits aber auch mit dem „ghebruken", d. h. mit dem punktuellen Vorgeschmack der Visio beatifica. In diesem Zusammenhang bedeutet er Freisein von Leid in der Entrückung:

Dat seide ene ziele inde vriheit gods [. . .] Doen saghic ouer al in die glorie sonder ende (Br. XXVIII, 262/269) (Das sagte eine Seele in der Freiheit Gottes [. . .] Dann sah ich über alles in die ewige Herrlichkeit),

und er steht für die passive gnadenhafte Erfahrung. Denn wie alles Leid, das aus dem Getrenntsein von Gott erwächst, in der Unio zur Ruhe gelangt, so kommt auch jede Aktivität der Seele, dieses Getrenntsein zu überwinden, zur Ruhe. Deshalb ist „rusten" ein häufig gebrauchtes Synonym für die Einung:

Want in dat ghebruken van Minnen en was nie noch en mach ander werc sijn dan dat enighe ghebruken, daer die eneghe moghende godheit Minne met es. (Br. XVII, 74) (Denn in dem Genießen der Minne war nie, noch kann ein anderes Werk sein als das einige Genießen, mit dem die einige allmächtige Gottheit Minne ist.)

„En mach ander werc sijn" negiert hier expressis verbis jede Form der Tätigkeit, d. h. auch die des Intellekts. Denn die Erkenntnisfähigkeit der „redene" reicht nur für das, was Hadewijch Denken in „figueren" (Br. XII, 33) nennt, also das Erfassen Gottes in Denkbildern. Die Vernunft vermag daher Gott in seinen Eigenschaften, wie „cracht", „goede", „suetheit" (Vis. XIII, 167—168) („Macht, Güte, Süße"), zu erkennen, weil sie abgrenzt und unterscheidet, wie das klassifizierende Aneinanderreihen verdeutlicht. Aber sein Wesen, „daer die eneghe godheit Minne met es", ist nur der Minne selbst erfahrbar. Hier geht Hadewijch offensichtlich von der ursprünglich platonischen Konzeption der Erkenntnis durch Gleiches aus:

alle saken sal men met hem seluen soeken: Cracht met crachte, liste met liste, Rike met rike, Minne met Minnen, Al met allen, Ende emmer gheliken met gheliken. (Br. VII, 7—8) (Alles soll man mit sich selbst suchen; Stärke mit Stärke, Vernunft mit Vernunft, Macht mit Macht, Minne mit Minne — alles in allem und immer das Gleiche mit dem Gleichen.)

Der „redene" als Teilkraft der Seele sind auch nur Teilaspekte Gottes zugänglich.

Seine Totalität dagegen, in der weder Zahl noch Person statthat, für die Hadewijch häufig den Begriff „godheit" bzw. sogar „eneghe godheit" gebraucht, ist der Totalität aller Seelenkräfte zugänglich, und dies wiederum ist die „eneghe" bzw. „gheheele" Minne des Menschen. Durch diese Epitheta deutet Hadewijch an, daß es sich hier um den Koinzidenzpunkt aller Seelenkräfte handelt, nämlich daß das ganze Wollen, Wissen und Können des Menschen von der Minne ergriffen und auf sie als alleiniges Ziel ausgerichtet ist. Mit diesem Bereich seiner Seele kann der Mensch nicht nur an Gott „gheraken" („rühren") bzw. ihn „voelen" („fühlen"), wie es von der „vita activa" und „contemplativa" heißt, hier kann er sogar mit Gott eins werden. Denn von der höchsten Form mystischer Einung sagt Hadewijch, daß sie „al af doet datter redenen behoert, ende lief in lief een valt" (Vis. XIII, 180—182) („alles ablegt, was zur Vernunft gehört, und der Geliebte mit dem Geliebten in eins fällt").

Die minne maect sine memorie soe enech dat hi ghedinken en can omme heyleghen Noch omme menschen Noch dies hemels, Noch dier erden, Noch der Inghele, Noch sijns selues, Noch gods, dan der Minnen allene, diene beseten heuet in nuwer ieghenwordicheit. (Br. XX, 117—127) (Die Minne macht sein Gedächtnis so einig, daß er weder an

116

Heilige, noch an Menschen, noch an den Himmel, noch an die Erde, noch an die Engel, noch an sich selbst, noch an Gott denken kann, sondern nur an die Minne allein, die ihn in neuer Gegenwärtigkeit in Besitz genommen hat.)

Die Seele löst sich so von allen Bildern der Schöpfung; sie vergißt sich selbst, d. h. ihre Kleinheit; sie vergißt Gott, d. h. seine Majestät; denn sie weiß nur noch von Minne. Durch die Minne, als den Vollzug höchster mystischer Einung, kann sich das Subjekt ganz im Objekt verlieren, so daß erkenntnistheoretisch beide gewissermaßen zusammenfallen. Hier wird nicht mehr das Anderssein, das Gegenüber, die Distanz erfahren — wie durch den Intellekt —, sondern nur noch ein Aufgehen im Anderen, da alles Eigensein, sofern es Unterscheidung und Absetzung besagt, aufgehoben ist.

Bildlich kann dieses Erfahren unterschiedsloser Einheit nur noch durch das Symbol des Abgrunds wiedergegeben werden, das in sich selbst bereits die Bildlichkeit aufhebt. Der in Deut 6,5 aufgezeigte Weg erreicht hier sein Ziel, weshalb Hadewijch die dort genannte Trias auch mit der Abgrundmetaphorik verbindet. Wenn die Minne nämlich „een soekende sen, ende ene begherende herte, Ende ene minnende ziele" bringt,

soe worpt sise in den abis der starker naturen, daer Minne ute gheboren es ende ghevoedet (Br. XX, 8—10). (Wenn die Minne einen suchenden Verstand und ein verlangendes Herz und eine liebende Seele bringt, so wirft sie sie in den Abgrund der starken Natur, aus dem die Minne geboren und gespeist ist.)

Die Seele hat damit ihre erste Freiheit punktuell wieder erreicht, die ihr Christus zugänglich machte, indem er selbst den o. g. Weg als Mensch vorausging. Denn nicht nur die Seele sehnt sich nach Gott, auch er sehnt sich nach der Seele wie aus der VIII. Vision deutlich hervorgeht, in der der Herr Hadewijch im mystischen Präsenzerlebnis mit folgenden Worten empfängt:

Dijn grote daeruen van minnen heeft die ghegheuen den ouersten wech in mijn ghebruken daer ic van ane beghinne diere werelt na hebbe ghehaect. (VIII, 37—39) (Dein großes Bedürfnis nach Minne hat dir den obersten Weg in mein Genießen gegeben, wonach ich mich von Anbeginn der Welt gesehnt habe.)

Insofern kann Hadewijch zu Recht den äußerst kühnen gedanklichen Chiasmus bilden:

Siele es een wech vanden dore vaerne Gods in sine vriheit van sinen diepsten; Ende god es een wech vanden dore vaerne der zielen in hare vriheit. (Br. XVIII, 73–76) (Die Seele ist ein Weg für den Durchgang Gottes in seine Freiheit aus seiner Tiefe; und Gott ist ein Weg für die Durchfahrt der Seele in ihre Freiheit.)

Es wäre nun noch aufzuzeigen, wie sich diese Vollendung im visionär geschauten Bild offenbart, denn die bisher zitierten Belege waren fast ausschließlich den Briefen und Gedichten entnommen — also den Gattungen, die das visionäre Erleben nicht unmittelbar wiedergeben.

Schon der äußere Aufbau der Visionen, der bei Hadewijch ziemlich schematisch festgelegt ist, reflektiert eine analoge hierarchische Strukturierung der Seelenkräfte sowie deren gegenseitige Verklammerung. Die Visionen beginnen nämlich mit einer kurzen Beschreibung des psychosomatischen Zustandes vor Eintritt der Ekstase. Dieser ist durch eine ungeheuere affektive Anspannung gekennzeichnet, die sich bis zur Todesqual steigern kann:

ende mijn herte ende mijn aderen ende alle mine lede scudden ende beueden van begherten; ende mi was alst dicke heeft gheweest. Soe verwoeddeleke ende vreeseleke te moede dat mi dochte, ic en ware minen lieue ghenoech ende mijn lief en uerwlde minen nyet, dat ic steruende soude verwoeden ende als uerwoedende steruen. (VII, 3–10) (Und mein Herz und meine Adern und alle meine Glieder zitterten und bebten vor Verlangen; und mir war, wie so oft, so rasend und schrecklich zumute, daß mir schien, ich wäre meinem Liebsten nicht genug und er, mein Liebster, würde mein Verlangen nicht erfüllen, daß ich sterbend rasen sollte und rasend sterben.)

Den eigentlichen Beginn des visionären Zustandes kennzeichnet stets die Formel „do was ic in den gheeste opghenomen". Hier dominieren zwar Verben wie „erkennen" und „verstehen", die die Affizierung des Intellekts charakterisieren, doch werden zur Beschreibung des Geschauten durchaus Epitheta benutzt, die Empfindungen implizieren, so z. B. das häufige „soete" bzw. „oversoete"; die Emotion ist hier — in vergeistigter und gesteigerter Form — integriert.

Die Formel „buten den gheeste" signalisiert schließlich das Transzendieren der bildlichen Offenbarungsebene und damit auch der Kategorien des Intellekts. Das hier Erfahrene entzieht sich demzufolge jeder sprachlichen Wiedergabe.

Kehren wir nun zur anfangs bereits erwähnten Vision XIII zurück, von der gesagt worden war, daß die Seherin hier ihre Seele als endliches Abbild der unendlichen Minne Gottes erblickt. Das Angesicht Gottes selbst — entsprechend den Dimensionen Höhe, Breite und Tiefe — ist von drei Flügelpaaren umgeben, die mit Siegeln versehen sind. Jedes Flügelpaar bzw. jede Dimension versinnbildlicht eine Stufe des mystischen Aufstiegs. Als nämlich die Visionärin ihren Seelengeleiter, einen Seraph, bittet, ihr diese Siegel zu öffnen, erblickt sie diejenigen Geister, die die entsprechende Stufe erreicht haben. Von den Seelen auf der ersten Stufe wird ihr vollkommenes Dienen in Demut gepriesen:

doe quamen die die bi oetmoedicheden alle vren te nieute waren worden (129—130)
[. . .] die der gherechter minnen lof gheuen ende dat vore waer houden datse der minnen niet ne dienen (72—73).
(Da kamen die, die aus Demut stets zunichte geworden waren [. . .] die der gerechten Minne Lob zollen und das für wahr halten, daß sie der Minne nicht dienen.)

Von denen auf der zweiten heißt es, daß sie

bi vriheiden van minnen [. . .] kinnesse hadden ghenomen tusschen hen ende haren god, hoe ghedaen hi ware in siere cracht van siere redenen ende van sinen rike ende van siere goede ende van siere suetheit (Vis. XIII, 165—169) (durch die Freiheit der Minne [. . .] Erkenntnis zwischen sich und ihren Gott genommen hatten, wie beschaffen er war, in der Kraft seiner Vernunft und seines Reiches und seiner Güte und seiner Süße),

d. h. das sind diejenigen, welche dem Dienen noch die Erkenntnis in der Kontemplation hinzugefügt haben.

Die letzte Stufe aber läßt sich nur noch in der Negation umschreiben, nämlich als „die al af doet datter redenen behoert, ende lief in lief een valt" (180—182), womit die unmittelbare Gotteserkenntnis in der bildlosen Unio gemeint ist.

Doch verweist gerade diese Form der Anordnung deutlich darauf, daß nicht nur diejenigen der „visio beatifica" teilhaftig werden können, die bereits im Diesseits das Unio-Erlebnis hatten. Entscheidend bleibt vielmehr die vollkommene „vita activa", da ja auch diejenigen der ersten Stufe in das Angesicht Gottes aufgenommen werden.

Hier ist das vollendet, was der Seherin bereits in der I. Vision zur Erfüllung aufgegeben worden war. Hadewijch war dort in den Baumgarten der vollkommenen Tugenden geführt worden, in dem der Baum der Weisheit in seiner komplexen Form von 3 ×3 Ästen die entsprechende Aufstiegsstruktur verkörperte. Die Benennung der einzelnen Stufen wurde an dieser Stelle als „minne te draghene", „minne gheuoelen", „minne te sine" („Minne zu tragen, fühlen, sein") bezeichnet. Ihre Auslegung lautete folgendermaßen:

Das Minnetragen kommentierte sie als

onste, verlanghen, Begheren, dienst, / oeffeninghe van bernenden wille altoes / sonder cesseren (I, 158—160) (Geneigheit, Verlangen, Begehren, Dienst, Betätigung des brennenden Willens ohne Unterlaß).

Über das Minnefühlen sagt sie:

dat es ghedinken in vriheiden van minnen(61) (das ist Denken in der Freiheit der Minne).

Es zeigen sich also in beiden Visionen die entsprechenden Schlüsselwörter „dienst" und „kinnesse" bzw. „ghedinken", wobei die kontemplative Tätigkeit beide Male mit Freiheit assoziiert wird. Gemeint ist damit ein weitgehendes Freisein von Sünde und ungeordneten Affekten, da Hadewijch in diesem Zusammenhang fordert,

soe puer te bliuene van alre beulectheit inden gheeste, inden gare, in der zielen, dat en ghene nederheit dar in en come van dolinghen, van houerden, van ydelre glorien, van desperacien, van te vele te hopene dies men noch niet en heeft (144—149) (so rein zu bleiben, von jeder Befleckung im Geist, im Begehren, in der Seele, daß keine Niedrigkeit hineingelangt, sei es aus Irrtum, sei es aus Hoffart, sei es aus eitler Ruhmsucht, aus Verzweiflung, aus übermäßigem Hoffen auf etwas, was man noch nicht hat).

Die höchste Stufe schließlich ist gekennzeichnet durch die nicht nachlassende Beständigkeit im starkmütigen Einsatz aller Kräfte:

Die derde telch was dat ghestade wesen daermen der minnen altoes gheheel met es vte menechfuldeghe doechden in die gheheele eneghe doghet, die de minnende beide in een verswelghet ende worpse inden afgront daerse soeken ende vinden selen, die eweleke ghebrukelecheit. (170—176) (Der dritte Zweig war das beständige Wesen, womit man der Minne immer ganz einig ist, über die Vielfältigkeit der Tugenden hinaus in der ganzen einen Tugend [Kraft], die die beiden Liebenden in eins verschlingt und sie in den Abgrund wirft, worin sie das ewige Genießen suchen und finden werden.)

Wort- und Bildmaterial sind hier in Übereinstimmung mit der bereits am übrigen Werk aufgezeigten Konzeption. Die Tatsache, daß gerade die I. und XIII. Vision den Gesamtverlauf jeweils zusammenfassend aufzeigen, dürfte ein zusätzlicher Hinweis dafür sein, daß beide Visionen als Präfiguration und Erfüllung aufeinander bezogen sind. Hören wir abschließend noch die dreifache Laudatio, mit der Maria die Seherin preist, die hier selbst die Titulierung „moeder der minnen" (111) erhält:

Sich hier eest al ghedaen; comt [. . .] ende dore smake die minne die du in oetmoedecheiden soeghets ende met ghetrouwer redenen cierets ende berechtets ende met diere hogher trouwen ende met diere gheheelre ghewout dwonghes ende een makets (219—224) (Sieh — hier ist alles erfüllt; komm [. . .] und durchschmecke die Minne, die du in Demut säugtest und mit getreuer Vernunft ziertest und leitetest und mit deiner vollkommenen Treue und mit deiner ganzen Gewalt bezwangest und eins machtest),

und dem die so Gepriesene nur noch hinzufügen kann:

Ende dat anschijn ontedede hem al dat was ende minne die daer gheciert sat [. . .] ende ic viel in die grondelose diepte, ende quam buten den gheeste op die vre daer men nemmermeer af segghen en mach. (252—258) (Und das Antlitz offenbarte sich ganz: Alles, was da war, und die Minne, die darin geschmückt saß [. . .] und ich fiel in die grundlose Tiefe, und ich kam aus dem Geist in die Stunde, von der man nichts mehr zu sagen vermag.)

Anmerkungen

[1] P. Mommaers, Hadewijch, in: Die deutsche Literatur des Mittelalters, Verfasser-lexikon[2], Bd. 3, 1981, 368—378. Seitdem sind erschienen: P. Dinzelbacher, Hade-wijchs mystische Erfahrungen in neuer Interpretation, Ons Geestelijk Erf 54, 1980, 267—279; J. Reynaert, De beeldspraak van Hadewijch, Tielt 1981 (vgl. die Rezen-sion von P. Dinzelbacher, Zeitschrift für deutsches Altertum 112/Anzeiger 94, 1983, 87—94); F. Willaert, Hadewijchs poetische techniek in de ,Strofische Gedich-ten', DTh Leuven 1982; K. Ruh, L'amore di Dio in Hadewijch, Mechtild di Magde-burgo e Margerita Porete, in: Temi e problemi nella mistica femminile trecentesca, Todi 1983, 85—106. Außerdem verweise ich auf die laufende Bibliographie in Ons Geestelijk Erf sowie die Bibliographie von F. Willaert in: G. Jaron Lewis, Biblio-graphie zur deutschen mittelalterlichen Frauenmystik (Bibliographien zur deut-schen Literatur des Mittelalters 9), Berlin 1984.

[2] VII tekene der sonne, hs. 880—890, Koniklijke Bibliotheek te Brussel, fol. 44°, zi-tiert nach: J. van Mierlo, De Visioenen van Hadewych. Tweede deel. Inleiding, Leuven 1925, 137.

[3] Die Werke Hadewijchs werden nach folgenden Ausgaben zitiert: Hadewijch. Brieven, hrsg. v. J. van Mierlo, I. Tekst en commentaar. II. Inleiding, Antwerpen 1947; Hadewijch. Mengeldichten, hrsg. v. J. van Mierlo, Antwerpen 1951; Hade-wijch. Strophische Gedichte, hrsg. v. J. van Mierlo, I. Tekst en commentaar. II. In-leiding, Antwerpen 1942; De Visioenen van Hadewych, hrsg. v. J. van Mierlo, Eer-ste deel. Tekst en commentaar. Tweede deel. Inleiding, Leuven 1924/25. Die Übe-setzungen verstehen sich *nur* als Lesehilfe. Sie entstanden in Zusammenarbeit mit Peter Dinzelbacher, dem ich dafür an dieser Stelle danken möchte.

[4] Bernhard von Clairvaux. Sermones super Cantica Canticorum, hrsg. v. J. Le-clercq, C. H. Talbot, H. M. Rochais (S. Bernardi opera vol. I—II), Romae 1957/58.

[5] Bernhard von Clairvaux. De diligendo Deo. X, 28—29, Patrologia Latina, hrsg. v. J. P. Migne, Paris 1878, Bd. 182, 990—992.

Margot Schmidt

ELEMENTE DER SCHAU BEI MECHTHILD VON MAGDEBURG UND MECHTHILD VON HACKEBORN

Zur Bedeutung der geistlichen Sinne

Seit der Entdeckung der oberdeutschen Übersetzung des ‚Fließenden Lichts der Gottheit‘ im Jahre 1861 durch C. Greith in Einsiedeln ist die Forschung über diesen seltenen, kostbaren Fund
nur zähflüssig vorangeschritten. So wurde denn auch in den letzten Jahren in der Mechthildforschung festgestellt, daß ‚Das fließende Licht der Gottheit‘ bei weitem nicht das ihm gebührende
wissenschaftliche Interesse gefunden habe und daß diese „oft
spröde Gedanken- und Vorstellungswelt in ihren traditionellen
wie in ihrer moderner anmutenden Ausprägung noch immer un-
genügend erforscht worden sei"[1]. Dennoch sind sich alle Kenner
darin einig, daß trotz der knappen, historischen Daten über Leben
und Werk der Mechthild von Magdeburg uns durch ihre Schrift,
das älteste und niveauvollste Visionsbuch deutscher Sprache, eine
Gestalt von ungewöhnlicher geistiger Vitalität weit über das Natürliche hinaus vor Augen steht und diese noch nach Jahrhunderten in ihren stärksten poetischen Aussagen gleichsam einen Ur-
laut des göttlichen Eros verkörpert. Die jede Vorstellungswelt
sprengende Erfahrung des Göttlichen riß Mechthild in eine Spannung zwischen Leib, Seele und Geist, ja bis über die Grenzen ihrer
eigenen Natur hinaus, wo sie in tödlichen Beseligungen oder auch
Schrecken göttlicher Offenbarungen sich ihrer menschlichen
Ohnmacht nur allzu bewußt wurde. Die Macht der gewalttätigen,
göttlichen Liebe überwand ihr Schweigen und zwang sie zum Reden oder besser zum Schreiben, obgleich sie bekennt: „Ich wurde
vor diesem Buche gewarnt"[2], es könnte ein Brand daraus entstehen. Dennoch nimmt sie das Risiko einer möglichen Ächtung auf
sich. Warum? Sie fühlt sich als Medium des in ihr wirkenden dreifaltigen Gottes, der sich ihrer instrumental bedient, während sie

selbst ganz zurücktritt, denn „die Worte bedeuten die wunderbare Gottheit, die von Stunde zu Stunde aus dem göttlichen Munde in ihre Seele fließen"; und „der Klang der Worte ist der lebendige Heilige Geist", und die Festschreibung der Worte auf dem Pergament „ist das Bild der reinen, gerechten Menschheit"[3] des inkarnierten Wortes. Gottes ureigener, trinitarischer Schöpfungs- und Liebesprozeß im immerwährenden Fließen des göttlichen Wortes vollzieht sich auch während ihrer Niederschrift mit drängender Gewalt in ihrem Innern, die sie in übersinnlicher Sinnlichkeit empfindet. Dieses unerhörte Phänomen bestimmt ihren Kampf zwischen Zurückhaltung und Redenmüssen, wenn sie sagt: „Ich fürchte Gott, wenn ich schweige, und fürchte aber (auch) unverständige Menschen, wenn ich schreibe." Wie in hilfloser Abwehr gegenüber dem auf ihr lastenden Zwang seitens einer unsichtbaren Macht gesteht sie: „Liebe Leute, was kann ich (denn) dafür, daß mir dies geschieht und oft geschehen ist?"[4] Diese innere Spannung macht es unter anderem verständlich, daß neben den sehr starken Selbstverdemütigungen und Nichtigkeitsaussagen ebenso ihre ungewöhnliche Selbstsicherheit auffällt. Bereits der Anfang ihrer Niederschrift kennzeichnet ihr Sendungsbewußtsein. Sie bezeichnet ihr Buch und damit sich selbst als einen Boten für „die geistlichen Menschen, die Säulen der Kirche, wenn diese fallen, kann das Gebäude nicht überdauern". Was hat dieser Bote den vom Einsturz bedrohten tragenden Säulen zu vermelden? Ihre Antwort: Das Buch „kündet allein von mir und offenbart mein Geheimnis" mit Gott.[5] „Ich muß mich selber künden, soll ich Gottes Güte wahrhaft vollenden".[6] Zahlensymbolisch verschlüsselt stellt sie die fast nach Anmaßung klingende Forderung: „Wer es verstehen will, der muß es neunmal lesen."[7] In der interpretierenden Erzählung Gertrud von Le Forts „Die Abberufung der Jungfrau von Barby", 1948, fügt die Äbtissin Jutta von Sangershausen hinzu: „Zu neunmal neun mal sollen sie es lesen." Ist diese Aufforderung mehr als leere Zahlenspielerei, dann signalisiert dieser symbolische Ausdruck ein unauslesbares Buch. In ihrer gelegentlichen Unsicherheit vernimmt sie von Gott im Anklang an Lk 12,12, daß es ihm „vor manchem weisen Meister der Schrift, der vor meinen Augen dennoch ein Tor ist, eine große

Ehre" sei, wenn „der ungelehrte Mund die gelehrte Zunge aus meinem Heiligen Geist belehrt".[8] Um angelesenes oder spekulatives Wissen zu beschämen und zu korrigieren, erhebt sie in ihren Selbstverdemütigungen als „Geringste" unter allen, als „unflätiger Pfuhl", als „lahmer oder geschlagener Hund", als „schnöder Wurm" und „kleines Würmlein"[9] ihre Stimme, um Mitteilung darüber zu machen, daß und wie die Seele sich „in die heilige Dreifaltigkeit mengt". Der trinitarische Gott als das *mysterium strictissimum* von Gott als immer überfließender Liebe, der für Mechthild das bestimmende Liebesgeheimnis wurde, ist ihre zentrale Aussage. Sie ist nicht allein christozentrisch ausgerichtet, sondern in wesentlichen Punkten vom trinitarischen Gottesbild geprägt. In ihrer vielgerühmten Sprache von scharfsinniger Bildlichkeit, eindringlichem Vergleichen, Allegorien, hymnischen Preisungen und Aphorismen geht es ihr weniger darum, „Sichtbares auf Unsichtbares zu beziehen"[10], sondern ihr Anliegen ist, den „Adel der Seele", die Größe des Menschen in seinem ursprünglichen tiefsten Sein als „ingesigel" Gottes[11] jenseits aller faßbaren Vorstellungen aufzuzeigen, weil „Gott sie küßt in süßer Vereinigung"[12] und in dieser unio dem Menschen grundsätzlich eine nach oben hin offene, weitaus dichtere Seinsebene möglich ist. Die Verwunderung und Faszination des „Fließenden Lichts" liegt in dem geistigen Feuer einer überaus beweglichen Darstellungsform, die das Ineinander von Irdischem und Göttlichem, von sinnlicher und unsinnlicher Erfahrung auf einer höheren Ebene zu intensivster Lebenskraft steigert, so daß W. Mohr meinte, „daß in diesem unmittelbaren Sprechen das Historische ins Vorhistorische" zurückschlägt[13]. Wie aber versteht Mechthild selbst ihre Mitteilungen? Sie spricht von einem göttlichen „Gruß", der „zu allen Zeiten" aus „dem fließenden Gott" herausströmt. Damit weiß sie sich als ein Glied in der Tradition derer, die unter der Freiheit der göttlichen Gnade das Glaubensleben erfahrungsmäßig bis zu der Stufe der Evidenz hin steigern konnten, so daß Mechthild sagt: „Der Glaube ist mir zur Sicherheit geworden."

Unter dem Gesichtspunkt der ursprünglichen Besonderheit ihrer Aussage und der Verbindung mit dem breiten Strom religiöser Erfahrung christlicher Spiritualität sollen charakteristische Elemente ihrer Schau herausgehoben werden. Ausgangspunkt hierfür ist das zweite Kapitel aus dem ersten Buch.

Der ware gottes gruos, der da kumet von der himelschen fluot
us dem brunnen der fliessenden drivaltekeit, der hat so grosse kraft,
das er dem lichamen benimet alle sin maht
und machet die sele ir selben offenbar,
das si sihet sich selben den heligen gelich
und enphahet denne an sich gotlichen schin:
so scheidet dú sele von dem lichamen mit aller ir maht, wisheite, liebin
und gerunge; sunder das minste teil irs lebendes belibet mit dem lichamen als in eime suessen schlaffe [. . .]
So zúhet er si fúrbas an ein heimliche stat.
Da muos si fúr nieman bitten noch fragen, wan er wil alleine mit ir
spilen ein spil, das der lichame nút weis, [. . .]
So swebent si fúrbas an ein wunnenriche stat, da ich nút vil von
sprechen wil noch mag. Es ist ze notlich, ich engetar, wan ich bin ein vil
súndig moensche.
Mer: wenne der endelose got die grundelosen selen bringet in die hoehin,
so verlúret sú das ertrich von dem wunder und bevindet nút, das sie in
ertriche kam. —
Wenne das spil aller best ist, so muos man es lassen [. . .].
So sprichet der licham: Eya frovwe, wa bist du nu gewesen?
Du kumest so minnenklich wider, schoene und creftig, fri und sinnenrich.
Din wandelen hat mir benomen minen smak, rúchen, varwe und alle
min maht. [. . .]

Dis ist ein gruos: der hat manige adern, der dringet usser dem vliessenden gotte in die armen, dúrren sele ze allen ziten
mit núwer bekantnússe
und an núwer beschowunge
und an sunderlicher gebruchunge
der núwer gegenwúrtekeit.
Eya sueslicher got, fúrig inwendig, bluegende uswendig [. . .]
In disem gruos wil ich lebendig sterben. [. . .][14]

Die Beschreibung dieser ekstatischen Schau beginnt mit der Feststellung, daß die Erfahrung der göttlichen Nähe als plötzliche, unvorhergesehene Überwältigung wie eine „himmlische Flut" den Menschen überschwemmt und vollends zudeckt, so daß der Leib seine Macht verliert, die Seele sich selbst erkennt und göttlichen Glanz empfängt. Dieses einfallende Licht bewirkt eine Trennung von Leib und Seele. Nur die notwendigste Lebenskraft bleibt „mit dem Leib wie in einem süßen Schlafe". Hier berührt Mechthild die seit Augustinus vieldiskutierte Frage, wie weit die Seele in der höchsten Ekstase mit dem Leibe verbunden bleibt, ausgehend von der Entrückung des hl. Paulus in den dritten Himmel „im Leibe oder aus dem Leibe, weiß ich nicht" nach 2 Kor 12,2—4. Daß Mechthild mit der Entrückungsthematik vertraut war, zeigt an anderer Stelle ihr ausdrücklicher Hinweis auf das Beispiel des Paulus: „Paulus, ich bin wunderbar entrückt mit dir [. . .] und nichts erstaunte mich mehr, als daß ich seitdem noch ein lebendiger Mensch sein kann."[15] Und in der Beschreibung der drei Himmel erklärt sie: Ich „fahr mit Sankt Paulus in den dritten Himmel, wenn Gott meinen sündigen Leib in der Liebe niederschlägt."[16] Darnach scheint Mechthild für die Entrückung eine Trennung von Leib und Seele bzw. Geist anzunehmen. In der Trennung unterscheidet sie eine dreifach gestufte Erhebung: Auf der ersten Stufe ist sie ganz in der Gewalt Gottes, wo ihr auf Fragen und Bitten alles gewährt wird. Sie ist hier demnach noch im Besitz ihrer geistigen Kräfte und handelt aktiv. Die zweite Stufe ist ein verborgener Ort, also ein noch tieferes Eindringen in Gott, wo sie nicht mehr bitten und fragen kann, sondern Gott allein über sie verfügt. Darnach werden die geistigen Kräfte hier in einen Zustand größerer Empfängnis- und Hingabekraft verwandelt ohne Eigeninitiative. Auf der dritten Stufe gelangt sie „in eine unbeschreibbare wonnevolle Stätte. Hier vergißt sie alles über dem Wunder und weiß nicht, daß sie je auf Erden war". Waren vorher Verstand und Wille ganz von Gott affiziert, so geht jetzt das irdische Gedächtnis und das Bewußtsein ihrer körperlichen Existenz verloren.

Der Sache nach entspricht diese Einteilung dem dreifachen Aufstiegsschema der Schau, wie sie Richard von St. Viktor beschreibt, nur differenziert er schärfer, wenn er sagt: „daß hier eine wunderbare Scheidung stattfindet, nicht die des Leibes und der

Seele [wie beim menschlichen Tode], sondern eine andere, viel wunderbarere und erhabenere Scheidung, nämlich die der Seele und des Geistes"[17]. Mit Berufung auf Paulus bewirkt dies die göttliche Kraft in uns, und er fährt fort: „Es gibt nichts Wunderbareres im Menschen als diese Scheidung." Die erste Stufe beschreibt er unter der Formel: „Geist in Geist sein", wo der Mensch alles Leibliche und dessen Wohlbehagen vergißt — es handelt sich um die Ausschaltung der natürlichen Sinne — und der Geist in sich selbst eintritt und sich sammelt.

Auf der zweiten Stufe ist der „Geist über dem Geist", da er durch den Brand der Liebe über sich selbst verzückt wird, er läßt sich selbst zurück und schaut nur den Geliebten. Hier sind wie bei Mechthild die geistigen Fähigkeiten des Denkens und Wollens zur Ruhe gekommen.

Auf der dritten Stufe ist der Geist von sich derart getrennt, daß man sagen kann, daß „der Geist ohne Geist sei". In diesem Zustand wird nach Richard der Geist „in ein überkreatürliches Wesen verwandelt, wo er tatsächlich seinen irdischen Zustand mehr als überschreitet und durch wunderbare Verwandlung sich der Geist vom Menschlichen im Göttlichen zu verlieren scheint, so daß er nicht mehr derjenige ist, der er vorher war. Und dies ereignet sich dann, wenn er höher und vollkommener an Gott haftet." Richard spricht hier ebenfalls von einer höheren, vollkommeneren Form der unio, wo sich der Mensch ganz vergißt, also auch sein Gedächtnis über das Bewußtsein seiner irdischen Seinsweise ausgeschaltet wird. Für diesen Zustand beruft er sich wiederum auf Paulus: „Wer sich an Gott heftet, der wird ein Geist mit ihm" und tritt so in die verborgene Gottheit ein. Diesen Zustand der vollkommeneren unio, wo der Mensch in ein neues, überragendes Sein versetzt wird, in dem der Mensch ganz frei ist vom alltäglichen Bewußtsein des Wissens, Denkens und Fühlens, scheint Mechthild mehrmals anzusprechen, wenn sie sagt: Die Seele ist „ganz versunken in der wunderbaren Dreifaltigkeit"[18]; „Gott zieht die Seele empor, daß sie sich ganz verlor"[19]. „Wenn sich der hohe Fürst und die geringe Magd so innig umarmen und vereint sind wie Wasser und Wein, dann wird sie zunichte und kommt ganz von sich selbst."[20] Nachdem sie als Braut „in der verschlossenen

Schatzkammer der Heiligen, ganzen Dreifaltigkeit" ruhte und „die süße Lust des Heiligen Geistes" verkostete, gesteht sie, diese „hat mir alles genommen, was unterhalb der Gottheit wohnt, [. . .] Ich bin dieser Welt ganz wunderlich tot"[21], da der körperlich-sinnliche Seinszustand einschließlich der Tätigkeit aller geistigen Kräfte vom Ewigkeitsfunken im Menschen, der „grundelosen begerunge", zum Schweigen gebracht wird, damit Ewiges zu Ewigem gelangen kann, wie es Mechthild in unnachahmlicher Rede veranschaulicht: „Wenn der endlose Gott die grundlose Seele in die Höhe emporzieht". Die Wörter „endlose" und „grundlose" sind in ihren Unendlichkeiten die beiden Maße der Ewigkeit, die sich ineinander verschlingen, wobei das Bild der „grundelosen sele" eine unvorstellbare Steigerung und Dauer göttlicher Wonne verheißt, denn der göttliche „gruos, der hat manige adern", was soviel heißt, daß die Art göttlicher Mitteilung immer wieder neu und anders ist. Damit redet Mechthild keinem bis ins kleinste systematisch geordneten Aufstiegsschema das Wort, sondern steckt nur gewisse Zäsuren ab und weist auf Kriterien hin, innerhalb derer die Freiheit der göttlichen Gnade zum Wirken kommt und beurteilt werden kann.

Aber die Höhenlage der Seele ist nach ihrer fortfahrenden Schilderung nur vorübergehender Art. Die ekstatische Spitze „kann nie lange sein", betont sie an anderer Stelle.[22] Jedoch kann solche „hochgezit" oft auftreten: „Wo zwei Geliebte [. . .] sich sehen, müssen sie oft [. . .] voneinander gehen."[23] Die totale ekstatische Ergriffenheit von unaussprechlicher Seligkeit der fruitio amoris bannt Mechthild in einem aus der höfischen Sprache stammenden Ausdruck, der durch ihre religiöse Erfahrung der „wehselunge" zwischen Seele und Gott zum sinnenhaften Ausdruck höchster geistlicher Erotik wird.[24] „Wenn das Spiel am allerschönsten ist, muß man es lassen."[25] Der Abbruch dieser „überherrlichen Stunde"[26] ist wie das Überfluten im göttlichen „gruos" mit Gewalt verbunden. „Ihr müßt niedersteigen", befiehlt Gott der Seele, die nach seinem Willen aufgefordert wird, aus der unmittelbar empfundenen Gegenwart Gottes in die normale Befindlichkeit zurückzukehren. Beim Rückfall in die Körperlichkeit „erseufzt die Seele", so daß „der Leib geweckt wird"; alle irdischen

Tätigkeiten treten wieder in Funktion, erstaunt fragt der Leib die Seele: „Eya Herrin, wo warst du gewesen? Du kommst so liebreich wieder, so schön und kraftvoll, so frei und sinnenreich. Deine Entrückung hat mir alle meine Gelüste [*minen smak*], meinen Duft und Schönheit und meine Macht genommen." Die Wirkung der Ekstase sind Schönheit und Kraft, Freiheit und Sinnenreichtum unter Zurückdrängung aller natürlichen Annehmlichkeiten des Leibes. Von welchen reich gewordenen Sinnen wird also hier gesprochen, da doch anfangs erklärt wurde, daß der Leib mit all seinen Kräften wie tot sei und in der Ekstase der *„smak"* und der Duft des Leibes vergangen sei?[27] Mechthild spricht von den inneren oder geistlichen Sinnen, deren Ursprung und Tätigkeit sie wiederholt von den körperlichen Sinnen abhebt. In grundsätzlicher Weise betont sie deren Vorhandensein als Ursache ihrer Niederschrift: „Ich will und kann nicht schreiben, ich sehe es denn mit den Augen meiner Seele und höre es mit den Ohren meines ewigen Geistes und empfinde in allen Gliedern meines Leibes die Kraft des heiligen Geistes."[28]

Bevor das Thema der geistlichen Sinne weiter erörtert wird, soll die vorgeführte Schau zu Ende betrachtet werden. Nach der Ekstase wird das Geschehen in Frage und Antwort zwischen Leib und Seele reflektiert, und die Seele faßt Ursprung, Ziel und Wirkung der Entrückung in knapper, genauer Rede zusammen: Der göttliche „Gruß"

> strömt aus dem fließenden Gott
> in die armen, dürren Seelen zu allen Zeiten
> mit neuer Erkenntnis
> und neuer Schau
> und in einzigartigem Genuß
> der neuen Gegenwart.
> Eya süßer Gott, innen glühend, nach außen blühend [. . .]
> In diesem Gruße will ich lebendig sterben [. . .]

Der Ursprung der Entrückung ist jenseits aller asketischen Anstrengung ausschließlich ein Werk der freien Gnade, die in ihrer erfahrbaren Süße und Kraft den natürlichen Zustand der Seele als ein Dürre-Sein kennzeichnet[29]. Hier ist nicht von der geistlichen Trockenheit nach dem Entzug göttlicher Tröstungen die Rede, sondern von dem natürlichen Seinsmangel angesichts der göttlichen Süße, die wiederum Ursache ist für das „grundlose Verlangen" des Menschen nach Gott. Die Erfahrung der Ekstase legt erst eigentlich den Zustand des Dürre-Seins in seiner ganzen vertrockneten Unfruchtbarkeit der Saft- und Kraftlosigkeit bloß. Dieser Zustand des Mangels verwandelt sich durch eine neue Erkenntnis auf Grund der religiösen Erfahrung, die eine neue Schau der Dinge bewirkt infolge eines einzigartigen Genusses der neuen Gegenwart des Menschen in sich selbst. Konstitutiv für das Bewußtwerden der neuen, intensiveren Ichlichkeit ist der *gustus* als einer der geistlichen Sinne, der aus dem Verkosten Gottes das Unterscheidungsvermögen und Freiheit gewinnt. Die Betonung Mechthilds auf den geistlichen *gustus* findet ihren sprachlichen Ausdruck in den Wörtern wie *smekken, smak, gebruchunge, truten, ezzen, spisen.* Mit dem inneren Sinn erfaßt sie „die einzigartige Süße mit ihrer Unterscheidungsgabe [. . .] und den Genuß [*gebruchunge*] mit Zurückhaltung nach dem Vermögen der (begrenzten) Sinne"[30]. Die beherrschende Rolle des *gustus* im erhobenen Seinszustand der Ekstase drückt die lapidare Feststellung aus: „Mir schmeckt nichts, denn alleine Gott, ich bin auf ganz seltsame Weise tot"[31]. Sie berichtet: „[ich] sehe und koste, wie die Gottheit fließt"[32]. Sie verkostet „eine unbegreifliche Süßigkeit, die alle ihre Glieder durchgeht", denn „Gott speist sie mit dem Glanze seines hehren Antlitzes"[33]; die Seele ist so edel, daß „sie nichts als Gott zu essen vermag"[34], der für sie zur „Speise an Seele und an Leib"[35] wird. Doch je öfter und stärker sie Gott erfährt, kann sie in ihrem „grundlosen Verlangen" letztlich nur „mit dem ewigen Hunger gesättigt werden"[36]. In paradoxer Rede wird die lebensbestimmende und erhaltende Rolle des *gustus* für die gesamte Vitalität des Menschen nachdrücklich ins Bewußtsein gehoben.

Das Fühlen und Kosten Gottes ruht auf einer Theorie der fünf geistlichen Sinne mit langer Tradition. Ausgangspunkt dieser Lehre ist die Aporie über das Ineinander von sinnlicher und geistlicher Erkenntnis, die das Phänomen der Entrückung mit dem Problem der Gotteserkenntnis verknüpft. Es erhebt sich die Frage, wie kann Gott erkannt werden, der seinem Wesen nach unerkennbar und unerfahrbar ist? Die theologische Tradition bietet für dieses Paradox zwei Lösungen. Eine Reihe Vertreter, wie z. B. die zeitgenössischen Theologen Bonaventura und Thomas von Aquin, betonen die Priorität der inneren Erfahrung vor der von äußeren Dingen ansetzenden Erkenntnis. Andere bedienen sich der Aussageweisen der negativen Theologie, die sich der Grenzen ihrer Aussagen bewußt ist, oder wenden die Ausdrucksmittel einer symbolischen Theologie an, wie z. B. Augustinus. Unter diese fällt zur Erklärung religiöser Erfahrungsvorgänge die Lehre von den geistlichen Sinnen, wo sowohl das Moment der inneren Erfahrung als auch das der reinen Symbolik zutreffen kann. Diese Tradition hat ununterbrochen ihre markanten Vertreter in der griechischen und syrischen Kirche des Ostens und in der lateinischen Kirche des Abendlandes. Die Traditionslinie geht vom Osten auf den lateinischen Westen über. Und wie Origenes als erster Vertreter der „unsinnlichen Sinneserfahrung" zur Begründung seiner Lehre Texte der Hl. Schrift als Quelle anführt, tun dies nach ihm auch die Vertreter verschiedener theologischer Schulen im lateinischen Westen.[37] In dem beinahe zeitgenössischen Werk ‚De septem itineribus aeternitatis' (noch im 13. Jh.), einer geschickten Kompilation einer aszetisch-mystischen Summe, die lange unter dem Namen von Bonaventura im hoch- und spätmittelalterlichen Europa florierte, aber von dem Franziskaner Rudolf von Biberach stammt, wird nach der für das Mittelalter so wichtigen Schrift: ‚De spiritu et anima' die bekannte biblische Begründung für die fünf geistlichen Sinne abermals vorgetragen[38]: „Daher sagt die göttliche Stimme im Dtn 32,39: ‚Jetzt sehet, ich bin Gott.' Also ist hier das geistliche Sehen gemeint. Und in der Geheimen Offb 2,7.29: ‚Wer Ohren hat, der höre, was der Geist den Gemeinden sagt.' Also wird hier vom geistlichen Hören gesprochen. Und im Ps 33,9 steht: ‚Kostet und sehet, wie süß der Herr ist.' Und die Braut im Hld 2,3 sagt: ‚Seine Frucht schmeckt süß meinem Gaumen.' Also ist das geistliche Kosten gemeint. Und der Apostel sagt 2 Kor 2,15: ‚Wir sind der Wohlgeruch Christi.' Also ist der geistliche Geruchssinn gemeint. Und das Evangelium weist darauf hin, als eine Frau ihn mehr aus dem Glauben als körperlich berührt hatte und Christus fragte (Lk 8,46): ‚Wer hat mich berührt?' Also ist das geistliche Tasten gemeint."

Hinter der noch weiter ausgeführten biblischen Begründung über das Vorhandensein der geistlichen Sinne steckt der Gedanke, daß ein apriorischer Grund und Maßstab für das Überschreiten des rein Sinnlichen da sein muß. Wilhelm von St. Thierry setzt ähnlich wie Bernhard von Clairvaux hierfür eine eigene Seelenkraft an und sagt[39]: „Der geistliche Sinn ist eine Kraft der Seele, mit der wir an Gott haften und Gott genießen." Dieses Genießen ist ein gewisses göttliches Verkosten und Erfahren. Daher leitet sich — ebenso nach Bernhard von Clairvaux — Weisheit von Verkosten her. Dieses Kosten aber ist ein gewisser Geschmack. Diesen Geschmack und diese Empfindung jedoch kann niemand in Worte fassen, als wer es verkostet und erfährt. Er kann wohl das, was im Psalter steht, sagen: „Kostet und erfahrt, wie sanft und wie süß der Herr ist", ohne jedoch zu wissen, was die Süße ist, denn nach Bernhard werden wir am vollkommsten durch die Erfahrung belehrt[40]. Das gleiche sagt der heilige Gregor[41]: „Gottes Zärtlichkeit und Süße erkennt ihr nicht, solange ihr nicht das Geringste davon verkostet und erfahren habt." Darum gibt Rudolf von Biberach zu bedenken: „Wir sollen mit aller Aufmerksamkeit darauf achten, was zu den körperlichen Sinnen und was zur Würde der Seele gehört." Ferner: „Aus diesen Worten können wir erkennen, so wie die Erfahrung körperlicher Dinge über die körperlichen Sinne geschieht, so geschieht auch die Erfahrung geistlicher Dinge im Herzen über die geistlichen Sinne."[42] Rudolf behandelt im 6. Buch dieser Schrift in 7 distinctiones die Aufgabe der inneren Sinne in ihrem erfahrungsmäßigen Verkosten und Kennen der *dulcedo* des Herrn als der vollkommeneren Erkenntnis (= *experimentalis praegustatio et notitia*). Zur Eigentümlichkeit der Schau gehören zwei Dinge, das Erkennen und das Verkosten.[43] Das bemerkenswerte dabei ist, daß der *gustus* eine herausragende Stelle einnimmt. Er ist konstitutiv für die Lebendigkeit aller Sinne; der *gustus* ist ferner die Voraussetzung der *discretio* als Unterscheidungsvermögen. Der Autor beruft sich auf Wilhelm von St. Thierry[44]: „Wie der Leib fünf Sinne hat, so hat die Seele fünf innere Sinne, durch die sie in der Liebe mit Gott verbunden ist. Deswegen sagt der Apostel (Röm 12,2): ‚Paßt euch nicht dieser Welt an, sondern wandelt euch um durch Erneuerung euerer Sinne, daß ihr prüft' — das heißt aus

Erfahrung wissen sollt —, ‚was der Wille Gottes, das Gute [. . .] ist.‘ [. . .] Durch die Sinne der Seele werden wir für die Erkenntnis Gottes erneuert. Alle körperlichen Sinne wie Sehen, Hören, Riechen und Berühren werden in ihren Tätigkeiten schwach und stumpf, sofern sie ohne den Geschmackssinn verbleiben. Das Gleiche gilt für die geistlichen Sinne: je länger sie ohne innere Erfahrung und Trost verbleiben, um so mehr werden sie in ihren Betätigungen im Hinblick auf das Ewige krank und schwach." Erläutert wird dieser Sachverhalt anschließend mit einem Gregorzitat aus dessen Kommentar zum Buche Hjob, zur Stelle Hjob 18,12: „Durch Hunger wird seine Kraft geschwächt, und die Hungersnot zehrt an seinen Rippen." Gregor deutet die Stelle dahin, daß Hungersnot ausbricht, wenn Gott der Seele die geistliche Speise und den Trost entzieht, „dann brechen die inneren Sinne zusammen, weil der innere Hunger des Geistes sie für göttliche Dinge kraftlos macht, weil sie ihre geistliche Speisung in der inneren Erfahrung nicht erhalten". „Wenn sich aber im Menschen ein Verkosten und eine innere Heimsuchung der ewigen Weisheit ereignet, dann folgt die Süße eines gewissen Geschmackes. Wenn die Seele dies innerlich empfindet, dann unterscheidet und beurteilt sie in einzigartiger Weise alles [. . .] und sie bewegt und festigt und bestärkt sich und alle Sinne." Mehr noch, durch das Verkosten geschieht nach Thomas Gallus und Robert Grosseteste „die vornehmste Wiederherstellung oder Auferstehung des alten Menschen, denn wir wurden an dem ersten Adam beraubt und verwundet an dem natürlichen Adel", die in der Kraft der geistlichen Sinne, speziell des *gustus* liegt, weil die Erfahrung Gottes eine größere Erkenntnis bedeutet als die intellektuelle. Warum? Die Antwort lautet: „Diese Speisung geschieht nicht durch einen Spiegel", sie geschieht „ohne jedes Bild und ohne Symbole", denn „Verkosten und Berühren werden nicht über einen Spiegel erlernt wie beim Sehvermögen".[45] Deswegen ist nach Hugo von St. Viktor[46] als Kommentator des Ps.-Dionysius „die innere Erfahrung Gottes eine Meisterin des Verstandes, da sie dort eindringt und sich nähert, wo das Verstandeswissen draußen im Hof stehenbleibt". Die affektive Erkenntnis über den *gustus* ist die tiefere Gotteserkenntnis, so lehrt es eine lange und breite Tradition, für die es aber eigens geschärfter innerer Sinne bedarf. Solche geschärften inneren Sinne hatte nach Rudolf von Biberach der heilige Augustinus, als er, wie K. Rahner sagt, „das unsterblichste Wort in der Geschichte der fünf geistlichen Sinne" als Ausdruck einer symbolischen Analogie in seinen ‚Confessiones' aussprach, die ich nach Rudolf von Biberach zitiere[47]: „Was liebe ich, wenn ich meinen Gott liebe? Sicher liebe ich keine äußere Sache, sondern eine Art von Licht und Stimme und einen Duft und eine Speise und eine Umarmung des inneren Menschen. Dort leuchtet meiner Seele ein Licht, welches kein Raum faßt, und dort ertönt ein Wort, das keine Zeit hinwegrafft, und da duftet ein Wohlgeruch, den kein Wind verweht, und dort schmeckt eine Speise, welche keine Eßlust verringert, und dort bleibt eine Vereinigung, die nie unterbrochen wird. Hiermit liebe ich meinen Gott." Im Frühmittelalter hören wir im ‚Proslogion', cap. 17, des Anselm von Canterbury in seiner Lehre über die geistlichen Sinne den von Augustinus her vertrauten Klang als erstrebenswertes Ziel und in einer Analogie, die Gott alle sinnlichen Vollkommenheiten zuschreibt, wenn er sagt[48]: „Noch verbirgst du dich, o Herr, vor meiner Seele in deinem Licht und in deiner Seligkeit, und daher weilt sie noch in ihrem Schatten und in ihrem Elend. Sie blickt um sich, und sie sieht doch deine Schönheit nicht. Sie horcht und hört doch nicht deine Harmonie. Sie riecht und nimmt doch deinen Wohlgeruch nicht wahr. Sie kostet und genießt doch nicht deinen Wohlgeschmack. Sie tastet und fühlt doch nicht deine Feinheit. Denn du, o Herr und Gott, hast alles in dir auf unaussprechliche Weise, die dir eigen ist; du hast es ja den Dingen, die von dir geschaffen, auf eine Weise gegeben, die ihrer sinnlichen Natur entspricht. Aber die Sinne meiner Seele sind erstarrt, sind gefühllos geworden, sind abgestumpft durch langes Sündenelend."

Die Schrift ‚De spiritu et anima' nimmt den frühchristlichen Gedanken der Einheit von Sinne und Geist in der gegenseitigen Durchdringung von äußeren und inneren Sinnen wieder auf mit der soteriologischen Begründung[49]: „Denn dazu ist Gott Mensch geworden, daß der ganze Mensch seine Seligkeit in ihm finde", also daß auch der Leib in all seinen Sinnen und Gliedern verherrlicht wird.

Damit intendiert die Lehre von den geistlichen Sinnen über die Darstellung und das Bewußtmachen einer gestuften religiösen Erfahrung bis hin zur Frage der Auffassung von Mystik überhaupt die Verklärung des ganzen Menschen in dem Streben nach Einheit seiner natürlichen und gnadenhaft eingegossenen Kräfte, einer Einheit, die die Bedürfnisse des Leibes und der Seele in geordneter Sinnenhaftigkeit mit dem Geistigen zu höchster Lebendigkeit miteinander harmonisch verbinden soll. Es geht dabei darum[50], daß „die sinnlichen, vernünftigen und innerlich verstehenden Kräfte, welche die Philosophen als nichtintegrierte, aber virtuelle Kräfte der Seele bezeichnen, weil es ihre Möglichkeiten sind, auf dem Wege des natürlichen Strebens im Verein mit der Gnade nach göttlichem Gesetz in Einklang gebracht werden". „Je freiwilliger der Mensch dies tut, um so lustvoller und freudenreicher ist die Umarmung", lehrt Richard von St. Viktor. Bei diesem Ziel geht es für Rudolf[51] nicht um ein Vernichten, sondern um ein Verlebendigen, denn „Gott ist ein Gott der Lebenden und nicht der Toten" (Ex 3,6; Mt 22,32). Aufgrund der Ebenbildlichkeit ist „die Seele ein adliges Geschöpf", „von der Herrliches gesagt wird" (Ps 56,8), denn sie ist „zum Genuß der Schau des höchsten Friedens erschaffen", die bereits in diesem Leben ihren Anfang nimmt. Die Begründung hierfür lautet: „Gottes Reich ist in euch" (Lk 17,21). Deswegen ist „der Geist der Seele ein Paradies, indem sie Lust und Freude wie in einem Paradies empfängt". Um der Liebe willen ist die Seele eine Braut Gottes. Selbst der Leib empfängt nach Wilhelm von St. Thierry ähnlich wie der innere Mensch in der Schau eine Art Verkosten seiner ewigen Seligkeit. Denn[52] „so wie wir durch die Schau des inneren Menschen und durch den Genuß der Gottheit in diesem Leben bereits die ewige Seligkeit voraus verkosten und versuchen, ebenso empfangen wir in diesem Leben etwas von der Seligkeit unseres Leibes [. . .] Denn wenn wir aus Gnade so mit Gott vereint werden, daß wir uns selbst in Gott genießen und Gott in uns, dann empfinden wir in uns selbst, daß wir alle Widerspenstigkeit des Fleisches so überwunden haben, daß die ganze Substanz und das Wesen des Leibes für uns nichts anderes ist als ein Mittel und ein Antrieb zu guten Werken [. . .] Die körperlichen Sinne empfangen eine gewisse neue Gnade [. . .] und es geschieht manchmal im heiß wallenden Gebet, daß dem körperlichen Sinn ein so wunderbarer, unbekannter Duft eingehaucht und eine so intensive Süße des Geschmacks eingegossen wird, daß dann im Leibe durch die gegenseitige Berührung geistlicher Liebe ein so heftiger Brand und eine Entzündung entsteht, daß es dem Menschen erscheint, als ob er in sich selbst die Lust eines geistlichen Paradieses enthält."

Vor diesem Traditionshintergrund der Lehre der geistlichen Sinne, die an die innere Einheit zwischen der Sinnlichkeit und dem Geist des Menschen erinnert und je nach Autor Einsatz und Bedeutung des einzelnen Sinnes mehr oder weniger ausführlich beschreibt und damit zugleich die Spannung zwischen leiblichen und geistlichen Sinnen zum Ausdruck bringt, wollen wir uns wieder den Aussagen Mechthilds zuwenden mit dem Ziel, ob und welche geistlichen Sinne in ihren Mitteilungen zum Tragen kommen.

Für die Entrückung hält Mechthild folgende Merkmale fest: „Der Leib verliert seine Macht", wenn die Seele „über alle menschlichen Sinne erhoben wird"[53], was niemand begreifen kann. Auf der höchsten Stufe der Entrückung empfängt sie eine „neue Erkenntnis, eine neue Schau und einen einzigartigen Genuß". Dieser ist eine Steigerung der Erkenntnis, denn er vermittelt der Seele ein neues Bewußtsein ihrer selbst durch ihre neue Gegenwärtigkeit. Die besondere Qualität des *gustus* liegt auch darin, daß „die einzigartige Süße" Grundlage für die Unterscheidungsgabe ist. Durch den *gustus* verfügt die Seele über Unterscheidungskriterien, die wahre gegenüber der falschen Schau zu erkennen, und darüber, ob der „Geschmack" eine Täuschung der Sinne oder göttlichen Ursprungs ist. Denn der Geschmack der inneren Süßigkeit für sich allein genommen ist noch kein sicheres Zeichen dafür, ob er eine eingegossene Gnade ist.[54] Seit Bernhard von Clairvaux und Petrus Cantor diskutieren frühscholastische Theologen den Echtheits- und Gewißheitsgrad der inneren göttlichen Süßigkeit. Im allgemeinen legt man sich auf eine bloße konjekturale Erkenntnis oder Vermutung fest und ob dieselbe als eine lebhafte bezeichnet werden dürfe. Vereinzelt werden psychologische Beobachtungen ins Feld geführt, ohne besonders deutlich entfaltet zu werden. Mechthild beleuchtet diesen Aspekt etwas genauer. Mit einem aus der Erfahrung geschärften Sinn weist sie warnend auf den schmalen, aber gefährlichen Weg der mystischen Erfahrung hin: „Es gibt einen Himmel, den hat der Teufel gemacht mit seinen feinen, falschen Listen [...] Einfältige Seele, hüte dich! Hier werden die Sinne betrogen und die Seele bleibt letztlich ungetröstet."[55] Ein Zeichen dafür, ob der „hochheilige Trost", der „so innig beglückt" und „so selig entzückt", der Ausdruck eines echten Gnadenzustandes ist oder sich vielleicht doch auf Lug und Trug gründet, sieht Mechthild im Verhalten nach der Beseligung. Als Regel für die Erkenntnismöglichkeit des eigenen Gnadenzustandes gibt sie an die Hand: „Bist du dann laut, so ist sehr zu befürchten, daß dich der Teufel gesalbt hat."[56] Wachen, kritischen Sinnes weist sie nicht nur auf die Listen der Natur und deren Verlorenheit an das Vergängliche hin, sondern verurteilt auch in höchst drastischer Parodierung die höllische Verkehrung göttlicher Liebesmystik in Gestalt der „falschen Heiligkeit" als mystische Heuchelei oder Scheinmystik.[57] Da sie mit der „Sünde von Sodoma" die Ecksteine des Bauwerkes der Hölle bilden, sind diese „tiefsten Verletzungen der göttlichen Liebesordnung" ein negatives Spiegelbild der göttlichen unio des Menschen; es reflektiert die gefährliche Gratwanderung zwischen echter und falscher Mystik als weltentrennenden Zustand eines himmlischen oder teuflischen Vollzuges.

Der *gustus* verfügt ferner über die „höchste Sättigung", aber infolge der *discretio* übt der *gustus* (*gebruchunge*) gegenüber den begrenzten Kräften des Leibes Zurückhaltung. Denn der göttliche *gustus* ist von Natur aus für Sinne und Leib eine sprengende Kraft, er wäre tödlich, sofern er nicht von Gott im Maß gehalten würde. Gott sagt ihr: „Denn gäb' ich mich dir zu jeder Zeit nach deinem Begehren, ich müßte die süße Herberge in dir auf Erden entbehren." Deshalb: „Meine göttliche Weisheit sorgt so sehr für dich, daß ich alle meine Gabe an dir so geordnet habe, wie dein armer Leib sie ertrage".[58] Denn: „Wollt' ich mich nach meiner Macht dir geben, du behieltest nicht dein menschliches Leben. Du siehst, ich muß mich meiner Kraft enthalten, [...] um dich desto länger zu behalten".[59] Mechthild verifiziert aus eigener Erfahrung den Gedanken des Ps.-Dionysius, daß sich die göttliche Manifestation der menschlichen *capacitas* anpaßt, um diese nicht zu zerstören, denn die Liebe läßt sich führen. Sie redet in ihrer Fürsorge und Rücksicht einer Kultur des göttlichen und menschlichen Eros das Wort. Rudolf von Biberach überliefert diese Aussage nach dem Kommentar des Robert Grosseteste in Verbindung mit der Erklärung der Gottesschau des Moses und sagt: „Das wagen wir von Gott als Wahrheit auszusprechen, wie der heilige Dionysius sagt, obgleich Gott an sich selbst unzugänglich ist, mäßigt er seine Maßlosigkeit gegenüber unserem Fassungsvermögen und verbleibt dennoch in sich selbst unverändert."

Der *gustus* stattet die Seele in seiner Lust und Süße mit einem Überschuß an Kraft aus, die sie zur äußersten Hingabe bis zum erlösenden Sühneleiden befähigt. Ihr Verlangen nach Gottverlassenheit entspringt keiner asketischen Anstrengung, sondern einem Überschuß an Gnadenfülle über den *gustus*, vor dessen überwältigender Süße sie geradezu erschrickt ob ihrer Nichtigkeit, und diese Überlast der Gnade möchte sie weitergeben. „Wenn du mich aber mit deiner überherrlichen Süßigkeit berührst, die meine Seele und meinen Leib ganz durchgeht, dann fürchte ich, von deiner göttlichen Lust zuviel in mich aufzunehmen [...]" (VII, 50)

Die Erfahrung des Verkostens ist so gewaltig, daß sie bittet: „Aber Herr, die Süße sollst du von mir nehmen, und laß mich [nur] deine Entfremdung behalten"[60] und: „Herr, [...] laß mich noch tiefer sinken"[61].

Das ganze Problem der „sinkenden Minne", der freiwillig erbetenen Entfremdung Gottes, um „bis zur niedrigsten Stätte", wenn es sein muß „bis unter Luzifers Schwanz" (V,4), in die tiefste aller Höllen hinabzusteigen, ist die äußerste Gebärde der zurückführenden Liebe in Form des Abstieges, die nur von solchen vollzogen werden kann, die zuvor im Aufstieg in außerordentlicher Gnade die höchste Sättigung des *gustus* als neuen Impuls zu noch größerer Hingabe erfahren haben. Als tief innerlicher, Leib und Seele durchdringender Vollzug ermöglicht der *gustus* die radikalste Form des Einsatzes in höchster Sublimität, jedoch frei von aller

Verspiritualisierung, denn ihre Seele geriet „in so große Finsternis, daß der Leib schwitzte und sich in Peinen wand" (IV,12).
Durch den *gustus* erhält die Seele ihr Lebenskapital, das sie auch
dann nicht verzehrt, wenn sie die Pein der Versuchung oder Verlassenheit überfällt. Die Qualen der Glaubensversuchung über-
steht sie im Trost der Erinnerung an die außerordentlichen Won-
nen in der Erhebung. Im Grauen vor der Finsternis des Unglau-
bens hört sie Gottes Stimme. „Gedenke, was du empfunden und
gesehen hast, als zwischen dir und mir nichts war."[62] Die Rückbe-
sinnung fällt auf ein unauslöschliches Ereignis, das so einschnei-
dend ist, daß sie in der Beständigkeit aufs neue gestärkt wird und
sagt: „Wie ich geliebt und verkostet und erkannt habe, so will ich
ungebrochen von hinnen fahren."[63] Und von neuem geschieht das
Wunder über den *gustus* „gemäß der Wandelbarkeit der Minne —
wie mir dies geschieht, wage ich nicht auszusprechen", sagt
Mechthild; „das aber sage ich: Im Gaumen meiner Seele wurde
mir die Galle in Honig verwandelt"[64].

Diese fernen Höhepunkte des Verkostens durchziehen Mechthilds Niederschrift als tragende Kräfte in ihrem inneren Lebens-
kampf in einem bewegten Auf und Ab. Ihr anfänglicher Ausruf
„In diesem Gruß will ich lebendig sterben"[65] zielt darauf ab, die so
tief empfundene göttliche Gegenwart zur höchsten Lebendigkeit
zu bringen, um den Leib mit den Sinnen läuternd zu verwandeln,
eine Verwandlung, die in ihrer erhabensten Form zum seligen Lie-
bestod wird. Der Umschmelzungsprozeß der äußeren Sinne in das
Leben der inneren Sinne ist ihr Lebensdrama, das sie bis zuletzt
voll austrägt. In ihrem Sterbegebet klingt das Verlangen nach Einheit und Vergöttlichung des ganzen Menschen in alter Kraft wieder auf. Sie ruft den dreifaltigen Gott an, daß sie nochmals die
Fülle seiner „süßen Lust anschauen darf, so daß die Augen meiner
Seele in deiner Gottheit spielen und die süße Minnelust aus deiner
göttlichen Brust durch meine Seele fließen" möge[66].

Aber diese *via eminentiae* bezeichnet sie im Alter selbst als eine
„einsame Himmelsstraße"[67], die sie nicht aus eigener Kraft gehen
konnte: „Ich danke dir, Gottesminne, Herrin und Kaiserin, du
hast mir alles gegeben, daß ich nicht lasse von meiner einsamen
Himmelsstraße." Sie stellt die Kraft der Gnade über die Eigenlei-

stung der Askese, die sie selbstverständlich in all ihren Formen des Abhaltens und der Entäußerung lehrt, aber doch nicht so, daß sie den Leib vernichtet, dafür haben ihre Sinne viel zu sehr die Lust der Gottheit erfahren, als daß sie nicht wüßte, daß auch der Leib sein Recht habe. Die fünf Sinne der Braut bezeichnet sie als „fünf Königreiche"[68], ein Bild, das ihnen Macht und Adel zuspricht. Wenn sie auch auf dem Wege zur *unio* sich von ihren Sinnen, den „Kämmerern", trennt, und sich von deren wohlmeinenden Ratschlägen für eine ganz andere Seinsebene nicht aufhalten läßt, weiß sie doch realistisch deren lebenserhaltende und fördernde Kräfte zu schätzen, so daß sie sich freundlich, respektvoll von ihnen mit den Worten verabschiedet: „Betrübt euch nicht zu sehr, ihr könnt mich noch lehren, wenn ich wiederkehr'. Dann bedarf ich eurer Weisung wohl, denn die Welt ist an Schlingen voll."[69] Auf ihrem hohen Wege ziehen die inneren Sinne die äußeren „blinden Sinne" nach sich (I,26). „Die Liebe durchwandelt die Sinne [. . .], sie schmilzt durch die Seele in die Sinne, so daß der Leib auch seinen Teil bekommt" und durch den inneren Sinn „in allem geformt wird".[70] In Abwandlung des Schriftwortes Lk 17,21 sagt Mechthild: „O weh, unedle Seele, wie kannst du das ertragen, daß du Gott von dir weisest [. . .] wenn seine höchste Lust in dir verborgen ist."[71]

Der *gustus* wird letztlich zum Aufbau- und Formprinzip für Leib und Sinne. Unter dem Einfluß der inneren Erfahrung werden sie mitbeschenkt, gestärkt und geläutert. Mechthild harmonisiert nichts. Das letzte Zwiegespräch zwischen Leib und Seele im Schlußkapitel ihres Buches erscheint wie eine Bilanz der altgewordenen Mechthild. In Erkenntnis der Grenze und Stütze des Leibes bezeichnet sie ihn versöhnlich als ihr „allerliebstes Gefängnis", dessen Grenzen zwar immer bestehen bleiben, aber unter Leitung des geistigen Prinzips erträglich gemacht werden können, was ihr offensichtlich in Maßen gelungen ist, wie es im Dankeswort der Seele an den Leib zum Ausdruck kommt: „Ich danke dir, daß du folgtest mir, wenn ich auch oft betrübt wurde von dir."[72]

Sicher lassen sich bei Mechthild auch die anderen geistlichen Sinne nachweisen; in der Darstellung sind sie bei weitem nicht so ausgeprägt wie der *gustus*. Sie spricht vom „Auge des Geistes", von einem „Wunderschauen" in Gott und von einem besonderen Licht, das ihr zum Sehen geliehen wurde als Ausdruck einer inneren Erleuchtung, deswegen besitzt sie „ein Auge, das Gott erleuchtet hat"[73]. So wie sie ein „unbegreifliches Licht" sieht, hat die „große Zunge der Gottheit" ihr zugesprochen als Umschreibung des Inspirationsvorganges und des inneren Wahrnehmens. Den geistlichen Geruch oder *olfactus* zur Darstellung des *desiderium* erwähnt sie ansatzweise traditionell in der Sprache des Hohenliedes, wenn Gott zur Seele sagt: „Du duftest wie Balsam"[74]. Eine ausführliche Darstellung dieses Sinnes findet sich z. B. bei Gregor von Nyssa, um die Spannung zwischen dem für einen Augenblick währenden Genuß und der immerwährenden Begierde auszudrücken, und in reicher Deutung auch in der ps.-dionysischen Tradition des Mittelalters bis hin zu Rudolf von Biberach. Stärker als der *olfactus* kommt für die Nähe und Gegenwart Gottes der geistliche Tastsinn, der *tactus*, zur Sprache. Sie prägt hierfür das Hapaxlegomenon: „minnevuelunge" mit dem simplex „vuolunge"[75] und spricht von der Süßigkeit der Umarmung, die tötet „sunder tôt"[76], als einer hohen Stufe der Entrückung. Aber der durchgängige Tenor und die Darstellungsweise ihrer mystischen Erfahrung handeln vom süßen Verkosten und vom Genießen Gottes[77], wobei sie letztlich bei aller sprachlichen Ausdrucksstärke wieder einschränkt und sich in die Verhüllung zurückzieht[78].

Die heilige Anschauung
und den erhabenen Genuß,
(den) sollt ihr von mir hören:
aber die auserwählte Gotteserfahrung,
[die einmalig empfand meine Natur,]
soll euch und aller Kreatur
immerdar verborgen sein,
außer mir allein.

Die preisende Betonung des *gustus* wird zum Zeichen dafür, daß der Mensch *capax* Dei ist mit dem Ziel: „ein jeder Mensch sollte in sich ein Christus sein, so daß der Mensch Gott lebte und nicht sich selber"[79]. Dieses paulinische Ideal der Gottwerdung im Menschen hat Mechthild im Auge, wenn sie fordert, daß der Mensch in seinem Gebet soweit kommen soll, „daß er keine Kreatur unter sich ertragen kann und [. . .] ihm alle Dinge in seinem Gebete entweichen müssen außer Gott allein, dann ist er ein göttlicher Gott mit dem himmlischen Vater"[80].

Die „fließende Gottessüßigkeit" und „die Breite der göttlichen Empfindung"[81], die über Jahrzehnte hin Mechthilds Leib und Seele affizierten, veranschaulichen die Macht des Transzendenten als *fascinosum* und *tremendum*, Erscheinungsformen des Göttlichen, die ihre Grundhaltungen angesichts göttlicher Übermacht bestimmen als „Scham" und „Furcht"[82]. Sie sprechen für ihre starke Gefühlskraft und Seelentiefe, die im Entzücken und Gottesschrecken ihrer eigenen Schwäche und Ohnmacht innewerden, ohne daß irgendeine Beruhigung über das Erleben des Ur-Einen eintritt, sondern die Spannung zwischen dem Verzücktsein und dem Urschauder nie aufhört. Aus der Verwunderung und der Verwundung durch eine Übermacht gibt es keine Gleichgültigkeit, sondern wegen der großen Seinsunähnlichkeit verbleiben nur die Verhaltensweisen der Scham und der (Ehr)furcht. So stärkt der *gustus* die Fähigkeit des Erleidens als letzten Ausdruck der Gotteserfahrung, in welcher der Mensch in der Durchformung zur „reinen Menschheit" seine höchste Identität findet und der *gustus* eine erkenntnistheoretische Funktion für das Menschen- und Gottesbild besitzt. Der Erlebniskraft entspricht ihre Schärfe der Einsicht, die sie in unnachahmlicher Folgerichtigkeit aufzeigt: „Minne ohne Erkenntnis dünkt die weise Seele Finsternis, Erkenntnis ohne Genuß dünkt sie eine Höllenpein, Genuß ohne Tod kann sie nie genug beklagen."[83] Im Anschluß an Johannes reflektiert Mechthild über Art und Maß der Gotteserkenntnis: „Sankt Johannes spricht [in seinem Brief]: ‚Wir werden Gott sehen, wie er ist.' Das ist wahr. Aber die Sonne scheint nach dem Wetter. Verschiedenes Wetter ist hier auf Erden unter der Sonne [. . .] folglich: wie ich ihn erleiden und sehen kann, so ist er mir."[84] Vom Maß der erfahrungsmäßigen Begnadung hängt die Einsicht in das Göttliche ab. Die erkenntnishafte Seite des *gustus* prägt ihre geistige Selbständigkeit im Hinblick auf ihr Gottesbild. Nichts kann ihre Urbeziehung zu Gott ablenken oder irritieren, auch nicht das Argument, daß ihre „Seele in der Gottheit nicht so stark brennen kann wie ein Engel aus dem Chor der Seraphim". Selbstbewußt hält sie dagegen: „Und ich esse ihn und trinke ihn [Gott] und tue mit ihm, was ich will. Das kann den Engeln nie geschehen. Wie hoch sie auch über mir stehen, seine Gottheit wird mir nie so fremd, daß ich sie nicht immer und ungehemmt in allen meinen Gliedern fühle und deshalb nie erkühle. Was kümmert's mich denn, was die Engel fühlen?"[85]

Aus der Erfahrung des Übersteigens wächst Mechthild der Auftrag der Lehre zu, so wie Moses, den sie als Kronzeugen der Entrückung zur Bestärkung ihrer Aussagen anruft, da er „das auserwählte Minnereden" mit „Gott auf dem hohen Berge" in großer „Vertraulichkeit" geführt hat und nach seinem Abstieg „seine herrlichen Wunderzeichen und seine süße Lehre" mitbrachte[86]. Die „süße Lehre" ist die Mitteilung über die *unio* Gottes mit dem Menschen, als einzige und wichtigste Mitteilung, die sie unter den „Zeichen" des Moses auswählt. Ähnlich lesen wir bei Rudolf von Biberach: „Wenn der menschliche Geist, der gleichsam von Leib und Seele getrennt war, [. . .] aus dem Lande des inneren Lichtes zur Seele und zum Leibe zurückkehrt, sollte er berichten, was für einen Reichtum er empfangen habe, was für Worte er gehört und welche Lust er verkostet habe, falls er dazu fähig ist, dies in Worte zu fassen, denn der hl. Gregor sagt: ,Oft geschieht es, daß er das, was er sieht, dennoch nicht in Worte kleiden kann.' Wenn er es nicht in Worte zu fassen vermag, dann soll er wie ein zweiter Moses handeln, wenn er aus der Gesellschaft Gottes in Leib und Seele zurückkehrt und irgendein Zeichen oder Zeugnis mitbringen, daß er in dem Lande des Lichts gewesen war."[87] Mechthild kannte also die Diskussion um die Gottesschau des Moses und die daraus entstehende Verpflichtung; wörtlich übernimmt sie die „erlich zeichen", die zu setzen seien. Sie versteht sich selbst als ein Zeichen und bestätigt aus eigener Erfahrung die in ihr wirkende göttliche Gegenwart, wie es eine tausendjährige Tradition vor ihr in den Lehren über die Entrückung des Geistes und in der Beschreibung der geistlichen Sinne in den verschiedensten Ausformungen vorgetragen hat; und sie selbst hat einen weiteren Anstoß zu den Aussagen über die Wahrnehmbarkeit der Gnade geliefert. Als sie ihren Lebensabend im Kloster Helfta verbringt und Gott fragt:

„Was soll ich in diesem Kloster tun?" vernimmt sie die Antwort: „Du sollst sie erleuchten und lehren."[88] Die Sicherheit ihrer Einsicht blieb bis zum Schluß unerschütterlich. Gegen Ende des Lebens schreibt sie: „Wer mich gern noch zu Lebzeiten gesprochen hätte, und dies nun nicht mehr kann, der soll mein Buch lesen."[89]

Im Unterschied zu Mechthild von Magdeburg schreibt ihre jüngere Namensschwester Mechthild von Hackeborn ihre Offenbarung des ‚Liber specialis gratiae' in lateinischer Sprache, denn anders wie bei der Magdeburgerin ist für sie eine sorgfältige Ausbildung im Zisterzienserinnenkloster Helfta bezeugt, dem sie seit ihrem 7. Lebensjahr angehörte. Die Aufzeichnungen ihres inneren Gnadenlebens, das sie bis zu ihrem 50. Lebensjahr verborgen hielt, geschah zunächst ohne ihr Wissen durch Gertrud die Große und eine oder mehrere ihrer Mitschwestern auf Weisung der Äbtissin Sophie von Querfurt seit 1292. Nachträglich bestätigte Mechthild die Richtigkeit des Inhalts; die endgültige Fassung des so entstandenen ‚Liber specialis gratiae' in sieben Büchern muß freilich nach der redaktionellen Seite hin zu einem Teil wohl als Werk Gertruds der Großen betrachtet werden, insbesondere dürfte das letzte, 7. Buch vollends der Redaktion zuzuschreiben sein. So ist schon die rein sprachliche Darstellung viel abgeleiteterer Natur als die ursprüngliche Niederschrift in der Volkssprache der Mechthild von Magdeburg. Ähnlich wie diese beruft sie sich auf die göttliche Herkunft ihrer Berichte, indem sie mitteilt, was Christus ihr sagte[90]: „Alles, was in diesem Buche steht, strömt aus meinem Herzen und wird in dasselbe zurückfließen." Die göttliche und menschliche Legitimation des Buches wird durch in Traum und Vision geschaute Allegorien untermauert, so daß es aufgrund dieser Abstützung auch den Titel: ‚Lumen ecclesiae' (VII,17) erhält und auf diese Weise den Bereich des Verhältnisses der Einzelseele zu Gott überschreitet und den apostolischen Charakter des Buches als verändernde Kraft betont.

Mechthild von Hackeborns Schauungen haben ähnlich wie bei Hildegard von Bingen vorwiegend den Charakter einer *symbolica demonstratio*, aber ihr sprachlicher Ausdruck meint auch die geistliche Erfahrung, wenn sie von *absorptio, affectus mentis, experientia, fruitio, seraphicus ardor, suavissimus gustus* spricht und dabei die Forderung erhebt, Gott mit allen fünf Sinnen zu suchen, um sie von den geistlichen Sinnen überformen zu lassen.

Der grundsätzliche Unterschied in den Aussagen beider Frauen liegt im Ausgangspunkt ihrer Mitteilungen. Bei Mechthild von Magdeburg ist die persönliche unmittelbare, plötzliche und häufige Erfahrung des göttlichen „gruosses" das auslösende Moment. Bei Mechthild von Hackeborn entspringt ihre geistliche Erfahrung dem öffentlichen, kirchlichen Gebet, dem Officium. Fast alle ihre Mitteilungen sind in Texte des liturgischen Gebetes eingebettet. Über die verschiedenartigen Ausgangspunkte lehrt Richard von St. Viktor: „Die Erhebung, die manchmal bis zur Entfremdung des Geistes führt, hat dreierlei Ursachen: Sie geschieht manchmal aus großer Andacht, manchmal aus großer Bewunderung, manchmal aus großer Freude, so daß der Geist sich selbst nicht halten kann und über sich selbst erhoben und in eine Entfremdung seiner selbst verwandelt wird."[91]

Die große Andacht kann sich im Gebet entzünden, und dies scheint mehr bei Mechthild von Hackeborn vorzuliegen.

Bei Mechthild von Magdeburg scheint der Ursprung aus großer Freude zu sein, da nach Richard von St. Viktor[92] der Geist „vom Reichtum der ewigen Süßigkeit zu trinken bekommt und davon ganz und gar trunken wird, so daß die Seele total vergißt, daß sie existiert oder was sie war. In dieser Freude wird sie in die Entrückkung der Entfremdung geführt, sie wird in der Verzückung verwandelt und gelangt in ein gewisses überkreatürliches Verlangen durch den Zustand einer wunderbaren Seligkeit."

Anmerkungen

[1] P. W. Tax, Die große Himmelsschau Mechthilds von Magdeburg und ihre Höllenvision. Aspekte des Erfahrungshorizontes, der Gegenbildlichkeit und der Parodierung, ZfdA 108, 1979, 112. Die neueren Studien, soweit sie in meinem Beitrag: Mechthild von Magdeburg, DSAM 10, 1978, 877—885, nicht verzeichnet sind — davon fünf aus dem angelsächsischen Raum —, tragen zu der von mir im folgenden erörterten Frage nichts bei, nämlich: F. Gooday, Mechthild von Magdeburg and Hadewijch of Antwerp. A comparison, OGE 48, 1974, 305—362. J. Margetts, Latein

und Volkssprache bei Mechthild von Magdeburg, ABäG 12, 1977, 119—136. K. Ruh, Beginenmystik, Hadewijch, Mechthild von Magdeburg, Marguerite Porete, ZfdA 106, 1977, 265—272. J. C. Franklin, Mystical Transformations: The Imagery of Liquids in the Work of Mechthild of Magdeburg, Madison, N. J.: Fairleigh Dickinson University Press; London: Associated University Press, 1978. Sandra Anne Newton-Eveland, The divine lower of Mira Bei and Mechthild von Magdeburg: a study of two women's literary description of a mystical relationship with God, Diss. The Univ. of Texas and Austin 1978. Ilse Langer, Vorläuferinnen der Emanzipation? Drei Nonnen — Drei Dichterinnen? Zur Hrotsvita von Gandersheim, Hildegard von Bingen, Mechthild von Magdeburg, NDH 26, 1979, 497—511; dieser für den Deutschunterricht geschriebene Aufsatz entbehrt jeder soliden Grundlage. H. G. Kemper, Allegorische Allegorese. Zur Bildlichkeit und Struktur mystischer Literatur, Formen und Funktionen der Allegorie, hrsg. von W. Haug, Stuttgart 1979, 92—98. Ruth Anne Dick-Abraham, Mechthild's of Magdeburg „Flowing light to the Godhead". An autobiographical realization of spiritual poverty, Diss. Stanforn Univ. 1980. Elizabeth Wainright-de Kadt, Courtly literature and mysticism: some aspects of their interaction, Acta Germanica 12, 1980, 41—60.
[2] Die Texte Mechthilds werden nach der bevorstehenden Ausgabe „Das fließende Licht der Gottheit" von Mechthild von Magdeburg, nach der Einsiedler Handschrift und der gesamten Überlieferung, hrsg. von Hans Neumann, zitiert. Da diese neue Ausgabe auch die Seitenzählung der alten Ausgabe von P. G. Morel, Darmstadt ²1969, mit aufführt, zitiere ich formal nach M, aber mit der neuen Lesart von Neumann. Für das außerordentliche Entgegenkommen und die damit verbundene Mühe, alle verwendeten Zitate der neuen Ausgabe anzugleichen, möchte ich Prof. Neumann aufrichtigst danken. Für die übersetzten Zitate im Text stütze ich mich auf meine Übersetzung: Mechthild von Magdeburg, Das fließende Licht der Gottheit, übersetzt und eingeführt von M. Schmidt, mit einer Studie von H. U. von Balthasar, Einsiedeln 1955. — M 52,18: Ich wart vor disem buche gewarnet (II,26).
[3] M 52,37ff.: Dú wort bezeichent mine wunderliche gotheit, dú vliessent von stunde zu stunde in dine sele us minem goetlichen munde. Dú stimme der worte bezeichent minen lebendigen geist [. . .] bezeichent min reine, wîsse, gerehte menscheit [. . .] (II,26).
[4] M 56,37ff.: Nu voerhte ich got, ob ich swige, und voerhte aber unbekante lúte, ob ich schribe. Villieben lúte, was mag ich des, das mir dis geschiht und dike geschehen ist? (III,1).
[5] M 3,5f. [. . .] so mag das werk nút gestan, und ez bezeichent alleine mich und meldet loblich mine heimlichkeit. (Prol.).
[6] M 76,31ff.: Ich muos mich selber melden, sol ich gottes guete werlich moegen verbringen. (III,15).
[7] M 3,7f.: Alle, die dis buoch wellen vernemen, die soellent es ze nún malen lesen. (Prol.).
[8] M 53,25ff.: [. . .] manigen wisen meister an der schrift, der an im selber vor minen ovgen ein tore ist [. . .] ein gros ere [. . .] das der ungelerte munt die gelerte zungen von minem heligen geiste leret. (II,26).
[9] M 76,22f.: ich bin die minste [. . .] (III,15); ebenso M 265,21 (VII,51). M 41,4: lamen hunde (II,20); 90,15 (IV,1). M 165,21f.: gesclagen hunt (V,23). M 6,22: snoeder wurm (I,2). M 225,11f.: cleines wúrmelin (VII,6). M 53,7: unvletigen pfuol (II,36). Vgl. M. Schmidt, Studien zum Leidproblem im „Fließenden Licht der Gottheit" der Mechthild von Magdeburg, Freiburg i. Br. 1952, 175f.

[10] H. Laubner, Studien zum geistlichen Sinngehalt des Adjektivs im Werk Mechthilds von Magdeburg, Göppingen 1975, 8.

[11] M 6,39: das ingesigel [. . .] lit zwúschent uns zwein (I,3).

[12] M 71,31: so got si kússet mit suesser einunge (III,10).

[13] W. Mohr, Darbietungsformen der Mystik bei Mechthild von Magdeburg, in: Märchen, Mythos, Dichtung (Fs. zum 90. Geburtstag F. von der Leyens am 19. August 1963), hrsg. v. H. Kuhn und K. Schier, München, 376.

[14] M 4,25ff. (I,2).

[15] M 46,27: Paule, ich bin wunderlich aufzuket mit dir [. . .] das mich nie keines dinges so sere gewunderte, das ich sider dem male ein lebendig mensche mohte sin. (II,24).

[16] M 40,39f.: [Ich] var mit sant Paulo in den dritten himmel, wenne got minen súndigen lichamen minnenklich sclat da nider. (II,19).

[17] Dieses Zitat Richards von St. Viktor, ‚De exterminatione mali et promotione boni‘ III c.18 (PL 196,114 BC) steht bei Rudolf von Biberach, ‚De septem itineribus aeternitatis‘ Prol. distinctio 3, ed. Peltier, Paris 1866, 396b, und in der alemannischen Übersetzung, ed. M. Schmidt, ‚Die siben strassen zu got‘. Die hochalemannische Übertragung nach der Handschrift Einsiedeln 278, Florentiae 1969, 5; der ganze Text erscheint demnächst von mir in hochdeutscher Übersetzung im Verlag F. Frommann-G. Holzboog, Stuttgart 1984.

[18] M 7,27: [. . .] gar verwunden in die wunderlichen drivaltekeit [. . .] (I,5).

[19] M 7,24f.: So zúhet er si, so vlússet si. (I,5).

[20] M 7,13: Alse sich der hohe fúrste und die kleine dirne alsust behalsent und vereinet sint als wasser und win, so wird si ze nihte und kumet von ir selben. (I,4).

[21] M 104,14f.: [. . .] der hat mir alles das benomen, das beniden der gotheit wonet [. . .] ich bin wunderliche tot. (IV,12).

[22] M 22,36: Nu dis mag nit lange stan. (I,44).

[23] M 22,37f.: Wa zwoei geliebe verholen zesamen koment, si muessent dike ungescheiden von einander gan. (I,44).

[24] Vgl. H. Laubner, a.a.O. 75ff. und 204, Anm. 32.

[25] M 5,9f.: Wenne das spil allerbest ist, so muos man es lassen. (I,2). Zur mystischen Bedeutung von „spil" und „spilend" vgl. H. Laubner, Studien zum geistlichen Sinngehalt . . ., a.a.O. 71—79, bes. 201, Anm. 22, 204, Anm. 32.

[26] M 45,16: der úberheren stunde (II,23).

[27] Vgl. M. Schmidt, Studien zum Leidproblem . . . a.a.O. 237.

[28] M 107,16ff.: Ich enkan noch mag nit schriben, ich sehe es mit den ovgen miner sele und hoere es mit den oren mines ewigen geistes und bevinde in allen liden mines lichamen die kraft des heiligen geistes. (IV,13).

[29] Vgl. H. Laubner, a.a.O. 132f., dessen Bedeutungsgehalt von „dürre" ich an dieser Stelle nicht folge.

[30] M 28,9 ff.: das sundertrúten mit underscheide, [. . .] die gebruchunge mit der abebrechunge nach der maht der sinnen (II,3).

[31] M 104,16f.: Mir smekket nit wan alleine got, ich bin wunderliche tot (IV,12).

[32] M 204,33: [. . .] sehe und smeke, wie dú gotheit vlússet (VI,29).

[33] M 40,17: Si smekket ein unbegriflche suessekeit (II,19). M 28,31: [. . .] got spiset si mit dem blikke sines heren antlútes (II,3).

[34] M 44,32: [. . . daß] si nút denne got essen mag (II,23).

[35] M 81,32: spise an sele und an libe (III,20).

[36] M 95,29f.: [. . .] gesattet werden mit dem ewigen hunger. (IV,3).

[37] F. Marxer, Die inneren geistlichen Sinne. Ein Beitrag zur Deutung ignatianischer Mystik, Freiburg-Basel-Wien 1963, 7—79, bietet in geraffter Form die Tradition seit Origenes.

[38] De VII Itineribus . . . VI,d. 2, Peltier 465.

[39] Ebd. VI,d.5, 467a; ed. Schmidt, 149,9ff. Vgl. 53,5f. und 75,11f.

[40] Ebd. VI,d.1, 454b; Schmidt 144f.

[41] Ebd. III,d.4, a4; vgl. Schmidt 75,15f.

[42] Ebd. VI,d.2, 465a; Schmidt 145,22—146,4.

[43] Ebd. III,d.2, 461a: actus [. . .] contemplationis duo includit, scilicet cognitione et saporosam dilectionem. Schmidt 53,15—16: Dv́ getat beschovwendes hat in ir selben zwo beslossen, bekennen vnd gesmak der minne.

[44] Ebd. VI,d.6, 468f.; Schmidt 153,21ff.

[45] Ebd. 471b; Schmidt 159,16ff.

[46] Ebd. I,d.3, 406a und VI,d.1, 464bf.; Schmidt 22,5—9 und 145,1—5.

[47] Ebd. VI,d.6, 472a; Schmidt 160,23—161,2. Augustinus, Confessiones X c.6 (CC 27, 1981, 159,7—12).

[48] M. Schmidt, Die siben strassen . . ., a.a.O. 224*, Anm. 3.

[49] Ebd. VI,d.2, 465a; Schmidt 145,16—17.

[50] Ebd. VII,d.3, 475a.

[51] Ebd. VII,d.2—3, 474—475a; Schmidt 158,5ff.

[52] Ebd.

[53] M 48,31f.: [. . .] stiget úber menschliche sinne (II,24). M. Schmidt, Studien zum Leidproblem . . ., a.a.O. 236ff.

[54] A. M. Landgraf, Dogmengeschichte der Frühscholastik I,2, Regensburg 1952, 62—73. J. Auer, J. Ratzinger, Kleine kath. Dogmatik V. Das Evangelium der Gnade, Regensburg 1970, 144ff.

[55] M 40,1ff.: ein himmel ist, den het der túfel gemachet, mit siner schoenen valschen list [. . .] einvaltigú sele huete dich! (II,19). Über den „Geschmack" als Maßstab für das richtige Urteil vgl. auch H. Laubner, Studien zum geistlichen Sinngehalt . . ., a.a.O. 139f.

[56] M 109,23f.: Bistu denne grel, so ist da grossú angest ane, das dich der túfel gesalbet hat. (IV,15). Im Gegensatz hierzu steht das „salben" in der wahren Beseligung durch Gott. Mechthild klagt: M 50,36f.: [. . .] nu lastu mich herre ligen ungesalbet in grosser qwale, und Gott antwortet ihr: M 50,40f.: Wenne ich dich allerserost wunden, so salben ich dich allerminneklichost in derselben stunde. (II,25).

[57] Auf diesen wichtigen Sachverhalt weist P. W. Tax, Die große Himmelsschau . . ., a.a.O. 132ff. und Anm. 48 hin.

[58] M 50,7ff.: min goetlichú wisheit ist so sere úber dich, das ich an dir also ordene alle mine gabe als du si an dinem armen libe maht getragen (II,25).

[59] M 143,4ff.: solte ich mich in dich na miner maht geben, du behieltest nit din menschlich leben. Du sihest wol, ich mues mine maht enthalten [. . .] dur das ich dich deste langer behalte [. . .] Iedoch wil ich vor beginnen und temperen in diner sele mine himmelschen seiten [. . .] (V,18).

[60] M 105,36f.: Aber herre die suessekeit solt du von mir legen und la mich dine vroemedunge han. (IV,12).

[61] M 105,9: Eya entwich mir lieber herre und la mich fúrbas sinken dur din ere. (IV,12).

[62] M 105,24ff.: Gedenke, was du bevunden und gesehen hast, do niht zwúschent mir und dir was. (IV,12).

[63] M 105,28ff.: Als ich habe gelovbet, geminnet und gebruchet und bekant, also wil ich unverwandelt varen von hinnan. (IV,12).

[64] M 106,2: Wie bekeme si ist, das getar ich nit sagen, mer dú galle ist honig worden in dem goume miner sele. (IV,12).

[65] M 5,34: In disem gruosse wil ich lebendig sterben. (I,2).

[66] M 170,5ff.: [. . .] diner suessen wollust [. . .] ane underlas ansehen, also das miner sele ovgen in diner gotheit muessen spilen und dine suessú minnelust us diner goetlichen brust dur mine sele muesse sweben. (V,35).

[67] M 265,11ff.: Ich danke dir, liebú gottesminne, vrovwe keiserinne, das hastu alles ze helfe mir gegeben in mime ellendigen himmelwege. (VII,48).

[68] M 24,10: Dú brut hat fúnf kúngrich. (I,46).

[69] M 22,9ff.: Nu betruebent úch nit ze sere! Ir soellent mich noch leren, swenne ich widerkere, so bedarf ich úwer lere wol, wan dis ertrich ich maniger strikke vol. (I,44).

[70] M 14,13ff.: [. . .] und leitet na ir die sinne als der sehende tuot den blinden. (I,26). M 131,34ff.: Die minne wandelet dur die sinne (V,4). [. . .] Si smelzet sich dur die sele in die sinne; so muos der lichame ovch sin teil gewinnen, also das er wirt gezogen an allen dingen.

[71] M 188,8f.: O we unedel sele, wie mahtu das erliden, das du got von dir wisest [. . .], wan sin hoehstú wollust in dir verborgen ist. (VI,13).

[72] M 280,29ff.: [. . .] min allerliebste gevengnisse [. . .] ich danken dir alles, des du hast gevolget mir; alleine ich dike betruebet bin von dir, so bistu doch mir ze helfe komen. (VII,65).

[73] M 205,26: [. . .] die hat ein ovge, das hat got erlúhtet (VI,31). Ansätze über die Lehre des geistlichen Auges bei Mechthild behandeln F. Rotter, R. Weier, Nähe Gottes und „Gottesfremde". Mystische Erfahrungen der hl. Mechthild von Magdeburg, Aschaffenburg 1980, 33f.

[74] M 10,5: du rúchest als ein balsam (I,16). Vgl. De VII Itin. VI,d.6. 470ab; Schmidt, 157,1—5 (gekürzt). Der geistliche Geruch steht hier für das desiderium und verfügt über eine unterscheidende Kraft. Jesus reizt und öffnet den odor aeternorum, das sind die „ewigen Begierden" (concupiscentiae aeternorum). Wer vom göttlichen Wohlgeruch im heiligen Entzücken erfüllt wird, der sagt: „Im Dufte deiner Salben wollen wir zu dir eilen" (Hld 1,3). Über die mystische Deutung des Wohlgeruchs bei Ps.-Dionysius, Christus als „süßer Geruch", der das Innere mit göttlicher Wonne erfüllt, vgl. J. Thekeparampil, Weihrauchsymbolik in den syrischen Gebeten des Mittelalters und bei Ps.-Dionysius, in: Typus, Symbol, Allegorie bei den östlichen Vätern und ihren Parallelen im Mittelalter, hrsg. v. M. Schmidt in Zusammenarbeit mit C. F. Geyer, Regensburg 1982, 131—145, bes. 137f.

[75] H. Laubner, Studien zum geistlichen Sinngehalt . . ., a.a.O. 213, Anm. 14.

[76] M 75,15. H. Laubner, ebd. 74. F. Rotter, R. Weier, Nähe Gottes und Gottesfremde . . ., a.a.O. 61f.

[77] H. Laubner, a.a.O. 162, 250, Anm. 117, stellt zu Recht fest, daß beim Adjektiv „suesse" die Geschmacksbedeutung neben anderen Möglichkeiten bei weitem die vorherrschende ist.

[78] M 39,21ff.: Dú helig beschovwunge und die vilwerde gebruchunge sont ir han von mir, die userwelte bevindunge von gotte sol úch und allen creaturen iemer me verborgen sin sunder alleine mir. (II,19).

[79] M 180,9f.: ein ieglich mensche soelte wesen im selben ein Cristus, also das der mensche gotte lebete und nit im selber. (VI,4).

[80] M 174,8ff.: [. . .] das er enkein creature beniden im enmag erliden [. . .] ane got alleine, so ist er ein goetlich got mit dem himelschen vatter. (VI,1).

[81] M 139,13f.: [. . . die] breite der goetlichen vuolunge und die tieffi der vliessenden gottessuessekeit [. . .] (V,11).

[82] M 228,12: vor menschlicher schemede und goetlicher vorhte muos ich behalten alle mine tage. (VII,8).

[83] M 10,31f.: Minne ane bekantnisse dunket di wisen sele ein vinsternisse, bekantnisse ane gebruchunge dunket si ein hellepin, gebruchunge ane mort kan si nit verklagen. (I,21).

[84] M 105,3ff.: „Wir soellen got sehen als er ist." Das ist war. Aber die sunne schinet nach dem wetter. Maniger hande wetter ist under der sunnen in ertriche [. . .] Mere wie ich in mag erliden und sehen, also ist er mir. (IV,12).

[85] M 43,21ff.: den nim ich minstú sele in den arm min und isse in und trinke in und tuon mit im, was ich wil. Das mag den engeln niemer geschehen. Wie hohe er wonet ob mir, sin gotheit wirt mir niemer so túre, ich muesse ir ane underlas allú minú gelide volbewinden; so mag ich niemer mere erkuolen. Was wirret mir denne, was die Engel bevinden? (II,22).

[86] M 81,3ff.: Moyses grosse heimlicheit, [. . .] und sine erlich zeichen und sin suesse lere und das userwelte minnereden, das er dikke gegen dem ewigen gotte uf dem hohen berge tet. (III,20). Für ihre ungewöhnlich erscheinenden Aussagen beruft sie sich in einem Brief an den sich wundernden Heinrich von Halle neben Moses auf das Zeugnis des Propheten Daniel und auf die Apostel, um ihre eigene Erfahrung durch den Gang der Geschichte für ihre Gegenwart und damit auch der Zukunft den „Gottesgruß" für „alle Zeiten" zu beglaubigen. Gott legt ihr in den Mund: M 140,18ff.: „Vrage in, wie das geschah, das die aposteln kamen in also grosse kuonheit nach also grosser bloedekeit, do sie enpfiengen den heligen geist. Vrage me, wa Moyses do was, do er niht wan got ansach. Vrage noch me, wa von das was, das Daniel in siner kintheit sprach." (V,12).

[87] De VII Itin. Prol.d.5; 399b und VII,d.1; 474a. Schmidt 11,7—27 und 166,16—20.

[88] M 228,2f.: „Herre, was solte ich hie in diseme closter tuon?" „Du solt si erlühten und leren." (VII,8).

[89] M 176,34: Ein warhaftigú vrowe und ein guot man der sol dis buechelin lesen, der nach minem tode wolte gerne und mag mit mir nit reden. (VI,1).

[90] Liber specialis gratiae, II,43: „Omnia quae in hoc libro continentur scripta, a corde meo divino profluxerunt, et refluent in ipsum." Revelationes Gertrudianae ac Mechtildianae II; Sanctae Mechtildis . . . Liber specialis gratiae . . . editum Solesmensium O.S.B. Monachorum cura et opera, Parisiis 1877, 193,1f.

[91] De VII Itin. III, d.4 a 2,428bf.; Schmidt 69,10—14.

[92] Ebd. III, d.4 a 2,429a; Schmidt 69,27—70,6.

Peter Dinzelbacher

DIE ,VITA ET REVELATIONES' DER WIENER BEGINE AGNES BLANNBEKIN (†1315) IM RAHMEN DER VITEN- UND OFFENBARUNGSLITERATUR IHRER ZEIT

Im Jahre 1731 erschien in Wien ein eher unscheinbarer Band mit dem (damaligen Gepflogenheiten entsprechend) ausführlichen Titel: ,Ven. Agnetis Blannbekin, Quae sub Rudolpho Habsburgico & Alberto I. Austriacis Impp. Wiennae floruit, Vita et Revelationes Auctore Anonymo Ord. FF. Min. e Celebri Conv. S. Crucis Wiennensis, ejusdem Virg. Confess . . .'. Der Herausgeber, der bekannte Handschriftenforscher und Bibliothekar des Benediktinerstiftes Melk, Bernardus Pez OSB, hielt es für nötig, schon im Vorwort zu betonen, „recte acceptum" stimme das in der von ihm erstmals edierten Schrift Aufgezeichnete durchaus mit der Lehre der Bibel und den Dogmen der katholische Kirche überein. In weiser, doch erfolgloser Voraussicht geht Pez sogleich auf ein Kapitel der ,Vita et Revelationes' ein, dessen Inhalt, wie er so richtig bemerkt, „haud dubie nonnullos movebit"[1]. Es geht um die damaligen Theologen durchaus ernsthaft diskutable Frage, ob die bei der Beschneidung entfernte Vorhaut Christi, das „praeputium domini", am Tage seiner Auferstehung mit dem Herrn auferstanden sei oder nicht. Agnes hatte nämlich die Offenbarung empfangen, „quod praeputium cum domino surrexit in die surrectionis" (c.37). Die hl. Birgitta von Schweden hatte freilich von Maria selbst die gegenteilige Versicherung erhalten, sie habe jenes Häutchen dem hl. Johannes übergeben, später sei es in einem unterirdischen Versteck geborgen worden, dessen Ort dann ein Engel gewissen Gottesfreunden geoffenbart habe usw.[2] Tatsächlich wurde diese Christusreliquie in verschiedenen Städten (teilweise bis in unser Jahrhundert) verehrt, so in Antwerpen, Charrou, Le Puy, Conques, Rom . . .[3] Pez glaubt nun, den „Gordischen Knoten" dieses Widerspruchs zweier himmlischer Offenbarungen dadurch lösen zu können, daß er erklärt, es sei jeweils nur von einem Teil des „praeputium" die Rede gewesen. Was aber außerdem auch noch Anstoß erregen möchte, daß es Agnes nämlich auf ihrer eigenen Zunge spürt und schließlich mit dem Gefühl unaussprechlicher Süße verschluckt, darauf geht ihr Herausgeber genausowenig ein wie auf andere möglicherweise bedenklich stimmende Passagen dieses Textes, wo z. B. Christus oder Mönche unbekleidet erscheinen, schlechte Priester in widerwärtige Tiere verwandelt werden u. a.[4] Tatsächlich fanden die ,Vita et Revelationes' der Agnes Blannbekin bald ihre Kritiker, namentlich aus den Reihen der Societas Jesu, die sich hinter den Präfecten der Wiener Hofbibliothek, Garelli, steckten, der Kaiser Karl VI. dazu bewog, die ganze Auflage einziehen zu lassen. So existieren heute nur mehr wenige Exemplare dieses Buches, und Agnes Blannbekin ist infolgedessen der wissenschaftlichen Welt kaum bekannt geworden.[5]

Schon aus diesem Grunde scheint eine Neuausgabe ihrer Offenbarungen wünschenswert; keineswegs freilich, weil dieser Text eine literarisch oder stilistisch beachtenswerte Leistung wäre. Im Gegenteil, die permanenten Anaphern, der geringe Wortschatz, die schwerfälligen Konstruktionen, die inhaltlichen Wiederholungen und die fehlende Komposition machen die Lektüre nicht eben zum Vergnügen. Wichtig ist Agnes Blannbekin aber u. a. als Zeugin der sonst nur durch die oberösterreichische Einsiedlerin Willbirg von St. Florian (1230—89) vertretenen Frauenmystik im mittelalterlichen Österreich, als Beispiel visionärer Umformung wohl vor allem bernhardischen Gedankenguts in franziskanischem Milieu, als Schöpferin (oder Rezipientin) eigenartiger Iconographica, die in der bildenden Kunst teilweise erst wesentlich später zu belegen sind.

Freilich ist die Textgrundlage bedauerlich schmal: die Neresheimer Handschrift, nach der Pez die ,Vita et Revelationes' druckte, existiert weder in diesem Kloster mehr, noch in Melk, noch in St. Pölten (wo der Nachlaß des Bernardus Pez aufbewahrt wird). Das einzige bekannte mittelalterliche Manuskript, der Cod. 384 des Zisterzienserstiftes Zwettl, bricht mitten in Kapitel 189 ab, und eine weitere Handschrift, die Görres seinerzeit für seine ,Christliche Mystik' verwendete und die möglicherweise eine mittelhochdeutsche Version des Buches enthielt, ging wie so vieles andere 1870 in Straßburg in den Flammen auf. Einen weiteren Überlieferungszeugen zu finden, ist mir bisher nicht möglich gewesen.

Im Folgenden soll in gebotener Kürze der Inhalt der Offenbarungsschrift vorgestellt werden, ehe wir fragen, wo dieser Text in der literarischen Entwicklung der ihm entsprechenden Genera einzuordnen sei.

Der Inhalt der ‚Vita et Revelationes‘

Der Text beginnt mit einem aus Bibelzitaten zusammengesetzten Prolog, auf den 235 Kapitel entsprechend 302 Seiten in Kleinoktav folgen. Geschildert werden die Visionen, Erscheinungen, Auditionen, Lebensumstände, Frömmigkeitspraktiken der Agnes Blannbekin, Wunder, die sie miterlebte, Begebnisse aus dem Wiener Franziskanerkonvent, gelegentlich Zeitgeschichtliches. Kapitel 1 bis 23 bilden eine Gesamtschau des Kosmos: „Facta manu domini super unam sanctam personam post missam publicam coepit suaviter viribus deficere et intus rapta in lumen inenarrabile vidit [. . .] hominem speciosum prae filiis hominum et in homine illo [. . .] elementas et creaturas et res ex ipsis factas tam parvas quam magnas [. . .]“ Es folgen die „salvandi homines“ und der „profectus in gratia“ aller Menschen, ein für Agnes besonders wichtiges und öfter wiederkehrendes Thema. Sie schaut weiter die fünf strahlenden Wunden Christi, die „glorificati“ des Alten und Neuen Bundes, geht dann auf die „praerogativae“ der hl. Maria ein, auf die Kronen der Himmlischen, die Engel und verschiedene Heilige, die „laus vocalis in patria“.

Nach dieser großen Anfangsvision folgen in systemlos-bunter Weise laufende Aufzeichnungen über die Offenbarungen und das Leben der Begine, wobei man auch aufgrund der Datierungen mehrerer Schauungen den Eindruck bekommt, der Aufzeichner ihres geistlichen Lebens habe das ihm in der Beichte Erzählte bald nach Art eines Tagebuchs zu Pergament gebracht.

Die Schauungen handeln in der Hauptsache über folgende Themenkomplexe:

1. Schauungen zur Heilsgeschichte „in illo tempore", d. h. Visionen etwa über im Neuen Testament berichtete Begebenheiten.

2. Schauungen zum gegenwärtigen Heilszustand der Menschheit oder einzelner Gruppen oder Individuen.

3. Überzeitliche Allegorien, d. h. bildliche Verkörperungen christlicher Glaubenswahrheiten.

4. Eschatologische Schauungen der Jenseitsreiche.

Dazu kommen noch zahlreiche in einer anderen Form vermittelte Offenbarungen, nämlich Auditionen, also bildlose Mitteilungen über z. B. allgemeine Glaubenswahrheiten, den Heilszustand verschiedener Menschen u. a.[6]

Für die genannten Typen seien nun jeweils einige Beispiele angeführt:

1. Schauungen zur Heilsgeschichte: Im Kapitel 54 hat Agnes die Vision einer „juvencula virgo" von 13 Jahren, „in utero ejus ex sanguine circa cor existente subito quasi in ictu oculi puer masculus formabatur in instanti plene in membris perfectus". Sie sieht zu, wie dieser „puer masculus" geboren, gesäugt und gewickelt wird; also eine ekstatische Schau der Geburt Christi. Andere Gesichte „in illo tempore" betreffen die Passion (c.55), die Grablegung (c.56), die Auferstehung (c.128) etc. Ausführlich wird ihr in einer späteren Schau nochmals die Geburt gezeigt: nun ist auch Joseph anwesend, die drei Könige, die Hirten und Engel, die Agnes von den Vorzeichen dieses Tages erzählen, z. B. vom Tod der Sodomiten ob der Süße des göttlichen Duftes (c.194).

2. Schauungen zum gegenwärtigen Heilszustand: Der Herr erscheint Agnes in weiße Gewänder gehüllt, finsteren Antlitzes. In der Hand trägt er ein entblößtes Schwert. Seine Worte sind: „Ego volo percutere, terrere homines super terram et timorem eis incutere [. . .]" Freilich gelingt es den „boni et devoti" doch wieder, den Gotteszorn abzuwenden, so daß der Herr „quiescat ab ira sua" (c.86). Ein anderes Bild „de statu diversorum hominum": da sind die bösen Priester zu sehen, tiefschwarz und nackt; sie haben einen schwarzen Nimbus aus Pech, „capillis eorum intextum", auch ihr Antlitz ist schwarz. Die Augen sind ihnen ausgerissen, die Zähne springen vor[7], sie sind von Menschenkot und -blut be-

schmiert. Die guten Seelenhirten dagegen sind in weiße Gewänder gekleidet, ihre Stola ist aus purem Gold, Antlitz und Nimbus leuchten wie die Sonne, die Schuhe sind aus Blumen gefertigt ... (c123).

Diese Gesichte beziehen sich also entweder auf die ganze Menschheit, wie etwa auch jenes von den beiden Netzen, die die gesamte Welt umspannen und worunter sich die Sünder befinden, bzw. worauf die Menschen balancieren (c.89), oder auf einzelne Gruppen, wie etwa jene nur die Religiosen betreffende Vision, wo der Herr auf einem Hügel steht und Geschenke verteilt. Allerdings sind, ehe man ihn erreicht, zwei Gräben zu überwinden, in die nun die heraneilenden Religiosen mehr oder weniger tief stürzen, aus denen sie sich mehr oder weniger rasch befreien, und die Nachlässigkeit und Trägheit bedeuten (c.229).

Manche dieser Offenbarungen enthalten durchaus auch konkrete Kritik, wie jene Szene, in der Christus die Mönche des Franziskanerordens vor sich aufmarschieren läßt und ihnen vom Minister bis zum Guardian tadelnd ihre Fehler vor Augen hält (c.117).

3. Überzeitliche Allegorien: „quilibet justus" wird von Agnes als runde Burg geschaut, zu der Menschen ihre Zuflucht nehmen. Sie hat zwei Tore, das sind die Wache der Sinne des Gerechten und die Wache des Nächsten. Ein Stern leuchtet über ihr, die Erkenntnis und Liebe. Von Zeit zu Zeit wallt dichter Nebel um die Burg: es sind Versuchungen, die das Sternenlicht wieder vertreibt usf. (c.130). Oder: Zwei schöne Mädchen befinden sich in einem goldenen Palast; die eine schleift ein Schwert, das ihr die andere wieder wegnimmt und zerbricht. Dieser Tätigkeit obliegen sie ohne Unterbrechung, denn das erste Mädchen ist die Personifikation der göttlichen Gerechtigkeit, während die andere die Barmherzigkeit des Herrn versinnbildlicht (c.204). Dies sind teilweise eigenwillige Gestaltungen, teilweise bekannte Allegorien in neuer visionärer Konfabulation. Die Seelenburg ist freilich vom ‚Castillo interior' der hl. Theresa von Avila bekannt, und im Mittelalter u. a. schon durch den altfranzösischen ‚Chastel Perilleux' des Frère Robert und den portugiesischen ‚Castelo perigoso' (beide 14. Jahrhundert) bekannt; Personifikationen haben eine lange vorchristliche Geschichte, die Tugenden kommen auch in der alt-

christlichen Literatur schon vor, in den Visionen des Hermas, in dem Lehrbuch des Prudenz usw. Ob es aber gerade für diese Bilder überhaupt direkte Vorlagen gibt, wäre noch zu erweisen.

4. Eschatologische Schauungen: Diese Gruppe nimmt einen eher bescheidenen Platz im gesamten Text ein; Agnes wird etwa das Paradies und Vorparadies unter der (kugelrunden) Erde gezeigt (c.136), oder sie wird in die Himmelsstadt, zu den Wohnungen der Seligen geführt (137).

Die Auditionen, die Agnes erfährt, haben verschiedene Themen zum Inhalt, z. B. die sechs Arten andächtiger Menschen (c.94) oder die Sünden der Franziskaner (c.93) etc. Diese „vox coelestis non verbalis nec syllabica" (c.34) belehrt sie aber auch fast regelmäßig, wenn sie Visionen sieht, deren Bedeutung sie sonst offenbar nicht verstünde. Bisweilen tritt Agnes mit ihr in einen inneren Dialog. Diese Einsprachen begleiten also entweder erläuternd die Schauungen oder treten bildlos für sich auf.

Schließlich sei noch ein für Agnes im Vergleich zu ihren visionär begabten Zeitgenossinnen besonders typischer Zug erwähnt: Sie bzw. ihre innere Stimme neigt sehr zu systematischen Auslegungen des Geoffenbarten. Verschiedene Bedeutungen eines Bildes werden gern Punkt für Punkt abgezählt: wenn z. B. Maria eine zwölfsternige Krone trägt, so heißt dies 1. daß sie Tochter des Vaters ist, 2. daß sie Mutter des Sohnes ist, 3. daß sie Braut des Hl. Geistes ist . . usf. bis 12., daß sie den Seelen im Fegefeuer hilft (c.13f.). Wenn von den Paramenten die Rede ist, mit denen Christus seine Priester bekleidet, so werden diese Stück für Stück ausgelegt: die Alba bezeichnet die Gottesliebe, das Cingulum die Nächstenliebe, die Stola die Gottesverehrung, die Kasel das Vertrauen usf. (c.46). Man fühlt sich an den Symbolismus des 12. Jahrhunderts erinnert, an Honorius von Augustodunum oder den ‚Elucidarius' oder an die Liturgiker des 12. und 13. Jahrhunderts.

Die biographischen Angaben

Obschon unser Text nach Prolog und Anfang als reine Offenbarungsschrift erscheint, ist schon das 39. Kapitel bio- bzw. hagiographisch überschrieben mit „De sanctitate vitae suae, sc. hujus puellae, de qua iste libellus tractat". Hier erzählt der Verfasser aus ihrer Jugend, wie sie nie mit den anderen Mädchen spielte, sondern im Verborgenen zu Gott betete, oder daß sie schon seit dem siebten Jahr freiwillig fastete, um das so „Gestohlene" an die Armen zu verteilen. In der Tat handelt es sich dabei um hagiographische Topoi, wie wir sie auch von anderen „homines religiosi" der Zeit hören, z. B. von Elisabeth von Thüringen oder Johannes von La Verna.[8] Es ist hier jedoch zu betonen, daß solche Topoi keineswegs literarische sein müssen, sondern für Menschen, die einem bestimmten Ideal folgten, eben an diesem orientierte, zeittypische Verhaltensweisen. Die „Imitatio Sanctorum" konnte wohl auch bei einem Kind dazu führen, Handlungen, die es etwa in einem vorgelesenen Heiligenleben als Ideal geschildert gehört hatte, dann im eigenen Leben nachzuvollziehen. Das Beispiel des hl. Nikolaus von Myra etwa, der nach seiner Legende schon als Säugling jeden Mittwoch und Freitag die Nahrungsaufnahme verweigert hatte, konnte gewiß ein prägendes Beispiel für mehr als ein „heiliges Kind" im Mittelalter werden.

Weiters erfahren wir, daß Agnes als Begine in einer eigenen Wohnung oder einem eigenen Haus lebte, ihre Verwandten werden erwähnt, sie unternahm auch die eine oder andere Reise. Eng war ihre Verbindung zu den Wiener Minoriten, deren Beichtkind sie war. Am Rande ist auch von historischen Ereignissen der neunziger Jahre des 13. Jahrhunderts die Rede, so von den Kämpfen zwischen Österreich und Ungarn.

Diese freilich spärlichen Notizen zu ihrer vita exterior werden durch einläßlichere über ihre vita interior, ihr geistig-geistliches Profil ergänzt. Deutlich wird Agnes' Eucharistieverehrung (wieder ein zeittypischer „Topos"), ihr häufiger, wohl täglicher Besuch der Messe, ihre (manchmal durch besonders süßen Duft belohnte) Devotion des Altarküssens. Für Ablässe pflegte sie das „limina terere", den Besuch von Kirchen mit Ablaß-Altären. Selbstverständlich übte sie auch die Selbstgeißelung, wie jeder asketische Heilige der Epoche, wenn auch, wohl ob ihrer zarten Gesundheit, nur am Karfreitag (c.76), Fasten war ohnehin obligatorisch, in der Fastenzeit selbst kamen 5000 Vaterunser mit den entsprechenden

Ave Maria hinzu, wobei sie jedesmal niederkniete (die „venia")
und sich dann zu Boden warf („in facie procidendo") (c.208f.). Dafür wurde sie u. a. mit der Gabe der Tränen ausgezeichnet (z. B.
c.76), was für eine Begine wohl schon zu ihrer Zeit empfehlens-
wert war, denn aus den Hexenprozessen wissen wir ja, daß die
Tränenlosigkeit ein Indiz für Teufelshörigkeit war[9]. Eine besonders häufige Gnade war das Erleben innerer Süße. Auch den
Kampf gegen den angreifenden Dämon vermochte sie unüber-
wunden durchzustehen (c. 210), wobei ihre Anfechtungen freilich
nicht im entferntesten dem glichen, was zur gleichen Zeit die mystische Begine Christine von Stommeln in dieser Hinsicht mitzu-
machen hatte.

Auch Wunder, die mit Agnes geschahen, oder wenigstens in ihrer Nähe, sind aufgezeichnet. So fand sich die Hostie, die ein un-
würdiger Priester konsekrieren wollte und die daher vom Altar
verschwand, plötzlich in ihrem Munde (c.41). So hatte Agnes, immer wenn sie am Keller eines bestimmten Hauses in der Stadt vor-
beiging, dasGefühl, sich verbeugen zu müssen. Schließlich stellte
sich heraus, daß eine Hexe dort zu finsteren Zwecken das Aller-
heiligste versteckt hatte, was die Mystikerin zwar nicht wußte,
aber fühlte (c.44).

Über den Verfasser der ‚Vita et Revelationes' läßt sich z. Zt.
kaum mehr sagen, als daß er der Beichtvater der Agnes Blannbekin war, dem Franziskanerorden angehörte und gläubigen Herzens, aber beschränkter Sprachkunst (man fühlt sich bisweilen an
den „ego frater scriptor" Arnald erinnert, der auch um die gleiche
Zeit die Visionen der Angela von Foligno, den ‚Liber vere fidelium', aufschrieb, ohne ihn recht zu verstehen) getreulich ver-
zeichnete, was Agnes ihm von ihren Gesichten und Erlebnissen
anvertraute.

Vergleichbares Schrifttum

Wenn wir nun die Frage aufwerfen wollen, wo im Panorama der
geistlichen Literatur um 1300 die ‚Vita et Revelationes' der Agnes

Blannbekin anzusiedeln sind, so wäre zuerst festzustellen, welche vergleichbaren Texte uns überliefert sind. Es gibt in Latein und den Vulgärsprachen eine Reihe von zeitgenössischen Schriften, die sowohl dem Inhalt als auch der Form nach dem Bericht über das Leben und die Offenbarungen der Agnes an die Seite gestellt werden können:

Der ‚Legatus divinae pietatis‘ der hl. Gertrud d. Gr. (1256–1302) beginnt 1,1 mit einem Abschnitt „de commendatione personae", in dem u. a. über ihre Kindheit erzählt wird: wie sie schon früh durch besonderen Lerneifer ausgezeichnet war, ihr Eintritt in den Helftaer Konvent mit 5 Jahren, ihre Redegabe usw. 1,2 handelt „de testimoniis gratiae", d. h. über von Gertrud bewirkte Wunder (z. B. eine Heilung). Auch die weiteren Abschnitte dieses ersten Buches handeln von Einzelheiten ihrer Lebensführung, ihren Tugenden, weiteren Wundern, ihren Offenbarungen. Das 2. Buch dagegen stammt von der Mystikerin selbst; es ist eine reine Offenbarungsschrift, in der sich Preisungen des Herrn mit Christuserscheinungen, göttlichen Offenbarungen, anderen Gnadengaben … abwechseln. Die Bücher 3 bis 5, bis zur Vision ihres eigenen Todes und der Erscheinung der himmlischen Chöre (5,32, cf. 5,23ff.), sind wieder aufgrund von Mitteilungen Gertruds von anderen Klosterangehörigen zusammengestellt worden. Sie enthalten die Offenbarungen, Gnaden und Frömmigkeitsübungen der Heiligen.[10]

Ebenfalls im Kloster Helfta entstand der dem vorgenannten Werk sehr ähnliche ‚Liber specialis gratiae‘ der hl. Mechthild von Hackeborn (1241–99), den Gertrud mit einer anderen Nonne ohne Wissen Mechthilds aufzeichnete. Auch hier ist der Beginn biographisch: „Fuit virgo quaedam, Mechtildis nomine [. . .]" Wider Willen der Mutter blieb sie mit sieben Jahren im Kloster, wir hören von ihren Krankheiten, Ekstasen, den Erscheinungen Christi und der Unio Mystica mit ihm. Wie im ‚Legatus‘ liegt das Schwergewicht des Berichteten völlig auf den Offenbarungen und Gnadengaben, die Mechthild empfing, doch zeigt der Schluß (6,5): die Erscheinung des Herrn, der seine Braut in den Himmel holt, und die folgenden Visionen über ihre Ehrung im Jenseits, daß auch hier an eine Verbindung von ‚Vita‘ und ‚Offenbarungsschrift' gedacht ist (Buch 7 ist ein Appendix mit Visionen Gertruds)[11].

Zur gleichen Zeit lebte im Kloster Oberweimar die Mystikerin Lukardis (ca.1276–1309). Über sie wissen wir nun nicht aus einer Offenbarungsschrift, sondern einer ‚Vita', die von einem persönlichen Bekannten der Seligen aufgrund der Mitteilungen ihrer Beichtväter und Mitschwestern verfaßt wurde. Der Prolog beginnt wie viele Heiligenleben mit den Topoi des eigenen Ungenügens des Autors und der Aufforderung durch Freunde, doch dieses Leben zu beschreiben. Kapitel 1 zeigt uns, wie die Heilige ins Zisterzienserinnenkloster kommt, 2 ihre präkognitiven Fähigkeiten, 3 eine Marienerscheinung, 4 eine Erscheinung Johannes des Täufers, 5 handelt von ihren Krankheiten, 6 bringt wiederum eine Heiligenerscheinung, 7 eine Passionsvision, 8 und 9 ihre Frömmigkeitspraktiken usf. So wechseln Passagen über Lukardis' Gnadenleben (Ekstasen, Auditionen, Stigmatisierung, eingegossene Süße u. a.) mit solchen über ihr Leben und Tun im Konvent (ihre Aussprüche, Kommunionempfang, Heilwunder, ihr Verhalten beim Klosterbrand u. a.).[12] Da es kaum ein Kapitel ohne Vision, Erscheinung oder Audition gibt, könnte dieser Text genausogut den Titel einer Offenbarungsschrift haben.

Ähnliche Texte gibt es auch in den Volkssprachen und, wiewohl seltener als von Frauen, von mystisch begnadeten Männern. Als Beispiel nenne ich das ‚Gnadenleben' des Friedrich Sunder (1254–1328), eines Kaplans im Kloster Engelthal bei Nürnberg. Der anonyme Text beginnt mit einer Datierung: „Anno domini M°ccc°xxv° wónet ain seliger vnd goetlicher vatter, ain lúpriester, by ainem frówen clóster prediger ordens [. . .]" Es folgen die Namensetymologie (auch ein hagiographischer Topos, man vergleiche die ‚Legenda aurea' des Jakob von Voragine), wir hören von Sunders Bußübungen, seinen Tugenden und Krankheiten, der Bestätigung seiner Heiligkeit durch Erscheinungen, die anderen zuteil werden usf. Das Hauptgewicht liegt auf Sunders Gnadenerlebnissen, und zwar dem, was seine Seele im Schlafe schaut, wovon Sunder aber erst durch Auditionen erfährt. Es geht hier um die Genossenschaft, ja Verwandtschaft mit den Heiligen, seine Marienverehrung, besonders seine eigene Hochstellung; sogar

„Papst im Himmelreich" wird er genannt! Ein wichtiges Element sind auch die Szenen des Minnekosens seiner Seele mit dem Herrn. Andererseits wird auch die vita exterior Sunders nicht übergangen. Nicht nur seine persönlichen Devotionspraktiken, sondern auch seine seelsorgerische Tätigkeit findet, wenn auch recht kurz, Erwähnung. Die religiösen Erfahrungen des Priesters hat der Verfasser dabei (wie in Agnes' ‚Vita et Revelationes') teilweise mit dem jeweiligen Datum versehen.[13] Auch hier haben wir also eine Zwischenform zwischen Heiligenvita und Revelationsbuch vor uns.

Damit wären die Beispiele freilich noch nicht beendet, in Deutschland gäbe es etwa noch die Sammelviten der Dominikanerinnen von Adelhausen bis Weiler, doch ist hier nicht der Platz für eine ausführlichere Darstellung[14]. Es sei nur nachdrücklich darauf hingewiesen, daß dieser Typ religiösen Schrifttums zwischen Vita und Offenbarungsschrift keineswegs eine „Sonderleistung" der deutschen Mystik war, wenn auch in diesem Sprachraum die bekanntesten und umfangreichsten Beispiele erhalten sind. In dieselbe Reihe zu stellen wären aber z. B. in Italien u. a. Angela von Foligno mit ihrem ‚Liber vere fidelium' oder in Südfrankreich ‚Li Via seiti Beatrix virgina' der Marguerite d'Oingt, um nicht über den Anfang des 14. Jahrhunderts hinauszugehen.

Wenn wir nun festgestellt haben, daß es um 1300 eine literarische Gattung gibt, die sich aus Offenbarungstexten einerseits und biographischen Abschnitten andererseits zusammensetzt, so müssen wir nun einen Blick auf die Entwicklung der beiden maßgebenden Gattungen werfen, in deren Traditionen die Autoren unserer Texte standen, also auf die der Heiligenviten und die der Offenbarungsschriften. Dabei sind die Elemente, die der jeweils anderen Sorte zugehören, besonders zu berücksichtigen, d. h. die Elemente von Offenbarungscharakter in den Heiligenleben und die Elemente des Biographischen in der Offenbarungsliteratur.

Freilich können die folgenden Umrisse nicht mehr als wahrscheinlich korrekturbedürftige, gewiß aber ergänzungsbedürftige Skizzen sein. Es gibt z. Zt. keine befriedigende Geschichte der Heiligenviten als literarischer Gattung, pace Clasen, Rosenfeld und Wolpers. Es scheint dies auch tatsächlich über die Möglichkeiten des Forschers hinauszugehen, denn die katholische Kirche verehrt (oder verehrte) nach Schätzungen 10 000 bis 25 000 namentlich bekannte Heilige, deren Großteil in der Antike und im Mittelalter lebte. So ist das erhaltene Material, wie es sich in den ,Acta Sanctorum', den ,Analecta Bollandiana', den ,Subsidia hagiographica' usw. darbietet, zu umfangreich, als daß es bisher hätte verarbeitet werden können, weswegen sich alle Aussagen über die Gattungsentwicklung aus den vergleichsweise wenigen Beispielen ergeben, die ein einzelner stichprobenartig gelesen hat. Was andererseits die Gattung „Offenbarungsliteratur" angeht, so ist sie, wiewohl wesentlich geringeren Umfangs, m. W. noch nie zusammenfassend dargestellt worden.

Die Entwicklung der Gattung ,Vita'

Gut erforscht sind die Anfänge dieses im Mittelalter so beliebten Genus, die antiken Bioi, Laudationes funebres, die Akten und Passionen der Märtyrer sowie die hebräischen Midrashim (Erklärungen) zu biblischen Personen, vor allem natürlich das Vorbild des Neuen Testaments und der apokryphen Apostelakten. Schon aus der Zeit der christlichen Antike stammt eine Reihe besonders beispielgebender Heiligenleben; aus dem 4. Jahrhundert das Leben des Antonius Eremita von Athanasios, die typische Mönchs- und Einsiedlervita, oder das Leben des Martin von Tours, die typische Bischofs- und Missionarsvita, aus dem 5. Jahrhundert das Leben des Kirchenlehrers Augustinus von Possidius, aus dem 6. Jahrhundert die vorbildliche Abtsvita, nämlich die des Benedikt von Nursia im zweiten Buch der ,Dialogi' des Papstes Gregor I.

Gewiß lagen damit im ganzen Mittelalter oft nachgeahmte Paradigmen vor, aber es wäre ein Irrtum zu meinen, das Genus sei damit für tausend Jahre unveränderlich festgeschrieben gewesen, auch wenn ein gattungstypischer Grundaufbau (Prolog, Vita, Miracula) fast stets existiert. Wir wollen versuchen, die Entwicklung zu umreißen, die sich abzeichnet, wenn man auf die Präsenz von Offenbarungserlebnissen in den Texten achtet. Dabei sei betont, daß uns hier ausschließlich solche Viten interessieren, die als historische Quellen gelten können, d. h. die von Verfassern geschrieben wurden, die ihren Helden noch persönlich kannten oder wenigstens auf (mündlichen und schriftlichen) Traditionen aus seiner Zeit und Umgebung aufbauten. Nur solche zeitlich nahen Texte bezeichnen wir als Heiligenleben oder -viten, wogegen die hier außer acht bleibenden rein fiktionalen „Biographien" des Mittelalters z. B. über Personen der Heiligen Schrift Legenden genannt werden.

Im frühen Mittelalter gibt es zahlreiche Viten, in denen Offenbarungselemente keine oder nur eine recht geringe Rolle spielen. Für die merovingischen Texte trifft dies im 7. Jahrhundert generell zu[15], denn die eine Ausnahme bildende Vita der Adelgunde von Maubeuge ist wohl erst im 9. Jahrhundert, doch unter Verwendung ihrer Schriften, entstanden. Auch in der karolingischen Epoche ist dieses Genus weder von Wunder- noch von Visionssucht gekennzeichnet. Dies gilt durchgehend z. B. für die Lebensberichte der anglo-sächsischen Missionare auf dem Kontinent; ihr wichtigster, Winfrid-Bonifatius, wirkt nach den Aufzeichnungen seines Zeitgenossen Willibald zu Lebzeiten keine Wunder (wenn man nicht gerade das als ein solches bezeichnen möchte, daß ein gefällter Baum in vier Teile zerspringt [die Donareiche]). Dem Biographen geht es vielmehr nur um das tätige Wirken des Heiligen nach außen, nur um seine vita activa.

Wenn Offenbarungserlebnisse vorkommen, so nehmen sie schon rein umfangmäßig nur einen winzigen Bruchteil des Textes ein, sind es nur einzelne Episoden, die aber für den geschilderten Menschen nicht als charakteristisch erscheinen. So überliefert z. B. Bischof Altfrid von Münster eine Traumerscheinung seines Onkels, des hl. Liudger, die im Bild der von schwarzen Wolken verschlungenen Sonne die drohende Ankunft der Normannen vorankündigt: die punktuelle Prophezeiung einer Nacht, keineswegs aber Element einer häufigeren charismatischen Begabung.[16] Heilige, für die solche Phänomene einen wichtigen Platz in ihrem Leben einnehmen, wie für Hathumoda oder Anskar, sind ausgesprochene Einzelerscheinungen.

Im 10. Jahrhundert scheinen die Offenbarungserlebnisse zwar

an Zahl zuzunehmen[17], doch bleiben sie im Gesamt des Textes kurz und punktuell, sind es einzelne, situationsbedingte Mitteilungen, eine Quantité negligeable gegenüber dem Rest der Erzählung.

Im Hochmittelalter bahnt sich eine Veränderung an: nicht nur werden die Viten, wie alle anderen Quellen auch, mitteilungsfreudiger und umfangreicher, auch Visionen und Erscheinungen treten häufiger auf. Die Schilderung innerer Zustände, die in der vita contemplativa erlebten Wunder finden mehr und mehr Beachtung.[18] Das in dieser Hinsicht eher zurückhaltende Leben des für die Erlebnismystik künftig so ausschlaggebenden Bernhard von Clairvaux etwa hat Traumvisionen an vielen Wendepunkten seiner Geschichte: der Traum der Mutter vom weißen, bellenden Schäferhund (bedeutend Bernhards Hirtenamt), die Erscheinung Mariens mit dem Christkind, die Erscheinung der Mutter, durch die sein Bruder Andreas zum Klostereintritt veranlaßt wird, die Offenbarung an Bernhards Abt über sein Gebetsversäumnis, die Vision der verschiedenen Stände, die zu ihm ins Tal von Clairvaux ziehen . . . Dies heißt nicht, daß Bernhards Vita ihn als besonders visionär veranlagt zeichnen würde, sondern weist nur darauf hin, daß man in einer durchschnittlichen Vita des 12. Jahrhunderts mehr auf diese Dinge achtete als im frühen Mittelalter.

Das 12. Jahrhundert kennt aber bereits einige Persönlichkeiten, in deren Biographien Träume und Visionen eine bedeutend wichtigere als nur marginale Rolle spielen. So z. B. Eadmers Leben des Anselm von Canterbury, die Vita des Christian von L'Aumône, die des Walthenus von Melrose u. a. Bei Christina von Markyate prädominieren „Ereignisse" des inneren Lebens schon fast, und sie tun dies ganz für Alpais von Cudot. Mehr und mehr wird das Offenbarungselement für die Hagiographen ein Zeichen der Heiligkeit, über das man nicht nur en passant berichten möchte.

Im 13. Jahrhundert[19], so hat man fast den Eindruck, gibt es kein Heiligenleben ohne Träume, Visionen und Erscheinungen. Natürlich ist dies übertrieben, denn schon ausgerechnet der sonst doch von solchen Phänomenen so faszinierte Caesarius von Heisterbach berichtet in seiner Biographie des Engelbert von Köln nichts dergleichen. Der Grund ist einfach genug, Engelbert war nicht der Mensch dafür, dieser kirchliche Feudalherr par excellence ging vielmehr in seiner Reichs- und Territorialpolitik auf. Aber daß der ermordete Bischof dann wenigstens als Märtyrer anderen erscheint, läßt sich Caesarius nicht nehmen (2,10). Doch diese Vita kann als atypisch gelten. Dem Üblichen näher kommen wohl z. B. die Lebensbeschreibungen des Franz von Assisi, die Thomas von Celano verfaßte. Enthält schon die ‚Vita prima' von 1228/29 eine Reihe übersinnlicher Erscheinungen, so ist dieses Element in der ‚Vita secunda' von 1246/47 so sehr verstärkt, daß auch vorher nicht so begründete Geschehnisse übernatürlich bewirkt werden: wird im älteren Bericht nicht klar, warum er nicht nach Apulien mitziehen wollte, so ist es im jüngeren das Traumgesicht Christi, der ihm sagt, er solle nicht dem Knecht nachlaufen, sondern dem Herrn (1,3 : 1,2). Während Franz zunächst vom Papst aufgrund der Fürsprache einflußreicher Gönner akzeptiert wurde, bewegt in der späteren Vita der Traum von der einstürzenden Lateransbasilika Innozenz III. dazu (1,13 : 1,11). Bonaventura wird dann seine himmlischen Gnadengaben, seinen Prophetengeist, die Auffahrt im Feuerwagen schon im Prolog rühmen; ihm sind die Visionen ein wichtiges Beispiel unter all den Wundern des Ordensgründers.

Visionen, Erscheinungen, Auditionen, Prophezeiungen . . . Der homo interior wird immer wichtiger neben dem homo exterior, die Gnadengaben, der direkte Einbruch des Göttlichen in die Seele, die Offenbarung, kurz: das subjektive Erleben bekommt eine ganz wesentliche Rolle neben dem äußeren Leben. Die inneren Erfahrungen treten gleichwichtig neben das äußere Wirken in Tat und Wunder, ja überflügeln diese vielleicht schon bisweilen. Waren früher Tat und Wunderwirken nach außen das Zeichen der Heiligkeit (z. B. Klostergründung und Naturbeherrschung), so ist nun gnadenhaftes Erleben und Schauen in der Seele ein wenigstens gleichwertiges. Diese neue Gewichtung ist selbstredend keine Regel, unter die alle Viten des Jahrhunderts fallen würden, doch scheint sie eine deutliche Tendenz zu sein. Gewiß findet sie sich nicht in allen, aber doch in einer großen Zahl von Heiligenbiographien, womit das Gesamtbild der Gattung gegenüber dem Frühmittelalter deutlich verschieden erscheint.

Jetzt aber entwickelt sich erstmalig eine Sondergattung des Heiligenlebens, bei der diese innere Welt vollkommen dominiert: die Gnaden- oder Offenbarungsvita. Das Wesen der Gnadenvita wurde zuerst an mittelhochdeutschen Texten des 14. Jahrhunderts aufgezeigt[20], doch handelt es sich hierbei keineswegs um eine voraussetzungslos um 1300 plötzlich entwickelte Sonderleistung der deutschen Mystik, vielmehr finden wir Vergleichbares schon in der lateinischen Hagiographie wie auch in außerdeutschen volkssprachlichen Texten. Wir bezeichnen dabei als Gnadenviten solche Heiligenleben, in denen sich der Verfasser auf das Wirken der Gottesgnade in der Seele des Heiligen konzentriert, wogegen das Interesse an äußeren Situationen und Taten zurücktritt.[21] Diese Gnaden haben wohl fast immer wenigstens auch Offenbarungscharakter, da etwa auch das Minnekosen der Seele mit dem Heiland eine Offenbarung von dessen Liebe und Huld dem Menschen gegenüber ist. Viele der erlebten Visionen usw. wollen aber sogar primär den Menschen eine bestimmte göttliche Botschaft durch den Seher mitteilen.

Schon das wohl um 1200 entstandene Leben der sel. Alpais von Cudot (†1211) kann kaum anders denn als Gnadenvita erfaßt werden. Die ‚Vita venerabilis Aupaies' enthält im Prolog die gewohnten Topoi: auch die „Tulliana succumberet eloquentia, et Homeri quamvis eloquentissimi, invideret facundia: non omnes possum scribere [...] revelationes [...] ad hoc opus insufficientem me video [...]", „non meo ingenio, sed divino adiutorio [...]" usw. Die Vita beginnt wie üblich mit Geburt, Namensetymologie, Kindheit — doch weiter gibt es keine Vita exterior, einfach weil die Eltern das Kind hatten so hart arbeiten lassen, daß es zusammenbrach und den Rest seines Lebens ans Bett gefesselt blieb. Dort aber erlebte Alpais „dulci sopore", „in quietone dormitionis" zahllose Traumvisionen eschatologischen, allegorischen und prophetischen Inhalts, die sich z. B. mit der Eucharistie, dem Zisterzienserorden, dem Endgericht beschäftigten, dazu noch Erscheinungen von Heiligen und Teufeln (das bernhardische Minnemotiv fehlt auffallenderweise).[22] Das fast einzige Thema der Vita sind also die Erlebnisse im Gnadenschlaf.

Häufiger wird dieser Literaturtyp aber erst im 13. Jahrhundert, wo zahlreiche Hagiographen ihre Darstellung primär auf das Seelenleben ihres Propugnators konzentrieren. Als Beispiele seien genannt: die Vita der Odilia von Lüttich, Goswin von Bosut, Vita des Arnulf von Villiers, Hugo von Floreffe, Vita der Ivetta von Hoy und Vita der Ida von Nijvel, Thomas von Chantimpré, Vita der Margareta von Ypern und Vita der Luitgard von Tongeren, Jakob von Vitry, Vita der Maria von Oignies, Wilhelm von Mechlin, Vita der Beatrix von Nazareth, Philipp von Clairvaux, Vita der Elisabeth von Spaelbeck, Johannes Colonna, Vita seiner Schwester Margarita usw. Diese Texte sind entweder Gnadenviten, oder sie tendieren in diese Richtung, räumen aber dem äußeren Leben doch noch einen bedeutenden Raum ein. Aber es ist eben für die Mentalität des Verfassers bezeichnend und läßt auf seinen Erwartungshorizont schließen, wenn z. B. Einwik sich fast krampfhaft bemüht, jeden etwas ungewöhnlichen Vorfall und jeden ihm bekannten Traum im Leben der Wilbirg von St. Florian gleich als göttliche Offenbarung zu interpretieren.

Einige Viten des 13. Jahrhunderts gewichten auch die äußere Lebensgeschichte und die inneren Schauungen in etwa gleich, indem sie sie auf einzelne Abschnitte verteilen oder zu geschlossenen Kapiteln vereinigen. Ersteres ist der Fall z. B. in der Vita der Benevenuta von Bojanis, die wir ihrem Beichtvater verdanken. Er beginnt mit „Fuit in civitate Austriae de Foro-Julii quaedam virgo devota, devotis et honestis nata parentibus [...]" Ihr Vater akzeptierte sie, wiewohl sie schon das siebte Mädchen war und er endlich einen Sohn erwartete (daher ihr Name). Wir erfahren weiter von ihrer Kindheit, Frömmigkeit, Erkrankung... Ununterbrochen sind Erscheinungen und Visionen eingeflochten, aber einzelne Passagen sind durch Überschriften aus dem Ablauf der Vita herausgehoben und nur ihnen gewidmet, z. B. „De gratiis revelationum", „De raptu spiritus" etc. Hier wird über die Erscheinungen von Engeln und Teufeln, Christi und Marias, die Visionen der Leidensgeschichte usf. berichtet.[22a]

Die Anordnung der Passagen mit Offenbarungscharakter in längeren Kapiteln ohne chronologische Einordnung in den biographischen Ablauf finden wir etwa in der ‚Vida de la benaurada sancta Doucelina' der Philippine von Porcellet. Die Kapitel 9 und

10, „de l'estudi e da la fervor de sa oracion e de sos autz raubi-mentz" und „de la fermeza de sa contemplacion, e da las revela-cions [...]" sind bei weitem die längsten dieses provencalischen Texts[23].

Durch diesen Aufbau der Viten entsteht natürlich eine auffallende Ähnlichkeit zum Revelationsschrifttum: wären diese innerhalb der Vitenerzählung geschlossen dastehenden Passagen abgelöst und allein überliefert, so könnten sie genausogut als Teile einer Offenbarungsschrift gelten.

Von hier ist es kein weiter Weg mehr zu den Gnadenviten des 14. Jahrhunderts, wie der der Schwester Gerdrut von Engelthal oder Viten in den dominikanischen Nonnenbüchern (Adelhausen usf.) sowie den oben erwähnten Schriften über Lukardis und Sunder. Wenn Ringler die Eigenart des Gnaden-Lebens mit der Unterscheidung charakterisiert: „Schauplatz der Heiligenlegende nämlich ist die Außenwelt; Schauplatz des ,Gnaden-Lebens' ist die *sel* des Menschen"[24], so ist diese Feststellung anwendbar für die historische Entwicklung der Vita vom frühen zum späten Mittelalter. Doch gibt es die eben an Beispielen aufgezeigten Zwischenformen, so daß man eine geschlossene Reihe von Entwicklungsstufen von der offenbarungslosen bis zur fast ausschließlich aus Offenbarungsphänomenen bestehenden Heiligenvita aufstellen kann (in Beispielen: von der Vita des Bonifatius über die der Benevenuta bis zu der des Friedrich Sunder). Diese typologische Reihe entspricht weitgehend der chronologischen Reihung der Viten. Es ist selbstverständlich, daß neben diesem neuen Typus mit dem Schwerpunkt Innerlichkeit auch weiterhin Lebensbeschreibungen des früheren Typs verfaßt werden, so daß im 13. Jahrhundert vielleicht eine Vita, die zwar mehr als früher auf Gnadenphänomene achtet, aber quantitätsmäßig den meisten Raum dem Wirken des Heiligen gibt, die statistisch „normale" wäre. Aber daneben existiert nun eine nicht kleine Anzahl von Texten, in denen das Gnaden- und Offenbarungsleben gleichwichtig neben die vita exterior tritt bzw. jene deutlich überwiegt. Diesen neuen Typ gab es eben in den früheren Jahrhunderten nicht oder so gut wie nicht.

Wenn man dann weitere Lebensbeschreibungen des 14. und 15. Jahrhunderts in die Betrachtung einbeziehen würde, so dürfte

169

sich der angesprochene Spielraum auch hier finden. Als unbestreitbare Gnadenleben nenne ich etwa die Vita von Magister Petrus und Prior Petrus, in der sie das Leben Birgittas von Schweden als einzige Folge von Revelationen beschreiben, wiewohl das Leben dieser Mystikerin auch äußerlich wirklich bewegt genug für eine „Ereignisvita" gewesen wäre, oder die italienische Vita der Francesca von Rom, die ebenfalls fast ausschließlich aus Gnadenerlebnissen besteht. Frauen scheinen im 13. bis 15. Jahrhundert deutlich öfter Gegenstand der neuen, „innerlichen" Heiligenviten geworden zu sein als Männer.

Die Entwicklung der Gattung „Offenbarungsschriften"

Dieses Genus umfaßt Texte, in denen sich Gott unmittelbar an die Menschen wendet, sei es in direkter Rede, sei es in einem allegorischen Bild, das er selbst, eine himmlische Stimme, der Seher, ein Dritter deutet. Im einzelnen gehören Auditionen, Visionen, Erscheinungen, Himmelsbriefe und in inspirierten Zuständen formulierte Reden und Texte (Glossolallie u. ä.) dazu. Die in diesen Formen mitgeteilten Inhalte sind mannigfach und können von allgemeinsten Glaubenswahrheiten über Prophezeiungen, Schilderungen verborgener Wirklichkeit (meist der anderen Welt), Strafandrohungen und Segensverheißung bis zu ganz konkreten, einzelne betreffenden Befehlen gehen (z. B. zu einer Klostergründung). Die Anzahl der erhaltenen Texe dieses Genres ist freilich um vieles geringer als die der Heiligenleben.

Versuchte man, die Geschichte des Offenbarungsschrifttums im Mittelalter darzustellen, so müßte man auch hier auf die biblischen Vorbilder verweisen, die Prophetenbücher, die ‚Geheime Offenbarung', die alt- und neutestamentlichen Pseudoepigraphien. Die Geschichte der Himmelsbriefe reicht wenigstens bis ins 6. Jahrhundert zurück, und neue Beispiele finden sich bis in unsere Zeit immer wieder (auch Birgitta von Schweden soll einen solchen über die Passion erhalten haben[25]). Im lateinischen Christentum seit dem frühen 8. Jahrhundert verbreitet waren die ‚Revelationes S. Methodii', ein eschatologisches Orakelbuch über

Gog und Magog, den Antichrist und das Jüngste Gericht, das über eine griechische Version aus dem Syrischen entlehnt wurde. Die Wahrsage-Literatur[26] nahm besonders mit den Kreuzzügen zu, eine wichtigere, d. h. durch zahlreiche Texte repräsentierte Gattung scheint sie aber erst im späten Mittelalter geworden zu sein, wo nicht nur die exegetischen und typologischen Schriften, die Joachim von Fiore in Inspiration verfaßte (oder die ihm zugeschrieben wurden), weite Verbreitung fanden, sondern auch Werke wie z. B. des Richard d'Irlande ‚Prophecies de Merlin‘ (um 1275), die ursprünglich die politischen Geschicke Italiens betrafen, das ‚Oraculum Angelicum Cyrilli‘ aus dem späten 13. Jahrhundert oder der ‚Liber de Flore‘ (um 1305) mit seinen Papstweissagungen.

Die umfangreichste Gruppe des Offenbarungsschrifttums stellt aber gewiß die Visionsliteratur[27], deren Texte zum allergrößten Teil auf ekstatische Erlebnisse einzelner Menschen zurückgehen. Die ‚Apokalypse‘ des Johannes und die biblischen Apokryphen (deren im Mittelalter fruchtbarste die Paulus-Vision werden sollte) genauso hintangestellt wie den ‚Poimen‘ des Hermas, bildet die mittelalterliche Visionsliteratur seit der ‚Visio Baronti‘ des 7. Jahrhunderts ein eigenes, unabhängiges literarisches Genus. Die Visionen des frühen und hohen Mittelalters handeln fast ausschließlich vom Schicksal der Seelen nach dem Tode in den Jenseitsreichen und werden vielfach in der Stunde des Todes (oder Scheintodes) geschaut.[28] Im 12. Jahrhundert erreicht dieser Typ seinen Höhepunkt mit den umfangreichen Gesichten des Alberich, Tundal, Gottschalk, Edmund und Thurkill, um später weniger oft aufzutreten. Hierbei handelte es sich immer um *eine* große Schauung, die einem Menschen nur einmal in seinem Leben zuteil wurde. Seit dem 12. Jahrhundert tritt daneben ein anderer Typ, der der mystischen Vision, die vor allem die Begegnung mit Christus, Maria, den Heiligen, Szenen des Neuen Testaments, Allegorien etc. zum Inhalt hat, wie oben am Beispiel der Agnes Blannbekin vorgeführt wurde. Die Visionäre des 13. bis 15. Jahrhunderts sehen nun aber nicht mehr nur eine Vision, sondern bisweilen viele Hunderte, weswegen ihre Offenbarungen — und jede Vision hat Offenbarungscharakter — auch nicht als einzelne ‚Visio‘ oder ‚Revelatio‘ überliefert sind, sondern in der Form von Visionsbüchern, in denen die ganzen Reihen von Schauungen oft chronologisch oder thematisch angeordnet sind.

Diese Form der Offenbarungsschriften, die als Revelationsliteratur im engeren Sinn bezeichnet werden könnte, kennen wir z. B. aus den oben angeführten Beispielen Gertruds d. Gr. oder Angelas von Foligno. Das älteste dieser Visionsbücher, von dem sich allerdings nur mehr Spuren in ihrer Vita finden, dürfte das verlorene der Aldegunde von Maubeuge (†684) gewesen sein. Aus der Mitte des 9. Jahrhunderts stammt das fragmentarisch tradierte Buch der Offenbarungen des Audradus Modicus, das u. a. Himmelsvisionen und Heiligenerscheinungen beschreibt. Das nächste Beispiel dieses Typs scheint erst der ‚Liber visionum‘ des Otloh von St. Emmeram (†1070) zu sein, der jedoch die Schauungen mehrerer Personen vereinigt, so daß eigentlich erst die Visionen der Hildegard von Bingen und Elisabeth von Schönau am Beginn eines nun immer zahlreicher werdenden Genus stehen. Denn im Spätmittelalter entstehen viele und oft sehr umfangreiche Schriften dieser Art, z. B. die zitierten Texte aus Helfta, die ‚Revelationes‘ der Margareta von Faenza, die ‚Offenbarungen‘ der Margareta Ebner und der Elsbeth von Oye, die ‚Revelationes‘ der Birgitta von Schweden und die ‚Shewings‘ der Juliana von Norwich, die ‚Offenbarungen‘ der Adelheid Langmann, das (authentische?) ‚Compendium revelationum‘ Savonarolas u. a. m. Auch hier ist die Prädominanz der weiblichen Urheberinnen (wenn auch nicht immer Verfasserinnen) evident.

Der Idealtyp dieser Revelationsliteratur wird von den ‚Visioenen‘ Hadewijchs und dem ‚vliessenden lieht der gotheit‘ Mechthilds von Magdeburg verkörpert, was die Frauenmystik betrifft. Hier ist jedesmal das biographische Element so gut wie völlig abwesend und der Offenbarungsinhalt völlig dominierend, bei Hadewijch noch mehr als bei Mechthild, bei der vielfach Schauung in Gebet und Meditationstext übergeht. Hadewijch dagegen berichtet nach knappster Situierung immer nur ihre visionären Erfahrungen. Doch da diese beiden Schriften im vorliegenden Band ohnehin separat untersucht werden[29], sei als weniger bekanntes Beispiel des vollentwickelten Offenbarungsbuches aus dem 13. Jahrhundert ganz knapp der ‚Liber visionum et liber sermonum dei‘

des Dominikaners Robert d'Uzes (†1296) vorgestellt: er beginnt mit „Placuit Domino Jhesu Christo michi omnium peccatorum vilissimo sua beneplacita revelare [. . .]" Dann folgt eine Fülle von prophetischen bzw. symbolischen Einzelbildern, die auch einen ganz kurzen Vorspann haben können, der über die Situation des Offenbarungsempfangs berichtet; z. B. „Dum in lecto dormirem,: vidi [. . .]" Der Inhalt ist mannigfach und hat oft kirchenpolitische Kritik zum Ziel. So sieht Robert etwa den Körper des Papstes angetan mit den liturgischen Gewändern in der Luft schweben, die Hände wie zur Elevation in der Messe erhoben, aber den Kopf sieht er nicht. Dieser ist nämlich verschrumpft, „ac si esset lignum". Und dieser Holzkopf „statum ecclesiae Romanae significat". Robert nimmt also recht eindeutig Stellung in den Auseinandersetzungen zwischen den Anhängern Cölestins V., des „Lamms der Kirche", und Bonifatius VIII., dem „Wasserkopf der Kirche".[30] Visionäre Kritik an Mißständen in Welt und vor allem Kirche zu üben ist ja eine immer wieder begegnende Funktion der visionären Schauungen und der sie enthaltenden Texte.

Wenn man nun nach dem biographischen Gehalt der Offenbarungsbücher fragt, so sieht man in der älteren Visionsliteratur, daß hier die entsprechenden Einleitungen und Nachworte zum 12. Jahrhundert hin immer länger werden. Während die Nachrichten über Barontus noch recht wenig vom Leben des Sehers meldeten, berichten etwa die Visionen des Gottschalk und Thurkill schon ausführlicher vom Schicksal dieser beiden Bauern. Doch ist der Zuwachs in Offenbarungstexten an biographischem Detail eindeutig wesentlich weniger auffallend als umgekehrt der Zuwachs an Offenbarungskapiteln in der Hagiographie. Die reinen Offenbarungsschriften des 13. Jahrhunderts entbehren ja diese personenhistorische Komponente ganz, einige aber, wie anfangs gezeigt, spannen die Revelationen in das Vitenschema von Geburt bis Tod und geben auch mitunter Szenen der vita exterior an (Gertrud d. Gr. usw.).

Ergebnisse

Wenn sich nun die Viten durch immer weitergehende Aufnahme von visionären Berichten u. ä. der Offenbarungsliteratur nähern und geradezu in sie übergehen, andererseits die Jenseitsvisionen im 12. Jahrhundert (und danach bricht ihre Tradition ja ab) etwas stärker das biographische Ambiente berücksichtigen, schließlich aber eine ganze Reihe von Texten existiert, die sowohl Charakteristika der Viten als auch der Offenbarungsschriften vereinen, so muß man sagen, daß im 13. Jahrhundert ein neuer Typ religiöser Literatur entstanden ist, der als Offenbarungsschrift mit biographischen Elementen oder als Heiligenvita mit dominierenden Offenbarungselementen anzusprechen ist. Zwischen den beiden Idealtypen des nur die vita exterior wiedergebenden Heiligenlebens (z. B. das Engelberts) und der biographisch keine Aussagen machenden Revelationsschrift (z. B. Hadewijch) gibt es nun Mischformen aller Schattierungen. Die Vita der Benevenuta würde dabei ziemlich genau in der Mitte stehen, die ‚Vita et Revelationes‘ der Agnes Blannbekin würde im nächsten Umkreis der lateinischen Helftaer Schriften und des Robert d'Uzes stehen, d. h. etwa zwischen der Vita Benevenutas und dem Idealtyp Hadewijch. Auf sie würden die Bezeichnungen Gnadenvita oder Offenbarungsschrift mit biographischen Elementen gleichermaßen passen. Der unbekannte Verfasser der ‚Vita et Revelationes‘ reiht sich damit in eine in Deutschland seit Elisabeth und Hildegard bekannte Tradition ein, die um 1300 nicht nur mit den Helftaer Werken, sondern auch den Viten Lukardis', Wilbirgs, vielleicht auch Christinas von Stommeln einen Höhepunkt vor den volkssprachlichen Schriften des 14. Jahrhunderts findet. Wenn man die Begriffe different anwenden wollte, so könnte man sagen, daß der Schwerpunkt beim Leben der Lukardis von Oberweimar vielleicht noch mehr auf Seiten des Genus Vita läge, während der Sunder dagegen allerdings eher eine Offenbarungsschrift verkörperte. Wichtig aber ist festzuhalten, daß wir im 13. Jahrhundert oft keine fest umgrenzten Textcorpora hie Offenbarungsliteratur und dort Vita haben, sondern Mischformen, und zwar sowohl (und wie zu erwarten früher) in lateinischer Sprache, dann auch in den Volkssprachen.

Wenn nun gleichzeitig die traditionsreiche Gattung Vita mehr und mehr Elemente des Visionären, der Erscheinung, Audition und des Gnadenerlebnisses aufnimmt, sich andererseits das Revelationenbuch als Typ (mit nur ganz vereinzelten Vorläufern) konstituiert, so verweist dies doch darauf, daß hier nicht nur eine neue literarische Mode wirkt, sondern daß dahinter eine veränderte Lebenswirklichkeit steht. Darauf deutet auch hin, daß die Unio mystica in beiden Textsorten parallel erst ab dem Hochmittelalter erscheint. Man muß schließen, daß seit dem 12. Jahrhundert immer öfter Charismatiker auftraten, die in ihrem Leben zahlreiche, oft visionäre Gnadengaben empfingen, ein Menschentyp, der im Frühmittelalter zwar existiert zu haben scheint (Anskar, Adelgunde), jedoch äußerst selten und ohne die nunmehr typische Christusnähe (Passions- und Minnemystik). Das Auftreten dieses neuen Typs des homo religiosus führt zur Entwicklung von zu seiner Beschreibung angemessenen literarischen Formen, der Gnadenvita und dem Revelationenbuch. Neues Erleben und neuer literarischer Ausdruck bedingen einander, denn einerseits wüßten wir von den meisten dieser Menschen nichts, hätten sich nicht für diese Phänomene sensibilisierte Aufzeichner gefunden, und andererseits konnten die älteren Schriften, die die vita interior gebührend berücksichtigten, auf dem Weg der Imitatio Sanctorum wieder die geistlich-geistige Formierung einer religiös empfindsamen Frau, eines solchen Mannes beeinflussen.

Sowohl das neue Erleben selbst als auch das Interesse, das ihm entgegengebracht wurde, so daß die spätmittelalterlichen Erwartungen von (namentlich weiblicher) Heiligkeit davon geprägt werden konnten, sind auf der Grundlage jener neuen Sensibilität zu sehen, die das 12. Jahrhundert dem homo interior, der Seele gegenüber hervorgebracht hat. Die Entdeckung der Psychologie (in zahlreichen Traktaten, die sich mit dem cognosce te ipsum, dem ingenium, der discretio beschäftigen), die Entdeckung der Liebe (der Menschenliebe in Trobador- und Minnelyrik, im höfischen Roman und in der Minnelehre, der Gottesliebe in der theoretischen und praktischen Mystik) sind Manifestationen dieser Wende des 12. Jahrhunderts, das auf so vielen Gebieten historischer Entwicklung, vor allem aber auf dem der Geistes- und Mentalitätsgeschichte, einen epochalen Neubeginn bedeutet.[31]

Anmerkungen

[1] Praefatio, sine pag.

[2] Revelationes 6,112, cit.ibid. Die ‚Vita et Revelationes' sind zitiert nach: Leben und Offenbarungen der Wiener Begine Agnes Blannbekin (†1315), herausgegeben, übersetzt und kommentiert von Peter Dinzelbacher, Göppingen (GAG 419, in Vorbereitung), jeweils mit Angabe des Kapitels.

[3] Cf.. Lexikon f. Theologie u. Kirche 8, 1936, 434f.

[4] Es sei angemerkt, daß das „praeputium" für Agnes – als ein Teil des Herrenleibes – dieselbe Reaktion hervorruft wie die Hostie und daß (gelegentlich von Lesern geäußerte) Assoziationen erotischer Natur speziell bei diesem Erlebnis an Agnes' Gedanken- und Empfindungswelt vorbeigehen würden; wer die Gesamtheit ihrer Schauungen kennt, wird sie kaum anders denn als anima candida bezeichnen können.

[5] Die bisher einzige wissenschaftlich brauchbare Arbeit, die über den Umfang eines Lexikonstichworts hinausgeht, ist W. Tschulik, Wilbirg und Agnes Blannbekin, Diss. Wien 1925 (Masch.).

[6] Auffallenderweise spielt die Brautmystik im Unterschied zu den Helftaer Zeitgenossinnen der Agnes kaum eine Rolle, cf. jedoch c.179.

[7] „horribiles" übersetze ich hier etwas frei in Anlehnung an die Grundbedeutung von „horrere": emporstarren.

[8] Michael Goodich, Vita perfecta: The Ideal of Sainthood in the Thirteenth Century, Stuttgart 1982, 88f.

[9] Cf. oben S. 22 f., Anm. 4.

[10] Sources Chrétiennes 139, 143, 255, Paris 1968ff.

[11] Revelationes Gertrudianae ac Mechtildianae II, Parisiis 1877.

[12] Analecta Bollandina 18, 1899, 305–367.

[13] Ed. Siegfried Ringler, Viten- und Offenbarungsliteratur in Frauenklöstern des Mittelalters, Zürich, München 1980, 391–444.

[14] Da ich an anderer Stelle näher auf die Entwicklung des Typs ‚Gnaden-Leben' eingehen möchte, gebe ich im folgenden nur die nötigsten Hinweise.

[15] Cf. Lawrence W. Montford, Civilization in 7th-century Gaul as reflected in Saints' „Vitae" composed in the Period, Diss. St. Louis Univ. 1973, bes. 406ff.

[16] 1,27, ein anderer Traum 1,18. Wilhelm Diekamp ed., Die Geschichtsquellen des Bisthums Münster IV, Münster 1881, 3–53.

[17] Cf. Ludwig Zoepf, Das Heiligen-Leben im 10. Jahrhundert, Leipzig, Berlin 1908, 166ff.

[18] Zu diesem Ergebnis kommt auch Ingeborg Brüning, Das Wunder in der mittelalterlichen Legende, Diss. Frankfurt 1952 (Masch.).

[19] Cf. Goodich (Anm. 8) pass. mit Angabe der Editionen der Viten.

[20] Ringler (Anm. 13).

[21] Ringler, der nur das deutsche Sprachgebiet berücksichtigt, sieht diese Gattung hier als auf die Jahre 1300 bis 1360 beschränkt an (358). Ich habe diesen von ihm geprägten Terminus übernommen, gebrauche ihn aber in weiterem Sinn, da Ringler noch eine Reihe anderer Charakteristika angibt (334ff.), die auf die deutschen Texte des 14. Jahrhunderts passen. Daß diese jedoch nur ein Sonderfall der in der lateinischen Hagiographie entwickelten Gnadenviten sind, hoffe ich durch die folgenden Beispiele zu zeigen.

[22] Vita ed. P. Blanchon, Marly-le-Roy 1893, 79f., 94ff. Die Ausgabe enthält zahlreiche Lese- und Druckfehler und sollte durch eine verbesserte ersetzt werden.

[22a] Acta sanctorum, Oct. 13, 1883, 145—185.

[23] ed. R. Gout, Paris 1927.

[24] Ringler (Anm. 13) 337.

[25] Oswald A. Erich u. a., Wörterbuch der deutschen Volkskunde, Stuttgart ³1974, 110.

[26] Cf. Handwörterbuch d. deutschen Aberglaubens, Berlin 1926 ff., 9 s. v. Wahr- bzw. Weissagung, 387—391, 393—440.

[27] Cf. Peter Dinzelbacher, Vision und Visionsliteratur im Mittelalter, Stuttgart 1981; id., Jenseitsvisionen — Jenseitsreisen, in: Epische Stoffe des Mittelalters, ed. V. Mertens u. a., Stuttgart 1984, 61—80; id., Mittelalterliche Visionsliteratur, Darmstadt (im Druck); id., Revelationes (Typologie des sources du Moyen Age occidental), in Vorbereitung.

[28] Peter Dinzelbacher, Mittelalterliche Vision und moderne Sterbeforschung, in: Psychologie in der Mediävistik, ed. J. Kühnel u. a., Göppingen (GAG, im Druck).

[29] Cf. S. 99 und S. 123.

[30] ed. J. Bignami-Odier, Archivum fratrum praedicatorum 25, 1955, 258—310.

[31] Cf. Peter Dinzelbacher, Die Entdeckung der Liebe im Hochmittelalter, Saeculum 32, 1981, 185—208; id., Vision (Anm. 27), 238ff. (Literatur); id., Gefühl und Gesellschaft im Mittelalter, in: Höfische Literatur — Hofgesellschaft — Höfische Lebensform um 1200, hrsg. v. Gerd Kaiser, Jan-D. Müller (im Druck).

Siegfried Ringler

DIE REZEPTION MITTELALTERLICHER FRAUENMYSTIK ALS WISSENSCHAFTLICHES PROBLEM, DARGESTELLT AM WERK DER CHRISTINE EBNER

Mein Thema dürfte in dieser Vortragsreihe das abstrakteste sein — eine Reflexion wissenschaftlicher Methodenprobleme —, und doch hat es vielleicht für den Leser mystischer Texte eine besonders konkrete Bedeutung. Denn die bisherigen Diskussionen der Tagung haben immer wieder bestätigt, daß wir an einer Frage nicht vorbeikommen: Wie sind unsere Quellen überhaupt zu lesen? Sind sie einfachhin als Beschreibung einer Realität zu verstehen, oder bedarf es besonderer methodischer Überlegungen hinsichtlich der Auswertung literarischer Quellen?

Die zu betrachtende „mittelalterliche Frauenmystik" ist nun ein so vielfältig differenzierter Bereich, daß sie nach heutigem Forschungsstand noch nicht hinreichend überblickt werden kann, schon gar nicht im Rahmen einer knappen Abhandlung. Eine Abgrenzung des Themas ist deshalb nicht Ausflucht, sondern methodisches Postulat: übergreifende Überlegungen zur Frauenmystik haben zur Zeit an Teilbereichen anzusetzen; erst dann läßt sich weiterfragen, ob Ergebnisse auf andere Teilbereiche mehr oder weniger übertragbar sind. Der Name „Christine Ebner" erlaubt es, den Blick einzugrenzen auf die sogenannte „Nonnenliteratur": deutschsprachige „Offenbarungen", „Gnadenviten" und „Schwesternbücher" aus oberdeutschen Dominikanerinnenklöstern der ersten Hälfte des 14. Jahrhunderts.[1]

Diese Nonnenliteratur ist zu einem wesentlichen Teil Rezeption. Sie entsteht bereits auf der Grundlage von Rezeption, wird geschrieben im Hinblick auf Rezeption, ist meist nur in Form von Rezeption überliefert, und selbst die moderne wissenschaftliche Erforschung hat häufig eine den wissenschaftlichen Bereich weit übersteigende „lebendige" Rezeption dieser Literatur zum Ziel.[2]

So haben die Werke Christine Ebners nicht nur „Vorbilder"

oder „Quellen" (z. B. in der lateinischen Viten- und Offenbarungsliteratur), sondern sind bereits in ihrer Entstehung vielfach produktive Rezeption im engeren Sinne (etwa von „Tochter-Syon"-Dichtungen[3]); d. h.: Überlieferungsgut wird aufgenommen, eigenständig verarbeitet und weitertradiert, und zwar mit dem Blick auf die künftige rezipierende Leserschaft. Deshalb zeigen dann in der literarischen Abfassung die mehrfachen Niederschriften und Umarbeitungen all jene typischen inhaltlichen und strukturellen Änderungen auf, die wir besser nicht als Zeichen von „Freiheit", sondern von „Verpflichtung" gegenüber der jeweiligen Leserschaft auffassen sollten.[4] Nicht zufällig entstammen sie meist Zeiten kirchlicher Erneuerungsbestrebungen, besonders des 15. Jahrhunderts und der Barockzeit. Und auch die Phasen der wissenschaftlichen Beschäftigung stehen großteils in zeitlicher Parallele zu Phasen geistig-religiöser Erneuerungsbestrebungen.

Bei dieser umfassenden Bedeutung von „Rezeption" erweist es sich als notwendig, auch hier das Thema einzugrenzen: auf den uns heute möglichen wissenschaftlichen Zugang zur Nonnenliteratur.

I. Aspekte des wissenschaftlichen Zugangs

Der wissenschaftliche Zugang zur Nonnenliteratur ist anhand folgender Thesen zu reflektieren:
a) Die Nonnenliteratur ist nur von unserer Zeit aus zugänglich.
b) Die Nonnenliteratur ist nur von ihrer Zeit aus zugänglich.
c) Die Nonnenliteratur ist nur von ihrer eigenen literarischen Struktur aus zugänglich.

Diese unterschiedlichen Zugänge sind zu gegensätzlich, als daß sie sich einfach im Sinne eines „sowohl – als auch" verbinden ließen, selbst wenn man das Wort „nur" lediglich im Sinne einer notwendigen, nicht einer hinreichenden Voraussetzung versteht. Das Spannungsfeld „gegenwärtige Wirklichkeit — historische Wirklichkeit — literarische Wirklichkeit" wird immer wieder neue Orientierungsversuche erfordern.

a) Die Perspektive der gegenwärtigen Wirklichkeit

Am umstrittensten dürfte die erste These sein: wird hier eine aktualitätsbezogene Subjektivität nicht nur hingenommen, sondern sogar gefordert? Und doch drückt diese Forderung nicht mehr aus als das, was in der Praxis das Selbstverständlichste ist. Kein Forschender kann aus seiner Zeit, aus seiner realhistorischen, geistigen und sozialen Umwelt gleichsam „heraustreten". Gerade die Geschichte der Germanistik als Wissenschaft zeigt dies überdeutlich: vom Historismus des 19. Jahrhunderts bis hin zum Soziologismus der Gegenwart — alle Wege und Irrwege der Zeit finden sich in den Wegen und Irrwegen der Germanistik getreulich gespiegelt. Die Erforschung der Nonnenliteratur ist nicht alle diese Wege mitgegangen, weil die Nonnenliteratur eben nicht immer „gefragt" war — auch dies wiederum zeitbedingt. Die „völkische" Christine Ebner ist uns so zum Glück erspart geblieben; doch zur Zeit des historisierenden Persönlichkeitskults und auch nochmals zur Zeit des Expressionismus konnte ihre Schrift „Leben und Offenbarungen" ebenso Interesse finden, wie es ihr „Büchlein von der genaden uberlast" zur Zeit einer ästhetisierenden Innerlichkeit fand. Die Beschäftigung mit dem umfassenderen Thema „Nonnenliteratur" spiegelt darüber hinaus Phasen der katholisch-protestantischen Kontroverstheologie ebenso wie den Übergang von vorwissenschaftlicher Psychologie bis hin zur Psychologie als fächerübergreifender „Überwissenschaft". Und wenn ich selbst formuliert habe (und eben diese Formulierung von Rezensenten aufgegriffen wird), die Texte der Nonnenliteratur seien „Dokumente für die Entfaltung des europäischen Individualbewußtseins" und „ein Zeugnis für die Entdeckung der Tiefenschichten der Seele"[5] — dann sind das Formulierungen, deren Zeitbezogenheit gewiß überdeutlich ist.

Es wäre auch nicht nur irrtümlich, sondern geradezu unwissenschaftlich, eine Zeitbezogenheit der Wissenschaft zu leugnen und eine zeitenthobene „Objektivität" zu beanspruchen.[6] „Wir erkennen nichts, es sei denn aus Liebe" — diese Formulierung hat mich während meines Studiums überrascht, zumal da ich sie im philologisch nüchternsten Fach, der Altphilologie, hörte. Vielleicht möchte man heute etwas sachlicher von „Interesse am Gegenstand" statt von „Liebe zum Gegenstand" sprechen — aber ohne dieses Interesse im Sinne eines engen persönlichen Bezugs wird es keine anhaltend intensive Beschäftigung mit dem Gegenstand geben.

Ein solches Interesse darf aber nicht eine nur individuelle Neigung, eine persönliche Liebhaberei sein: wo heute die Anzahl möglicher Forschungsgegenstände ins Unübersehbare wächst und zugleich das einzelne Forschungsvorhaben einen immer größeren Aufwand öffentlicher Mittel erfordert — da hat ein persönliches Interesse auch seine allgemeinere Berechtigung nachzuweisen. Zumal bei einem bisher so am Rande liegenden Forschungsgebiet wie der Frauenmystik oder gar der Nonnenliteratur ist ein solcher Nachweis doppelt notwendig. Es ist etwa ganz konkret zu fragen: wie sind eine Vorlesungsreihe über „Frauenmystik", ein Seminar über „Nonnenliteratur" vor Studenten zu rechtfertigen? Eine rein historisierende Begründung, dies trage zum besseren Verständnis der Vergangenheit bei, sollte heute nicht mehr genügen. Ein zeitbezogener Zugang zur Nonnenliteratur ist deshalb nicht nur erkenntnistheoretisch vorgegeben, sondern er ist auch bewußt zu suchen, insofern sich die Wissenschaft gegenüber der Öffentlichkeit verpflichtet weiß. Oder man begnügt sich, Hilfswissenschaft zu sein: man stellt Texte und geschichtliche Materialien bereit, die Fragen stellen andere. Ist man aber bereit, sich den Zeitfragen auszusetzen, so braucht dies keineswegs ein Verlassen wissenschaftlicher „Objektivität" zu sein; spätestens seit Max Weber ist ja bekannt, daß wissenschaftliche Objektivität nicht Voraussetzungslosigkeit bedeutet, sondern Reflexion und Offenlegung der eigenen, nachprüfbaren Voraussetzungen. Auch in den „geisteswissenschaftlichen" Disziplinen müßte das in den „Naturwissenschaften" geltende Verfahren selbstverständlich sein: vor irgendwelchen Aussagen über den Gegenstand sind die vorgegebenen Bedingungen, die spezifischen Fragestellungen und die gewählte Methodik zu reflektieren und offenzulegen. Dann werden die erzielten Ergebnisse zwar nicht rein „objektiv" (was immer das sei) sein, aber auf jeden Fall „objektivierbar".

b) Die Perspektive der historischen Wirklichkeit

Ein Zugang zur Nonnenliteratur, der aus der eigenen Zeit heraus erfolgt, hat aber auch zu den folgenschwersten Mißverständnissen geführt. Mit dem Realitätsbegriff eines historisch denkenden Zeitalters wurden den Schwesternbüchern Aussagen über die klösterliche Wirklichkeit entnommen; die zwangsläufige Folge war dann entweder eine Idealisierung der tatsächlichen Verhältnisse, wenn man etwa das Engelthaler Schwesternbuch als eine Schilderung realer Beispiele klösterlichen Tugendstrebens ansah; oder aber man gelangte zu einer Entwertung der gesamten Literatur, da sie an der Wirklichkeit vorbeigehe oder sie verzerre (z. B. in der Schilderung der Stellung Christine Ebners in und zu ihrer Klostergemeinschaft). Noch größer waren die Mißverständnisse, wenn man, mit dem gleichen Realitätsbegriff, die Viten und Offenbarungen aufgrund „allgemeinmenschlicher Erfahrungen" oder mit den Kenntnissen der modernen Psychologie zu verstehen suchte: sie erschienen dann als Zeugnisse krankhaften Seelenlebens, erklärbar aus den Sexualneurosen klösterlicher Frauengemeinschaften. Oder sie galten als „gefühlsgesättigte Berichte inbrünstiger weiblicher Herzen".[7] Mit Hilfe eines dialektischen Geschichtsdenkens, ausgerichtet an Begriffen wie „Aufstieg" und „Verfall", und zugleich mit den aus der sogenannten „klassischen" Literatur gewonnenen Wertmaßstäben ließ sich dann auch eine historische und geistesgeschichtliche Einordnung vollziehen: die Nonnenliteratur als epigonale Verfallserscheinung oder, wenn man positiv werten wollte, als ein Ausdruck schlichter, irrationaler Geisteshaltung, wie man das eben bei Frauen für typisch hielt.

Verdeutlichen kann dies eine Textstelle, welche die gängige Beurteilung dieser Literatur geradezu mustergültig zusammenfaßt: „Als sich neben der rein verstandesmäßigen ‚Schulwissenschaft' aus den Bedürfnissen des Herzens heraus gerade in Deutschland eine irrationale Richtung mit der Sehnsucht nach gefühlsmäßigem Erleben und innerer Schau entwickelte, waren es viele Frauen, die sich dafür empfänglich zeigten. Daß die wichtigsten Schriften der Mystiker deutsch geschrieben waren, weil sie gerade beim Menschen von schlichter Frömmigkeit und ohne gelehrte Bildung die meiste Empfänglichkeit für das Religiöse voraussetzten, begün-

stigte das Eindringen mystischen Geistes in den Frauenklöstern."[8]
— All dies klingt uns so vertraut, daß es unmittelbar einsichtig und
richtig erscheint, und doch stimmt daran nichts.

Diese Einordnungen und Beurteilungen gehen von einem
gleichsam „unmittelbaren" Verständnis der Nonnenliteratur aus
und setzen damit eine Kontinuität von sozialen, psychischen und
literarischen Phänomenen voraus, die so nicht gegeben ist. Vielmehr ist zu betonen, daß die Nonnenliteratur in einer Zeit entstanden ist, die gegenüber unserer Gegenwart in allem Wesentlichen andersartig war. Nur mit fundierten Kenntnissen über das
frühe 14. Jahrhundert ist ein richtiger Zugang zu dieser Literatur
zu finden. Die Reichs- und Kirchengeschichte ist dabei meist weniger von Belang als die Lokalgeschichte. Grundlegend sind
Kenntnisse über die institutionelle, ökonomische und gesell-
schaftliche Situation der Frauenklöster sowie über die Stellung
des Individuums in der Gesellschaft, insbesondere über die Rolle
der Frau. Geht man etwa von dem Verständnis von „Liebe" und
„Ehe" aus, wie es bei uns seit der Goethezeit immer selbstverständlicher geworden ist, und fügt man Kategorien der Freud-
schen Psychologie hinzu, die aus der Beobachtung der bürgerlichen Gesellschaft entwickelt sind, dann ist die Situation der Frau
im Kloster des 14. Jahrhunderts nur mißzuverstehen. Ebenso
grundlegend sind Vorkenntnisse über Theologie, Kult und Kunst;
ansonsten wird etwa als persönliche Vision (oder Halluzination)
mißverstanden, was eine durch kultische Gebräuche veranlaßte
und mit theologischer Belehrung verbundene Bildmeditation sein
kann.[9]

c) Die Perspektive der literarischen Wirklichkeit
Wie nun nur das Wissen des Historikers und des Theologen den
richtigen Zugang zur Nonnenliteratur erlaubt, so werden doch
der Historiker und der Theologe in dieser Literatur lediglich das
finden, was sie nicht ist: eine verzerrte Realität, eine trivialisierte
Theologie.

Fragt man z. B. bei Visionen vom „Kind in der Hostie" primär
nach der Person des Visionärs und ihrem Erleben, so wird immer
wieder von „erregter weiblicher Einbildungskraft" gesprochen;

fragt man nach der theologischen Stimmigkeit, so ist eine solche Verkindlichung des Christus kaum zu akzeptieren. Tatsächlich ist die Aussage jedoch primär als ein literarischer Topos zu sehen, mit einem feststehenden Aussagegehalt: er meint die personale Anwesenheit der zweiten göttlichen Person. Erst in einem zweiten Schritt, im Vergleich mit dem sonstigen Gebrauch dieses Topos, kann man dann versuchen weiterzufragen, u. a. nach den zugrundeliegenden persönlichen Erfahrungen oder theologischen Kenntnissen.[10]

Seien es nun Berichte über die Umstände einer Niederschrift, Erzählungen von besonderen Tugenderweisen oder Schilderungen von Visionen[11] — an vielfältigen Beispielen läßt sich nachweisen, daß ein angemessener Zugang zur Nonnenliteratur einzig über die Erfassung ihrer literarischen Struktur zu finden ist. Realgeschichtliche Fakten oder dogmatisches Wissen sind meist nur sehr indirekt zu fassen, und zwar um so mehr, je mehr die Nonnenliteratur ihren eigenen Intentionen folgt (als „Schwesternbuch", „Offenbarung", „Gnadenvita" etc.). „Allgemeine literarische Tradition und gattungsspezifische Struktur [. . .] bestimmen, was inhaltlich und formal innerhalb einer Gattung erforderlich, üblich und überhaupt möglich ist"; auszugehen ist deshalb grundsätzlich vom „Literatur"-Charakter eines Werks.[12] Als ich diese Formulierungen zum Druck gab, rechnete ich damit, daß hier sehr leicht Kritik einsetzen könne. Tatsächlich wurde dann auch geäußert, hier werde der literaturwissenschaftliche Aspekt zu einseitig betont.[13] Ich selbst hatte die Kritik gerade aus entgegengesetzter Richtung erwartet: hier werde groß hervorgehoben, was längst selbstverständlich sei. Diesen Einspruch erwartete ich noch nicht einmal so sehr von literaturwissenschaftlicher Seite (wo man etwa auf die Diskussion um die Seuse-Vita verweisen könnte), sondern vor allem von seiten der Bibelwissenschaft. Hier wird doch schon lange in Publikationen, die auch für Nichtwissenschaftler bestimmt sind, deutlich gemacht, „wie wichtig es für das richtige Verständnis eines Textes ist, daß man möglichst genau weiß, in welcher literarischen Form er zu uns spricht. Denn *nur dann* weiß man, in welcher Weise er uns Wirklichkeit erschließt. Das gilt selbstverständlich für die Bibel genauso wie für jede andere Art von Literatur."[14] Dies ist meiner Meinung nach kein speziell literaturwissenschaftliches Postulat, sondern eine informationstheoretische Selbstverständlichkeit. In der Nonnenliteratur zeigt das Werk Christine Ebners durch die formalen und inhaltlichen Unterschiede von Schwesternbuch und den einzelnen Fassungen von „Leben und Offenbarungen" besonders anschaulich, wie sehr die literarische Struktur die Aussage prägt.

Mit der Betonung des literarischen Zugangs zur Nonnenliteratur wird freilich nicht hinfällig, was zuvor gesagt ist: die Nonnenliteratur sei nur von unserer Zeit aus, sei nur von ihrer Zeit aus zugänglich. Ich meine, daß es sich dabei um Aussagen auf unterschiedlichen Ebenen handelt. Für grundlegend halte ich den literarischen, formkritischen Zugang: die literarische Struktur bestimmt, was der Text überhaupt aussagen kann, und somit, welche Fragen an ihn überhaupt gestellt werden können. Die Kenntnis der historischen Realität schränkt die Zahl der möglichen Fragestellungen auf das historisch Mögliche ein; sie liefert zugleich den Kontext, der oft erst eine zutreffende Deutung des literarisch Mehrdeutigen ermöglicht und den literarischen Text zugleich relativiert. Die Problemstellungen der Gegenwart engen den Fragenkreis schließlich noch weiter ein, aktualisieren ihn aber auch: das, was vom Text und seiner Entstehungszeit her gefragt werden kann, verengt sich auf das, was wir unter heutigen Gegebenheiten fragen können und wollen, aber auch, rückwirkend von den Texten her angeregt, fragen sollen.

Eine Nebenbemerkung gelte hier noch dem Problem der Forschungsorganisation. Die Erforschung der Nonnenliteratur ist bisher großteils geprägt durch eine nahezu zufällige Abfolge vereinzelter Editionen und Dissertationen. Weil die wichtigsten Texte noch unediert sind, bestimmen seit nunmehr 100 Jahren die keineswegs typischen Werke Adelheid Langmanns und Margaretha Ebners unser Bewußtsein. Dabei könnten relativ wenige gezielte Textausgaben und Untersuchungen eine weitgehend zuverlässige Wissensbasis schaffen. Jeder Forschende müßte sich deshalb verpflichtet fühlen, aufgrund seiner Kenntnis der Materie die vordringlichsten Forschungsaufgaben aufzuweisen[15]; spätere Forscher hätten auf dem gewiesenen Weg weiterzugehen oder aber ihren eigenen Weg zu rechtfertigen. Ich möchte dabei schon jetzt darauf hinweisen, daß den Editionen von Werken aus Engelthal bald eine intensive Beschäftigung mit Werken aus Schweizer Klöstern (z. B. Elsbeth von Oye) folgen muß, um eine zu einseitige Ausrichtung des Blicks zu verhindern.

II. Die Schichtungen der Nonnenliteratur

Um die Differenziertheit der Nonnenliteratur und ihrer Rezeption zu verdeutlichen und zugleich methodisch faßbar zu machen, scheinen mir der Begriff der Kommunikation und damit verbundene Kommunikationsmodelle hilfreich. Da es dabei vor allem darum gehen soll, einen Überblick zu erleichtern, möchte ich von der einfachsten (und allerdings auch vereinfachenden) Form eines Modells sprachlicher Kommunikation ausgehen, wie es bereits im Deutschunterricht der Gymnasien Anwendung findet.[16]

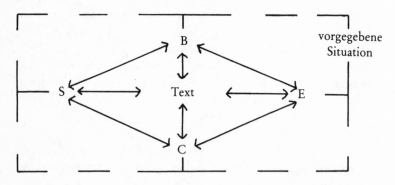

S: Sender (Autor; Redaktor); E: Empfänger (Leser; Hörer); B: Bezeichnetes (Sache oder Situation als mögliche Textgegenstände); C: Code (Sprache als Zeichen- und Regelsystem).

Entsprechend ergeben sich die unterschiedlichen Intentionen des Sprechens: „expressiv" als Absicht des Sprechers, seine eigenen Gedanken und Gefühle auszusprechen; „informativ" als Absicht, einen Sachverhalt, eine Situation darzustellen; „appellativ" als Absicht, beim Empfänger bestimmte Gedanken, Gefühle, Handlungen auszulösen.

Analysiert man mit Hilfe diesesModells die Nonnenliteratur, so zeigt sich bald, daß sie selbst anhand eines so einfachen Modells nicht „einfach" zu erfassen ist. „Kommunikation" findet in ihr nämlich auf zumindest drei Ebenen statt: auf der Ebene der vorliterarischen Erfahrung, der literarischen Abfassung und der redaktionellen Überarbeitung.

a) Die Ebene der vorliterarischen Erfahrung

Soweit die Nonnenliteratur von supranaturalen Erlebnissen berichtet (und sie tut das in wesentlichen Teilen),hat sie eine Erfahrung zur Grundlage und zugleich zum Inhalt, die bereits wesentlich Kommunikation ist: die Begegnung der Seele mit Gott. An eine sprachliche Wiedergabe, sei sie nun mündlich oder gar literarisch, ist in dieser Begegnung auch nicht entfernt gedacht. Hieraus ergibt sich das Paradox der mystischen Literatur: eben diesem ursprünglichen Kommunikationsvorgang gilt das eigentliche Interesse jeder sprachlichen Vermittlung, und doch ist für ihn eigentümlich, daß er im wesentlichen nicht zu vermitteln ist. Fragt man z. B. bei den Offenbarungen Christine Ebners: Wer ist hier „Sprecher" und „Hörer"? — spricht hier Gott zur Seele; findet ein Zwiegespräch der Seele mit Gott statt; spricht die Seele mit sich selbst? —, so sind diese Fragen wissenschaftlich nicht mehr zu beantworten. Das in dieser Gesprächssituation „Bezeichnete" ist gerade dadurch charakterisiert, daß es nicht zu bezeichnen ist, da es im eigentlichen Kern unsäglich ist. Die angemessene „Codierung" ist das Schweigen — so kann etwa das, was verschwiegen wird, mehr Auskunft geben über die Echtheit des Erlebens als das, was gesagt wird.[17] Ist später versucht worden, das Erlebte zu erfassen, so herrschen primär Gefühlsempfindungen und sinnliche Eindrücke (Lichtphänomene, Farben und Klänge, Geschmacks- und Geruchsempfindungen) vor, die sprachlich kaum zu differenzieren sind. Stellen sich Bilder ein, so besonders in Form der Bilderflut — sind es selbstgesehene Bilder, sind es aufsteigende archetypische Bildkomplexe, sind es Widerspiegelungen von Darstellungen aus Kult oder Literatur und bildender Kunst?[18] Dabei wird jeweils zweifelnd zu fragen sein: hat das Erleben das Bild hervorgerufen — und das Bild ist nur kulturell vermittelte Ausdrucksform —, oder hat das Bild das Erleben oder auch nur den Eindruck eines Erlebens evoziert (z. B. bei einer Kreuzbetrachtung)? Sucht man nach Kriterien der Authentizität, so stößt man letztlich wohl auf den Begriff der „persönlichen Glaubwürdigkeit" — ein wissenschaftlich nicht faßbarer Begriff. Unter den faßbaren Merkmalen dürfte das „Schweigen" besonders zu beachten sein, zugleich rückwirkend als ein Kriterium der „Glaubwürdigkeit".

In den Schwesternbüchern, zumal im hochstilisierten Engelthaler Schwesternbuch, ist diese ursprüngliche Schicht so vielfach überlagert, daß sie normalerweise nicht mehr faßbar wird. (Ausnahmen sind diejenigen Teile von Schwesternbüchern, wo Auszüge aus ursprünglich selbständigen Viten direkt übernommen sind.) Es ist höchstens zu vermuten, nicht aber nachzuweisen, welche historische Realität den berichteten Vorgängen zugrunde liegen mag.

b) Die Ebene der literarischen Abfassung

Auch die nächste Schicht — der Text in der ursprünglichen literarischen Abfassung — ist in der Nonnenliteratur nur selten direkt greifbar, und zwar um so mehr, je mehr die Nonnenliteratur gegenüber der Visionsliteratur ihre Eigenart entwickelt, d. h. auch, je mehr sie redaktionell überarbeitet ist. Mit literaturwissenschaftlichen Methoden kann jene Schicht der literarischen Abfassung jedoch zu einem Gutteil erschlossen werden. Dabei ergibt sich: Das sprechende Ich ist, gerade auch in den „persönlich" gehaltenen Einzelviten und Offenbarungen, grundsätzlich ein Rollen-Ich[19], z. T. selbstdistanzierend betrachtet als „ein mensche". Seine Rolle ist, bei aller möglichen Variationsbreite, immer die gleiche: die des außerordentlich begnadeten Menschen. Das, worüber gesprochen wird (das „Bezeichnete"), sind die persönlichen Gnadenerfahrungen; je nachdem, ob die Intentionen der („expressiven") „Selbstdarstellung" oder der („informativen") Schilderung von Sachverhalten und Situationen überwiegen, wird der Akzent mehr auf „persönlich" (im Sinne des Rollen-Ich) oder auf „Gnadenerfahrung" liegen. Entsprechend ist auch an unterschiedliche „Empfänger" der Mitteilungen zu denken: das eigene Ich (bei tagebuchartigen Niederschriften), einige vertraute Personen (besonders der Beichtvater), die gesamte Klostergemeinde oder auch ein weiterer Kreis von Interessierten. Soweit ich sehe, dürften die tagebuchartigen Aufzeichnungen zum Eigengebrauch unbedingt die Ausnahme sein; im allgemeinen ist die Niederschrift von außen her (im „gehorsam"[20]) bedingt. Je länger der Zeitraum wird, in dem Niederschriften erfolgen, um so mehr ist dann auch an einen immer stärker erweiterten Empfängerkreis zu denken. Um so mehr wird das Erfahrene dann auch sagbar: insbesondere Bilder der Brautmystik, kultische Gebräuche und Sprachformen sowie legendarische Szenen liefern die Mittel der Darstellung (die „Codierung"); die Unterschiede ergeben sich je nach Intention, Thematik und literarischer Tradition. Dabei wird häufig die Vision zum Träger belehrender Mitteilung, in der persönliche Erfahrung, theologische Reflexion und erbauliche Anweisungen ununterscheidbar ineinander übergehen können.[21]

Bei Christine Ebner ist, soweit bisher ersichtlich, die Ich-Rolle besonders geprägt durch eine theologische Reflexion der Jetztzeit, die als eine Art „Kairos" erfahren wird: der Gottferne der Zeit steht die Einzigartigkeit der Begnadung gegenüber; im begnadeten Ich kulminieren die aus Altem und Neuem Testament bekannten Gnadentaten Gottes. Bei aller Askese und bei allem tiefgreifenden Sündenbewußtsein ist doch bei Christine Ebner der prägende Gesamteindruck die Freude. Gnade ist Freude, die in der Gottbegegnung erfahren wird (in deutlichem Unterschied zur Leidensmystik vieler Viten aus Schweizer Klöstern). Das begnadete Ich weiß sich zugleich, im nahezu vertrauten Umgang mit der Dreifaltigkeit, verantwortlich für die lebenden wie verstorbenen Menschen. Die Mitteilung der erfahrenen Gnaden ist von Anfang an durch andere veranlaßt; im Verlauf der Niederschrift setzt sich immer stärker die Ausrichtung auf die Leserschaft durch: schließlich werden sogar Gnadenerlebnisse unterbrochen, um sie sofort möglichst genau niederschreiben zu lassen[22] — der Zweck der Mitteilung bestimmt die Verlaufsform der Vision! Dominiert hier nicht schon die literarische Absicht das zu beschreibende Erleben? Auffallendes Stilmittel sind insbesondere die streng formellen Gespräche zwischen den Personen der Dreifaltigkeit, in denen gerne theologische Problemstellungen reflektiert werden.[23] In Form der Vision lassen sich schließlich sogar Kirchenlieder rezipieren.[24]

c) Die Ebene der redaktionellen Überarbeitung

Die Tendenz, das Dargestellte immer stärker auf die Leser oder Hörer auszurichten, verstärkt sich in der dritten Schicht, in der uns die bisher edierte Nonnenliteratur allein vorliegt: in der redaktionellen Überarbeitung. Im Streben nach Erbaulichkeit (einer „appellativen" Intention) wird das Rollen-Ich auf jeder Stufe der Überarbeitung stärker typisiert; Aussagen, die seine Vorbildlichkeit in Frage stellen könnten, werden weggelassen. Die Inhalte (das „Bezeichnete") werden vor allem nach den Kriterien „Erbaulichkeit" und „Verständlichkeit" überarbeitet: die einzelnen Berichte werden umformuliert, gekürzt oder auch mehrfach wiederholt, mit anderem Material zusammengestellt und manchmal auch kommentiert.[25] In der sprachlichen Formulierung zeigt sich ein Streben nach Vereinheitlichung und Glättung; dazu dienen insbesondere Leitbegriffe und -motive sowie spezielle szenische Strukturen. Inhaltlich, sprachlich und strukturell sind Legendarisierungsprozesse zu beobachten[26]; die Form der Vita erweist ihre prägende Kraft nun auch in der Offenbarungsliteratur: es entwickelt sich der Sondertypus der „Gnadenvita", in der mystische Lehre in Form einer Vita zur Darstellung gebracht wird.[27]

Uns selbst ist es heute sehr fremd, daß Lehre in Form einer Vita, noch dazu einer Vita mit fiktionalen Elementen, einer Vita in Form von Geschichten, zur Darstellung gebracht werden kann. Ist hier aber nicht eine Urform religiöser Belehrung erfaßt, wie sie schon in den Evangelien greifbar ist? Oder man denke auch an Franz von Assisi, an Elisabeth von Thüringen! Wodurch wirken sie heute noch? Doch nicht durch begrifflich formulierte Lehren, sondern durch ihr Leben, das eine Lehre ist.

Bei Christine Ebner ist die Entwicklung einer „Gnadenvita" besonders deutlich greifbar. Die „materie" des Werks wird in zehn Punkten erfaßt, die sich als eine Art Gliederungsentwurf erweisen.[28] Es ließe sich zeigen, daß die einzelnen Berichte prinzipiell ohne Rücksicht auf den chronologischen Zusammenhang thematisch geordnet werden; gehören sie mehreren Themenbereichen an, können sie auch mehrfach wiederholt werden.[29] Leitbegriffe und Leitmotive sind ebenso kennzeichnend wie bestimmte szenische Strukturen.[30] Ausgeprägte Legendarisierungstendenzen scheinen vor allem die späteren (leider nur fragmentarisch erhaltenen) Überarbeitungen verfolgt zu haben.[31]

Die Schwesternbücher sind nicht nur in ihren späteren Fassungen, sondern bereits in ihrer Entstehung auf dieser Ebene der redaktionellen Überarbeitung anzusiedeln. In der betonten Tendenz, der „Erbauung" einer breiteren klösterlichen oder klosternahen Leserschaft zu dienen, tritt der Aspekt der „persönlichen" Gnadenerfahrung mehr in den Hintergrund; in den Mittelpunkt rücken die Gnadengaben, die dem Kloster in bestimmten Personen oder in den Erfahrungen solcher Personen zuteil wurden. Verbunden damit ist die („expressive") Absicht einer Selbstdarstellung der begnadeten Klostergemeinschaft; dieser Absicht ordnet sich auch der (oft ungenannte) Autor unter. Vornehmlich unter diesem Aspekt sind dann auch einleitende Berichte über die Klostergründung zu sehen: das Historische wird mit legendarischen Elementen durchsetzt. Überhaupt scheinen legendarische Erzählformen, mit ihrer anschaulichen Bildhaftigkeit und ihrer lockeren Szenenfolge, der Thematik und den Publikumserwartungen besonders entgegenzukommen.

Das Engelthaler Schwesternbuch der Christine Ebner galt schon immer als ein formales Meisterwerk; die Form der Gattung ist hier mit hohem stilistischen Können erfaßt. Andere Schwesternbücher, besonders die aus Klöstern der heutigen Schweiz, bieten dem Mystikforscher mehr Material, da sie das ältere Überlieferungsgut der Offenbarungsniederschriften und Einzelviten noch besser erkennen lassen; unter gattungs- und rezeptionsgeschichtlichem Aspekt aber ist das Engelthaler Schwesternbuch als besonders gelungen zu betrachten. Und wenn nicht so sehr der Inhalt, sondern eben die stilistische Gesamtwirkung auch einen kritischen Leser „eine fülle der seligkeit des glaubens und schauens"[32] empfinden läßt — kommt dann nicht das, was die Autorin vermitteln will, gerade durch die literarische Gestaltung zum Ausdruck?

III. Ergebnisse: Die Zugänglichkeit der Nonnenliteratur und Frauenmystik

Entzieht sich in der literarischen Gestaltung die Nonnenliteratur aber nicht letztlich ins Legendarische und wird ausschließlich zur Erbaulichkeitsliteratur, obwohl sie doch von historisch existenten Klöstern berichtet und Personen zu Wort kommen läßt, die als mystisch begnadet galten? Inwiefern wäre dann heute noch ein allgemeineres Interesse an dieser Literatur zu finden?

a) Die „Wirklichkeit" der Literatur

Entscheidend wird sein, daß wir bereit sind, den engen, vom Historismus und der Naturwissenschaft des 19. Jahrhunderts bestimmten Wirklichkeitsbegriff aufzugeben. „Wirklich" ist nicht nur das historische Substrat, das der literarischen Darstellung zugrunde liegt; wirklich ist oft in einem weit höheren Maß die literarische Darstellung selbst, und zwar auch in ihren fiktiven Teilen: insofern sie ein Produkt geschichtlich wirksamer Kräfte ist, und vor allem, insofern sie selbst geschichtlich „wirk-sam" wird.

In diesem Sinne ist das Rollen-Ich ein durchaus wirkliches Ich, das, an seiner „Wirkung" gemessen, die Wirklichkeit der historischen Person oft weit übersteigt. (Gleiches ließe sich dann auch vom Gruppen-Ich einer Klostergemeinschaft sagen, wie es in den Schwesternbüchern hervortritt.) Ist der Historiker an mehr interessiert als nur am Leben und Erleben einzelner Personen oder Personengruppen, so wird er gerade im Rollen-Ich erkennen können, welche Strebungen das Leben einer Vielzahl von Menschen prägten, welche Ziele man sich setzte und welche Wege man zu diesen Zielen zu gehen versuchte — wahrscheinlich oft vor dem Hintergrund einer entgegengesetzten faktischen „Realität" des Klosteralltags. Unterschiede zwischen dem 13. und dem 14. Jahrhundert werden sich dann deutlicher zeigen lassen, als wenn man nur die faktenbezogene Lebensgeschichte einzelner Personen und ganzer Klöster ermittelt. Der konsequente Bezug auf ein Rollen-Ich würde es auch verhindern, das Mitgeteilte allzu rasch im Sinne der herkömmlichen Typologie männlicher und weiblicher Gefühlsempfindungen fehlzudeuten; aufschlußreich wären vor allem Vergleiche mit der Darstellung von Erlebnissen männlicher Personen in ähnlichen Rollen (z. B. bei Seuse und in den Vitae fratrum).

Das Rollen-Ich entwickelt sich in seiner literarischen Gestalt in engstem Bezug zur Erwartungshaltung der klösterlichen Gemeinschaft, dem wichtigsten „Empfänger" der Nonnenliteratur. Der eigentliche Empfänger ist aber vermutlich gar nicht so sehr, oder nur vorläufig, die real existierende Klostergemeinschaft, sondern die erst noch zu formende Gemeinschaft ideal strebender Seelen. Der Historiker kann eben darin ein Faktum erkennen, das mindestens ebenso bedeutsam sein kann wie der reale Zustand der Klostergemeinschaft: in den Frauenklöstern gab es eine Gruppe von Menschen, die nach idealen Zielsetzungen im Sinne der Mystik verlangten und für Grenzerlebnisse ansprechbar, in manchen Fällen sogar: danach süchtig waren. Hier hat die Nonnenliteratur ihren „Sitz im Leben".

Daß die Nonnenliteratur je nach unserem Wirklichkeitsbegriff nur sehr begrenzte oder aber weitreichende Aufschlüsse ermöglicht, zeigt sich besonders auch in der Art der Erfahrungen (des „Bezeichneten"), die das Rollen-Ich vermittelt und denen das Interesse des Empfängerkreises gilt. Über die historische Realität des Klosters, über die Persönlichkeit des Autors und der beschriebenen Personen, über Umwelt und Zeitereignisse erfahren wir nur in Ausnahmefällen Genaueres; im Idealfall, d. h. bei stilistisch konsequenter Darstellung, erfahren wir nichts. Jahreszahlen bleiben, soweit überhaupt vorhanden, marginal und dienen nur dazu, das Geschehen zu beglaubigen; historische Vorgänge finden nur dann Erwähnung, wenn sie sich der Thematik des Berichteten einfügen. Als Kaiser Karl IV. Engelthal aufsucht, genügt eine kurze Notiz: er bittet Christine Ebner um ihren Segen.[33] Wie man es auch in der Bibelforschung kennt, können „historische Fragen in der Schwebe" bleiben oder „historische Rückschlüsse" sogar „nahezu unmöglich" werden[34], da die eigentliche Intention der Texte nicht aufs Historische zielt. Schließlich ist sogar die Realität des geschilderten Erlebens vielfach in Zweifel zu ziehen. War es z. B. wirklich eine Vision, als Christine Ebner den Text von Kirchenliedern erfuhr?[35] Oder ist „Vision" nicht oft nur eine fiktive, besonders wirksame Form didaktischer Vermittlung? Dem widerspricht nicht, wenn die Zeitgenossen an die faktische Realität des Berichteten glaubten; Ähnliches ist ja auch bei zweifellos fiktiven Gestaltungen des Minnesangs bekannt (z. B. Neidhart von Reuenthal). Dem Historiker werden hier viele Fragen offen bleiben. Fragt man nach der Realität, die *hinter* der Nonnenliteratur steht, dann sollten zuerst spezifisch historische Quellen herangezogen werden. Ist man aber interessiert an der Wirklichkeit, die *in* der Nonnenliteratur gegeben ist, dann wird man anderes, und wohl ebenso Wichtiges, erfassen und als sicher konstatieren: die klösterliche Gemeinschaft richtete sich in einer bisher unbekannten Weise auf neue Zielsetzungen aus — die Erfahrung der Transzendenz, der Gotteinigung und der Vergottung wird als möglich und als persönlich erlebbar betrachtet; sie rückt in den Mittelpunkt klösterlichen Interesses. Ob dem im Einzelfall reale Erfahrung oder nur ein Wunsch danach zugrunde liegt, kann demgegenüber zweitrangig sein. In jedem Fall zeigt sich eine klösterliche Welt, die in ihrem Selbstverständnis wesentlich neue Akzente setzt und die auch ihr Handeln davon bestimmen läßt, bis hin etwa zur Gebets-, Beicht- und Kommunionpraxis.

Bei all dem sind durchaus Unterschiede im Aussagewert einzelner Texte oder Textteile zu beachten. Um sie richtig einschätzen zu können, scheint mir eine zuverlässige Gattungstypologie vonnöten. Es genügt nicht, die gattungstypische Form (die „Codierung") eines Textes einzig aufgrund bestimmter Inhalte (z. B. „Offenbarungen"), Aufbaumerkmale, Motive und sprachlicher Wendungen festlegen zu wollen. Primär ist zu fragen nach der jeweiligen Intention im jeweiligen kommunikativen Zusammenhang, nach dem „Sitz im Leben". Dem scheinen dann, soweit ein erster Blick zeigt, bestimmte Inhalte und Sprachformen angemessen. Geht es etwa — gegenüber gleichgesinnten Lesern — um („expressive") Selbstaussage (wie in wesentlichen Teilen der eigentlichen Visionsliteratur), so begegnet häufig eine erotische Metaphorik mit symbolischer Sinngebung. Geht es gegenüber einer interessierten Leserschaft um eine mehr belehrende („informative") Darstellung besonderer Erfahrungen (wie in wesentlichen Teilen der sogenannten Revelationen), so wird gern auf theologische Begrifflichkeit oder kultisch geprägte Bildlichkeit, mit allegorischer

Sinngebung, zurückgegriffen. Verstärkt sich, entsprechend den Erwartungen einer breiteren Leserschaft, die Ausrichtung auf das erbauliche Leben und Erleben begnadeter Personen (in den Gnadenviten und besonders in den Schwesternbüchern), so gewinnen Formen des legendarischen Erzählens an Bedeutung. Insgesamt dürfte sich herausstellen, daß in der Nonnenliteratur das didaktische Moment (das nicht mit dem erbaulichen gleichzusetzen ist) eine weit größere Bedeutung innehat als bisher angenommen.

b) Real- und geistesgeschichtliche Dimensionen

Wie aufschlußreich es sein mag, die literarische Wirklichkeit der Texte zu erfassen, so besteht aber gewiß auch ein legitimes Interesse an ihrer zeitgeschichtlichen Wirklichkeit. Solch weiterreichende Aufschlüsse sind im allgemeinen nicht auf dem Weg der Fakten-Ermittlung, sondern der Fakten-Deutung zu erreichen. Will man etwa, in ideengeschichtlicher Sehweise, die Berichte als Zeugnisse geistiger Kräfte verstehen, so erlauben sie Rückschlüsse auf neu sich bildende geschichtliche Strömungen; will man sie, in marxistischer Sehweise, als „Überbau"-Phänomene deuten, so ermöglichen sie Rückschlüsse auf den „Unterbau": welche gesellschaftlichen Verhältnisse förderten das Ungenügen an der eigenen Situation, das Streben nach Transzendenz? Ähnlich ließen sich religionsgeschichtliche, theologische, psychologische und sozialpsychologische Deutungen versuchen.

Um hier jedoch willkürliche, unangemessene Fragestellungen zu vermeiden, sind genaue Kenntnisse der historischen Situation, in der die Texte geschrieben sind, unerläßlich. Diese Situation liegt außerhalb unseres gegenwärtigen Erfahrungshorizonts — und doch ist sie, so überraschend das sein mag, unserer Generation noch aus eigener Erfahrung zugänglich gewesen (im Gegensatz etwa zur Situation, in der die höfische Literatur entstanden ist). Allerdings darf man sich nicht selbst den Zugang verstellen durch den vagen, irreführenden Epochenbegriff „mittelalterlich". In geistesgeschichtlicher Hinsicht nämlich gibt es einen ungebrochenen Traditionszusammenhang, der vom 4. Laterankonzil 1215 über das Tridentinum reicht und im katholischen Bereich erst mit dem 2. Vatikanum zu Ende gegangen ist; kennzeichnend für ihn ist die ausgeprägte eucharistische Frömmigkeit. Dem Leser, der in katholischer Kirchlichkeit aufgewachsen ist, sind viele Vorstellungen der Nonnenliteratur noch unmittelbar zugänglich, die dem protestantischen Forscher schon im vorigen Jahrhundert fremd waren. Sozialgeschichtlich gesehen, erweisen sich die prägenden Lebensverhältnisse des 14. Jahrhunderts — auch in städtischen und adligen Kreisen — im wesentlichen als die einer agrarischen, traditionsgeleiteten Gesellschaft; Elemente einer solchen Gesellschaftsordnung haben in ländlichen Gebieten Deutschlands bis zur Mitte unseres Jahrhunderts weiterbestanden. Wer etwa die Situation unverheirateter Töchter in bäuerlichen Großfamilien kennt, wird die Stellung der Frau im Kloster anders sehen als der Forscher, der von Erfahrungen der bürgerlichen Kleinfamilie ausgeht.

c) Gegenwartsbezogene Fragestellungen

Der historische Blick, der die Unterschiede zur Gegenwart einer Industriegesellschaft voll bewußt machen kann, eben dieser historische Blick ermöglicht es aber schließlich, die Nonnenliteratur — und darüber hinaus die Frauenmystik — auch unter durchaus aktuellen Fragestellungen zu betrachten (wobei ich spezifisch religiöse Fragestellungen einmal ausklammern und anderen überlassen möchte).[36]

Der unhistorische Betrachter ist geneigt, die Situation der Frau im Kloster in diametralem Gegensatz zu heutigen Bestrebungen der Frauenemanzipation zu sehen. Liest man z. B. die Lebensgeschichte einer Dorothea von Montau[37], so wird man tatsächlich zuerst an sexuelle Verklemmung und religiöse Hysterie denken: Josefsehe einer noch jungen Frau, jahrelange Wallfahrten unter Zurücklassung von Mann und Kind, schließlich Einmauerung als Rekluse. Wenn man dann aber weiß, wie sie bereits mit 16 Jahren an einen über 40jährigen Mann verheiratet wurde, innerhalb von 14 Jahren neun Kinder bekommen und bald auch acht schon wieder begraben hatte, und wie ihr Mann sie trotz aller Liebe schlug und zuweilen auch ankettete, dann kann man ihr Tun auch anders verstehen: sie befreit sich vom Zwang (und der körperlichen Tortur) des ständigen Kindergebärens, bereist als Frau halb Europa und hat in ihrer verschlossenen Zelle eine öffentliche Wirkung, wie es zu Hause, unter der Herrschaft des Mannes, nie möglich gewesen wäre.[38] Zugleich entdeckt sie dabei ungeahnte Möglichkeiten im Innern des eigenen Ich.

Oder Christine Ebner: als verheiratete Nürnberger Patrizierfrau — nie hätte sie die Möglichkeit gehabt, ihr eigenes Leben zu führen, literarisch tätig zu werden, auf das kirchliche und vielleicht auch politische Geschehen Einfluß zu nehmen; nie hätte der Kaiser vor ihr das Knie gebeugt. Religiöses Streben, Klosterleben, Askese: sind sie dann tatsächlich noch Einengung und Triebunterdrückung oder nicht vielmehr ein Versuch der Selbstverwirklichung: in welchen Bereichen sonst hatten die Frauen im 14. Jahrhundert vergleichbare Möglichkeiten, über ihr eigenes Leben zu bestimmen? Vielleicht waren sogar die von Frauen geleiteten Klöster und Beginenhäuser damals der einzige Ort, wo Frauen in eigener Verantwortung ihr Leben regeln konnten.

Und auch die (bei Christine Ebner z. T. sehr grausamen) asketischen Übungen lassen sich heute vielleicht wieder in Ansätzen verstehen. Denn wenn man die Trainingsstätten von Hochleistungssportlern mit einigem Recht als „Folterkammern" bezeichnet[39] und wenn trotzdem freiwillig trainiert wird, da es innere Befriedigung, finanziellen Gewinn und hohes Sozialprestige einbringen kann: sind dann asketische Übungen so „mittelalterlich" und unverständlich, die immerhin geistig höheren Zielen gegolten haben? Manche Sportler sehen sich auch auf der Suche nach Grenzerlebnissen, die sonst auch mit Hilfe von Drogen angestrebt werden. Welche Vergleiche ergeben sich, wenn man die Suche nach Grenzerlebnissen, wie sie die Nonnenliteratur versteht, dem gegenüberstellt?

So werden unsere Fragen an die Nonnenliteratur gleichzeitig zu Fragen an unsere eigene Zeit, zu Fragen nach unseren Kategorien, Maßstäben und Wertsetzungen. In der geistigen Selbständigkeit etwa, die Christine Ebner entwickelt hat, sieht man heute eine „fast männliche Willenskraft"[40]. Umgekehrt gelten die reichen Gefühlsäußerungen, von denen die Nonnenliteratur berichtet, als etwas typisch Weibliches, so daß dann auch Seuse eine „weibliche Natur"[41] zu bescheinigen ist. Verraten all diese Kategorien nicht die engen Maßstäbe eines Rollendenkens, das Willensstärke und Gefühlskraft geschlechtsspezifisch trennt?

Kritische Fragen ergeben sich z. B. auch gegenüber weithin üblichen Formen der religiösen Belehrung, deren Versagen u. a. durch die Erfolge der sogenannten Jugendreligionen signalisiert wird. Die mittelalterliche Vitenliteratur gibt, nach dem Vorbild der Evangelientexte, Belehrung durch ein „Leben"; die Nonnenliteratur macht deutlich, daß Wahrheit eine personale Erfahrung ist; eine Katechismusreligion, die Wahrheit durch dogmatische Formeln vermitteln will, ist ihr fern.

In solchen und ähnlichen Fragestellungen scheint mir die Nonnenliteratur auch für denjenigen aussagekräftig zu werden, der nicht aus religiösem Interesse zu ihr greift. Mit den Begriffen „Wahrheit" und „personale Erfahrung" sind meine Überlegungen zur wissenschaftlichen Rezeption von Nonnenliteratur und Frauenmystik dann allerdings an eine Grenze, wenn auch nicht ans Ende der möglichen Fragen gelangt.

Anmerkungen

[1] Zur genaueren Festlegung des Begriffs s. Siegfried Ringler, Viten- und Offenbarungsliteratur in Frauenklöstern des Mittelalters. Quellen und Studien, München 1980 (Münchener Texte und Untersuchungen zur deutschen Literatur des Mittelalters 72), 3—5.

[2] Stellvertretend für viele seien hier nur die Namen Heinrich S. Denifle, Hieronymus Wilms, Margarete Weinhandl, Martin Buber genannt.

[3] Siehe „Leben und Offenbarungen der Christine Ebner", in der Handschrift: Stuttgart, Landesbibliothek, cod. theol. et phil. 2° 282, hier f. 42^r. Vgl. auch f. 52^v, beim Erhalt des „Fließenden Lichts der Gottheit" Mechthilds von Magdeburg: „ich hon dir daz búch gesant. daz do heizzet ein ausflissendez liht der gotheit vor deim tót dorumb daz du dester kúner seist in dein gnaden. nit allein durch dich. du solt dor von reden. diweil du lebest."

[4] Siehe dazu den Überblick bei: Siegfried Ringler, Ebner Christine, in: Die deutsche Literatur des Mittelalters — Verfasserlexikon, hrsg. v. Kurt Ruh. 2., völlig neu bearbeitete Aufl., Berlin, New York, Bd. 2, 1980, 297—302.

[5] Siegfried Ringler (s. Anm. 1) 380.

[6] Vgl. dazu z. B. auch, in allgemeinerem Zusammenhang: Edgar Morin, Scienza nuova, in: Lust am Denken, hrsg. v. Klaus Piper, München, Zürich ⁴1983 (Serie Piper 250), 119—124, hier 120: „In der Mikrophysik, in der Informationstheorie, in der Geschichte und der Ethnographie begreift man immer mehr, daß das Objekt

vom Beobachter konstruiert wird, daß es stets durch die zerebrale Beschreibung vermittelt ist"; notwendig sei deshalb eine „Beschreibung der Beschreibung und eine Charakterisierung des Beschreibenden".

[7] Vgl. F. Hilsenbeck, Christine Ebner, in: Nürnberger Gestalten aus neun Jahrhunderten, hrsg. v. Gerhard Pfeiffer, Nürnberg 1950, 12—16, hier 12.

[8] Ebd. 13.

[9] Parallelen zeigen sich u. a. in der Bibelkritik, wenn z. B. bestimmte Bibelstellen ohne Kenntnis des gesellschaftlichen Hintergrunds nicht verständlich sind. Vgl. z. B. Gerhard Lohfink, Jetzt verstehe ich die Bibel. Ein Sachbuch zur Formkritik, Stuttgart ²1974, 138f.

[10] Siehe dazu ausführlicher Siegfried Ringler (s. Anm. 1) 187—189.

[11] Vgl. ebd. 175—177; 157f.; 221—226.

[12] Ebd. 376f.

[13] Siehe Peter Dinzelbacher, in: AfdA 93, 1982, 63—71, bes. 64f.

[14] Gerhard Lohfink (s. Anm. 9) 28 (Hervorhebung von mir) und passim.

[15] Vgl. Siegfried Ringler (s. Anm. 1) 384.

[16] Vgl. Curriculum Gymnasiale Oberstufe Deutsch, 2. Ausgabe, hrsg. v. Kultusminister des Landes Nordrhein-Westfalen, Düsseldorf 1973 (Schulreform NW Sekundarstufe II, Heft 2/II), 13f.: Modell in Anlehnung an Karl Bühler. Da das Modell in unserem Zusammenhang nur Hilfsmittel und nicht Ziel der Untersuchung ist, kann auf nähere Differenzierung verzichtet werden; z. B. kann der genaue Bezug der „vorgegebenen Situation" zu den einzelnen Faktoren des Kommunikationsvorgangs offenbleiben.

[17] Vgl. Siegfried Ringler (s. Anm. 1) 287—290.

[18] Vgl. z. B. Christine Ebner (s. Anm. 3) f. 138ʳ: Christus als Regen, Tau, Sonne; s. bes. auch f. 154ᵛ.

[19] Es ist selbstverständlich zu bedenken, inwieweit in jeder literarischen Äußerung das sprechende Ich zum „Rollen-Ich" wird. Allerdings sind hierbei doch deutliche Gradunterschiede möglich; in der Nonnenliteratur ist das Rollen-Ich sehr stark ausgeprägt.

[20] Vgl. Siegfried Ringler (s. Anm. 1) 175—177.

[21] Zu vertiefen wäre diese Beobachtung durch Überlegungen, wie sie in den Diskussionen zu vorhergehenden Vorträgen geäußert wurden: religiöse Unterweisung werde narrativ organisiert (Klaus Graf); die Form der Vision könne zur Legitimation weiblicher Theologie dienen (Elisabeth Gössmann). Als Beispiel vgl. Christine Ebner (s. Anm. 3) f. 42ʳ: „Caritas dei".

[22] Siehe ebd. f. 113ʳ.

[23] Ebd. z. B. f. 41ᴵⱽ.

[24] Siehe ebd. f. 41ʳ; 56ᵛ/57ʳ; 86ᵛ.

[25] Ganz in dieser Tradition steht noch: Peter Lechner, Christina Ebnerin, in: Das mystische Leben der heiligen Margareth von Cortona. Mit einem Anhange: Bericht aus dem mystischen Leben der gottseligen Ordensjungfrauen Christina und Margareth Ebner aus Nürnberg, Regensburg 1862, 141—218; vgl. bes. im Vorwort 150: „daß wir aus den Aufzeichnungen, die von Christina vorlagen, Einiges übergingen, theils weil es nicht beträchtlich, theils weil es nicht für Alle faßlich erscheint". Konsequenterweise sind auch fast alle Hinweise auf geschichtliche Ereignisse weggelassen.

[26] Vgl. Siegfried Ringler (s. Anm. 1) 79f., zu Adelheid Langmann.

[27] Siehe ebd. 355—359. Um Lehre in Form einer Vita darstellen zu können, braucht

man heute vielleicht die vom Historismus unbehelligte Unbefangenheit eines Amerikaners: jedenfalls hat die Vita der Familie Weiß in der Fernsehserie „Holocaust" den Deutschen eine nachhaltigere Lehre über das Verbrechen der Judenausrottung vermitteln können, als es Hunderte von Dokumenten und Lehrbüchern und Lehrfilmen zustande gebracht hatten.

[28] Siehe dazu Siegfried Ringler (s. Anm. 4) 300.

[29] Vgl. Christine Ebner (s. Anm. 3) f. 77^r; 93^v; 138^r: Verzückung auf dem Ofen.

[30] Siehe Siegfried Ringler (s. Anm. 1) 321f. und 195—198; 272.

[31] Siehe Siegfried Ringler (s. Anm. 4) 300f.

[32] Karl Schröder, Der Nonne von Engelthal Büchlein von der genaden uberlast, Tübingen 1871 (Bibliothek des Litterarischen Vereins in Stuttgart 108), 47.

[33] Christine Ebner (s. Anm. 3) f. 59^r.

[34] Siehe dazu Gerhard Lohfink (s. Anm. 9) 120 und 119.

[35] Siehe oben Anm. 24.

[36] Die folgenden Beispiele sollen nur schlaglichtartig einzelne Aspekte hervorheben, die auch dem nichtreligiösen Betrachter einen — gleichsam „profanen" — Zugang erlauben; sie reflektieren deshalb nicht die religiösen Phänomene (z. B. „Begnadung"). Es sind Aspekte des Zugangs, nicht schon der Erklärung (da sie sonst nur ein neuerlicher Versuch einer vereinfachenden psychologischen oder soziologischen Deutung wären).

[37] Siehe z. B. bei: Hans Westpfahl (Hrsg.), Vita Dorotheae Montoviensis Magistri Johannis Marienwerder, Köln, Graz 1964 (Forschungen und Quellen zur Kirchen- und Kulturgeschichte Ostdeutschlands 1), 409—418.

[38] Zu meiner Überraschung fand ich nach Abschluß des Manuskripts eine in vielem ähnliche Sehweise bei: Günter Grass, Der Butt, Darmstadt, Neuwied 1977, 209.

[39] Vgl. z. B. Westdeutsche Allgemeine Zeitung, Essen, 26. 1. 1984 (Nr. 22) über den „Eisschnell-Lauf-Superstar" Eric Heiden: er war „das Produkt eines harten Trainings. Er verbrachte doppelt soviel Zeit auf Schlittschuhen und in der Folterkammer als alle seine Konkurrenten. Und er härtete seinen Körper geradezu brutal ab."

[40] Siehe z. B. Anneliese Volpert, Christina Ebner 1277—1356, in: Fränkische Klassiker. Eine Literaturgeschichte in Einzeldarstellungen, hrsg. v. Wolfgang Buhl, Nürnberg 1971, 149—159, hier 151.

[41] Walter Muschg, Die Mystik in der Schweiz 1200—1500, Frauenfeld und Leipzig 1935, 245.

Elisabeth Vavra

BILDMOTIV UND FRAUENMYSTIK – FUNKTION UND REZEPTION

Will man mittelalterliche Kunstwerke auf ihren intendierten Zweck, auf ihre Funktion und auf ihre mögliche Rezeption hin untersuchen, so bieten sich zwei Quellenbasen an:

1. können die erhaltenen Kunstwerke an sich zum Ausgangspunkt für eine Untersuchung genommen werden. Ihre Interpretation stößt dann auf Schwierigkeiten, wenn ihr ursprünglicher Aufstellungsort und damit ihre Zweckbestimmung nicht mehr rekonstruierbar sind. Weitere Gefahren bestehen darin, daß man allgemeine Erfahrungswerte, die keineswegs immer dem tatsächlich aktuellen mittelalterlichen Erfahrungshorizont des Auftraggebers, des Rezipienten und des Ausführenden entsprechen müssen, in die zu untersuchenden Kunstwerke unreflektiert projiziert;

2. liefern schriftliche Quellen, in unserem speziellen Fall Vitenüberlieferungen und Offenbarungsschriften, Material zur Interpretation von Bildmotiven und Bildquellen. Aber auch ihre Auswertung birgt Gefahren in sich; die Versuchung ist groß, für jedes im Bild überlieferte relevante Motiv in den Quellen Belegstellen zu suchen und dann auch — mit einiger Phantasie — zu finden. Der Nachweis aber, daß die ausführenden Künstler tatsächlich die entsprechende Textstelle gekannt und ausgewertet haben, ist zumeist nur schwer zu erbringen — außer Künstler bzw. Auftraggeber stammen aus demselben Milieu, in dem die schriftlichen Quellen entstanden sind.

Die folgenden Ausführungen versuchen beide Quellenbasen miteinander zu verbinden. Aufgrund der Fülle des sich anbietenden Materials werden von Beginn an zeitliche und regionale Einschränkungen vorgenommen. Der Schwerpunkt wird im Deutschland des 14. Jahrhunderts liegen; den Mangel an erhaltenen Kunstwerken macht in diesem Gebiet der Reichtum an schriftlicher Überlieferung wett. Ausgeklammert werden Illustrationszyklen mystischer Schriften an sich, da diese aus methodischen Erwägungen eine Einschränkung auf „Frauenmystik" unmöglich gemacht hätten.[1]

Zunächst möchte ich Ihnen einige relevante Textstellen ins Gedächtnis rufen, die über existierende Kunstwerke und deren Wirkungen bzw. Auswirkungen auf Betrachter in Viten, Mirakelsammlungen, geistlichen Dichtungen usw. berichten:

Mehrfach werden etwa im ‚Dialogus Miraculorum' des Caesarius von Heisterbach wundertätige Kunstwerke erwähnt. An einer Stelle ist es ein Kruzifix in der Kölner St. Georgskirche, das besondere Verehrung genießt: „Zu Kollen in der kirchen sand Gorgen ist ein chreucz von gesmeid gemacht in gestalt des gemarterten unsers haylands Christi, da durch vil wunderzaichen und gesunthait prechenhaffter menschen geschehen sind [...] Der glokner und mesner derselben kirchen was in solicher grobikait und roher gewissen das demselben heyligen chreucz chain er noch wird erpot und gewondleich, so wolt des nachts zu pett geen, so nam er dann die prynnenden kerczen von den kerczstalen [...] und wenndet die in seinem nucz [...] Eines nachtes als er sich gelegt hett an sein pettstat und dannoch wochte, do kam dasselbe crucifix fur in und strafft in mit scharpfen worten und stossen, das er davon kranck ward [...]"[2]

An anderer Stelle berichtet Caesarius von Heisterbach über ein Marienbild in einem Nonnenkloster seines Ordens: „[...] Es ist auch auff dem selben aller ein hullczein pild unnser lieben frauen, das ein chindlein in seiner schosse hildet. Zu einer zeit do die selb chloster frawe vor dem selben pilde den psallter lesend was, do kom zu ir ein chindlein gangen und hort irem lesen zu, als ob er wissen wolt, was sy lesens pflag [...]"[3]

Oder er berichtet über einen Zimmermann, der während einer Messe in einem Nonnenkloster sieht, wie das Bild „von englischem wurcken gar zierleich volbracht und ausgehawen und bedeutet die gestalt unnser lieben frawen, als sy irn lieben sun Jhesum in irer schosse heltett" lebendig wird: „da erhub sich Jhesus pilde, als es in der schossz des pildes unnser frawen gesessen was, und nam die kron ab seiner mutter haubt und saczt die im selber auff sein haubt [...]"[4]

Mit den beiden letzten Textstellen werden wir mit einer Form von „Wundern", „Visionen" oder „Erscheinungen" konfrontiert, wie sie uns in großer Zahl in den deutschen Nonnenviten und Offenbarungsschriften des 14. Jahrhunderts überliefert sind. Auch diese stehen oft in unmittelbarem Zusammenhang mit im Kloster existierenden Kunstwerken:

So berichtet Gertrud von Helfta im ‚botten der götlichen miltekait' von einem Kruzifix: „Do ging su fur ein crutze und ergap sich mit lip und mit leben, das su sinen willen volbringen wolte. Do lies sich das crutz mit grossen froiden nieder zu ir, also ob es su umbvahen wolt und sprach: ‚Du allerliebste, du bist mir ein heilsammes plaster aller miner wunden und ein geringerung mines smertzen'."[5] An anderer Stelle berichtet sie über ein Bild der jungfräulichen Mutter mit dem Sohn auf dem Schoß, das auf dem Altar inmitten des Chores steht.[6] Sie selbst besitzt ein Kruzifix, das sie stets bei sich trägt und dem sie die eisernen Nägel entfernt und durch Gewürznägelein ersetzt.[7]

Über Gertrud von Bruck, eine Dominikanerin im Kloster Unterlinden, berichten die Lebensbeschreibungen der Catharina Gebsweiler folgendes Erlebnis: „Sie stand nämlich einmal im Chore vor dem Bilde der ehrenreichen Jungfrau und flehte mit Bitten und unermeßlichen Tränen [. . .] sah sie plötzlich mit ihren leiblichen Augen sichtlicher Weise, wie das Bild des Knaben, der im Schooße der Jungfrau seiner Mutter saß, seine Hand ausstreckte und ihr reichte und mit heller und sehr süßer Stimme sprach [. . .] [sie] legte ihre Hand sogleich in die Hand des vogedachten Bildes und ergriff dieselbe im Glauben freudig. Da blieb mit einem Male des Knaben Hand in der ihrigen, indem sie durch irgend eine göttliche Kraft vom Körper abgetrennt war [. . .]"[8]

Ein wunderwirkendes Marienbild desselben Klosters steht auch im Mittelpunkt einer Begebenheit während der Belagerung der Stadt Colmar: „[. . .] Sie nahm zu Ende das Bild dieser ehrenreichen Jungfrau in großer Ehrerbietung und durchwallte mit überaus großem frommen Vertrauen das ganze Kloster und alle Räume desselben, mit Thränen übergossen, dreimal in frömmster Andacht. So erlangte sie unter Beistand der göttlichen Gnaden durch die Verdienste der hochheiligen Mutter Gottes Maria mittelst ihrer frommen und andächtigen Bitten volle Befreiung von der drohenden Gefahr nicht allein für das Kloster, sondern eben-mäßig auch für die ganze Stadt [. . .]"[9]

In den Lebensbeschreibungen der Schwestern zu Töss spricht ein Christusbild, „antlut" genannt, zu der davor betenden Schwester Anna Wansaseller: „Nun hat sy die gewonhait das sy gar dik bettet vor dem antlut, das vor dem capitelhus hanget [. . .]"[10] Ein anderes Mal erblickt Anna von Klingnau den ihr erscheinenden Christus in der Form eines Veraikons: „Und also sicht sy unsern herren vor ir hingon, und was in der gestalt als sy hat gehort von Feronica dem bild [. . .]"[11]

Besonders zahlreich sind die relevanten Stellen in der Viten-sammlung des Klosters St. Katharinenthal bei Diessenhofen; so wird unter anderem von einem Bild „Christus an der Geißelsäule" berichtet: „[. . .] Ein s. swester du hiess S. Hilti Brunnsinn, die bet-tet eins tages vor einem bild da vnser herr an der sule stund [. . .]"[12] An anderer Stelle wird ein Kruzifix erwähnt, vor dem eine Schwester betet: „Ein swester, du hiess sant Gerdrut von Herblingen, do die eins tages an ir gebet was, nach der complet vor einem crucifi-xus, do sprach si vnserm herren ir confiteor, do ledget vnser herr den rehten arm ab dem crutz vnd lait ir sin hand vff ir hopt vnd vergab ir alle ir sund [. . .]"[13] Ein weiteres Kunstwerk, das erwähnt wird, ist ein Bild der hl. Maria Magdalena: „Ein swester, du hiess S. Mye Goldastin, die veryah mir an ir tod, do si ze einem mal stund in dem kor an ir gebet vor einem bilde, das was sant Maria Magdalena, als si zu vnsers herren fussen fiel [. . .]"[14] Zweimal wird eine Christus-Johannes-Gruppe im Chor erwähnt, „da sant Jo-hans ruwet vff vnsers herren hercze[15]", ebenfalls zweimal ein Ma-rienbild; es kann sich dabei freilich auch um zwei verschiedene Objekte handeln. Einmal lautet die Beschreibung: „Ein swester du hiess S. Anne von Costenz, die gieng fur vnser frowen bild, da si vnsern herren an ir arm het vnd nam des kindlis fussli in ir hand mit grosser andaht, da ward daz fussli fleisch vnds blut in ir hant [. . .]"[16], das andere Mal: „[. . .] vnd ze einem mal, do gieng si fur vnser frowen, da si das kindli vff der schoss hat vnd bat vnser fro-wen mit herczklicher begird [. . .]"[17] Es könnte sich im ersten Fall um eine stehende, im zweiten Fall um eine sitzende Marienfigur mit dem Jesusknaben gehandelt haben.

Weitere Beispiele für vorhandene Kunstwerke in Nonnenklöstern liefern die Offenbarungen der Margaretha Ebner sowie die Briefe Heinrichs von Nördlingen an diese; da ich später noch einmal in Zusammenhang mit der Funktion der Kunstwerke in den Klöstern auf die entsprechenden Textstellen zurückkommen werde, möchte ich hier die erwähnten Kunstwerke nur kurz anführen: ein Kreuz — unklar ob mit oder ohne Korpus —[18], ein „buechlin, da was auch ain herre an dem cruicz"[19], ein „grozz cruzifixus in dem cor"[20], zwei Alabasterbilder, die ihr Heinrich von Nördlingen aus Avignon mitbrachte: „ich han dir berait uf deinen altar zwei gar zartü bild von allabaster, die ich dir von Avion braht: Maria mit irem kind und Katharina mit irem rad, die musz man schon halten, die send ich dir oder bring si dir schier [...]"[21] Des weiteren „ain bilde der kinthait unsers herren in ainer wiegen"[22], das offensichtlich nicht identisch ist mit dem Geschenk Heinrichs von Nördlingen, das erst an späterer Stelle in den Offenbarungen erwähnt wird: „An sant Stephanstag gab mir min herre ain minneklich gaube miner begirden, daz mir wart gesendet von Wiene ain minneklichez bilde, daz was ain Jhesus in ainer wiegen, und dem dienten vier guldin engel."[23]

Die zweite Gruppe von Textstellen, die ich für eine Bewertung der Kunstwerke noch heranziehen möchte, sind solche Visionen, die zwar nicht in unmittelbarem Zusammenhang mit Kunstwerken stehen, deren Gestaltung aber Bezüge zu Bildmotiven herstellen läßt. Lassen Sie mich diese in thematische Komplexe zusammenfassen: Wenden wir uns zunächst der Gruppe zu, die in Verbindung mit der Menschwerdung und Geburt Christi steht:

In der Chronik der Dominikanerinnen zu Unterlinden ist es die selige Schwester Gertrud, die in einer Vision während der Mette die Jungfrau im Kindbett erblickt: „Als aber das Responsorium der Messe, welche in jener Nacht dem Herkommen nach gefeiert werden mußte, begonnen, begann sie mit einem Male ein sehr schönes Bett zu sehen, das mitten in den Chor gestellt und mit dem besten Schmuckwerk verziert war. — Darauf lag die Gottesgebärerin und glänzte in solcher Schönheit und ihr Antlitz und ihre Gewänder strahlten in solcher Klarheit, daß von dem Glanze, der von ihr ausging, der ganze Chor wunderbar schimmerte. Auf ihrem Schooße liebkoste sie ihren Kleinen [. . .]"[24] Einer anderen Schwester desselben Konventes wird die Gnade zuteil, während der Mette das neugeborene Kind zu erblicken: „Er war in der Gestalt eines sehr zarten und überaus schönen Kindes und ward ihr auf göttliche Weise dargestellt [. . .]"[25] Die selige Schwester Margret von Zürich, Angehörige des Konventes Töss, erblickt in einer Vision das Jesuskind im Bad: „[. . .] und do sy ze ainem mal mit hertzlicher andacht wainet, do erschan ir unser herr gar minneklich, als er ain kindly was, und sass in ainem badly vor ir [. . .]"[26] Die Tösser Schwester Willinum von Costenz sieht während einer schweren Krankheit die Gruppe der Hl. Familie auf der Flucht nach Ägypten: „Schweste Anna, uns kumet ain artzet und ain artzetin! und zehant do sachent sy bed das unser frow kam uff dem esellin, als do sy Joseff in Egipto furt, und hat das kindli in der schoss und fur zu inen beden und lait ietweder ir hand uff ir hobt, und an der selben stund do wurdent sy gesund von grossem siechtagen."[27]

Adelheid Langman, Angehörige des Klosters Engelthal, berichtet von einer Vision zur Weihnachtszeit: zunächst zeigt sich ihr das Jesuskind und schließlich in einer der folgenden Nächte Maria, die ihr das Kind zum Stillen reicht: „Do noch zu weihenahten do sah si unsern herren in eins clein kindeleins weis und er was in aller der grözz und in aller der gestalt, als er von unser frawen geporn wart, und von sein füezzen untz an di ahseln was er neur einer spannen lank [. . .] In den selben zeiten kom unser frau, die suzze kunigin Maria, aines nahtes do si in irem pet lak, und trug ir kint an irm arm und gab ir ir kindelein an daz pette an irn arm, und er was als schon daz daz unsegleichen was und er sog ir prustlein [. . .]"[28]

Erscheinungen Mariens, die ihr Kind den Schwestern zum Kuß reicht oder den Schwestern zumindest zeigt, finden sich zahlreich in den Nonnenviten, so in dem ‚Büchlein von der genaden uberlast‘ der Nonne von Engelthal; einmal zeigt sie sich der „swester Kungut von Eystet": „Einez andern tags do erschein ir unser fraw und het ir kindelin am arm. Und sprach zu dem kindelin: ‚Liebez kint, wie haist du?‘ Do sprach ez: ‚Jesus suzzelin.‘ Do wolt sie daz kint der mueter genomen haben: do wolt ez zu ir niht und sloez sich der muter umb die kelen [. . .]"[29] In einer anderen Vision erscheint Maria mit dem Kind während der Christmesse in dem Moment, da der Priester das Gloria in excelsis anstimmt: „und do an der crissnaht zu der crissmesse, do der prister an hueb Gloria in excelsis, do kom unser frau und trueg ir kindelein also nakent an dem arme und ging um und um von frawen zu frawen [. . .]"[30] Ähnliches ereignete sich auch im Konvent zu Unterlinden des öfteren, wie Catharina von Gebswiler berichtet.

Eng im Zusammenhang mit diesen Geburts- und Marienvisionen sind auch Erscheinungen des Christusknaben in unterschiedlichen Altern zu sehen, die den Schwestern bei verschiedenen Anlässen und an verschiedensten Orten widerfahren. So erscheint, um nur einige wenige Beispiele zu nennen, in St. Katharinenthal Christus als Kind einer Schwester bei der Arbeit im „werchhus": „Ain swester du sass eins tages in dem werchhus mit ir werch vnd bettet gar andahtklich, do kam vnser herr zu ir in eins kindes wys, do hatt si gross frod mit dem kindlin [. . .]"[31] Einer anderen Laienschwester erscheint es beim „krut trucken": „do die eines tages das krut wolt trucken vnd sie ein ballun gemachet, do erschien ir unser herr als ein kindli vnd nam ir die ballun vss der hand vnd warff is si do wider; also baliet si vnd das Jesusli mit enander [. . .]"[32]

Wiederholt erleben die Nonnen auch Erscheinungen des Jesuskindes in ihrer Zelle oder im Dormitorium; so berichtet die Chronik der Anna von Munzingen von Schwester Metzi von Walthershoven, der einmal Jesus in der Gestalt eines achtjährigen Knaben erscheint: „Vnser herre erschein mir zu einem male an minem gebette als kint von VIII jaren, vnd hette ein stebelin in der hant, vnd spilte darmitte vnd saste sich fur mich, vnd machte mir kurzwile."[33] Von Schwester Wila im Dominikanerkloster Weiler bei Eßlingen wird berichtet, daß eines Nachts, als sie im Dormitorium in die Irre geht, „Do kom unser herr Jesus Christus ein allerwunniklichstez kint, und waz ob seinem hawbt der allerschönst stern, der lewhtet ir piß zu dem pette. Und daz kindlein ging unter den mantel in ir arme und saß auf ir schoß und hetten große frewde mit einander."[34]

Auch in den aus St. Katharinenthal überlieferten Viten begegnen uns immer wieder die „Kindleinvisionen"; einmal tröstet das

Kind eine weinende Schwester, indem es ihr einen Apfel reicht: „Do kam vnser herre zu ir als ein kindli vnd reht als man einem kint tut, so es weinet vnd man es sweigen wil vnd in einem opfel in die hant git. also gab ir vnser herr einen opfel in ir hant."[35] Anna von Ramsweg, die als Kind ins Kloster eintritt, dort lesen lernt und das nur ungern, widerfährt es, daß sie einmal, als sie wieder höchst unwillig ihr Buch aufschlägt, um zu üben, in dem Buch findet: „ein kleines kindli [. . .] ligent vnd hatt dz kindli sin fussli genomen in sin hendli vnd lag nackent vnd bloss vor ir ogen. do gedacht si: ach wie lit das kindli bloss! do redt das kindli mit ir vnd sprach: ich verricht mich wol mit minem himelschen vatter vnd mit dir! darnach lernet si von herczen gern alles daz si lernen solt."[36] Eine ähnliche Vision, der aber die intendierte Motivierung fehlt, begegnet Schwester Elsbet, Angehöriger desselben Konventes: „[. . .] di las an dem heiligentag ze winnehten die ersten leccen primo tempore vnd do si daz buch vff tett do fand si das kündlli vnsern herren ligent in dem buch vnd was ingewunden in windelli [. . .]"[37]

Noch zahlreicher sind die Berichte über Erscheinungen des Kindes in der Kirche während der Meßfeier oder während des Chorgebetes. Mehrfache Gesichte solcher Art widerfahren Christina von Retters.[38] Einmal erscheint ihr der Jesusknabe gemäß Psalm 18 (Er hat sich eine Wohnstatt in der Sonne bereitet). Während des Chorgesanges wird sie seiner ansichtig, da Sonnenstrahlen durch die Fenster fallen und er, „die Sonne der Barmherzigkeit sich anschickt, in der Sonne sein Bettlein zu bereiten, um darin zu ruhen". Ein anderes Mal verbirgt sie sich am Sonntag vor dem Christfest im Schwesternchor, um „nach Gewohnheit des Ordens zu Ehren des Jesuskindleins 12 Rosenkränze von Pater noster und Ave Maria zu beten, die Ave mit Kniefallen". Im Gebet schlummert sie ein; im Traum erscheint ihr Christus in Gestalt eines kleinen Kindes, das unter Rosen wandelt und mit ihnen spielt. Im Anschluß an diese Traumvision wohnt sie der Mette bei, bei der sie in Verzückung das Christkind in einem Kripplein auf dem Altar liegen sieht. Das Christkind, in Heu gebettet auf dem Altar liegend, sieht auch „Anna Vorhtlin von Nurenberch", Schwester in Engeltal: „Dar nach an einer cristnaht nach der metin da lag si vor einem alter und sah daz minneclich kint ligen auf einem herten hev, daz

208

het sin zartez leiblin durch gestochen, daz ez rote rennelin het [. . .]"[39] Eine viel lebhaftere Vision widerfährt einer anderen Schwester dieses Klosters, die während einer Messe folgendes Erleben hat: „[. . .] und unter dem ewangelio kom unser herre uf den altar in eins kindlein weis. do sprank ez herab und lief hintz allen den di sein freund woren und traut di [. . .] und do der prister daz oblat uf hueb, da verwandelt sich daz kindelein in daz oblat und do er in empfahen wolt, do wart daz oblat zu eim kinde und strebet wider mit handen und mit fuezzen [. . .]"[40] Von einer Vision mit ähnlicher Bedeutung berichtet auch eine Schwester des Klosters Unterlinden, die dieses Erlebnis noch vor Eintritt in das Kloster hatte: „Als sie sieben oder acht Jahre alt war, sah sie einen Priester, welcher mit dem Obergewand und der Stola bekleidet war, und den Leib unseres Herrn Jesu Christi in einem Ciborium zu einem Kranken trug [. . .] Als nun der Priester neben den Kranken sich niedergelassen und die Büchse eröffnet hatte, schaute die vorgedachte Jungfrau mit einem etwas neugierigen Blicke hinein und sah darin einen kleinen, überaus schönen Knaben sitzen, welcher mit priesterlichen Zierrathen geschmückt war [. . .]"[41]

Eine Laienschwester im Kloster Engelthal wiederum sieht einmal, da sie nicht der Meßfeier beiwohnt, „ob dem dach dez chores ein feurin rat sweben". Darauf geht sie neugierig in den Chor: „da sahe sie daz ein roren von himel in den kelch ging und drug die heilichkeit dar ein, und sach daz daz oblat in dez priesters hant zu einem kindelin wart, und swenn er ez dar den frawen bot, so gebart ez gegen ieclicher als irm leben waz [. . .]"[42]

Einen anderen ikonographischen Themenkreis sprechen Visionen an, die man etwa unter den Begriff Christusminne subsumieren könnte: Konzentriert auf die beiden Überlieferungen aus dem Kloster Engelthal lassen sich drei Berichte in Analogie zu dem Thema der Christus-Johannes-Gruppe setzen: „einez tagez wart sie entzugt hintz Betania dez tags da er Lazarum von dem tode hiez auf stene. Da waz sie ze tisch gewesen und het alle die geriht gesehen die sie gezzen heten. Da sprach Andreas:‚Lazzet die schonen minnerin zu unserm herren her auf sitzen.‘ Daz geschah."[43] Im Zusammenhang mit dem Fest Maria Magdalena erscheint ebenfalls Christus einer Schwester, so wie er Maria Magdalena nach der

Auferstehung erschienen war. Das Beisammensein wird durch „das zu tisch leuten" unterbrochen: „si ging hintz tische. do di le-serin an hueb, do kom unser herre und unser frauwe und Maria Magdalena und hueb an der nidersten an in dem rehte kor und ging uf und umb, und do er kom zu dirr swester, do sprach er: ‚mein geminten' und sazz zu irr rehten seiten. do neigt sie sich uf sein hertz und lag uf seim hertzen [. . .]"[44] Zu einer anderen Schwe-ster spricht er folgende Worte: „[. . .] ‚mein geminte, neige dich her uf mein gemintez hertz und rue als sanctus Johannes.' do neigt si sich uf seine zesm seiten gegen seim herzen [. . .]"[45]

In großer Zahl vertreten finden sich Visionen, die auf Szenen aus der Leidensgeschichte anspielen, die genaue Beschreibungen der Ereignisse der Karwoche vermitteln wollen. Einzelne Motive, die ich hier besonders hervorheben möchte, sind das Bild des kreuztragenden Christus, das bereits bei Gertrud von Helfta an-klingt: „[. . .] Da sach su den herren, der ging durch einen wunnek-lichen schonen, grunen weg, der was vol zarter blumen, aber er was gar enge und was zu beden siten umbwahssen mit spitzen dor-nen. Do ging der herre hindurch und schiede mit dem heiligen crutze die dorne sitlich voneinander und maht den weg witer [. . .]"[46]

Oder der Schmerzensmann, ein Motiv, das wiederholt in der Chronik der Anna von Munzingen erscheint, so etwa in einer Vi-sion der Schwester Geri Küchlin, als sie „in dem cappittel in dem rechten core ir andacht" verrichtet: „[. . .] vnd vnßer Herre kam mit dem liechte, vnd stund für si mit allen den wunden, so er je en-pfieng vnd sprach zu ir: ‚Owe, machtu nut enwenig durch minen willen geliden?' Vnd nam sie bi der hant vnd sprach zu ir: ‚Sich mine frusche wunden vnd lug was ich durch dinen willen erlitten han [. . .]"[47]

Oder die Vision der Margreth Flastrerin, ebenfalls Schwester im Adelhausner Konvent: „[. . .] do erschein ir vnser Herre als er ab der sule wart genomen, mit fruschen wunden vnd also jem-merlich vnd erbermkliche, das im das blut zu allen enden vber al-len sinen lip flos [. . .]"[48]

Wie an die Geißelsäule gebunden, durch die Wundmale am Körper gekennzeichnet, erscheint er Adelheid von Rheinfelden, einer Schwester des Klosters Unterlinden: „Eines Tages nämlich, als sie allein im Schlafsaal stand, erschien ihr sichtbar der gütige Herr Jesus, dergestalt, als sei er an eine Säule gebunden, ganz blau und blutig von Schlägen, mit den Nägelmalen an Händen und Füßen und von der Lanze durchbohrt, wie wenn er an diesem Tag gekreuzigt worden wäre, so daß das Blut in Strömen aus den frischen Wunden herabfloß [...]"[49]

Das Bild der Pietà finden wir in den Offenbarungen der Mechthild von Hackeborn: „Zu der Vesperzeit sah sie den Herrn als vom Kreuz abgenommen. Sie sah auch, wie die Jungfrau Maria ihn in ihrem Schoß hielt; und es sprach die gebenedeite Mutter zu ihr: ‚Tritt herzu und küsse die heilbringenden Wunden meines geliebten Sohnes, die er dir zu Liebe empfangen hat.'"[50]

Mit diesen Textstellen, die auf die Passion Bezug nehmen, soll die Bestandsaufnahme der schriftlichen Quellen abgeschlossen werden. Es konnte nur eine charakteristische Auswahl von Zitaten herangezogen werden; dabei wurde versucht, eine möglichst umfassende Schau der weiten Streuung der in der schriftlichen Überlieferung greifbaren möglichen und tatsächlich verwirklichten Bildmotive zu vermitteln.

Betrachten wir nun im folgenden die aus Nonnenklöstern erhaltenen Kunstwerke, die in Beziehung zu den angeführten Textstellen gesetzt werden können.

Zunächst handelt es sich dabei um Kunstwerke, die in mittelbarem oder unmittelbarem Zusammenhang mit der Geburt Christi stehen: Im Dominikanerinnenkloster Maria Medingen hat sich das „Jesuskind der Margaretha Ebner" erhalten[51]; es handelt sich dabei um eine Liegefigur, die in der jetzigen Aufstellung in aufrechter Haltung einer Unterstützung bedarf. Eine ähnliche Figur hat sich aus dem Benediktinerinnenkloster Engelberg, heute in Sarnen, erhalten. Diese Figuren waren auch zum Ankleiden gedacht, wie die aus der Entstehungszeit erhaltenen Kleidungsstücke des Sarner Christkindes belegen. Ein Kleid soll angeblich aus dem Brautkleid der Königin Agnes, die dieses dem Gnadenbild stiftete, entstanden sein.[52]

In diesem Bereich sind auch die zum Teil kunstvoll ausgestatteten Wiegen anzuführen, die in den Viten erwähnt werden und in

Sog. Jesuskind der Margaretha Ebner.
Maria Medingen, Dominikanerinnenkloster.

zwei Exemplaren auch im Original erhalten sind.[53] Frappierend
die Übereinstimmung der Beschreibung des Geschenkes Heinrichs von Nördlingen an Margaretha Ebner mit dem im Bayeri-

Wiener Christkindwiege. München, Bayerisches Nationalmuseum.

schen Nationalmuseum erhaltenen Exemplar, das aus stilistischen
Gründen nach Wien lokalisiert werden kann. Das erhaltene Jesuskind in Maria Medingen und die Wiege in München stimmen allerdings in den Maßen nicht überein, sie können also nicht zusam-
mengehört haben. Ihre Funktion enthüllen uns die entsprechenden Stellen in den Offenbarungen der Margaretha Ebner: „[. . .]
und von dem kinde wart mir aines nahtez geben, daz ich ez sach in
der wiegen spilen mit fröden und fuor vast mit im selber, do
sprach ich zuo ime: ‚war umb bist du nit zühtig und last mich nit
schlaffen? nun han ich dich wol gelet‘. do sprach daz kint: ‚ich wil

213

dich nit lan schlaffen, du muost mich zuo dir nemen'. azo nam ich ez mit begirden und mit fröden uz der wiegen und stalte ez uf min schosse. do was ez ain liplich kint. do sprach ich: ,küsse mich, so

Maria badet das Jesuskind. Miniatur aus einem Kölner Gebetbuch. Hannover, Kestner Museum, WM. Ü 22.

wil ich lazzen varn, daz du mich geunruowet hast'. do fiel ez umb mich mit sinen armen und hiels mich und küsset mich [. . .]"[54]

In den Klöstern zur Weihnachtszeit geübte Bräuche, wie Kindleinwiegen etc., finden ihren Niederschlag in der für und von den Nonnen gefertigten Buchmalerei; so zeigt ein Initialbild in einem Psalterium des Benediktinerinnenklosters zu Engelberg das Thema des „Kindleinbadens", wie es auch in den Visionen vorkommt.[55] Ein weiteres Beispiel ist eine Miniatur in einem Gebetbuch, das meiner Meinung nach im Kölner Klarissenkloster entstanden ist.[56] Die Darstellung des Bades des neugeborenen Jesuskindes wird ab der zweiten Hälfte des 14. Jahrhunderts zu einer gängigen Szene innerhalb der Ikonographie der Geburt Christi; nur sind die Ausführenden zumeist die Hebammen, die aus den Apokryphen übernommen werden, oder Mägde, in Analogie zur Geburt Mariens, die das Bad bereiten. In den beiden angeführten Miniaturen ist es jeweils Maria, die das Kind badet.

Das Bild der isolierten, aus dem szenischen Zusammenhang herausgelösten Maria im Wochenbett, wie es in der Vision einer

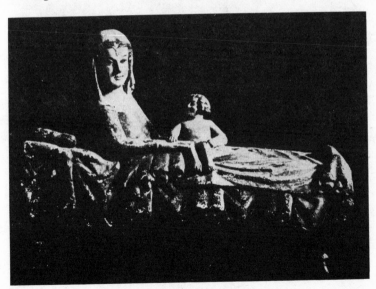

Maria im Wochenbett aus dem Kloster Heggbach.
München, Bayerisches Nationalmuseum.

Schwester im Kloster Unterlinden beschrieben wird, läßt sich in einigen Exemplaren für Nonnenklöster nachweisen. So stammt eine leider nur fragmentarisch erhaltene Maria im Wochenbett aus dem Benediktinerinnenkloster Buchau, ein weiteres, dessen

Heimsuchung Mariens. Miniatur aus dem Graduale des Klosters Wonnental. Karlsruhe, Badische Landesbibliothek, HS UH 1.

Provenienz noch rekonstruierbar ist, gehörte ursprünglich zur Ausstattung der Zisterzienserinnenabtei Heggbach.[57]

In Frauenklöstern heimisch sind auch Darstellungen der „Maria gravida", wie das wohl schönste erhaltene monumentale Beispiel aus dem Kloster Katharinenthal zeigt, spielt doch gerade die Vorstellung von der Menschwerdung Christi in der Frauenmystik eine besondere Rolle.[58] Auch in einem Graduale aus dem Zisterzienserkloster Wonnental wird in ganz ähnlicher Weise das Thema „Maria gravida" ins Bild umgesetzt.[59]

Ist es bis jetzt noch relativ leicht gewesen, Kunstwerke als Belege für schriftliche Quellen heranzuziehen, so kann ich zum Thema der „Kindvisionen" nur hypothetische Belege heranziehen. Die größere Menge an direkt vergleichbaren Kunstwerken hat sich erst aus dem 15. Jahrhundert erhalten; dazu gehören die in großer Auflage verbreiteten Holzschnitte mit Darstellungen des Jesusknaben als bzw. mit Neujahrswunsch, zumeist auf einem Kissen sitzend, mit Vögeln oder anderen Tieren spielend.[60]

Aber auch mit den Visionen gleichzeitige Darstellungen in der Buchmalerei, etwa im Antiphonar des Katharinenklosters zu Adelhausen oder im Graduale desselben Klosters, das Weihnachtsfest illustrierend, entsprechen in ihren ungewöhnlichen ikonographischen Lösungen in etwa der verlebendigenden Denk- und Vorstellungsweise der Nonnen, die zur Weihnachtszeit des Jesusknaben in der Kirche und im Dormitorium ansichtig werden und sich mit ihm in vielfältiger Weise beschäftigen.[61]

Ein weiterer Kreis ikonographischer Themen muß in diesem Zusammenhang erwähnt werden. Es handelt sich um Darstellungen der „Infantia Christi", die in diesem Zeitraum relativ häufig auf Kunstwerken anzutreffen sind[62]: Maria führt den Jesusknaben an der Hand, oft trägt er eine Schreibtafel. Anhand erhaltener Kunstwerke ist es zumindest möglich, den Nachweis zu erbringen, daß dieses Thema in den Frauenklöstern wohlbekannt war. Die Frage, wer wen beeinflußte, ob nicht vielmehr für beide, Nonnen wie Künstler, der gemeinsame geistige Nährboden ausschlaggebend war, muß beim derzeitigen Stand der Forschung unbeantwortet bleiben. Als Beispiel möchte ich hier ein Werk erwähnen, das im unmittelbaren Zusammenhang mit dem Kölner Klarissen-

konvent entstanden ist, und zwar eine Tafel aus dem Klarissen-
konvent, die in zahlreichen Szenen das Leben Jesu zeigt.[63] Das
Motiv der „Infantia" begegnet uns auch in liturgischen Handschriften, so im Katharinenthaler Graduale[64] und auch auf den wenigen aus dem 14. Jahrhundert erhaltenen Andachtsbildchen: so
auf einem aus dem Kloster Wienhausen[65].

Beim letzten Beispiel für einen bildlichen Reflex der Kindvisionen möchte ich ausnahmsweise die mir selbst gesetzte zeitliche
Grenze überschreiten und Miniaturen aus einer vermutlich in

Infantia Christi. Miniatur aus dem Katharinenthaler Graduale.
Zürich, Schweizerisches Landesmuseum, LM 26 117.

Der hl. Klara erscheint während einer Krankheit das Jesuskind. Miniatur aus einer Klarenlegende.
Karlsruhe, Badische Landesbibliothek, HS Tennenbach 4.

einem Freiburger Konvent entstandenen Klarenlegende heranziehen.[66] Wie hier das Motiv des Jesusknaben, der der hl. Klara beim Gebet, während Krankheit oder während des Gottesdienstes erscheint, in naiver Form von der Nonnenmalerin zu Papier ge-

Kreuz aus Katharinenthal. Basel, Historisches Museum.

bracht wird, glaubt man sich unmittelbar mit den Beschreibungen aus den Viten der Nonnen des 14. Jahrhunderts konfrontiert — ein später Nachklang einer Gefühls- und Erlebenswelt in Miniaturen, die rund 150 Jahre danach enstanden sind.

Das Motiv der Christusminne, verkörpert im Bild Johannes', der an der Brust Christi ruht, findet sich, wie allgemein bekannt, nicht nur in den schriftlichen Quellen. Die in den Katharinenthaler Viten erwähnte Gruppe hat sich im Original erhalten; eine stark verkleinerte Replik dieser Gruppe befand sich im Dominikanerinnenkloster Adelhausen. Darstellungen dieses Motivs finden sich auch in der Buchmalerei, so z. B. zweimal im Katharinenthaler Graduale (fol. 158a v und fol. 161).[67]

Wichtig sind auch Bildwerke, die die Darstellung der Passion Christi zum Inhalt haben, so plastische und gemalte Kruzifixe, die ja oft in den Viten erwähnt werden. Die aus dem Kloster Katharinenthal erhaltenen Objekte geben uns ein anschauliches Bild von deren Aussehen.[68] Für die Andachtspraxis bedeutsam sind weiters Darstellungen der Pietà, über deren frühe Existenz uns Gertrud von Helfta unterrichtet. Aus Adelhausen z. B. haben sich zwei Exemplare, eines als Fragment, ein zweites vollständig, erhalten.[69] Sicher zählte auch die Darstellung des Schmerzensmannes, wenn uns auch erhaltene Beispiele aus den Frauenklöstern fehlen, zu den Ausstattungen der Klöster.

Welche Funktion erfüllen nun diese Bildwerke in den Klöstern? Bilder können ähnlich wie Texte zur Meditation eingesetzt werden.[70] Allgemein wird anerkannt, daß für die Laienunterweisung, für die Unterweisung der Nonnen und Konversen das Heranziehen bildlicher Darstellungen notwendig ist. Ohne Bilder ist für viele Gläubige die angestrebte ständige Vergegenwärtigung des Lebens Christi und der Passion nur schwer möglich. Bilder in jeglicher Form erleichtern das verlangte Miterleben und Miterleiden, das schließlich bis zur Imitatio der heiligen Person führen kann, einer Imitatio, die so weit gehen kann, daß Schwestern Anzeichen der Schwangerschaft an sich fühlen oder in Visionen das ihnen erscheinende Jesuskind säugen.

Zu welch intensiven Erlebnissen im geistigen Bereich Kunstwerke führen können, zeigen die Offenbarungen der Margaretha

Kreuz in der Einsiedlerkapelle zu St. Katharinenthal.

Ebner: „Nun han ich ain bilde der kinthait unsers herren in ainer wiegen, so ich denne von minem herren so creftiklichen gezwungen wirde mit so grosser süesseket und mit lust und begirden und auch von siner güetigen bet uund daz mir auch von minem herren zuo gesprochen wirt: ‚saugest du mich nit, so wil ich dir mir underziehen, so du mich aller gernost hast', so nim ich daz bilde uzze der wiegen und leg ez an min blozzes herze mit grossem lust und süessiket und enphinde denne der aller creftigosten genade mit der gegenwertkeit gotz, daz ich da nach wunderun, wie unser liebin frowe die emssigen gegenwertket gocz ie erliden meht [. . .] aber min begirde und min lust ist in dem säugen, daz ich uz siner lutern menschet gerainiget werde [. . .]"[71]

In ähnlicher Form und mit ähnlichem Ziel — um den innigsten Kontakt mit Christus herzustellen — bedient sie sich auch der Kruzifixe, die sie für ihre Andachtsübungen verwendet: „daz ich ain cruicz hete, daz kusset ich als vil und dick, als ich immer maht, und druket ez an min hertz, als vil ich von creften maht, und daz tet ich emsclichen, daz mich dick duht, ich möht lebent da von nimmer geschaiden von als grosser gnaud und übercreftiger süezkait, diu mir so starclichen in drang in daz hertz [. . .] als ich gieng, so het ich ain criucz an mir, dar zuo het ich ain büechlin, da was auch ain herre an dem criucz, daz schob ich haimlich in den buossen also offenz, und wa ich gieng, so drukt ich ez an min hercz mit grosser fräude und mit unmessiger gnaud. und as ich dann schlauffen wolt, so nam ich den herren, den an dem büchlin, und let in under min antlücz, so troug ich ain herren an der kelen, der gieng mir uf daz hercz, dar zuo, wann moht, so stal ich ain groz criucz und let ez uf min hercz, und da lag ich dann gedruket uf biz daz ich entschlief in grozzer gnad [. . .]"[72]

Für mich erfüllen Kunstwerke in Andachtsübungen die gleiche Funktion, wie sie im Bereich der schriftlichen Quellen Texte, etwa die ‚Meditationes Vitae Christi‘, übernehmen.[73] Hier wird in anschaulichen Bildern das Leben und Leiden Christi der Leserin nahegebracht, und sie wird dazu aufgefordert, sich persönlich in das Geschehen zu versetzen. Dieses Mittel der „inneren Imagination" (Thomas) wird etwa anläßlich der Geburt Christi sehr anschaulich angewendet: Nach der Anbetung durch die Hirten bleibt die Heilige Familie zunächst ruhig sitzen, um auch die Leserin hinzuzulassen. Der Autor gibt ihr folgende Anweisungen: „Nun, nachdem du so lange gewartet hast, tritt auch hinzu, knie nieder und bete Deinen Herrn und Gott an; dann bete Maria, die jungfräuliche Mutter an und grüße auch den greisen Joseph; küsse die Füße des Jesuskindes, das in der Krippe liegt, und bitte Maria, sie möge dir das göttliche Kind eine Weile zum Halten geben. Nimm ihn und halte ihn ehrfürchtig in deinen Armen." Für Menschen, die stärker visuell eingestellt sind, erleichtern nun bildliche Darstellungen, wie sie sich ja auch in den Exemplaren der Meditationes finden, dieses Hineinversetzen in das heilige Geschehen. Aus diesem Grund werden neben den auf ein Bildmotiv konzentrierten „Andachtsbildern" in den Klöstern auch andere Formen von Bildwerken eingesetzt. Für diese andere Form möchte ich zum Abschluß noch drei Beispiele bringen. In jedem wird in zyklischer Form das Leben Christi dargestellt. Die gewählten Bildmotive konzentrieren sich auf einfache, leicht erfaßbare und daher auch einprägsame Motive: Das erste ist ein Elfenbeinbüchlein aus der ersten Hälfte des 14. Jahrhunderts, dessen Provenienz leider ungeklärt ist.[74] Auf den Innenseiten dieses Büchleins (jede Platte ist nur 10,5×5 cm)

Elfenbeinbüchlein zur Passionsandacht.
London, Victoria and Albert-Museum.

Geißelung und Handwaschung des Pilatus. Innenseiten des Elfenbeinbüchleins. London, Victoria and Albert-Museum.

sind die wichtigsten Szenen der Passion dargestellt; der Zyklus
schließt mit einer Darstellung der Arma Christi. Arma Christi stehen auch im Zentrum der aus dem Kölner Klarissenkloster
stammenden Tafel, die in 24 Bildern das Leben Christi, beginnend
mit der Verkündigung an Maria, zeigt.[75] Mit dieser Kombination
zweier von der Intention her unterschiedlicher Betrachtungswei-
sen ist es für den Andächtigen möglich, einerseits anhand der einzelnen Bildmotive die Ereignisse des Heilsgeschehens von Stufe
zu Stufe nachzuvollziehen. Andererseits sind die auf „Zeichen"
abgekürzten Symbole memorative Hilfe für den davor Betenden.[76]
Ich möchte in diesem Zusammenhang nur auf eine Anweisung zur
Andachtsübung in der von Bonaventura verfaßten Novizenregel
verweisen: „Vnd täglich, so du abgeschaiden bist von gesellschaft

Arma Christi. Innenseiten des Elfenbeinbüchleins.
London, Victoria and Albert-Museum.

der brueder, so soltu dich fleissen dein gemuet von aller sorgfelti-
kait zue widerrueffen, vnd so du von unzimlichen gedencken vnu-
ermischt bist, so soltu mit tieffer diemuetigkait vnd andacht des
hertzen vnd mit dancksagen widervmb betrachten all guettaten
des behalters vnd allermaist, das er für dich diemuetigclich
mentsch wolt werden vnd die aller bittersten pein wolt leiden vnd
des allerschnedesten tods sterben. Was du aber von dem leiden
Christi denn betrachten söllest, das beschreibt der saelig Bernhardus vnd spricht: ‚O mentsch, sich an mit augen deines gemuets,
wie mit so grosser schuld der wider belonung du gott deinem herren, der für dich gelitten hat, verbunden bist. Sich an den plueti-
gen schwais, die lestrung seiner baggenschleg, die hertigkait seiner gaiselung, die dürnin kron, die verspottung, die spaichlen, die

226

annaglung an das creutz, die aufrichtung des galgen, die siechen augen, die blaiche des munds, die gallen speis, daz geessicht tranck, das genaigt hapt, die pein des tods. Vnd was sol ich mer sagen? das leben ist für vns gestorben."[77]

Die hier erfolgte Aufzählung der einzelnen Leidensstationen, die zum Mitleiden auffordert, kann ersetzt oder unterstützt werden durch Bildwerke, die z. B. ähnlich geformt sein können wie die formelhafte Darstellung der „Arma Christi", die in ihrer abgekürzten Form, ohne den Betrachter vom Thema der Meditation abzulenken, Hilfestellung für diese bieten. Aus dem Breslauer Klarissenkloster schließlich stammt das letzte Kunstwerk, das ich erwähnen möchte[78]; es erfüllte dieselbe Funktion wie die eben genannte Tafel aus dem Kölner Konvent. Die beiden aufklappbaren Flügelpaare zeigen wiederum Szenen aus dem Leben Christi.

Wie in den Meditationes die Leserin aufgefordert wird, Augenzeuge des Geschehens zu sein, so wird es dem Betrachter von Bildwerken leichter gemacht, sich in die geschilderte Situation zu versetzen — ein Versenken, das so weit gehen kann, daß sich die in die Meditation einbezogenen Objekte verlebendigen: Christus, der Gekreuzigte, löst sich vom Kreuzesbalken und umfängt die vor ihm kniende Nonne, Jesuskinder, auf dem Schoß von Marienstatuen sitzend, werden bei der innigen Berührung durch Nonnen lebendig, Bildwerke werden im gesteigerten Gefühlserleben zu auslösenden Momenten von visionären Schauungen, und visionäre Schauungen, in den Vitensammlungen festgehalten, wirken ihrerseits, wenn auch für das 14. Jahrhundert nur schwer faßbar, vor allem in der Spätzeit des Mittelalters, im 15. Jahrhundert, befruchtend auf die Verbreitung von Bildmotiven. Die innere Visualisierung des Heilsgeschehens wird durch die äußere Visualisierung im Kunstwerk unterstützt, im Kunstwerk, dessen Existenz in Form von bildlichen Darstellungen des Heilsgeschehens den theologischen Autoritäten nur deshalb tolerabel erschien, weil es drei Funktionen erfüllen konnte: Belehrung für die Unwissenden, Erinnerung für die Vergeßlichen und förderlich der Andacht für die, die trägen Herzens sind.

Anmerkungen

[1] Literatur, die sich mit der Problematik der Entstehung von Bildmotiven im Zusammenhang mit der Mystik auseinandersetzt, ist in der Mehrzahl in der ersten Hälfte dieses Jahrhunderts erschienen. Verweisen möchte ich hier nur auf: Josef Sauer, Mystik und Kunst unter besonderer Berücksichtigung des Oberrheins, in: Kunstwissenschaftliches Jahrbuch der Görresgesellschaft I, 1928, 3 ff.; Ernst Benz, Christliche Mystik und christliche Kunst (Zur theologischen Interpretation mittelalterlicher Kunst), in: Deutsche Vierteljahrsschrift XII, 1934, 22 ff.; Ursula Weymann, Die Seusesche Mystik und ihre Wirkung auf die bildende Kunst, phil. Diss. Berlin 1938; Karl Haupt, Mystik und Kunst in Augsburg und im östlichen Schwaben während des Spätmittelalters, in: Zeitschrift des historischen Vereins für Schwaben 59/60, 1969, 1 ff. Eine ausführliche Übersicht über diesen Themenkreis bietet der Ausstellungskatalog Mystik am Oberrhein und in benachbarten Gebieten, Freiburg/Br. 1978.

[2] Karl Drescher (Hrsg.), Johann Hartliebs Übersetzung des Dialogus Miraculorum von Caesarius von Heisterbach (Deutsche Texte des Mittelalters 33), Berlin 1929, 122 f.

[3] Ebd. 121.

[4] Ebd. 77.

[5] Otmar Wieland, Gertrud von Helfta ein botte der götlichen miltekeit (Studien und Mitteilungen zur Geschichte des Benediktiner-Ordens und seiner Zweige, Erg. Bd. 22), 1973, 120.

[6] Ebd.

[7] Ebd.

[8] Ludwig Clarus (Hrsg.), Lebensbeschreibungen der ersten Schwestern des Klosters der Dominikanerinnen zu Unterlinden von deren Priorin Catharina von Gebsweiler, Regensburg 1863, 216 ff.

[9] Ebd. 166 ff.

[10] Ferdinand Vetter (Hrsg.), Das Leben der Schwestern von Töß beschrieben von Elsbet Stagel (Deutsche Texte des Mittelalters 6),Berlin 1906, 46 f.

[11] Ebd. 38.

[12] Anton Birlinger, Leben heiliger alemannischer Frauen des Mittelalters, V. Die Nonnen von St. Katarinental bei Dießenhofen, in: Alemannia 15 (Bonn 1887), 162 f.

[13] Ebd. 165.

[14] Ebd. 171.

[15] Ebd. 152 und 176.

[16] Ebd. 160.

[17] Ebd. 182.

[18] Philipp Strauch, Margaretha Ebner und Heinrich von Nördlingen. Ein Beitrag zur Geschichte der deutschen Mystik, Freiburg 1882, 20.

[19] Ebd. 20.

[20] Ebd. 21.

[21] Ebd. 214.

[22] Ebd. 87.

[23] Ebd. 90 ff.

[24] Catharina von Gebsweiler (zit. Anm. 8) 254 f.

[25] Ebd. 18 f.

[26] Elsbet Stagel (zit. Anm. 10) 36.
[27] Ebd. 80.
[28] Philipp Strauch, Die Offenbarungen der Adelheid Langmann, Klosterfrau zu Engelthal, Straßburg 1878, 66 f.
[29] Karl Schröder, Der Nonne von Engelthal Büchlein von der genaden Uberlast, Stuttgart 1871, 42 ff.
[30] Adelheid Langmann (zit. Anm. 28) 33.
[31] Birlinger (zit. Anm. 12) 162.
[32] Ebd. 160.
[33] J. König, Die Chronik der Anna von Munzingen, in: Freiburger Diöcesan-Archiv 13, 1880, 176.
[34] Karl Bihlmeyer, Mystisches Leben in dem Dominikanerinnenkloster Weiler bei Eßlingen im 13. und 14. Jahrhundert, in: Württembergische Vierteljahreshefte für Landesgeschichte 2, 1916, 72.
[35] Birlinger (zit. Anm. 12) 179.
[36] Ebd. 175.
[37] Ebd. 173.
[38] Kurt Köster, Leben und Geschichte der Christina von Retters (1269—91), in: Archiv für Mittelrheinische Kirchengeschichte 8, 1956, 254 f.
[39] Schröder (zit. Anm. 29) 36.
[40] Strauch (zit. Anm. 28) 18.
[41] Catharina von Gebsweiler (zit. Anm. 8) 220 f.
[42] Schröder (zit. Anm. 29) 26.
[43] Ebd. 13.
[44] Strauch (zit. Anm. 28) 23.
[45] Ebd. 28.
[46] Wieland (zit. Anm. 5) 102.
[47] König (zit. Anm. 33) 185.
[48] Ebd. 170.
[49] Walter Muschg, Mystische Texte des Mittelalters, Basel 1943, 35.
[50] Margot Schmidt, Mechthild von Magdeburg. Das fließende Licht der Gottheit, Einsiedeln, Zürich, Köln 1955, XX.
[51] Hans Wentzel, Eine Wiener Christkindwiege in München und das Jesuskind der Margaretha Ebner, in: Pantheon 18, 1960, 276 ff.
[52] Vgl. Ilse Futterer, Gotische Bildwerke der deutschen Schweiz 1240—1440, Augsburg 1930, Tafel XXX.
[53] Wentzel (zit. Anm. 51) 276 ff.
[54] Strauch (zit. Anm. 18) 90.
[55] Ellen J. Beer, Beiträge zur oberrheinischen Buchmalerei in der ersten Hälfte des 14. Jahrhunderts unter besonderer Berücksichtigung der Initialornamentik, Basel, Stuttgart 1959, 75 ff.
[56] Ausstellungskatalog 800 Jahre Franz von Assisi, Krems 1982, 632.
[57] Vgl. dazu Josef Schewe, Unserer lieben Frauen Kindbett, phil. Diss. Kiel 1958, 57 ff.
[58] Vgl. zu diesem Themenkomplex die umfassende Darstellung von Gregor Martin Lechner, Maria gravida. Zum Schwangerschaftsmotiv in der bildenden Kunst, (Münchner Kunsthistorische Abhandlungen IX), München, Zürich 1981, 345 f.
[59] Ebd. 346.
[60] Vgl. dazu auch Haupt (zit. Anm. 1).

[61] Beer (zit. Anm. 55) 80 ff., Abb. 56—58, sowie Ausstellungskatalog Kunstepochen der Stadt Freiburg, Freiburg 1970, Farbtaf. V.

[62] Vgl. dazu die ausführliche Darstellung dieses Themas in den Publikationen von Hans Wentzel, die bei Elisabeth Landolt-Wegener, Zum Motiv der „Infantia Christi", in: Zeitschrift für schweizerische Archäologie und Kunstgeschichte 21, 1961, 164, zusammengestellt sind.

[63] Franz von Assisi (zit. Anm. 56) 606 f., sowie Hans Wentzel, Maria mit dem Jesusknaben an der Hand. Ein seltenes deutsches Bildmotiv, in: Zeitschrift des deutschen Vereins für Kunstwissenschaft 9, 1942, 214.

[64] Hans Wentzel, Die Madonna mit dem Jesusknaben an der Hand aus Welver, in: Westfalen 34, 1956, 230.

[65] Horst Appuhn, Der Fund vom Nonnenchor (Kloster Wienhausen IV), 1973, Abb. S. 26.

[66] Franz von Assisi (zit. Anm. 56) 634 f.

[67] Vgl.die ausführliche Literaturzusammenstellung bei Hans Wentzel, Die Christus-Johannes-Gruppen des XIV. Jahrhunderts (Werkmonographien zur bildenden Kunst 51), Stuttgart 1960, sowie Reiner Haussherr, Über die Christus-Johannes-Gruppen. Zum Problem „Andachtsbilder" und deutsche Mystik, in: Beiträge zur Kunst des Mittelalters. Festschrift für Hans Wentzel zum 60. Geburtstag, Berlin 1975, 79 ff.

[68] Ilse Futterer (zit. Anm. 52) Abb 57, 58 und 62; vgl. auch Ausstellungskatalog Die Zeit der Staufer II, Abb. 231, sowie Bd. I, 305 f.

[69] Mystik am Oberrhein (zit. Anm. 1) 63 (mit Abb.).

[70] Vgl. zu diesem Fragenkomplex Robert Suckale, Arma Christi. Überlegungen zur Zeichenhaftigkeit mittelalterlicher Andachtsbilder, in: Städel-Jahrbuch 6, 1977, 177 ff.

[71] Strauch (zit. Anm. 18) 87.

[72] Ebd. 20 f.

[73] Zur intendierten Funktion der Meditationes vgl. Michael Thomas, Der pädagogische Gedanke der „Meditationes Vitae Christi" und ihre Anwendung der inneren Imagination, in: Paedagogica historica 15, 1975, 426 ff.

[74] Hans Wentzel, Ein Elfenbeinbüchlein zur Passionsandacht, in: Wallraf-Richartz-Jahrbuch 24, 1962, 193 ff.

[75] Vgl. Anm. 63.

[76] Vgl. dazu die Ausführungen von Suckale (zit. Anm. 70).

[77] K. Ruh, Franziskanisches Schrifttum im deutschen Mittelalter (Münchner Texte und Untersuchungen zur deutschen Literatur des Mittelalters 11), 1965, 134 ff.

[78] Franz von Assisi (zit. Anm. 56) 604.

Leen Breure

MÄNNLICHE UND WEIBLICHE AUSDRUCKSFORMEN IN DER SPIRITUALITÄT DER DEVOTIO MODERNA

I. Einleitung

Inmitten der Bewegungen, die eine Reaktion auf die Zerrüttung der spätmittelalterlichen Kirche bilden, nimmt die Devotio moderna eine besondere Stelle ein. Allerdings nicht so sehr wegen des Inhalts ihrer Spiritualität. Wie die Mitglieder dieser Bewegung selbst schon durch den Namen „Devotio moderna" zu erkennen geben wollten, beabsichtigte sie lediglich, die zeitgenössische Verkörperung der „Devotio antiqua", der Frömmigkeit der ersten Christen und der Wüstenväter, zu sein. „Modern" war als Zeitangabe gemeint und deutete bestimmt nicht auf einen bewußten Bruch mit dem traditionellen Glaubenserlebnis der vorangegangenen Jahrhunderte hin.

Das Besondere verbarg sich vielmehr in der Form der Bewegung. Einerseits wollte sie ausdrücklich innerhalb der Grenzen der offiziellen Kirche bleiben, und andererseits bediente sie sich nur zum Teil des organisatorischen Rahmens, den diese Kirche bot. Im Gegensatz zu den meisten vorhergehenden orthodoxen Erweckungsbewegungen (z. B. Cluny, Cîteaux, Franziskaner) stützte sie sich ursprünglich nicht auf eine Ordensregel. Entstand doch die Devotio moderna als eine Laienbewegung, die sowohl Männer- als auch Frauengemeinschaften umfaßte. Diese Laien wohnten zusammen in Häusern, ohne einer offiziellen Ordensregel zu folgen. Das Mr. Geertshuis in Deventer, die Wohnung von Geert Grote, dem Begründer der Bewegung, wo sechzehn Frauen Obdach fanden, war das erste der zahlreichen Häuser dieser Brüder und Schwestern des gemeinsamen Lebens. Erst später bildete sich der als Windesheimer Kongregation bekannte klösterliche Flügel, benannt nach dem bei Zwolle gelegenen Hauptkloster, das der Ordensregel des Augustin folgte.

Durch diese besondere Position als Laienbewegung liefen die Brüder und vor allem die Schwestern Gefahr, mit den oft der Heterodoxie verdächtigten und inzwischen verurteilten Beginen und Begharden auf eine Stufe gestellt zu werden. Die modernen Devoten haben sich denn auch anfangs wiederholt gegen Angriffe der offiziellen kirchlichen Autorität verteidigen müssen. Dies wiederum stimulierte die Führer, für den orthodoxen Charakter der Bewegung zu sorgen. Eine strenge Autorität, zumindest über die Schwestern, wurde für unentbehrlich erachtet.

Die Autoritätsproblematik wurzelte aber tiefer und war im wesentlichen mit der Diagnose der modernen Devoten hinsichtlich der Ursache der geistigen Zerrüttung und des religiösen Verfalls in ihrer Zeit verknüpft. Gerard Zerbolt von Zutphen, einer der ersten Brüder aus dem Deventer Fraterhaus, faßte diese in einem seiner Traktate in dem folgenden Bild zusammen. Anknüpfend bei Lukas 10, Vers 30 (Beginn des Gleichnisses vom barmherzigen Samariter) schreibt er:

Es war ein Mensch, der ging von Jerusalem hinab gen Jericho. Mit diesen Worten wird in sinnbildlicher Weise der Fall des menschlichen Geschlechts beschrieben, und mit der Markierung Jerusalem und Jericho wird zu erkennen gegeben, aus welchem harmonischen Stand und zu welcher Verworfenheit der Mensch heruntergekommen ist.

Denn unter „ein Mensch" wird zu Recht Adam, der erstgeschaffene Mensch verstanden und mit ihm zu Recht das ganze Menschengeschlecht einbegriffen, das durch Fortpflanzungsmöglichkeiten in ihm war und aus ihm hervorgegangen ist.

Dieser Mensch ging von Jerusalem hinab gen Jericho, das bedeutet aus dem Stand der Vollkommenheit in den Stand oder vielmehr in den Zustand von Unbeständigkeit und Jammer.

Aber ich werde deutlicher sagen, von welchem Jerusalem und nach welchem Jericho der Mensch abgestiegen ist. Jerusalem wird „Bild des Friedens" genannt (Jes. 2). Jericho wird als „der Mond", der die Unbeständigkeit bedeutet, übersetzt.

Deshalb wird mit Recht gesagt, daß dieser Mensch in Jerusalem gewesen ist, als er mit Hilfe der Verstandeskräfte, nämlich des Intellekts, der Vernunft und anderer Kräfte, klar und deutlich unterscheiden konnte und auch Gott selbst, wenn auch nicht in seinem Wesen, mit den klaren Augen seines Verstandes und in geistiger Verzückung schaute.

Auch durch die begehrenden Kräfte, nämlich den Willen, den Zorn, die Begierde und andere Kräfte, Fähigkeiten und Gefühle, die ihm verliehen wurden, würde er vollkommenen Frieden und Ruhe besitzen können, wenn er, kurz gesagt, alles deutlich begriffe, was er begreifen müßte, wenn er, falls er etwas wollen würde, dies freudig und ohne widerstreitende Neigung oder Widerspruch wollte, und wenn er etwas begehrte, dies gemäß seinem Verstandesurteil täte.

Aber weil der Mensch Gott nicht untertan sein wollte, dem er ausschließlich unterworfen sein sollte, darum rebellierte das Niedere in ihm gegen ihn und hat es ihm schwer gemacht. Weil er es verschmäht hat, untertänig zu sein, darum ist der Mensch sich selbst zur Last geworden, und sein eigenes Leben ist ihm eine Prüfung. Laufend wird er je nach den verschiedenen Regungen seiner Begierden und den Eingebungen seiner Wünsche verändert, wie der Mond. Und niemals bleibt er in demselben Zustand, bis er wieder zu dem Zustand zurückkehrt, aus dem er durch das Elend der Unbeständigkeit gefallen ist.

Mit Recht wird darum gesagt, daß der Mensch von Jerusalem gen Jericho hinabgestiegen ist.[1]

Mit anderen Worten:

Eine Rückkehr zu einem vollkommeneren und glücklicheren Leben ist nur möglich, wenn der Mensch wieder die höheren Kräfte in sich frei macht und mit der so gewonnenen Einsicht das Niedrigere besiegt und vor allem zum Gehorsam gegenüber Gott gelangt. Dafür muß er erst lernen, den geistlichen Führern zu gehorchen, die er auf diesem Weg zur Vollkommenheit braucht. Autorität und die Rettung der Seele gehören zusammen.

In Anbetracht der zentralen Bedeutung der *Autorität* und der damit verbundenen wichtigen Tugenden wie Demut, Geduld und Gehorsam schien es mir der Mühe wert, dieses Thema als Ausgangspunkt für eine Erkundung der männlichen und weiblichen Spiritualität zu wählen. Geographisch ist die Untersuchung auf das Quellenmaterial aus dem Entstehungsgebiet der Bewegung beschränkt, nämlich auf die Ysselgegend, besonders die Städte Deventer und Zwolle und das umliegende Gebiet. Was die Periode betrifft, liegt der Akzent auf dem späten 14. und der ersten

Hälfte des 15. Jahrhunderts. Das meiste Material wurde den bekannten Klosterchroniken und den hagiographisch gefärbten Biographien entnommen, die innerhalb der Gemeinschaft zur Erbauung der Mitbrüder und -schwestern verfaßt wurden.

II. Der Führungsstil

Die Führung beruhte auf zwei naheliegenden Prinzipien: korrigieren und selbst das gute Beispiel geben. Ersteres fand seinen Ausdruck in Tadeln, Bestrafungen und öffentlichen Demütigungen eines Bruders oder einer Schwester, die nach Ansicht des Superiors eine solche Übung nötig hatten. Eine derartige Strenge konnte aber leicht ihr Ziel verfehlen. Der Superior mußte selbst mit gutem Beispiel vorangehen. Allzu heftiges Toben oder eine zu harte Strafe rief natürlich keine Reminiszenz an die Ergebung und die Sanftmut hervor, die die modernen Devoten so an Christus bewunderten und auch in ihrem eigenen Leben zum Ausdruck bringen wollten. Einer der ersten Rektoren der Deventer Schwestern, Johan Brinckerinck, gedachte der Worte von Athanasius: „Vita cogat, sed verba suadant" (die Lebensweise sei das Zwingende, Worte aber sollen nur beratende Kraft haben). Er fürchtete auch stets, daß man ihm vorhalten würde: „Arzt, heile dich selbst!"[2]

Andererseits wurde von dem Superior erwartet, daß er laufend über die „guten Gewohnheiten" wachte, jede Übertretung rügte und, wenn nötig, handfest die geistige Entwicklung der Seinen förderte (einige baten selbst, streng angefaßt zu werden).

Aus den Lebensbeschreibungen, die wir von der ersten Generation führender Personen besitzen, spricht so auch eine gewisse Ambivalenz: Strenge wird gelegentlich abgeschwächt, um nur nicht einen zu brüsken Eindruck zu erwecken.

Florens Radewijns, der erste Rektor des nach ihm benannten Deventer Fraterhauses (das Hr. Florenshuis), wird uns als das Muster eines solchen gemäßigten Leiters vorgstellt.[2a] Er verhielt sich desto demütiger, je wichtiger seine Aufgabe wurde[3], und strahlte eine bemerkenswerte Mischung von Devotion und Ehrfurcht aus. Thomas a Kempis, der seine Vita geschrieben hat, konnte sich erinnern, daß er sich an den Boden genagelt fühlte, als Florens im Chor hinter ihm stand und die Hände auf seine Schultern legte, perplex durch die Würde, die von ihm ausstrahlte.[4] Er erinnerte sich an einen anderen Deventer Bruder, der wegen der „gravitas" (Ernst) in seinen Augen und seinem Verhalten gepriesen wurde, so daß er als ein Mensch aus einer anderen Welt erschien.[5] Auch der Rest seiner Personenbeschreibung entspricht dem idealen Bild: seine Kleidung war einfach, für die Festtage dieselbe wie für den Alltag, manchmal etwas verschlissen, und er lehnte einen neuen Mantel ab, den ein Onkel ihm geben wollte.[6]

Das Modell, das Thomas vor Augen hatte, war die Dienstbarkeit von Christus unter seinen Jüngern. In die alltägliche Wirklichkeit übertragen, bedeutete das unter anderem, daß Florens auch turnusgemäß Küchendienst hatte (eine von den modernen Devoten als gering qualifizierte Arbeit).[7] Die Ähnlichkeit mit Christus fungierte zugleich als Legitimation der Autorität. Aus persönlichen Aufzeichnungen der Brüder wissen wir, daß sie in dem Superior Christus selbst sahen; ihm gehorchen hieß Christus gehorchen. Dabei schreckte man nicht vor krassen Urteilen zurück:

> Denkt deshalb nicht, daß das, was man Euch aufträgt, schlecht oder ungerecht ist oder sich gegen Euer Wohlergehen richtet: denn es ist nicht [Euer Superior], sondern Christus, der Euch befiehlt. Darum gehorche um Christi Willen und führe das Aufgetragene aus, als wäre es ein Auftrag aus dem Himmel. Denn Gott wünscht nicht immer, unmittelbar [per se ipsum] oder mittels eines Wunders oder Engels Euch seinen Willen deutlich zu machen, sondern fügt es so, daß wir durch einen Menschen seinen Willen vernehmen und [fordert], daß wir [folglich] diesen menschlichen Ratschlägen und Aufträgen gehorchen, als wären es die seinen.[8]

Auch Florens selbst hat mit mancherlei Worten die Notwendigkeit von Gehorsam (und der hiermit verbundenen Demut) unterstrichen. Das ausschlaggebende Argument war stets: „Gedenke des Sterbens, Gottes Urteil erwartet dich!" Solange man gehorsam lebte, durfte man auf göttliche Gnade im Jenseits[9] und auch bereits in diesem Leben hoffen[10]. Seine Sanftmut scheint seine Forderung nach strengem Gehorsam nicht beeinträchtigt zu haben. Wesentlich für diesen Gehorsam war, daß der eigene Wille der Brüder gebrochen wurde. Aber Florens wünschte das eigentlich auch selbst. Niemand konnte andere führen, ohne daß er zuerst gehorchen gelernt hatte.[11] Daß der Gehorsam systematisch mit Gottes Urteil und den Strafen im Jenseits in Zusammenhang gebracht wurde, ist typisch für die „memento-mori"-Stimmung, die die moderne Devotion kennzeichnet. Auch Thomas a Kempis äußert sich in dieser Weise an verschiedenen Stellen in seiner ‚Imitatio Christi'.[12]

Wie objektiv ist nun dieses Bild, das Thomas a Kempis von seinem Lehrmeister gezeichnet hat? Es ist deutlich, daß vieles retuschiert wurde. Es stimmte mit dem Wesen der Devotion überein, alle harten Worte als fromme Ermahnungen auszulegen. Bei skeptischer Interpretation würde man darin auch ein normales Maß menschlicher Irritation sehen können. Wir müssen uns bemühen, den „anderen Florens", den Menschen, zu entdecken, der sich anstrengen mußte, nicht irritiert zu werden, wenn er immer aufs neue beim Beten des Breviers gestört wurde.[13] An anderer Stelle, in den Lebensbeschreibungen von anderen Brüdern aus seinem Vikarhaus, sehen wir auch seine Ausfälle und Launen, wobei seine schwache Gesundheit und die Tatsache, daß er magenleidend war, vielleicht auch eine Rolle gespielt haben. Als die Brüder während einer Bibelbesprechung stumm blieben und einer von ihnen schließlich doch eine Antwort gab, bemerkte Florens boshaft: „Lubbert, denkst du, daß wir dergleichen Dinge nicht wissen, auch wenn wir keine Baccalaurei und Magister sind?"[14] Dem Koch gab er die Schuld an Dingen, für die dieser nichts konnte. Als dieser sehr beschäftigt war, andere zu bedienen, klopfte er auf den Tisch, als ob er bedient werden wollte, erteilte Tadel über die Qualität des Essens und verübelte sehr, wenn etwas zerbrochen oder verschüttet wurde.[15] Solche Dinge wurden als Übungen in Demut und Geduld angesehen. Von demjenigen, den es traf, wurde erwartet, es sich zunutze zu machen. Die Demütigungen variierten von bissigen Bemerkungen über geringe intellektuelle Leistungen von jemandem[16], über sein Äußeres[17] oder seine Kleidung[18] bis zu ungerechten Tadeln, dem Verrichten wenig angesehener Arbeiten[19], dem Küssen der Füße der Brüder am Tisch und anderen öffentlichen Schaustellungen. Wen man advocatus diaboli spielt, kann man hierin einen reizbaren Superior sehen, der seinen Ärger abreagierte. In jedem Fall scheint ein Zusammenhang mit dessen Charakterstruktur unverkennbar.

War er ein Mann mit strengen Ansichten, konnte sein Regiment diktatorische Züge annehmen. In dem Kloster Frenswegen war in den Jahren 1420 und 1430[20] ein gewisser Hendrik Loeder Prior. Er tadelte sogar Laienbrüder, die während der Arbeit Psalmen in der Umgangssprache sangen[21] und demonstrierte für Gäste im Speisesaal die herrschende Disziplin: Brüder, die umherschauten, mußten einige Male kniend um Vergebung bitten und den Boden küssen.[22] In anderen Fällen wurde diese Übertretung mit einer Ohrfeige bestraft, oder er ließ vor dem Schuldigen auf den Tisch einen sogenannten „Esel" stellen, einen hölzernen T-förmigen Gegenstand, in den in großen Buchstaben geschnitzt war: „Custodite oculos tuos" (Hüte deine Augen).[23]

Eine ganz ähnliche Mischung aus Härte und Milde finden wir in den Porträts der Oberinnen. Das Leben der ersten Mutter-Oberinnen, die über die Schwestern in Deventer wachten, ist in Nebel gehüllt.[24] Mette ten Barchuys († 1429) wird als sehr demütig, sich geringschätzend („cleynvoelend") beschrieben, aber auch gewissenhaft, fürsorglich und ermahnend, falls jemand gegen die Regeln verstieß.[25] Die bekanntere Barten ter Clocken († 1433) ermahnte „oetmoedich ende schemel" („demütig und verlegen") und tröstete diejenigen, die getadelt worden waren.[26]

Interessanter ist die Figur der Salomee Sticken, die erst Mutter im Mr. Geertshuis war und später, 1412, Priorin in dem nahe Deventer gelegenen Frauenkloster Diepenveen wurde. Sie wird uns als ein durch und durch demütiger Mensch vorgestellt, der den bekannten Spruch der modernen Devoten „schweigen, weichen, sich beugen" deutlich im Banner führte.[27] Jede Erweiterung ihres Ansehens wies sie zurück: als sie noch jung zur Mutter gewählt wurde, verkroch sie sich auf dem Kirchenspeicher.[28] Später in Diepenveen fand sie gar nichts daran, daß sie Novizin wurde; sie wäre lieber Laienschwester gewesen.[29] Dennoch hatte sie auch ganz selbstbewußte Seiten, und Autorität strahlte von ihr aus. Auch sie gab das gute Beispiel durch anspruchslose Kleidung, und sie war mit einfachen Dingen zufrieden.[30] Sie konnte mild und taktvoll in ihren Tadeln sein[31], aber geriet auch mit dem Rektor in Konflikt, wenn sie den Armen eigenmächtig zuviel gab[32]. Es ist typisch für die Schwestern, daß die Kraft ihrer Autorität nicht mit Weitschweifigkeit umschrieben wurde, sondern es wurde eine Anekdote über die Katze des Hauses erzählt, die ihr so demütig und korrekt gehorchte, daß das Tier ein Vorbild für den Menschen war. Sie verstanden die Kunst, aus etwas Alltäglichem etwas Besonderes, etwas Heiliges zu machen. Ihre ganze Devotion wurde durch ein großes Interesse für das Detail, eine Abkehr von der Abstraktion, von dem verbalen Etikett gekennzeichnet, und sie besaß einen starken emotionalen Unterton. Die Grenze zwischen Wirklichkeit und Phantasie wurde nicht immer durch rationale Erwägungen überwacht.

Die Devotion selbst äußerte sich auch oft auf eine emotionelle Weise, die die Schwestern als *Inbrunst* bezeichneten. Die Haltung der Brüder war viel bescheidener, züchtiger, ruhiger, ehrerbietiger und zurückhaltender.[33] Nur gelegentlich lesen wir, daß auch Männer eine derartige extrovertierte Devotion zeigten wie Johan Kessel, der Koch aus dem Hr. Florenshuis:

> Immer, wenn er mit einem Mitbruder über die heilige Armut sprach, klang in seinen Worten so viel Feuer durch, daß er, seiner Körperbewegung und seinem Mienenspiel nach zu urteilen, von innen her ganz in Brand zu stehen schien.[34]

Der Biograph Thomas a Kempis läßt es bei dieser faktischen Beobachtung. Die Schwestern dagegen scheinen einander anders, weniger sachlich, beobachtet zu haben. So sah eine Schwester aus Diepenveen Salomee Sticken morgens feurig die Mette lesen; sie blieb kurz stehen, schaute sie andächtig an und sah plötzlich, wie Lichtstrahlen von ihrem Mund ausgingen:

> Soe sach sie dat hoer vurige stralen wten monde gengen hent tot den spinrocken toe, gelijc der sonnen, van mennygerhande varwen, elker reyse als hoer een woert wt den monde genck.[35] (So sah sie, daß ihr feurige Strahlen aus dem Mund zum Spinnrocken hin gingen, gleich der Sonne in mancherlei Farben, jedesmal, wenn ihr ein Wort aus dem Munde ging.)

Auch an anderen Stellen in ihrer Lebensbeschreibung zeigt sie Aura-Phänomene: einen Lichtkranz, der sie während eines nächtlichen Gebets umgab[36], und eine brennende Kerze, die sie in ihrer Hand zu halten schien und die wie eine Fackel aufloderte[37]. Die Wahrnehmung ging leicht in Einbildung und visionäres Erleben über. In der einen Passage wird ihr Unterricht noch mit einer brennenden Flamme verglichen[38], während in einer anderen die geliebte Priorin schon in diesem Bild aufgegangen ist. „Sie war in Wahrheit eine feurige Flamme"[39] (wegen ihrer Christusdevotion). Man könnte dies noch als gewöhnlichen Bildgebrauch lesen, wenn nicht unmittelbar darauf eine Vision folgte, in der eine Schwester das Gesicht von Salomee über einer hoch auflodernden Flamme sah. Diese Schwester war aus dem einen oder anderen Grund böse auf ihre Oberin, und sie hörte eine Stimme, die sie warnte, keine Gereiztheit gegen diese gottesfürchtige Person zu hegen.[40]

Es gab auch Untugenden und Entgleisungen, die bei den Schwestern öfter vorgekommen zu sein scheinen als bei den Brüdern. „Curioesheit" (curiositas), beonders in bezug auf die Kleidung, war in der Frauengemeinschaft offenbar ein größeres Problem. Brüder werden nur ihrer einfachen Kleidung wegen gelobt oder gelegentlich deswegen einer Prüfung unterworfen.[41]

Salomee Sticken verlangte von den Schwestern dagegen häufig Übungen mit zerrissenen und geflickten Chorhemden und Schleiern oder band jemandem eine Schürze um den Kopf[42]; die Knöpfe eines alten Nachthemds dienten einer „kuriosen" Schwester als Rosenkranz; Übungen, die z. B. noch durch Betteln um Brot im Remter, Tragen einer Rute auf dem Rücken und dergleichen ergänzt wurden[43]. Wenn eine Schwester von zu Hause neue Kleider erhielt, wurden diese ihr im Mr. Geertshuis abgenommen und einer anderen gegeben, die sie nötiger brauchte.[44] Diejenige, der dies widerfuhr, hielt sich gut, aber die Schreiberin bemerkt durch die Blume:

Nochtan ist wal te vermoeden, dat si naeder natueren oer daer al mercklick in te sterven hadde [. . .][45] (Dennoch kann man wohl vermuten, daß sie naturgemäß schon merklich entsagen mußte.)

Auch lebende Dinge konnten eine Quelle irdischer Verführungen sein: Eine der Schwestern entwickelte eine besondere Zuneigung zu einem Baum, der beim Eingang stand; Rudolf Dier van Muiden weiß zu berichten, daß es sich um ein Apfelbäumchen handelte, und spricht von einem „amor sensualis".[45a] Sie gab ihm Wasser, und wie die Quelle vermeldet, umarmte und küßte sie ihn, „von einer weiblichen Emotion überschwemmt" (affeccione muliebri permota). Als der Rektor dies vernahm, ließ er den Baum fällen und in die Yssel werfen.[46] Es gab eine andere Schwester, die aus einem ganz ähnlichen Abscheu vor Eitelkeit ab und zu in den Garten lief und die Pflanzen schlug, „als ob es ein Kind gewesen wäre". Auch dies ging übrigens der Leitung zu weit, und sie wurde dafür getadelt.[47]

„Curioesheit" war ein weiter Begriff und konnte sich auch auf eine allzu große Wißbegierde beziehen. Mutter Barten ter Clokken trat gegen Dinge auf,

> die tot curioesheiden droegen, als van clederen, van boecken of van anderen dijngen, die der oetmoedicheit contrari weren, al mochtet oer oeck groetelick gebaeet hebben[48] (die zu „curioesheiden" beitrugen, wie Kleider, Bücher oder andere Dinge, die der Demut entgegengesetzt waren, wenn sie auch von Nutzen gewesen wären).

Diese Äußerung ist vielsagend und weist auf den weniger intellektuellen Frömmigkeitscharakter der Schwestern hin. Das ist ein Gegensatz zu den Brüdern, die auch durch ihre Kopierarbeit und Bücherkenntnis dem intellektuellen Element mehr Raum ließen. Die meisten Schwestern konnten gewiß lesen und schreiben, und es war offenbar nicht ungewöhnlich, gute Bücher zu studieren[49] (es gab sogar eine Schwester in Diepenveen, die ein Körbchen bekam, um ihre „Studienbücher" darin zu tragen[50]). Doch demgegenüber stand eine sehr starke Tendenz, das Buch dem Herzen unterzuordnen. Möglicherweise galt dies etwas mehr für das Mr. Geertshuis als für das Kloster Diepenveen.[51] Junge Schwestern wurden angeregt, ihre guten Gedanken nicht aus den Schriften anderer zu schöpfen, sondern selbständig zu meditieren[52] und „sich in den Wunden Christi zu üben" („oefenen in den wonden cristi")[53], d. h. über die Wunden zu meditieren.

Wohin zuviel Studium führen konnte, wird in der Lebensgeschichte der 1428 im Mr. Geertshuis gestorbenen Alijt Plagen
deutlich. Sie schöpfte ihre ganze Kraft aus dem Bibelstudium, und,
wenn die Schreiberin dies auch nicht ausdrücklich betont, sie war
eigensinnig:

> Het was van natueren een verstandel mensche ende hadde veel sijnne,
> mer si volgende oeren verstande ende guetduncken alte veel, soedat si
> daer dicke omme veroetmodicht ende vernedert waert, ende was oeren
> oversten ende den zusteren daer dicwil moyelick in.[54] (Sie war von Na-
> tur aus eine verständige Frau und besaß viel Verstand, aber sie folgte
> ihrem Verstand und Gutdünken allzu viel, so daß sie deswegen sehr
> beschämt und erniedrigt wurde und war ihrer Oberin und den Schwe-
> stern darin oft sehr schwierig.)

Moralisierend wird mitgeteilt, daß sie wegen ihrer Eigensinnig-
keit heftige Schmerzen im Fegefeuer erlitten hatte: „Seht, wie gefährlich eine solche Haltung für Menschen ist, die sich für eine religiöse Gemeinschaft entschieden haben!"[55]

Ein anderes Übel, für das wiederholt im Fegefeuer gebüßt werden mußte, war Klatscherei oder „Nachrede" („Achtersprake").
Den Constitutiones der Windesheimer Klostervereinigung zufolge wurde diese Sünde zu den „schweren Verschuldungen" gezählt[56], die mit drei Tagen Schweigen, dreimaligem Bitten um Vergebung im Remter und dreimaliger Geißelung bestraft wurden![57]
Bei den Schwestern scheint dieses Übel im Verhältnis zu den Brüdern viel öfter vorgekommen zu sein. Außerdem wären viele Details in ihren Chroniken undenkbar, wenn nicht immer mit Eifer
gelauscht und weitererzählt worden wäre. In einem Fall wird uns
ausdrücklich mitgeteilt, daß eine der Hausgenossinnen einer getad-
delten Schwester nachschlich, um zu hören, was sie vor sich hin-
murmelte.[58] Die Schwestern wurden auch nachdrücklich ermahnt,
nicht auf bösartiges Gerede über die Oberin einzugehen[59], und
Seelen erschienen nach ihrem Ableben, um die Hinterbliebenen
vor der großen Pein zu warnen, die man für diese Sünde im Jenseits leiden mußte[60].

III. *Das Erleben der Autorität*

Bis jetzt haben wir uns hauptsächlich mit verschiedenen Formen der Autoritätsausübung beschäftigt, die sich alle in dem Klischeebild des zielbewußten, aber in der Regel auch vorsichtigen Priors und der gefügigen, schuldbewußten Brüder oder Schwestern zusammenfassen lassen. Autorität und Gehorsam werden dabei eher als statische Qualitäten dargestellt denn als Prozesse von Spannung und Kampf. Höchstens wird darauf hingewiesen, daß sich jemand die oben genannten Eigenschaften aneignen mußte. Wie das geschah, das Fallen und das Aufstehen, die Mißerfolge und die Diskrepanz zwischen dem angestrebten Ziel und dem tatsächlichen Resultat, wird meistens durch den Deckmantel der Devotion zugedeckt. Nur beiläufig wird etwas von menschlicher Schwäche und Frustration sichtbar.

So hören wir, wie erschüttert ein neu in dem Hr. Florenshuis eingetroffener Novize über die Strenge des Rektors war. Er sah, wie ein Bruder im Speisesaal vor der Mahlzeit den Rektor um Vergebung bat, weil er etwas fallen gelassen oder verschüttet hatte. Der Novize war der spätere Rektor Egbert ter Beek. Die betreffende Nachlässigkeit des unbekannten Bruders wird mit den Worten angedeutet: „de damno quodam in re communi commisso", aber nach dem Rüffel des Rektors dürfen wir schließen, daß es möglicherweise um etwas ging, das zerbrochen oder verschüttet war.[61]

Er bekam einen kräftigen Schlag ins Gesicht und eine gehörige Zurechtweisung und mußte lange vor dem Tisch knien. Der Novize war tief beeindruckt und wagte nicht, das Essen anzurühren, bis er sah, wie der Bestrafte endlich aufstehen durfte und mit einem Gesicht, als ob er nichts auszustehen gehabt hätte, anfing, Brot zu schneiden.[62]

Es ist nicht überraschend, daß viele die strenge Atmosphäre völlig verinnerlichten und auch sehr streng gegen sich selbst wurden. Nicht selten zeigte sich dabei etwas Verkrampftes. Ein schönes Beispiel dafür ist der Deventer Bruder Petrus Hoorn († 1479). Als junger Novize bat er selbst den Rektor, ihn zu ermahnen. Dieser tadelte ihn oft, ohrfeigte und demütigte ihn in Anwesenheit anderer. In seinem späteren Leben litt er an einer schwachen Gesundheit, aber verrichtete trotzdem die schwerste Arbeit, kam als erster und ging als letzter und arbeitete ohne Ruhepausen. Bei der Schreibarbeit war er genauso gewissenhaft, auch wenn seine Hand ein wenig zitterte und es ihm nicht so leicht fiel. Im Winter lehnte er es ab, seine Hände, die steif vor Kälte waren, zu wärmen, und schrieb einfach weiter. War er müde, weil er z. B. eine Nacht wach gelegen hatte, lief er mit nach oben gestreckten Armen durch das Zimmer. Dieselben strikten Normen verlangte er auch von seiner Umgebung. Wenn er nur eine Kleinigkeit sah, die gegen die Disziplin verstieß, trat er sofort ermahnend auf. Er war das Muster dessen, was die Devoten „scrupulositas" nannten, eine Gewissenhaftigkeit, die leicht in bange Übertreibung ausarten konnte. Er mißtraute der Beurteilung seiner selbst, bat die jüngeren Novizen um Rat und beklagte sich über seine dauernde Nachlässigkeit.[63]

Auch bei anderen trat eine derartige skrupulöse Deprimiertheit auf. Ein Mitbruder oder der Prior selbst fingen dann an, mit erbauenden Vorbildern aus der heiligen Schrift oder Erfahrungen aus dem eigenen Leben zu trösten.[64] Kluge Ausgewogenheit war deshalb auch eine lobenswerte Eigenschaft für einen Superior. Diese Qualität finden wir z. B. in Arnold Marwic van Kalker († 1434), Superior in Windesheim

> Scrupulosus non fuit nec fratres suos in angarias vel consciencie perplexitates inducens sed mente sermone et racione planus et serenus. (Frei übersetzt: Er war nicht in dem Sinn skrupulös, daß er seine Brüder in Zwanghaftigkeit oder Gewissensnot trieb, sondern sprach stets klare und verständige Worte.)

(Busch verweist hierbei auf das Vorbild der Wüstenväter und distanziert sich von den „doctores nonnulli", die leichte Sünden zu Todsünden machen.[65]) Er wollte auch nicht, daß den Brüdern kalt war; das verursacht nur böse Gedanken. Auch er selbst konnte die winterliche Kälte schlecht ertragen. „Wenn ich kein anderes Fegefeuer als Kälte zu erdulden hätte, wäre das groß", pflegte er zu sagen.[66]

Aus allem geht hervor, daß er ein sanftmütiger und kluger

Mensch war, und viele Brüder fanden bei ihm ein offenes Ohr für ihre Gewissensnot. Er wies dann darauf hin, daß die Sünden durch Reue und Beichte getilgt waren und daß „Wälzen im Schmutz nur Gestank hervorbrachte". Der Teufel war die Ursache solcher Einflüsterungen, die am besten dadurch bekämpft werden konnten, daß man ihnen keine Aufmerksamkeit schenkte.[67] Einem anderen gab er den Rat, hinzunehmen, daß Gott ihm die ersehnte Devotion vorenthielt. Der Mann war überrascht, weil er gerade eine Anstachelung zum größeren Eifer erwartet hatte, aber er entdeckte, daß dieser Rat in der Tat heilsam wirkte.[68] Eine solche Haltung war auch nötig, wenn man sieht, mit welcher Verkrampfung derartige „Versuchungen" gepaart sein konnten. Es gab einen Bruder, der nur im Chor durch Schuldbewußtsein gequält wurde und nach dem Gottesdienst sich an nichts mehr erinnern konnte.[69] Andere schämten sich so, daß sie die Ursache ihres schuldbewußten Gewissens lieber für sich behielten oder sich noch mehr gegen die Sünden auflehnten, aus Angst, diese sonst beichten zu müssen.[70]

Ein weniger starker Superior konnte unter der Last seines Amtes gebückt gehen.[71] Nicht jedem wird es leichtgefallen sein, den richtigen Mittelweg zu finden und immer zu wissen, wo Strenge angebracht war oder nicht.[72] Außerdem glaubte man, daß Gott besonders den Superior streng richten würde.[73] Einige baten denn auch um Entlassung aus ihrem Amt. In Windesheim waren das 1391[74] Werner Keynkamp[75], nachdem er beinahe drei Jahre das Amt ausgeübt hatte, und 1425 Gerard van Delft, der schon nach einigen Monaten die Verantwortung nicht mehr tragen konnte. In beiden Fällen war die Rede von „scrupulositas" und einem belasteten Gewissen. Das Generalkapitel erlegte Gerard dafür eine Buße auf: er mußte auf dem Boden zu Füßen der Brüder essen.[76]

Auch in den Lebensbeschreibungen der Schwestern wird die Mentalität von Gehorsam und Unterwürfigkeit betont. Qualifikationen wie „arm an eigenem Willen"[77] und „Kinder, die keinen Willen haben"[78] wecken in erster Linie den Eindruck, ein frommes Klischee zu sein. Die realistische Manier, in der zahlreiche Fälle von „scrupulositas" mitgeteilt werden, läßt jedoch vermuten, daß in dieser Typisierung viel Wahrheit steckte. Man zweifelte an eigenen guten Taten[79] und bemühte sich, einem neuen Beichtvater mitzuteilen, wie sündig man gelebt hatte[80]. An kleinen Sünden wurde schwer getragen.[81] Mit einem Kompliment wußte man nichts anzufangen.[82]

„Die oetmoedigen sijn altoes beanxt" („die Demütigen sind immer geängstigt")[83], hatte Rektor Brinckerinck den Schwestern vorgehalten, und einige hatten sich diese Worte gut eingeprägt. Da war eine Schwester, die einen neuen Mantel bekommen sollte und deshalb die Mutter Oberin mit der Mitteilung unter Druck setzte: „Ich habe Angst, daß dieser neue Mantel ‚synlicheit' und ‚curioesheit' in mir wachrufen wird. Wollen Sie das auf Ihr Gewissen nehmen?" Sie durfte ihr altes Kleidungsstück behalten; sie brauchte sich dann, wenn sie hinausging, bei keinem Wetter um etwas zu kümmern.[84] Es wäre schade gewesen, den neuen Mantel bei schlechtem Wetter zu tragen — dies wird wenigstens in der betreffenden Passage suggeriert. Eine andere glaubte, schmutzige Gefühle zu haben, weil ein hübsches Lesezeichen in ihrem Gebetbuch lag.[85] Sich selbst einen Spaziergang im Garten zu versagen galt als Befolgung einer göttlichen Eingebung.[86] Der Umgang mit schönen Dingen wurde öfters als schwierig empfunden. Als über dem Altar im Mr. Geertshuis eine Malerei angebracht wurde, betrachteten einige Schwestern gelegentlich das Kunstwerk, wenn der Maler zum Essen gegangen war. Aber eine fromme Schwester weigerte sich um der Entsagung willen, auch nur einen Blick darauf zu werfen, und schlug stets die Augen nieder, wenn sie notwendigerweise in der Nähe sein mußte.[87] Dergleichen Exzesse kamen vielleicht nur gelegentlich vor, aber sie zeigen dennoch eine Atmosphäre und Mentalität, die etwas Strukturelles erkennen lassen können.

IV. Die imaginäre Welt der Autorität

Dieses Autoritätserleben ist nicht ganz zu verstehen, wenn wir unser Blickfeld auf die irdische Welt beschränken: immer wieder begegnen wir Begebenheiten, die die Brüder und Schwestern als unverkennbare übernatürliche Eingriffe interpretieren. Es gibt eine passende Variante zu der oben beschriebenen Angst vor dem Genuß irdischer Schönheit, in der diese z. B. mit Hilfe übernatürlicher Autorität besiegt wird. Es ging dabei um eine neue Marienstatue, die in der Kirche aufgestellt war. Eine junge Schwester war andächtig davor niedergekniet und hörte Maria durch das Standbild zu sich sprechen und sie ermutigen, doch zu schauen. („Schlag nur getrost deine Augen auf, denn du bist doch allein, und niemand sieht dich", heißt es wörtlich!) Sie verstand es, ihr Geheimnis 20 Jahre lang für sich zu bewahren.[88] Auch anderswo sehen wir Maria intervenierend auftreten. Sie bewirkte den Eintritt einer Schwester in das Mr. Geertshuis[89] und warnte einen Prior, daß einer seiner Laienbrüder weglaufen würde[90]. Aber auch viele andere gute Geister unterstützten die Autorität. Eine Schwester, die ihren Mantel vergessen hatte und diesen aus Gehorsam nicht zu holen wagte, wurde durch einen Engel belohnt, der ihr das benötigte Kleidungsstück brachte.[91]

Dann gab es noch bestimmte Superiores, die ihre Hirtenpflichten auch nach ihrem Tod fortsetzten und in Erscheinungen Rat erteilten und offenbar vor allem Schwestern aus ihrer Seelennot erlösten. Gleichzeitig berichteten sie über ihre Lage im Jenseits, erzählten, ob sie viel gelitten hatten oder im Gegenteil ohne Fegefeuer gen Himmel gefahren waren. Im letzteren Fall wurden ihre Tugenden aufgezählt, zu denen auch ein skrupulöses Gewissen gehört.[92] Von gewöhnlichen Brüdern und Schwestern hören wir meistens, mit wieviel Schmerz ihre Sünden vergolten werden. Beispiele hierfür wurden bereits gegeben.[93]

In diesem Rahmen spielen die literarische Herkunft dieser Themen und der Zusammenhang mit den mittelniederländischen Legenden und Exempeln nicht so eine große Rolle.[94] Worum es hier geht, ist die Tatsache, daß solche Geschichten die Autorität sanktionierten, jedenfalls für diejenigen, die daran glaubten. Die Frage nach der Leichtgläubigkeit der modernen Devoten läßt sich übrigens nicht so leicht beantworten. Jedenfalls gab es kritische Stimmen; wahrscheinlich handhabe man keine deutlichen Kriterien, um Glauben und Aberglauben auf diesem Gebiet voneinander zu unterscheiden. Berühmt war der Windesheimer Visionär Hendrik

Mande, der sogar „auf Wunsch" in das Jenseits schauen konnte. Regelmäßig erreichten ihn Bitten von Menschen außerhalb des Klosters, zu erforschen, ob ihre verstorbenen Verwandten bereits in die ewige Seligkeit eingegangen waren.[95] Bemerkenswert ist, daß wir bei ihm auch eine starke Christus-Devotion finden[96]; wir kommen gleich noch darauf zurück. Wir erfahren, daß ein Priester aus Utrecht, Johan Wit, ausdrücklich erklärte, kein Vertrauen in Mandes Visionen zu besitzen. Das ist aber in der Weise dargestellt, daß der Mann später durch schlechte Träume gequält wurde, woraufhin er Mande um Hilfe bat und seine Kritik widerrief.[97] Mandes lautre Frömmigkeit machte seine Reputation im eigenen Kreis unantastbar. Interessant ist auch die Erscheinung der Seele einer Nonne aus Diepenveen, Katharina van Naeldwijk. Diese offenbarte sich einer frommen Frau in der Grafschaft Holland und einem Observanten in Gouda. Sie wies dabei noch einmal auf die Gefahr des unnützen Klatsches hin, den sich die Schwestern zuschulden kommen ließen:

Och ofte onse susteren wisten, wat groter schaden sie hem selve doen myt onnutten ende ledigen callen.[98] (Ach möchten unsere Schwestern doch wissen, welchen großen Schaden sie sich selber mit ihrem unnützen und leeren Geschwätz zufügen.)

Auf die Frage, warum sie nicht in ihrem eigenen Kloster Diepenveen erschienen war, antwortete sie, daß man da all diese Dinge nur Phantasie nannte („da hält man alles für Phantasie und Krankheit des Kopfes, was dort offenbart wird")[99]. Dieser Umstand kann mit dem Verbot in Zusammenhang gebracht werden, das 1455 durch das Generalkapitel von Windesheim erlassen wurde und jeder Schwester mit Haft drohte, die ein Buch der Reflexion (doctrinas philosophicas) oder eines mit Offenbarungsgeschichten (aut revelationes) schrieb oder aus dem Lateinischen in das Mittelniederländische (Diets) übersetzte.[100]

Diese ganze Aufmerksamkeit auf die Strafe könnte uns beinahe übersehen lassen, daß solche Erzählungen im gleichen Maß beruhigend wirkten, indem sie die himmlische Belohnung für irdische Frömmigkeit ganz konkret darstellten. In der großen Vision von Hendrik Mande (auch „apocalyps" genannt) sah er den Himmel

geöffnet, und nachdem eine Menge Heiliger an seinen Augen vor-
beigezogen war, erschien Maria, gefolgt von Augustinus, der an
der einen Hand Geert Grote und an der anderen den Windesheimer Prior Johannes Vos van Huesden führte. Danach erschien
noch ein langer Zug „prominenter" moderner Devoten.[101]

Neben den Visionen gab es die gleichfalls stark visuelle Chri-
stus-Meditation, die eine ähnliche unterstützende Rolle spielte.
Diese war viel mehr als eine Erwägung seines Lebens und Leidens
selbst. Wie bekannt, strebten die modernen Devoten in Übereinstimmung mit der bernhardischen Tradition nach einer geistigen
Einswerdung mit Christus.[102] Die Nachfolge Christi bedeutete unter anderem eine Angleichung (conformitas, configuratio) der eigenen Lebensführung an die seine. Meditierend zog man oft sehr
bildhafte Parallelen zwischen Ereignissen aus Christi Leben und
eigenen Erfahrungen. Bei einigen Brüdern, wie den Windeshei-
mern Hendrik Mande und Gerlach Peters, und bei verschiedenen
Schwestern konnte dieses emotionale Engagement in Gefühlen
von Brautmystik münden. Daraus wird Sicherheit und Vertrauen
geschöpft[103] oder einfach Hilfe beim Überwinden böser Neigungen. So gab es eine Schwester, die ihre Gereiztheit einer anderen
gegenüber besiegte, indem sie sich diese unter dem Kreuz Christi
vorstellte. Wenn sie sie so stehen sah, während das Blut Christi
über sie floß, konnte sie unmöglich noch länger irritiert bleiben.[104]
Eine andere wurde beim Tragen von schwerem Holz müde, aber
stellte sich daraufhin vor, daß sie Christus half, sein Kreuz zu tragen.[105]

V. Die Mentalität der Devotio moderna

Stellen wir den etwas unfairen Vergleich zwischen der Mentalität
der modernen Devoten und unserem heutigen säkularisierten
Wertmodell auf, dann besteht neben einer gewissen äußerlichen
Übereinstimmung ein scharfer inhaltlicher Kontrast. So wie die
Psychologie und die Psychiatrie heutzutage Therapien und „gesunde" und „kranke" Menschenbilder benutzen, so kannte auch
der moderne Devote seine therapeutischen Mittel, um das Verhal-

ten eines Menschen mehr mit einem Idealtyp übereinstimmen zu lassen Dieses Menschenbild war größtenteils durch die christliche Tradition bestimmt, besonders das der klösterlichen Askese. Die Devoten hatten selbst auch als Reaktion auf die kirchlichen Miß-stände ihrer Zeit in großem gottesfürchtigem Eifer hier und dort Nuancen weggefegt und den größeren theologischen Zusammen-hang in den Hintergrund gedrängt. Das Zeitgenössische der frü-hen Devotio moderna lag zutiefst in der memento-mori-Stim-mung, die immer wieder in ihrer Spiritualität auftauchte.

Was blieb, war ungefähr das Gegenteil zu der Selbstentfaltung, Freiheit und Selbstgewißheit, die in unserer heutigen Kultur als Voraussetzungen für menschliches Glück gelten. Denselben Ge-gensatz findet man auf dem psychologischen Weg, der bei der Per-sönlichkeitsbildung beschritten wurde. Die Äußerung von Ge-fühlen, Ideen und Kreativität war nur sehr beschränkt und selek-tiv möglich und führte manchmal zu paradoxen „Verknotungen" im Verhalten. Positive Gefühle, wie sie mit der Christus-Devotion verbunden waren, durften ungehindert gezeigt werden, wenn nur jeder von dem tiefen Ernst der betreffenden Person überzeugt war. Das Negative, das Sündige war dagegen mit Scham beladen.

Positive Äußerungen konnten allerdings auch Wertschätzung bringen, was als unerwünscht erachtet wurde. Denn Kompli-mente waren gefährlich für die Demut. Dadurch verfielen manche in ein systematisches Leugnen ihrer guten Taten und untergruben so ihr Ich stets mehr. Angst, Unsicherheit und Deprimiertheit wa-ren die Folge. Eine andere Lösung bestand darin, eigene Fehler übertrieben in den Vordergrund zu schieben, was als Äußerung von Demut, paradox genug, erneute Wertschätzung durch die Umgebung einbrachte. In dem Maß, in dem man sich weniger durch Angst vor Tod, Fegefeuer, Hölle und Gottes Urteil aufge-schreckt fühlte, neigte man wohl weniger dazu, in diese neuroti-schen Extreme zu verfallen.

Wenn wir in diesem Zusammenhang Männer und Frauen mit-einander vergleichen, scheint es, daß Frauen im allgemeinen we-niger rationale Widerstände überwinden mußten, um ihren Emo-tionen freien Lauf zu lassen. Ihre Gefühle gingen auch leichter in Bilder über, wobei Phantasie und Wirklichkeit manchmal inein-

anderflossen. Etwas Ähnliches trifft man auch in den Brüderge-
meinschaften an, aber dann in der Regel nur bei vereinzelten Personen (z. B. Hendrik Mande und Gerlach Peters in dem Kloster
Windesheim). Die Männer waren in dem Sinn zurückhaltender,
daß sie ihre Gefühle in Worte umsetzten, wobei sie ihre Belesen-
heit nutzten (z. B. Parallelen mit Heiligen aus der Vergangenheit)
und ihnen auf diese Weise eine sublimierte Form gaben. Die
Schwestern konnten die unangenehmen Gefühle, verursacht
durch irdische und überirdische Autorität, vielleicht einfacher
durch ihre Liebe zu ihrem himmlischen Bräutigam kompensieren.
Sie beugten sich oft tiefer vor der Autorität, stellten ihre Mutter
Oberin auf einen höheren Sockel, aber wurden auch selbst leichter
aufgerichtet in frommer Erwartung. Die Welt der modernen Devoten war eine kleine Welt ohne eine große „unio mystica", mit
kleinen Sünden, die erschreckend groß schienen, in der alltägliche
Ereignisse leicht zu einem übernatürlichen Eingriff erhöht wurden.

Abkürzungen

Acquoy = J. G. R. Acquoy, Het klooster te Windesheim en zijn invloed, Utrecht 1875—1880, I—III.

Axters = S. G. Axters O. P., Inleiding tot een geschiedenis van de my-
stiek in de Nederlanden. Overdruk uit Verslagen en Mededelingen van de
koninklijke Vlaamse Academie voor taal- en letterkunde, aflevering
5—6—7—8, 1967, 165—306.

BCW = J. Busch, „Chronicon Windeshemense" und „Liber de reformatione monasteriorum", ed. K. Grube, Halle 1886 (Geschichtsquellen
der Provinz Sachsen, Bd. 19).

CIB = W. Moll, Acht collatiën van Johannes Brinckerinck, eene bij-
drage tot de kennis van den kanselarbeit der Broeders van het Gemeene
Leven, uit handschriften der vijftiende en zestiende eeuw, Kerkhistorisch
Archief 4, 1866, 111—167.

Constitutiones = Regula beati Augustini episcopi cum constitutioni-
bus canonicorum regularium capituli Windeshemensis, Utrecht – Bour-
culous 1553.

Delaissé = L. M. J. Delaissé, Le manuscrit autographe de Thomas à
Kempis et „L'Imitation de Jésus-Christ". Examen archéologique et édi-

tion diplomatique du Bruxellensis 5855—61, Paris, Bruxelles, Anvers, Amsterdam 1956, I—II.

YDSD = Van den doechden der vuriger ende stichtiger susteren van Diepenveen (Handschrift D), ed. D. A. Brinkerink, Leiden 1904.

Dumbar = G. Dumbar, Analecta seu vetera aliquot scripta inedita, I, Daventriae 1719.

FHS = Het Frensweger Handschrift, ed. W. Jappe Alberts, A. L. Hulshoff, Groningen 1958 (Werken Historisch Genootschap, 3e serie, nr. 82).

GZZ = Gerard Zerbolt van Zutphen, De reformatione virium animae, ed. M. de la Bigne, Magna bibliotheca vetrum patrum V, Parisiis 1654, 839—879.

JVN = Jacobus de Voecht, Narratio de inchoatione domus clericorum in Zwollis, ed. M. Schoengen, Amsterdam 1908 (Werken Historisch Genootschap, 3e serie, nr. XIII).

W. J. Kühler, Johannes Brinckerinck en zijn klooster te Diepenveen, Rotterdam 1908.

LAY = Het leven der eerwaardige moeder Andries Yserens, overste van het Lammenhuis te Deventer, overleden in den jare 1502, ed. O. A. Spitzen, Archief voor de Geschiedenis van het Aartsbisdom Utrecht 2, 1875, 178—216.

LZD = Levensbeschrijvingen van de devote zusters te Deventer, ed. W. J. Kuhler, Archief voor de Geschiedenis van het Aartsbisdom Utrecht 36, 1910, 1—68.

PHC = Petrus Horn, Continuatio scripti R. Dier de Muden, ed G. Dumbar, Analecta seu vetera aliquot scripta inedita, I, Daventriae 1719, 114—148.

Post, Statuten = R. R. Post, De statuten van het Mr. Geertshuis te Deventer, Archief voor de geschiedenis van het Aartsbisdom Utrecht 71, 1952, 1—46.

Post, Devotion = R. R. Post, The Modern Devotion. Confrontation with Reformation ad Humanism, Leiden 1968.

RDS = Rudolf Dier van Muiden, De Magistro Gherardo Grote, domino Florencio et multis aliis devotis fratribus, ed. G. Dumbar, Analecta seu vetera aliquot scripta inedita, I, Daventriae 1719, 1—87.

SPZ = D. de Man, Hier beginnen sommige stichtige punten van onsen oelden zusteren, 's-Gravenhage 1919.

TVD = Thomas a Kempis, Liber de vitis discipulorum Domini Florentii, ed. M. J. Pohl, Thomae Hemerken a Kempis, Opera omnia VII, Freiburg im Brsg. 1922, 211—329.

TVF = Thomas a Kempis, Vita domini Florentii, ed. M. J. Pohl, Thomae Hemerken a Kempis, Opera omnia VII, Freiburg im Brsg. 1922, 116—210.

VEB = Vita Egberti ter Beek quinti rectoris domus domini Florencii Daventriae, ed. G. Dumbar, Analecta seu vetera aliquot scripta inedita, I, Daventriae 1719, 162—178.

Van der Vet = W. A. van der Vet, Het bieënboec van Thomas van Cantimpre en zijn exempelen, 's-Gravenhage 1902.

VIB = Vita venerabilis Johannis Brinckerinck, ed. D. A. Brinkerink, Nederlandsch Archief voor Kerkgeschiedenis, nieuwe serie 1, 1901, 314—354.

De Vooys = C. G. N. de Vooys, Middelenderlandse legenden en exempelen. Bijdrage tot de kennis van de prozaliteratuur en het volksgeloof der Middeleeuwen, Groningen, Den Haag 1926.

VPH = Albertus Lubeck, Vita Petri Hoorn, ed. G. Dumbar, Analecta seu vetera aliquot scripta inedita, I, Daventriae 1719, 148—162.

Spiritualität und Name der Devotio moderna:

J. de Jong, Het karakter en de invloed van de moderne devotie, Historisch Tijdschrift 4, 1925, 26—58.

M. van Woerkom SCJ., Het vroomheidstype van de moderne devoot, Streven 10, 1956—1957, 331—336.

M. Ditsche, Zur Herkunft und Bedeutung des Begriffes Devotio Moderna, Historisches Jahrbuch der Görres Gesellschaft 79, 1960, 124—145.

H. M. Klinkenberg, Die Devotio moderna unter dem Thema „antiqui — moderni" betrachtet, in: Antiqui und Moderni. Traditionsbewußtsein und Fortschrittsbewußtsein im späten Mittelalter, hrsg. v. A. Zimmermann, G. Vuillemin-Diem, Berlin, New York 1974, 394—419 (Miscellanea Mediaevalia 9).

W. Ullmann, Medieval Foundations of Renaissance Humanism, London 1977.

W. Lourdaux, Les Dévots Modernes, rénovateurs de la vie intellectuelle, Bijdragen en Mededelingen van het Historisch Genootschap 95, 1980, 279—297.

E. Persoons, Lebensverhältnisse in den Frauenklöstern der Windesheimer Kongregation in Belgien und in den Niederlanden, Veröffentlichungen des Instituts für Mittelalterliche Realienkunde Österreichs 3 (1980) 73—111 [Kongreß: Klösterliche Sachkultur des Spätmittelalters].

L. Breure, Johannes Brinkerinck, Spiegel Historiael 14, 1979, 553—558.

id., De Hemelse Bruidegom, ibid. 15, 1980, 149—157.

id., „Die viant van der hellen", ibid. 16, 1981, 24—32.

Anmerkungen

[1] GZZ, caput I. (Die Abkürzungen sind S. 250 ff. aufgelöst.)

[2] VIB 348—349.

[2a] Vgl. auch Petrus Hoorn, VPH 157; Dirk van Herxen, Rektor des Fraterhauses in Zwolle 1410—1451, JVN 61 „correptio eius omnibus fuit [. . .]".

[3] TVF 139, 137.

[4] TVF 142.

[5] PHC 129.

[6] TVF 144; vgl. JVN 35, 38.

[7] TVF 146, 147.

[8] TVD 286; vgl. 262, 324, 326.

[9] TVF 174; vgl. DSD 229.

[10] TVF 202; vgl. DSD 343.

[11] TVF 202.

[12] Delaissé 209 (I 21: 22—23), 212 (I 24: 1), 213 (I 24: 15).

[13] TVF 151.

[14] TVD 236—237.

[15] TVD 300—301.

[16] TVD 236; PHC 114.

[17] JVN 103.

[18] TVD 241.

[19] JVN 123.

[20] Acquoy, III 29, 99.

[21] BCW 169.

[22] BCW 169.

[23] BCW 184.

[24] Siehe Post, Statuten.

[25] SPZ 93—95.

[26] SPZ 115—117.

[27] DSD 7.

[28] DSD 8, 9.

[29] DSD 11.

[30] DSD 14.

[31] DSD 23, 24.

[32] Vgl. einen ähnlichen Konflikt zwischen Joh. Brinckerinck und Beerte Swijnkes über das Schicken von Nahrungsmitteln nach Diepenveen; VIB 343—344.

[33] Z. B. TVF 140—142, 320; VPH 152, 153, 159.

[34] TVD 297.

[35] DSD 10, 11; vgl. 216.

[36] DSD 8.

[37] DSD 22, vgl. SPZ 200 und bei den Brüdern Gerard v. Delft, BCW 77.

[38] DSD 12.

[39] DSD 20.

[40] DSD 20.

[41] Z. B. Lubbert TVD 241.

[42] Vgl. SPZ 110, 136.

[43] DSD 14.

[44] SPZ 108.

[45] SPZ 108.

[45a] RDS 18.

[46] VIB 344.

[47] SPZ 253.

[48] SPZ 116.

[49] SPZ 127, 252f.

[50] DSD 118.

[51] Vgl. Kühler 298, 299, 310.

[52] SPZ 206.

[53] DSD 254.

[54] SPZ 91.

[55] SPZ 92.

[56] Constitutiones, Pars III.

[57] Acquoy I, 173.

[58] SPZ 164.

[59] CIB 133.

[60] DSD 124—125, SPZ 145, vgl. auch zum Klatsch übereinander: SPZ 44.

[61] VEB 164.

[62] VEB 164.

[63] VPH 149—156. Auf der gleichen Linie liegt auch die Selbsterniedrigung anderer Brüder, z. B. TVD 237; auch Zweifel an den eigenen Leistungen BCW 95; Prior, der morgens die Nachttöpfe einsammelt BCW 183.

[64] TVD 289—290; BCW 64—66.

[65] BCW 63.

[66] BCW 65.

[67] BCW 66.

[68] BCW 69.

[69] BCW 66.

[70] BCW 66, 68.

[71] BCW 63.

[72] Vgl. das Zaudern hierin bei Gottfried Toorn van Muerza, PHC 119 und JVN 192.

[73] BCW 166. Siehe ferner Johan v. d. Gronde (FHS 62), Salomee Sticken (DSD 36), Johan Brinckerinck (CIB 5) und die Strafe, die auf zu großer Strenge stand, bei Johan Broechusen (BCW 114).

[74] Post, Devotion 294.

[75] BCW 90.

[76] BCW 79.

[77] SPZ 6.

[78] SPZ 60.

[79] SPZ 12, 35, 202; DSD 188.

[80] SPZ 35.

[81] SPZ 170.

[82] SPZ 54; DSD 219.

[83] CIB 138.

[84] SPZ 36.

[85] SPZ 47.

[86] SPZ 88.

[87] SPZ 43.

[88] LZD 23.

[89] SPZ 184—185; vgl. DSD 207.

[90] BCW 181; vgl. BCW 182.

[91] DSD 343. Vgl. den Engel in Gestalt eines alten Mannes, der der Mutter Andries half, LAY 213.

[92] Z. B. Florens Radewijns TVF 193—195; Johan Brinckerinck VIB 352—354, DSD 116; vgl. Geert Grote SPZ 31; Johan Cele BCW 132, 221; Joh. v. Huesden BCW 59; S. Sticken DSD 35.

[93] Siehe oben u. vgl. SPZ 53; BCW 114, 182; SPZ 90—93, 132, 191—192; LZD 32; DSD 358.

[94] Siehe De Vooys 4—5; Van der Vet, Biënboec 65.

[95] BCW 133.

[96] Siehe z. B. BCW 133.

[97] BCW 134; vgl. das positive Urteil von Lidwina v. Schiedam über seine Visionen, BCW 133—134.

[98] DSD 125.

[99] DSD 125.

[100] Acta Capitula Windeshemensis, ed. S. van der Woude, 's Gravenhage 1953, siehe das Jahr 1455. Axters 56, vgl. 64.

[101] BCW 125—132; zur Bestätigung siehe DSD 113.

[102] Siehe z. B. TVF, Kap. I.

[103] Z. B. BCW 194—195; DSD 17.

[104] SPZ 253.

[105] DSD 220.

Franz-Josef Schweitzer

VON MARGUERITE VON PORÈTE († 1310) BIS MME. GUYON († 1717): FRAUENMYSTIK IM KONFLIKT MIT DER KIRCHE

Zwischen Marguerite von Porète, der Verfasserin des ‚Miroir des simples âmes‘, die wegen dieses Buches am 31. Mai 1310 in Paris auf dem Scheiterhaufen starb, und Mme. Guyon, die fast vierhundert Jahre später in den Verdacht des „Quietismus" geriet, soll in diesem Beitrag kein literarischer oder ideengeschichtlicher Zusammenhang konstruiert werden. Ich möchte vielmehr den Rahmen dieses Beitrages damit abstecken, daß ich auf ein Thema eingehe, das beiden Frauen, bei aller Verschiedenheit seiner Ausformung, gemeinsam ist und das sie, ebenfalls gemeinsam, in Konflikt mit dem kirchlichen Dogma bringt: Ich spreche vom Thema der spirituellen Vollkommenheit. Innerhalb des Rahmens, der mit diesem Thema gegeben ist, werde ich von Marguerite von Porète lediglich bis zum Ausgang des Mittelalters eine kontinuierliche Linie ziehen, um dann den „Sprung" zu Mme. Guyon zu wagen. Dabei werde ich nicht zuletzt auf die Rollen eingehen, die Mann und Frau beim Prozeß der geistlichen Vervollkommnung zukommen. Auch in dieser Hinsicht wird schließlich der besagte „Sprung", wie ich hoffe, nicht vergeblich sein.

Trotz seiner fundamentalen Bedeutung für die Frauenmystik erscheint heute der Begriff der „Vollkommenheit" noch seltsam blaß und inhaltsarm, allenfalls verbunden mit der vagen Vorstellung eines anhaltenden, homogenen „Zustandes" im Gegensatz zum „Prozeß" der Vervollkommnung. Es ist bezeichnend, daß mit „Zustand" wiederum ein sehr allgemeiner, wenig glücklicher Begriff zur Erklärung herhalten muß. Der Grund für diese Verlegenheit liegt sicherlich darin, daß die meisten Mystikerinnen den besagten Zustand nur von fern oder vorübergehend zu erfahren glauben. So bleibt er dem Jenseits — oder aber der Ketzerei, vor allem jener des „Freien Geistes", vorbehalten, zu der Marguerites ‚Miroir‘ als ein hervorstechendes literarisches Zeugnis gezählt wird.[1] Hier nun kreisen die Aussagen fast ausschließlich um den Zustand der Vollkommenheit, der mit dem der „zunichte gewordenen Seele", der „âme anientie", oder positiv ausgedrückt, der „frei gewordenen Seele", der „âme enfranchie", gleichgesetzt und schon im Titel des Buches angesprochen wird.[2] Trotz dieser Überfülle an Beschreibungen des Zustandes ging man bisher nur sehr vorsichtig an seine inhaltliche Bestimmung heran.

Auszunehmen ist hier freilich Kurt Ruh, der neuerdings die richtungweisende These aufstellt, daß es sich bei der gesamten spekulativen Mystik Meister Eckharts um eine theologische Absicherung der „religiös wertvollen, aber zumeist theologisch ins Unreine gesprochenen Gedanken der Beginenmystik", speziell Marguerites von Porète, handele.[3] Im Gegensatz zu Hadewijch und Mechthild, bei denen nach Ruh das „Heraustreten aus Tugendwerken und sakramentalen Heilsgütern" lediglich „transitorischen Charakter" habe, teile sich bei Marguerite dem Leser der Eindruck mit, „daß der Status der ‚âme enfranchie' ein dauerhafter Zustand der Vollkommenheit sei".[4] Schon 1974 wurde Ruh darauf aufmerksam, daß der entscheidende Einschnitt im Leben der „zunichte gewordenen Seele" dort geschieht, wo sie dem „Loingpré Ravissable", dem „wunderbaren Fern-Nahen", begegnet.[5] Sie begegnet ihm, wie im 58. Kapitel des „Miroir" beschrieben wird (Guarnieri: vgl. Anm. 2, 566), in einer Erfahrung der „Öffnung", der Entgrenzung, wie durch einen „Blitz", die zugleich eine Erfahrung der „plötzlichen Umschließung" ist und nicht lange dauert. Sie ist also wie die Erlebnisse Hadewijchs und Mechthilds höchst „transitorisch", hinterläßt aber in der Seele einen dauerhaften, tiefen Frieden: „la paix sur paix de paix" (Guarnieri 566,19). Wohlgemerkt gehören das Erlebnis der Entgrenzung und gleichzeitigen Umschließung wie der Zustand, der ihm vorangeht, und die Ruhe, die ihm folgt, einem einzigen Status an. Daß es der fünfte Status der Seele ist, tut hier nur soweit etwas zur Sache, als sich dieser Status vom vorangehenden (4.) darin unterscheidet, daß er von der Selbstbezogenheit des „Willens" frei geworden ist (Guarn. 566,15). Dagegen kann sein Verhältnis zum höchsten irdischen (6.) Status am besten so beschrieben werden, daß er, nachdem das „Sein" dieses Status in dem besagten Erlebnis kurz aufgeleuchtet war, allmählich in diesen Status einer noch tieferen Ruhe und Sicherheit, einer noch festeren Gewißheit der „Glorie" (Guarn. 613,15ff.), übergeht. Der Zustand der vollkommenen „âme anientie" ist also nichts weniger als homogen und einheitlich. Wenn ihn seine Dauerhaftigkeit auch von den höchsten Zuständen bei Hadewijch und Mechthild unterscheidet, so kann bei näherem Hinsehen doch nur von einer — freilich entscheidenden — Verlagerung des Schwerpunktes die Rede sein:

Im V. Buch des „Fließenden Lichtes der Gottheit" vergleicht etwa Mechthild die Seele, die das Erlebnis der „unio" hinter sich hat, mit einem „Pilger" (Morel[6] 132,12ff.; Buch V, Kap. 4), der den Berg der Gottesminne hinaufgestiegen ist und nun auf der anderen Seite, „mit grosser vorhte, dc er sich nit v́berwerfe", wieder hinabsteigt. Oder sie evoziert das Bild von der Sonne, die von ihrem höchsten Stand — jener Zeit am Mittag, zu der die Seele im I. Buch (44. Kap.) mit dem göttlichen Jüngling getanzt hatte[7] — „bis in die Nacht" hinuntersteigt. So steige auch die Seele mit dem Leib hinab, bis ganz tief unten, bis unter den „zagel" Luzifers, bis in den Abgrund der Hölle (Morel 132f.). Alois Haas schreibt dazu, daß hier der „Abstieg", daß die tiefste Form der Demut, die „sinkende diemuetekeit", zum „eigentlichen christlichen Existential" werde.[8]

Wenn wir uns auf diesen Begriff einlassen und nach dem „Existential" fragen, das der Vollkommenheit der „âme anientie" entsprechen könnte, so bietet sich bei Marguerite nicht das Bild vom mühsamen und gefahrvollen Abstieg an, sondern eines, das den Eindruck größter Ruhe, aber auch ruhiger Beschäftigung vermittelt: Marguerite spricht an mehreren Stellen davon, daß sich die vollkommene Seele „im Tal der Demut", oder „auf dem Grund des Tales der Demut", „auf dem Grund der grundlosen Tiefe" niedergesetzt habe (Guarn. 527,35; 577,8; 612,33). Dieses Niedersitzen ist eine Phase, die auf die Einsicht in den unauslotbaren „Abgrund" der eigenen „Schlechtigkeit" („mauvaistié") folgt und sich in tiefster Demut mit deren Unergründlichkeit abgefunden hat. Ruhig in dieser Tiefe sitzend, richtet die Seele ihren Blick, der nun frei geworden ist, nach oben, auf die „wahre Sonne der höchsten Güte" (612,21—35). Aus diesem Tal, das zugleich als „Ebene der

Wahrheit" bezeichnet wird, sieht sie von sich und ihrer „mauvaistié" ab auf den „Berg", das „Gebirge", wo sie zu einem Zustand noch größerer Ruhe findet, wo sie „sich ausruht" (577,6ff.; 527,36). Sie „ruht sich" also, wie es anderswo heißt, „vom Minderen beim Besseren aus" („[. . .] se repose du moins ou plus": 562,17). Sie lenkt den Blick von sich selbst und ihrer Schlechtigkeit dorthin, wo „auf der Höhe des Gebirges", „über den Winden" und „über dem Regen" jene wohnen, die unten „auf Erden" „weder Schande noch Ehre" haben, die keine Furcht vor dem haben, was ihnen zustoßen könnte. Ihre „Tore sind offen", und doch kommt nichts herein, was diese Leute belastet, nicht einmal — und das klingt zunächst befremdlich — die Anforderung, ein „Tugendwerk" zu verrichten, Gutes zu tun (570,33—571,4; vgl. 563,17ff.).

Das Wesen oder, wenn man will, das „Existential" dieses offensichtlich ambivalenten Zustandes, dessen Pole sich nur allmählich auf einen Zustand der Ruhe hin auspendeln, ist nicht der „Abstieg", nicht die „hinabsinkende Demut" (vgl. o.). Es ist eher eine ruhige, demütige Gelassenheit, die über die Abgründe der Seele hinab ins „Tal" gestiegen ist und dort ruhig verweilt. Dies ist die Voraussetzung dafür, daß sie nun auch auf der Höhe ruhig verweilen kann — eine dauerhafte Balance, bei der tiefe Demut und höchste Indifferenz einander ergänzen.

Die Seele hat hier die Tugend der Demut bis auf ihren „Grund" erfüllt, so tief, daß ihr nichts mehr zu tun bleibt und sie in den sicheren Besitz dieser Tugend gelangt ist. Selbstbewußt kann sie damit die Augen zu etwas Höherem erheben. Dies gilt nun für alle „Tugenden": für die heilige Furcht, den Gehorsam und die „Raison", deren umständliche Fragen, wie die Seele sagt, das Buch so lang gemacht hätten (614,1ff.; Kap. 119). Die Seele ist nicht nur in der Einsicht in ihre „mauvaistié" auf den Grund der Furcht gekommen und hat sie damit überwunden. Sie schuldet auch den Vorschriften der Kirche keinen Gehorsam mehr und verhält sich gegenüber Messe und Predigt, Fasten und Gebet gleichgültig (527,16ff.). Auf die besorgte Frage der „Heiligen Kirche", wie eine Seele, die „so hoch fliege", denn überhaupt noch zu „bewachen" sei, antwortet die „Liebe" im 23. Kapitel, daß die Seele einen „Abgrund der Demut, des Gedächtnisses, Verständnisses und Willens" in sich trage (542,39ff.): die in einem „Abgrund" zu einem „Wesen" verschmolzenen Tugenden und Seelenkräfte bilden gleichsam das Gegengewicht, das den zu hohen Flug verhindert. Und schließlich ist die Seele auch über die „Raison", ihre hauptsächliche Gesprächspartnerin, hinausgekommen, zu einer Übervernunft, die das, was in dem Buch so ausführlich abgehandelt wird, „brefment", ohne lange Erläuterungen, versteht (563,24ff.; 55. Kap.).

In diesem sehr konkreten Sinn „nimmt" die Seele, wie es den Anstoß der Inquisition erregte, „frei von den Tugenden" (524,35ff.; 6. Kap.; vgl. 540,18ff.). Sie nimmt Abschied von ihnen, schwingt sich über die Verpflichtung ihnen gegenüber hinaus und übersteigt die Wertmaßstäbe der Kirche — eine Kühnheit, die diese nicht dulden konnte. So heißt es auch gleich im ersten Artikel der Verurteilungsschrift gegen Marguerite, sie habe behauptet, „daß die zunichte gewordene Seele den Tugenden den Abschied gibt und nicht weiter in ihrem Dienste steht, weil sie sie nicht mehr hat, um sie anzuwenden, sondern die Tugenden ihrem Willen untergeordnet sind".[9] An dieser Stelle setzte der Hebel der Inquisition an, um auf ihre Art der Gefahr zu begegnen, daß das übermoralisch Gemeinte unmoralisch verstanden werden konnte. Sie erstickte diese Gefahr im Keim!

Nachdem wir den Zustand der Vollkommenheit als einen keineswegs einheitlichen Zustand erkannt haben, zu dessen Merkmalen die Aufgabe des selbstbezogenen Wollens, der plötzliche Einbruch des „Loingpré", tiefste Demut und höchste Gelassenheit gehören, fragt sich nur noch, ob dieser Zustand im Verhalten des Menschen, im äußeren Leben, irgendwie greifbar wird.

Jene Seelen, heißt es im 17. Kapitel, geben ihrer leiblichen Natur, was sie verlangt (537,26ff.). Weiter liest man dann:

[. . .] Warum sollten sich jene Seelen ein Gewissen daraus machen, sich das zu nehmen, was sie brauchen, wenn die Notwendigkeit es von ihnen fordert? [Täten sie es nicht], so wäre es bei ihnen ein Zeichen fehlender Unschuld und eine Beeinträchtigung ihres Friedens, in dem sich die Seele von allen Dingen ausruht. Wer sollte sich ein Gewissen daraus machen, wenn er die vier Elemente nutzt und genießt, die Klarheit des Himmels, die Hitze des Feuers, die Nässe des Wassers und die Festig-

keit der Erde, die uns trägt? Wir machen uns diese vier Elemente in jeder Weise, wie unsere Natur ihrer bedarf, zunutze, ohne daß die Vernunft etwas dagegen hat; wie andere Dinge sind diese Elemente, die
niemand gehören, von Gott geschaffen; so gebrauchen jene Seelen alle
Dinge, die [vom Menschen] hergestellt und [von Gott] geschaffen wurden und die seine Natur nötig hat, mit einer solchen Ruhe ihres Herzens, wie sie die Erde gebrauchen, auf der sie gehen. (Guarn. 538,17ff.)

Der Vollkommenheit entspricht demnach ein sehr einfaches,
elementares, friedvolles Leben. Wie ein Kind um keinen Preis tut,
was ihm nicht gefällt, so tut eine solche Seele niemals etwas, noch
läßt sie etwas zu, was „gegen den vollkommenen Frieden ihres
Geistes" ist (545,13—24; Kap. 29) — wahrhaftig ein Ethos, dem die
Bezeichnung „Quietismus" nicht unrecht tut!

Mit eben diesem Begriff kennzeichnet denn auch J. van Mierlo
eine Frau, die in der unmittelbaren Nachfolge Marguerites stehen
könnte: die so energisch von Ruusbroec bekämpfte Brüsseler Ketzerin Heilwic Bloemard, die sog. „Bloemardinne", die 1335 starb.[10]
Weiter scheint in dieser Tradition die Anführerin der französi-
schen „Turlupins" zu stehen, Jeanne Daubenton, die 1372 in Paris
verbrannt wurde.[11] In diese Reihe gehört ebenfalls noch eine gewisse Marie von Valenciennes, von der Gerson 1401 berichtet, sie
habe ein Buch von „unglaublicher Subtilität" geschrieben.[12] Das
wenige, was wir von diesen drei Frauen wissen, reicht gerade aus,
um von einer kontinuierlichen Fortsetzung der häretischen Frauenmystik im niederländisch-nordfranzösischen Raum sprechen
zu können. Möglicherweise war diese Tradition auch von Einfluß
auf die sog. „Homines Intelligentiae", die 1411 in Brüssel ange-
klagt waren.[13] Welche Entwicklung und Ausformung aber die my-
stisch-häretische Lehre innerhalb dieser hundert Jahre erfuhr, läßt
sich nicht mehr sagen. Wir sind hier auf spärliche Einzelzüge angewiesen, aus denen wir nur unsichere Schlüsse ziehen können:

Daß Bloemardinne etwa auf einem silbernen Sessel zu lehren
und zu schreiben pflegte, und zwar, wie Pomerius vermerkt, „über
den Geist der Freiheit und die sinnliche, von ihr seraphisch genannte Liebe"[14], spricht vielleicht dafür, daß sie den Status der
Vollkommenheit, anders als Marguerite von Porète, nun auch äußerlich, in einer gewissen Preziosität, zu bekunden suchte. Ob

aber das, was Pomerius über ihre Doktrin von der sinnlich-sera-
phischen Liebe schreibt, tatsächlich schon für im Vergleich zu
Marguerite handfestere, sexuelle Konsequenzen aus der bean-
spruchten Vollkommenheit spricht, ist sehr fraglich. Auch der
obszöne Spottname „Turlupins" in der zweiten Hälfte des
14. Jahrhunderts ist hierfür kein Beweis, und das so subtile Buch
der Marie von Valenciennes, das nach Gerson von dem Menschen
handelt, den die göttliche Liebe von allen Geboten befreit hat, außer von dem einen: „Liebe und tu, was du willst!"[15], geht danach
nicht über den ‚Miroir' hinaus. Ja, dieses „unglaublich subtile"
Buch könnte geradezu der ‚Miroir' sein, wenn die Inquisition von
ihm nicht mehr als das 13. Kapitel übriggelassen hätte, wo demjenigen, der allein aus dem „Licht des Glaubens" und der „Kraft der
Liebe" lebt, dasselbe Augustinuswort — „amez et faites ce que
vous vouldrez" — auf den Weg gegeben wird. Die „Liebe" selbst
ist Zeuge, daß er „frei" ist, „alles zu tun, was ihm gefällt" (Guarn.
534,4—8).

Es war bisher der „Geist der Freiheit", der jene Frauen — Marguerite von Porète, Bloemardinne, Jeanne Daubenton und Marie
von Valenciennes — beflügelte, sich aus eigener Erfahrung, kraft eigener spiritueller Vollkommenheit, nicht nur über den Klerus,
sondern über das christliche Tugendsystem, die christliche Moral,
hinwegzusetzen. Dies brachte sie in einen schweren Konflikt mit
der Kirche, der für sie meist tödlich endete und ihre Schriften —
ausgenommen jene wenigen, die uns zufällig noch erhalten sind —
der Vergessenheit auslieferte. Dieser Geist der Freiheit im Sinne
der freigeistigen Häresie verbindet sich nun erstmals bei den „Homines Intelligentiae", die 1411 in Brüssel verhört wurden, erkennbar auch mit einer sinnlichen Komponente, die zum Zeichen der
geistigen Emanzipation wird. Damit kommt, ungeachtet aller früheren einschlägigen Vorwürfe gegen die Frauenmystik, erstmals
ein Element in die bisher beschriebene Tradition, das der übrigen
freigeistigen Ketzerei schon zweihundert Jahre früher zur Last gelegt wurde. Immer vorausgesetzt, daß die „Homines Intelligentiae" tatsächlich von Lehren der häretischen Frauenmystik, etwa
von Marie von Valenciennes, beeinflußt wurden, so hätten diese
Lehren hier tatsächlich zur Rechtfertigung sexueller Freizügigkeit

gedient. Denn die Aussagen des Aegidius Cantor, der neben dem gemäßigteren Karmeliter Wilhelm von Hildernissem die „Homines Intelligentiae" anführte, sprechen eine deutliche Sprache:

In einem Turm, der außerhalb der Stadtmauern Brüssels gelegen sei und einem Schöffen gehöre, habe man sich zu geheimen Konventikeln versammelt (Fredericq I: vgl. Anm. 13, 272, Nr. 17). Es habe unter ihnen eine bestimmte Frau gegeben, die von keinem Mann der Sekte fleischlich erkannt werden wollte. Sie habe dafür von Männern und Frauen der Sekte einiges an Anfeindung und Schelte zu ertragen gehabt (Nr. 8). Eine alte Frau unter ihnen, „Seraphin" — oder „Seraphina" — genannt, habe den außerehelichen Akt für keine Sünde gehalten, weil er ebenso natürlich sei wie Essen und Trinken (11). Eine verheiratete Frau unter ihnen habe „zwischen Mann und Mann" keinen Unterschied gemacht und sich jedem, gleichgültig wann und wo, hingegeben, und dies, heißt es, sei „quasi commune", „ganz normal" unter den Frauen (12). Der andere Führer, der Karmeliter Wilhelm von Hildernissem, sagt Aegidius Cantor von seinem Konkurrenten, habe die Gewohnheit gehabt, niemandem ganz zu vertrauen und mit niemandem offen zu sprechen, der den fleischlichen Akt nicht „ohne Furcht vor Gott und ohne Gewissensskrupel" ausübe (13). Schließlich habe man sich auch untereinander einer besonderen Ausdrucksweise bedient und etwa den „actus carnalis" „Paradiesesfreude" oder „sanfte Steigung" („acclivitas") genannt. So konnten sie sich, ohne daß Außenstehende etwas mitbekamen, gut über solche Dinge verständigen (10).

Aus diesen offensichtlich nicht ganz widerspruchsfreien Aussagen, die selbst bei diesem Thema noch schwache Reminiszenzen etwa an die „seraphische Liebe" Bloemardinnes erkennen lassen (auch bei Marguerite wird die Seele mit dem sechsfach geflügelten Seraphim verglichen: Guarn. 524,6ff.), geht hervor, daß um das zweifellos praktizierte Geschlechtliche herum eine eigene Sprache, ein „Idiom", entstand, hinter dem diese intimen Dinge offenbar sorgsam gehütet wurden. Sie waren das eigentliche Geheimnis der „Homines Intelligentiae", über das nur in einer subtilen, esoterischen Weise gesprochen wurde, im Gegensatz zum obszönen Sprechen. Es ist kein Wunder, daß der Kunsthistoriker Wilhelm

Fraenger von einer ganzen Welt von Symbolen ausgeht, die sich nach seiner Meinung um dieses Geheimnis bildete und die später von dem Maler Hieronymus Bosch aufgegriffen worden sei.[16] Wenn dies auch Spekulation bleibt, so lassen selbst noch so harte Aussagen, wie sie oben zitiert wurden, etwas von der angestrebten Vergeistigung des Sexuellen ahnen. Die ist auch der Grund, warum sich bei dem anderen Oberhaupt der Sekte, bei dem Karmeliter Wilhelm von Hildernissem, ganz andere Aussagen finden, die nun tatsächlich einen Vergleich mit dem ‚Miroir‘, und zwar konkret mit dem oben beschriebenen Beginn der Vollkommenheit, aushalten. So sagt Wilhelm im 12. Artikel (Fredericq I, 274), er habe eine Offenbarung gehabt, in der Gott ihn „umschlungen" und „erleuchtet" habe, so daß er große Freude und die Gewißheit des ewigen Lebens verspürt habe. Wenn diese Freude auch schnell vorübergegangen sei, so sei doch diese Gewißheit des ewigen Lebens in ihm geblieben und habe ihm eine tiefere Einsicht in die Heilige Schrift gegeben.

Der Illuminismus, der aus der letzten Aussage hervorgeht, verbindet sich bei den „Homines Intelligentiae" wiederum, wie zweihundert Jahre früher bei den Amalrikanern, mit der enthusiastischen Zeitalterlehre des Joachim von Fiore.[17] Beides hat diese Sekte mit dem Begarden Johannes oder „Henne" Becker gemeinsam, der 1458 in Mainz verbrannt wurde. Von ihm, dessen Berufung in seinen Augen mit einer ebenso erschreckenden wie befreienden Erleuchtung im Mainzer Dom einsetzte[18], zieht Romana Guarnieri vergleichsweise eine Linie zu den spanischen „alumbrados" (Guarn. 479). Hier befinden wir uns bereits im 16. Jahrhundert, mitten in der Vorgeschichte des eigentlichen Quietismus, aber auch in der Nähe der Teresa von Avila und des Johannes vom Kreuz.[19] Wir wollen aber diese Linie, die uns nicht zuletzt auch zu Mme. Guyon führt, doch an dieser Stelle verlassen, weil sie nur eine ganz allgemeine Übersicht geben kann.

Schwerer wiegt jedenfalls die 1963 von Jean Dagens entdeckte Tatsache, daß Marguerites ‚Miroir‘ noch gegen die Mitte des 16. Jahrhunderts von einer ebenfalls geistig sehr regen, freimütigen Frau gelesen wurde, deren Stellung es ihr erlaubte, in ihrer Einflußsphäre so umstrittene Personen wie den sog. „spiritualen

Libertiner" Quintin aus dem Hennegau zu dulden: Es handelt sich um die Königin Margaretha von Navarra († 1549), die, wie Dagens nachweist[20], im dritten Teil ihrer ‚Prisons‘, die während ihrer letzten Lebensjahre entstanden, von einer Frau spricht, deren Buch sie mehr als alle anderen „im Herzen" habe. Es sei eine Frau gewesen, die, weil nur die „charité" ihr Argument, der Anfang und das Ende ihres Sprechens gewesen sei, „vor hundert Jahren" in den Flammen gestorben sei. In ihrem Buch habe sie die Liebe beschrieben, in der ihr Herz und das ihrer Zuhörer entbrannt sei, die Liebe zum „wahren Freund", dessen Name „Gentil" und „Loing Près" sei. Margaretha von Navarra wundert sich etwas später, daß Gott eine „Jungfrau" so begnadet habe, daß sie mit dem schönen Namen des „Loing Près", der Grab, Tod und Hölle besiege, die mühevolle Kleinarbeit so mancher gelehrter Männer übertroffen habe: „Gentil Loing Près, celle qui t'appella / Par ung tel nom à mon gré myeulx parla / Que [le] docteur qui tant a travaillé / D'estudier. Dont je m'esmerveillay / Comme ung esprit d'une vierge si basse / Fut si remply de la divine grace, / [. . .]"[21]

Hier nun, wo Margaretha von Navarra in Hinsicht auf die andere Margaretha von der tieferen religiösen Einsicht der Frau gegenüber der trockenen und umständlichen Gelehrtheit des Mannes spricht, müssen wir noch einmal in die Zeit der Porète zurückblenden, um diesen Punkt konkreter zu fassen:

Kaum zehn Jahre nach dem Tod Marguerites von Porète entstand wahrscheinlich in Straßburg ein fiktiver Dialog zwischen einem Beichtvater und seiner „Tochter". Dieser unter dem Namen „Schwester Katrei" bekannte Dialog[22], der auch als mystische Legende bezeichnet werden kann, schildert in mehreren Begegnungen der Dialogpartner die allmähliche Vervollkommnung der mystisch begnadeten Frau unter der Obhut, zum Teil auch gegen die Obhut, des religiös weniger vollkommenen Priesters. Die sehr interessanten Einzelheiten des Dialogverlaufes können hier nicht erläutert werden. Bedeutsam ist hier nur das Kernstück des Dialoges[23]:

Die Frau, die alle Maßstäbe des Klerikers von mystischer Einsicht und äußerem Leiden über den Haufen wirft, will schließlich, als sie „ein beständiges Aufgehen" zu Gott „ohne jedes Hindernis" erreicht hat, noch einen Schritt weiterkommen. Sie will ein „beständiges Bleiben", den Zustand einer dauerhaften Bestätigung in der Ewigkeit, erlangen und zugleich, ganz normal und alltäglich, weiterexistieren. Der Beichtvater rät ihr nun, daß sie das „Verlangen" nach diesem Zustand aufgeben müsse, um dauerhaft „bewährt" zu werden. Als sie den Rat befolgt, erlebt sie eine vorübergehende Ekstase, die in einen Zustand der Verzweiflung und des Gefühls der „Enge" umschlägt. Zu sich selber spricht sie: „Ich weiß sehr wohl, daß mir niemals geholfen werden kann!", und zu dem Beichtvater, der nach ihrem Befinden fragt: „Es geht mir schlecht, mir sind Himmel und Erde zu eng!" — Dennoch offenbart sie ihm ihren innerlichen Zustand und wirft dem „pfaffen", der nur sagen kann, daß er davon gelesen habe, eben dieses nur theoretische Wissen vor. Selbständig sucht sie dann wieder die Versenkung, aus der sie mit dem ungeheuerlichen Ausspruch zurückkommt: „Herr, freut Euch mit mir, ich bin Gott geworden!" Fast als hätte er dies erwartet, antwortet der Mann: „Dafür sei Gott gepriesen! Geh von allen Leuten wieder zurück in deine Versenkung [einmuote]: Bleibst du Gott, so gönne ich es dir!" Es folgt eine dreitägige Ekstase, in deren Anschluß sie, das Erlebte zugleich theologisch absichernd, sagen kann:

> Ja, ich bin bewährt in meiner ewigen Seligkeit. Ich habe in Gnaden erlangt, was Christus von Natur ist. Er hat mich zu seinem Miterben gemacht, so daß ich dies niemals verlieren kann.

Wie bei Marguerite von Porète die Vollkommenheit mit einer heftigen Erschütterung und beängstigenden Einblicken in den Abgrund des Ich beginnt, um erst dann einer ruhigeren Gewißheit Platz zu machen, die ja auch noch aus der kurzen Aussage des Karmeliters Wilhelm spricht, so ist auch hier die Aufgabe des „Wollens", das, was dem 5. Status bei Marguerite entspricht, zunächst mit einem sehr ambivalenten Erlebnis verbunden. Auf die „transitorische" Ekstase folgt tiefe Verzweiflung — so, wie bei Mechthild oben die Sonne von ihrem höchsten Stand in die Nacht hinabsank. Erst dann konsolidiert sich langsam der angestrebte Zustand der Vollkommenheit. Gegenüber Marguerite kommt die dialogische Rollenverteilung auf Mann und Frau bereichernd hinzu:

Unangefochten bleibt die religiöse Überlegenheit der Frau. Aber die deutlich kritisierte erfahrungslose Theologie des Mannes hat auch ihre positive Seite: Seine Theorie läßt ihn den Überblick behalten. Er weiß den Weg, den die Frau anscheinend immer wieder verliert. Denn er gibt ja den eigentlichen Anstoß zur „Bewährung" und trägt schließlich zu ihrer Vollendung bei, gibt ihr sozusagen den „letzten Schliff". Allerdings tut die Frau den entscheidenden Schritt, der aus der Verzweiflung herausführt, ganz allein. Immerhin ist aber der Mann in dieser Phase ein verständnisvoller, wenn auch unerfahrener Zuhörer, bei dem sie sich ausspricht.

Es spricht für die Bedeutung des sehr alten und auch in anderen Kulturen und Religionen bekannten Phänomens des Seelenführers, daß auch der religiöse Weg der Mme. Guyon, wie aus deren Autobiographie hervorgeht[24], von geistlichen Betreuern begleitet wird:

Am Anfang dieses Weges steht die kurze, aber folgenschwere Begegnung der jungen verheirateten Frau mit einem Franziskaner, dem sie ihre Schwierigkeiten beim Beten klagt. Er antwortet: „Das kommt davon, Madame, daß Sie draußen suchen, was Sie doch in sich haben. Gewöhnen Sie sich daran, Gott in Ihrem Herzen zu suchen, und Sie werden ihn dort finden."[25] Dieser Rat löst bei der jungen Frau soviel aus, daß ihr in kurzer Zeit nichts leichter fällt als zu beten: „Mein Gebet war von da an [. . .] leer von allen Formen, Arten und Bildern; nichts vom Gebet spielte sich in meinem Kopf ab, es war vielmehr ein Gebet der Freude und des Besitzes im Willen, wo das Gefühl von Gott so stark, rein und einfach war, daß es die beiden anderen Seelenkräfte in einer tiefen Andacht anzog und aufsog, ohne daß ich etwas tat oder sprach."[26]

Weiter begleiten den Weg der Frau der Mystiker und Seelenführer Bertot und schließlich der Barnabitensuperior Père La Combe. Auf die Begegnung der Frau mit diesem Père La Combe und auf den Seelenzustand der Frau, der dieser Begegnung vorangeht und folgt, möchte ich nun näher eingehen:

Noch bevor Mme. Guyon im Jahre 1678 mit 28 Jahren zur Witwe wird (sie hatte bereits mit 16 Jahren geheiratet und fünf Kinder zur Welt gebracht, von denen nur drei am Leben blieben), setzt bei ihr ein Zustand ein, in dem sie nicht mehr beten, nicht einmal mehr Gutes tun kann: „Ich verlor jedes Beten, konnte es einfach nicht mehr, auf keine Weise: Die Zeit, die ich mir dafür nahm, war erfüllt von Geschöpfen und ganz leer von Gott."[27] Sie weiß nicht, an wen sie sich um Hilfe wenden soll, weiß niemanden, „weder im Himmel noch auf Erden". Von allen Lebewesen fühlt sie sich „ausgestoßen" und findet nirgendwo eine „Stütze" oder „Zuflucht". Dies sei das schrecklichste Leiden, das es gebe, sagt sie, und es könne auch zum Tode führen. Sie konnte, wie es früher ihre Gewohnheit war, nicht einmal mehr zu den Armen gehen: „Wenn ich mich schließlich zwang hinzugehen, hielt ich es keinen Augenblick bei ihnen aus, und wenn ich dann mit ihnen sprechen wollte, war es mir unmöglich. Zwang ich mich dann, sagte ich ausgefallene Dinge, die niemand verstand. Ich hielt es auch keinen Moment in der Kirche aus; und wenn es früher für mich eine Qual gewesen war, keine Zeit zum Beten zu haben, so war es nun meine Qual, die Zeit zu haben und in der Kirche beten zu müssen."

Sie wird nicht nur unfähig, Gutes zu tun, sondern hat auch das Gefühl, alle Sünden in sich zu tragen. Sie lügt, ohne es zu wollen, und tut das Böse, das sie haßt, das Gegenteil von dem, was sie eigentlich will. Sie versinkt in einem Zustand der Stumpfheit und Kälte, in dem sie auch von ihrem Seelenführer Bertot verlassen wird. Zuletzt, sagt sie, sei ihr wenigstens noch der Schmerz über den Verlust Gottes als etwas Reales erschienen. Nun aber habe sie selbst noch diesen Schmerz verloren, „um in die Kälte des Todes einzutreten".[28]

Man muß in der Autobiographie solche Stellen, die den Zustand als etwas Aktuelles wiedergeben, von jenen unterscheiden, die im Rückblick bereits seine Überwindung voraussetzen, wie etwa dort, wo sie sagt, dieser Zustand habe sieben Jahre gedauert[29]. Ohne daß wir es uns immer klarmachen, unterläuft auch uns diese Implikation der Überwindung, wenn wir in Hinsicht auf Mme. Guyon, oder auch auf Johannes vom Kreuz[30], vom Zustand der „Dürre", der „Trockenheit" oder der „Nacht" als von etwas Abgeschlossenem sprechen. Es ist für diesen Punkt von Interesse, daß Mme. Guyon auch in der Lektüre spiritueller Bücher, die ihr die

Überwindbarkeit ihres Zustandes theoretisch nahelegen konnten, keinen Trost fand — im Gegenteil: „Die geistlichen Bücher, die ich mich zu lesen zwang, erhöhten noch mein Leiden: Denn ich erkannte in mir überhaupt nichts von jenen Zuständen, von denen sie sprechen. Ich verstand nicht einmal, was sie bedeuten sollten, und wenn sie von bestimmten Stufen des Leidens sprachen, war ich weit davon entfernt, das auf mich zu beziehen."[31]

Aus dem Zustand der Kälte, die Mme. Guyon als eine endgültige „Kälte des Todes" empfindet, wird sie nicht durch ein Buch erlöst, sondern durch den schon erwähnten Pater La Combe, dem sie früher schon einmal begegnet war. Im Jahre 1680 wendet sie sich an ihn mit einem Brief, in dem sie ihren Zustand schildert.[32] Weit davon entfernt, die Frau, wie früher offenbar Bertot, aufzugeben, öffnet ihr La Combe die Augen über sich selbst: Trotz des „entsetzlichen Bildes", schreibt er zurück, das sie von sich selbst gezeichnet habe, sei ihm in einer Art Erleuchtung klargeworden, daß der von ihr geschilderte Zustand ein „Zustand der Gnade" sei. Zunächst ist sie weit davon entfernt, dies zu glauben. Aber dennoch beginnt sich in ihr so etwas wie ein „neues Leben" zu regen. Zugleich öffnet sich vor ihr die Zukunftsperspektive, daß Gott sie zu seinem Dienst nach Genf rufe. Dann, am „glücklichen Tag der Madeleine", am 22. Juli 1680, wird sie aller Leiden enthoben. Als wäre sie von den Toten auferstanden, fühlt sie sich an diesem Tag „wie in einem vollkommenen Leben", „über der Natur", deren „Gefangene" sie vorher war, in einer nie gekannten „neuen Freiheit". Zuweilen spürt sie, wie mit jedem neuen Tag „eine Art Seligkeit" in ihr zunimmt. Den ganzen Tag würde sie nun wiederum gern in der Kirche verbringen, ohne dort freilich etwas Bestimmtes zu empfinden. Es würde ihr nämlich ebenso nichts ausmachen, nicht dort zu sein. Denn sie findet sich „überall" in einer ungeheuren „Grenzenlosigkeit" und „Weite", wo sie Gott nicht mehr als einen bestimmten Gott „besitzt", wie oben zu Beginn, sondern im Gegenteil fühlt, wie Gott sie in seinem „Abgrund" versenkt, „so wie ein kleiner Fisch sich immer tiefer in den Abgrund eines unermeßlichen Meeres versenkt".[33] Unwillkürlich denkt man hier an die Verse des „Fließenden Lichts der Gottheit", wo im 44. Kapitel des I. Buches von der Seele die Rede ist, die in ihrem göttlichen Element schwimmt wie der Fisch im Wasser:

269

Der visch mag in dem wasser nit ertrinken,/ Der vogel in dem lufte nit versinken./ Das gold mag in dem fúre nit verderben,/ [. . .] Wie moehte ich den miner nature widerstan?/ Ich mueste von allen dingen in got gan,/ [. . .] (Morel, 21f.)

Nicht nur vorübergehend, sondern dauerhaft, nicht in Abgeschiedenheit von den „Dingen", sondern mitten unter ihnen, hat Mme. Guyon zur Vollkommenheit gefunden. Sie bedeutet, wie bei Marguerite von Porète, „Frieden, von außen und von innen". Von diesem „Frieden" glaubt Mme. Guyon etwas naiv, daß er plötzlich auch ihre äußeren Verhältnisse positiv beeinflußt habe: Ihr Ansehen, das in der Zeit der „aridité" gelitten habe, sei auf wunderbare Weise wiederhergestellt worden. Und auch Personen wie die Schwiegermutter, der sie vorher noch nie etwas habe recht machen können, hätten plötzlich ihre Meinung über sie geändert.[34] Angesichts der Wechselfälle ihres weiteren Schicksals relativieren sich solche Beobachtungen sehr stark: Denn Mme. Guyon standen zu jener Zeit noch mancherlei Meinungswechsel über sie und mancherlei Anfeindungen bevor, denen gegenüber ihr bisheriges Leben eher als eine ruhige Zeit der Vorbereitung erscheint. Aber von innen betrachtet, hat sie hier bereits den inneren Frieden gefunden, mit dem sie den kommenden Wechselfällen gewachsen ist. Es ist ein Frieden, der so überwältigend ist, daß selbst Gott in ihm aufgeht bzw. der Frieden Gott wird:

Meine Unruhe und Qual wurden in einen Frieden verwandelt, der so beschaffen war, daß ich ihn, um ihn besser zu bezeichnen, FRIEDE-GOTT nannte. Der Friede, den ich vor dieser Zeit besessen hatte, war der Friede Gottes, der Friede als Geschenk Gottes, gewesen. Es war aber nicht jener Friede-Gott, der Friede, den er in sich selbst hat, und der sich nur in ihm findet.[35]

So gewappnet, überläßt sich Mme.Guyon, von ihrer Reise nach Genf, also von 1680 an, ganz bewußt dem Schicksal — „ohne Furcht, was auf sie zukommen mag", wie Marguerite von Porète sagt (vgl. o.). Als sie schon ein Jahr später in Gex Verfolgungen und Verleumdungen gegen sich und ihren geistlichen Betreuer ausgesetzt ist, schreibt sie von der Seele im Zustand der Vollkommenheit:

Eine Seele, die sich in diesem Zustand befindet, sucht nichts für sich selbst [. . .] Vielleicht möchten manche sagen: „Was tut denn diese Seele?" Sie überläßt sich der Führung durch Gottes Vorsehung und Seine Geschöpfe. Äußerlich erscheint ihr Leben ganz gewöhnlich; innerlich ist sie jedoch völlig dem göttlichen Willen ergeben. Je feindlicher, ja verzweifelter alles erscheint, desto ruhiger ist sie, trotz Ärger und Seelenschmerz und trotz der Geschöpfe, die einige Zeit nach Beginn des neuen Lebens Wolken und Hindernisse aufkommen lassen [. . .] Doch wenn die Seele völlig in ihr ursprüngliches Sein eingegangen ist, verursachen alle diese Dinge keine Trennung oder Spaltung.[36]

Ich habe zuletzt bewußt, zum größten Teil in eigener Übersetzung, Mme. Guyons Autobiographie weitgehend für sich selbst sprechen lassen. Wenn man das abzieht, was, wie in jeder Biographie, konstruiert sein könnte (z. B. das volle Einsetzen des „neuen Lebens" ausgerechnet am Magdalenentag!), liegen die Gemeinsamkeiten mit Marguerite von Porète, ohne daß breite Erläuterungen nötig wären, eigentlich auf der Hand:

Beide Frauen lassen den Zustand einer dauerhaften Vollkommenheit bereits auf Erden beginnen. Bei beiden wird er aus dem Gegenteil geboren, bei Marguerite aus der Einsicht in den Abgrund der eigenen Schlechtigkeit, bei Mme. Guyon aus dem sieben Jahre währenden Zustand der „Dürre". Bei beiden ist dieser Zustand nicht homogen — das Gefühl der Weite und Entgrenzung geht über in eine ruhigere Gewißheit. Vor allem aber: Für beide besteht die Vollkommenheit in einem Zustand des inneren und äußeren Friedens, verbunden mit einem einfachen, unauffälligen Leben. Selbst jene Indifferenz gegenüber den Werken der Tugend und den kirchlichen Heilsmitteln bei Marguerite von Porète findet bei Mme. Guyon eine Entsprechung, wenn wir daran denken, daß sie in der Kirche genauso wie anderswo das Gefühl der „Grenzenlosigkeit" und „Weite" hat. Neben den Intrigen, von denen Mme. Guyon ausführlich berichtet, brachte ihr und ihrem Seelenführer diese aus dem Zustand des Seelenfriedens folgende Indifferenz den Vorwurf des „Quietismus" ein.[37]

Diese Punkte dürften wohl genügen, um, ohne die Unterstellung einer Beziehung, von einer bei beiden Frauen sehr ähnlichen Struktur des Vollkommenheitsbegriffes zu sprechen. Dieser Ähnlichkeit entspricht eine ebenfalls vergleichbare Disposition zum Konflikt mit der Kirche. Und zwar dürfte diese Disposition bei Mme. Guyon noch stärker sein als bei Marguerite, wenn man ins Auge faßt, was die Mystik beider Frauen hauptsächlich unterscheidet: nämlich die Dauer und die Intensität der „aridité" oder „sécheresse" der Seele. Die deutsche Mystik kennt zwar vergleichbare Schilderungen[38], bei Marguerite und auch in der „Schwester Katrei" ist dieser Zustand aber nur angedeutet. Wichtig erscheint mir hier zuletzt an ihm, daß der Überdruß gegenüber Gebet und Kirche ebenfalls, wenn auch mit negativen Vorzeichen, als Indifferenz angesehen werden kann. Ich wage zum Schluß die These, daß bei Mme. Guyon schon hier, in der Tiefe der Verzweiflung, die religiöse „Emanzipation" beginnt, so daß sich ihre Disposition zum Konflikt mit der Kirche gleichsam aus einer größeren Tiefe herleitet als bei Marguerite von Porète. Da sie aber in einer ganz anderen Zeit lebte, blieb ihr deren Schicksal erspart!

Anmerkungen

[1] Kurt Ruh, „Le Miroir des simples âmes" der Marguerite von Porète, in: Verbum et Signum 2, München 1975, 365—387, 371f.

[2] MvP, Le Miroir des simples âmes, hrsg. v. Romana Guarnieri: Romana Guarnieri, Il movimento del Libero Spirito. Testi e Documenti, in: Archivio italiano par la storia della pietà 4, Rom 1964, Text: 513—636. Der vollständige Titel, der bereits den Begriff der „âme anientie" (neufranz. Schreibweise) einbezieht, lautet: „Le mirouer des simples ames anienties et qui seulement demourent en vouloir et desir d'amour" (altfranz. Schreibweise). Zur „âme franche" bzw. „âme enfranchie" vgl. Guarnieri, 551,11; 559,9 u. 30.

[3] Kurt Ruh, Meister Eckhart und die Spiritualität der Beginen, in: Perspektiven der Philosophie 8, 1982, 323—334, 326.

[4] L. c. 333; vgl. auch Ruhs Aufsatz „Beginenmystik" in ZfdA 106, 1977, 265—277. Hier findet sich auf S. 275 derselbe Gedanke. — Alois Haas weist darauf hin, daß Eckharts Mystik nicht als isolierte „Erfahrungen" gebunden ist, daß ihm jeder „autistische Psychologismus" fremd ist: Alois Haas, Das Verhältnis von Sprache und Erfahrung in der deutschen Mystik, in: Die Literatur des späten Mittelalters, Hamburger Kolloquium 1975, 240—265, 254f. u. 255, Anm. 47.

[5] Ruh, Le Miroir . . . (vgl. Anm. 1), 381.

[6] Mechthild von Magdeburg, Offenbarungen oder „Das Fließende Licht der Gottheit", hrsg. v. P. Gall Morel, Regensburg 1869, fotomech. Nachdruck: Darmstadt 1963.

[7] Morel 18ff., bes. 20.

[8] Alois Haas, Mechthild von Magdeburg — Dichtung und Mystik, in: Amsterdamer Beiträge zur Älteren Germanistik 2, 1972, 105—156, 117.

[9] Paul Fredericq (Hrsg.), Corpus documentorum inquisitionis haereticae pravitatis neerlandicae, Gent, s'Gravenhage 1889: Bd. 1, 1896: Bd. 2; die Verurteilungsschrift gegen Marguerite mit Artikel 1 findet sich im 2. Band, 63f.

[10] Jozef van Mierlo SJ, Ruusbroec's bestrijding van de ketterij, in: Ons Geestelijk Erf 4, 1932, 304—346; 333: Hier vergleicht van Mierlo Bloemardinne in ihrem „Quietismus" ausdrücklich mit Mme. Guyon!

[11] Zu Jeanne Daubenton, von manchen auch „Dabenton" geschrieben: Norman Cohn, Das Ringen um das Tausendjährige Reich, Bern 1961, 159. Wie Spitzer zeigt, hat der Name „Turlupins" eine obszöne Bedeutung: Leo Spitzer, „Turlupin", in: Modern Language Notes 61, 1946, 104—108.

[12] Jean Gerson erwähnt Marie von Valenciennes und ihr Buch in seiner Schrift ‚De distinctione verarum revelationum a falsis', die im November/Dezember 1401 verfaßt wurde: Jean Gerson, Œuvres Complètes, hrsg. v. Mgr. Glorieux, Bd. 3, Paris 1963, 36—56; 51/52: zu Marie v. Valenciennes.

[13] Fredericq I, 267—279: zu den „Homines Intelligentiae" das sog. Kamerijker Protokoll.

[14] Henrici Pomerii Opuscula de Viridivalle II: Vita B. Joannis Rusbrochii, in: Analecta Bollandiana IV, Genf 1885, 286.

[15] Gerson 51f.: Marie von Valenciennes wird als bedeutende Theoretikerin der begardischen Ketzerei hingestellt. In demselben Stil, in dem Pomerius von Bloemardinne spricht, heißt es von ihr, sie sei einer Täuschung aus geistlichem Hochmut und sinnlicher Begierde verfallen.

[16] Wilhelm Fraenger, Ges. Schriften I: Hieronymus Bosch. Das Tausendjährige Reich, Amsterdam 1969, 141ff. u. 169ff.

[17] Fredericq I, 272ff. (Artikel 18, 19 bei Aegidius u. Artikel 10 bei Wilhelm von Hildernissem).

[18] Gerhard Ritter, Zur Geschichte des häretischen Pantheismus in Deutschland im 15. Jahrhundert, in: ZKG 43, 1924, 150—159.

[19] Vgl. zur „Dunklen Nacht des Geistes" bei Johannes vom Kreuz und zu Teresa von Avila den Beitrag von Josef Sudbrack SJ: Der Mensch im Überstieg — Teresas Gotteserfahrung in ökumenischer Besinnung, in: Der Weg zum Quell. Teresa von Avila 1582—1982, hrsg. v. Joseph Kotschner O. Carm., Düsseldorf 1982, 52—89, bes. 58ff.

[20] J. Dagens, Le Miroir des Simples Ames et Marguerite de Navarre, in: La Mystique rhénane, Paris 1963, 281—289.

[21] Simone Glasson (Hrsg.), Marguerite de Navarre — Les Prisons, Genf 1978, 179ff., v. 1313—1330 u. v. 1371—1384; zitiert sind die Verse 1375ff.

[22] F. J. Schweitzer, Der Freiheitsbegriff der deutschen Mystik, Arbeiten zur Mittleren Deutschen Literatur und Sprache 10, Frankfurt a. M., Bern 1981, 322—370: Text des Traktates. Vgl. Franz Pfeiffer, Dt. Mystiker des 14. Jh. II, Aalen 1962 (Neudruck von 1857), 448ff.

[23] Schweitzer, 332ff.; vgl. Pfeiffer II, 463ff.

[24] Ich benutze die franz. Ausgabe von Jean Bruno, die Auszüge der Autobiographie wiedergibt: Jean Bruno, La vie de Mme. Guyon I: 1648—1681, Paris 1961. Auf diesen Auszügen fußt meine Übersetzung. — Wichtig ist auch: Leszek Kolakowski, Chrétiens sans Église, Paris 1969, 521ff.

[25] Bruno 33.
[26] ibid. 35.
[27] ibid. 88 – zum Folgenden: 88—98.
[28] ibid. 96.
[29] ibid. 94.
[30] Sudbrack (vgl. Anm. 19) 58ff.
[31] Bruno 105.
[32] ibid. 109 — zum Folgenden: 109—115.
[33] ibid. 113.
[34] ibid. 114.
[35] ibid. 111.
[36] Diese längere Passage zitiere ich nach der deutschen Übersetzung der Autobiographie: Mme. Guyon, Autobiographie, Frankfurt a. M. 1978, 236.
[37] Zum weiteren Leben der Guyon und zumVorwurf des Quietismus gegen La Combe, der auch sie traf, vgl. Kolakowski, 526ff.
[38] Gewöhnlich wird hier Johannes Tauler erwähnt. Ich möchte aber besonders auch auf das ‚Buch von geistlicher Armut' hinweisen, das von Heinrich S. Denifle (München 1877) herausgegeben wurde. Das „Wesen der Tugend", bei Marguerite noch ein hoher Zustand, ist hier geradezu ein Unvermögen zur Tugend, ein Zustand der Armut an Tugend geworden: „[. . .] Wan die tugent wurt niemer ervolget uf daz hoehste, es sy danne daz sich der mensche von minnen entbloeze von aller zitlicher habunge, und sich uz uebe in allen tugenden, daz er daz bilde aller tugent verliere, und in ein unvermügen komme, daz er kein tugent nach dem ussren wercke me vermag, mer: daz er sie wuercket in wesen und nit in zuoval." (Denifle, 104, 29ff.)

Tore Nyberg

BIRGITTA VON SCHWEDEN – DIE AKTIVE GOTTESSCHAU

Literarische Betätigung im Rahmen einer christlichen Lebens- und Weltauffassung ist in Skandinavien keineswegs auf das religiöse Schrifttum beschränkt. Wir kennen die epische Breite der norwegisch-isländischen Erzähltradition der frühen christlichen Epoche im 11., 12. und 13. Jahrhundert, die auch die aus dem Lateinischen übersetzte Heiligenliteratur kennzeichnet. Aber ein eigentlich religiöses Schrifttum, auf theologischer Grundlage aus der Gottesbegegnung einzelner Persönlichkeiten heraus geboren, gibt es im Frühmittelalter noch nicht; der religiöse Horizont kommt vielmehr in der dramatischen Geschichtsepik zum Ausdruck. Es blieb der lateinischen Diktion vorbehalten, das Instrument zum Ausdruck religiöser Erlebnisse bereitzustellen. Dies geschah weder in Island noch Norwegen, auch nicht in dem Dänemark des Geschichtsschreibers Saxo Grammaticus, sondern in dem an frühen literarischen Erzeugnissen wesentlich ärmeren Schweden. Hier war der Raum für ein mystisches Schrifttum bereit. Hier war nicht nur, wie auch in Norwegen, die soziale Stellung der Frau stark — wesentlich stärker als z. B. in Dänemark. Im Gegensatz zu Norwegen und Dänemark gab es in Schweden auch ein stärker ausgebildetes weibliches Klosterwesen: Schweden hatte eine Reihe von Zisterzienserinnenklöstern, die bedeutenden Dominikanerinnenklöster in Skänninge und in Kalmar und das Klarissenkloster der Hauptstadt Stockholm. Birgitta Birgersdotter, geboren im Winter 1302/03, gehörte derselben hochadeligen Gesellschaftsschicht an, die seit dem 12. Jahrhundert die Priorinnen dieser Frauenklöster stellte. So zählte sie z. B. die heilige Ingrid, Priorin der Dominikanerinnen von Skänninge im 13. Jahrhundert, zu ihrer nächsten Verwandtschaft.[1]

Jedoch führte der Weg dieser religiös begabten Frau nicht ins Kloster, wohin sie sich in den Jugendjahren so stark sehnte, sondern aus Familiengründen bot sich die Ehe als einzige Alternative an. Erst nachdem Birgitta ein Menschenalter der Familie gelebt und ihrem Mann Ulf Gudmarsson acht Kinder geboren hatte, bot ihr der in Skandinavien sozial besonders angesehene Witwenstand die Möglichkeit, über ihre Habe zu disponieren, die Erziehung der jüngsten Kinder anderen zu überlassen und selber dem religiösen Ruf ihres Inneren zu folgen. Ihr fünfjähriger Aufenthalt in der Nähe des Klosters Alvastra unter geistlicher Führung der dortigen Zisterzienser (1344—49) wurde gewissermaßen zu einem „Noviziat" für ihr religiöses Leben. Während dieser Zeit bildete sich bei ihr die Praxis heraus, Visionen, religiöse Erlebnisse und Botschaften den Beichtvätern anzuvertrauen, die solche Erfahrungen nach Birgittas Diktat ins Lateinische umsetzten. Ihre Reise nach Rom zum Heiligen Jahr 1350 beendete für immer ihren physischen Kontakt mit dem Norden, und sie verlebte die restlichen 23 Jahre ihres Lebens in einem römischen Privathaus als Mittelpunkt einer klosterähnlichen Gemeinschaft, bestehend aus ihren zwei schwedischen Beichtvätern, ihrer Tochter Katharina und einigen weiteren Mitgliedern ihres Haushaltes.

Trotz dieses eindeutig klösterlichen Lebensrahmens blieb ihr religiöses Schrifttum stark von dem aktiven Lebensinhalt ihrer früheren Jahre geprägt. Sie holte manche Bilder und Beispiele aus dieser ihr vertrauten Welt einer nordischen Adelsfrau, die dem großen Hof vorsteht, die die Verantwortung für Wirtschaft und Dienstpersonal trägt und die in dieser Eigenschaft auch mit gesellschaftlichen Problemen in Berührung kommt und dazu Stellung beziehen muß. Dies alles gilt es zu beachten bei einer Deutung ihres Schrifttums, das hauptsächlich in den acht Büchern der ‚Revelationes coelestes' gesammelt ist.[2]

Als Einstieg in Birgittas religiöse Erlebniswelt habe ich einen zwar kurzen Text gewählt, der jedoch die Merkmale einer echten Vision trägt: Buch 6, Kap. 86. Bei der Frühmesse an einem Pfingstsonntag sah Birgitta bei der Elevation ein Feuer vom Himmel über den Altar herabkommen. Der Text beschreibt es so: „In der Hand des Priesters sah sie das Brot, und im Brot das lebendige Lamm, und im Lamm ein entflammendes Gesicht, gleichsam das eines Menschen." Die Vision wird auf das Pfingstwunder gedeutet, die drei Symbole Brot, Lamm und Gesicht als Erscheinungsformen des dreifaltigen Gottes, wobei das Lamm Christus, das Gesicht den Vater vertritt. Das eucharistische Brot vertritt den Heiligen Geist als überströmendes, lebendigmachendes Feuer aus dem Himmel. Das Heilig-Geist-Feuer umgibt und durchwebt gleichsam die drei sichtbaren Zeichen Brot, Lamm und Gesicht, so daß vom Brotsymbol eigentlich nur die runde Form der Sonnen- oder der Feuerscheibe übrigbleibt, während Gott auf anthropomorphe Weise durch das Gesicht eines Menschen vertreten ist: *vidit . . . faciem quasi hominis inflammantem.* Als jedoch am Ende des Textes Birgitta in der Hand des Priesters einen jungen Mann von wunderbarer Schönheit beschreibt, der verkündet: „Ich segne euch, die ihr glaubt; denjenigen, die nicht glauben, bin ich ein Richter", hat sich die Zeichenwelt verwandelt, und der Mensch, hier wohl Christus, tritt hervor als der apokalyptische Menschensohn beim Jüngsten Gericht.

In diesem kurzen Text erkennen wir einige Elemente, die oft in Birgittas Texten miteinander verbunden erscheinen und die integrierende Teile ihrer visionären Erlebnisse darstellen. Zum ersten ist da die optisch greifbare Szene, die *visio,* die Christus, Maria oder eine bildliche Darstellung vermittelt. Dann folgen Worte, oft in der Form eines Dialoges zwischen der Braut, Gott, Maria oder einer Person der dramatischen Szene. Manchmal mündet die Szene dann in eine Aufforderung oder ein zusammenfassendes Schlußwort, die die Wirkung eines Signals oder eines Aufrufes besitzen. Dieser Schlußkommentar ist entweder allgemein gehalten und wirkt dann als verdichteter Hinweis auf das geistige Verhalten des Lesers oder des Zuhörers oder erscheint als Worte Christi oder der Gottesmutter an die Braut, an Birgitta. Schon die ersten Bearbeiter der Offenbarungen deuteten jedoch in ihren Rubriken solche Schlußworte Christi an die Braut in Worte Christi an die gläubige Seele um. Dadurch verliehen sie solchen zunächst privat erscheinenden Mahnungen breitere Wirkung.

Rollt man solche von einer unzweifelhaften Vision eingeleiteten Offenbarungstexte Birgittas von der Schlußbetrachtung her auf, so tritt die Ausrichtung auf ein praktisches, pastorales Ziel der Vision oft ganz deutlich zutage. Nehmen wir als erstes Beispiel Buch 1, Kap. 55—56, die zusammen eine Vision und ihre Deutung enthalten. Birgitta sieht Gott als einen mächtigen Herrn, der eine Stadt, eine *civitas*, baut, ihr einen Namen und ein *palatium* gibt und den Einwohnern verschiedene Berufe einrichtet, den drei Gesellschaftsgruppen Vorsteher, Verteidiger und Arbeiter angepaßt. Daraufhin geht er auf die Reise. Mit der Zeit vergessen die Einwohner nicht nur den Namen der Stadt, sondern auch den Sinn ihrer Einrichtungen: warum sie arbeiten und Steuern zahlen, wozu die Administration und die Verteidigung dient usw. Dann folgt die sehr ausführliche Deutung, aus der hervorgeht, daß die Stadt Sinnbild der Welt ist, deren Bewohner, die Menschen, ihren Schöpfer und ihren Ursprung vergessen haben und jetzt ohne die alle verbindende Liebe die Institutionen zwar weiterführen, dahinter aber privaten Zielen nachgehen. Das Schlußwort Christi lautet, mit einer leichten Umschreibung von Joh 10,38: „Siehe, wenn sie den Worten nicht gutwillig glauben, sollen sie den Werken glauben, wenn jene einmal erfolgen." *(Ecce si verbis noluerint credere benevole, credent operibus cum venerint.)* Glaubet also den Taten Gottes und wendet euch seinem Schöpfungsplan zu, oder ihr werdet Gottes Taten im Gericht sehen, in diese Aufforderung mündet die Offenbarung aus.

Ein weiteres Beispiel: Im 2. Buch, Kap. 14, sieht Birgitta Gott als einen Goldschmied, der seinen Schmuck verkaufen will und dabei seinem Beauftragten darlegt, welche Eigenschaften bei den Käufern gewünscht sind: nur an solche solle er ihn verkaufen, die sich durch klare und helle Augen und ernstes Gewissen auszeichneten und die bereit seien, zehn Talente dafür zu zahlen; er solle sorgfältig die verkehrten Käufer meiden. Die Bilder werden dann ausführlich allegorisch gedeutet: die Vorbereitung des Menschen auf die Gnade Gottes muß sich mit Hilfe der ihm vom Schöpfer verliehenen Gaben — der zehn Talente — vollziehen, dazu fordert der Text auf, was sich am Schluß in dem einen Satz verdichtet: „So lehren [die Worte Gottes] echte Furcht, hingebende Liebe und erleuchtete Sehnsucht nach dem Himmel." *(Docent enim timere recte, diligere pie, desiderare celestia sapienter.)* Damit wird das pastorale Ziel der Vision vom Goldschmied formuliert.

Ein anderer oft vertretener Typ in den Texten ist die Vision einer Gerichtsszene über eine einzelne Person, die entweder verstorben ist oder im Sterben liegt. Sehr dramatisch und bewegt ist eine Vision, die offenbar Birgittas Ehemann Ulf betrifft, Buch 6, Kap. 39. Der *daemon* tritt vor Gottes Gericht mit sieben Büchern heran, die sieben Laster dieser Seele enthaltend. Er beschreibt ausführlich, wie der Tote sämtlichen Lastern gefrönt hat, und zwar jedem mit seinen Unterabteilungen, jeweils auf Kolumnen verteilt. Die Seele bittet aber die Gottesmutter um Hilfe, und nachdem diese nach höfischem Zeremoniell von Christus die Erlaubnis zum Sprechen erhalten hat, entdeckt der Dämon zu seinem Entsetzen, daß die ganze Schrift der sieben Bücher über die Laster des Verstorbenen gelöscht ist. Die Gottesmutter ruft nun einen Engel heran, der die guten Werke des Verstorbenen aufzählt. Das weitere Gespräch zwischen Gott, Maria und Dämon spitzt sich auf die Frage zu, ob der Verstorbene in der Todesstunde im Stande der Gnade gewesen sei und deshalb nicht verurteilt werden könne. Das letzte Wort der souveränen Entscheidung bleibt Gott überlassen, „und dann verschwand die Vision", schließt der Text, eine direkte Aufforderung an den Leser, vor allem Gottes allmächtige Entscheidung im Glauben anzuerkennen.

Weitere Gerichtsvisionen betreffen Personen der gleichen Gesellschaftsschicht, der Birgitta selbst angehörte. Es war für sie ein Problem, daß gerade die Verantwortlichen — König, Ratsadel, hohe Geistlichkeit — sich ihrer religiösen und gesellschaftlichen Aufgabe nicht bewußt waren, nicht die Folgen ihrer Handlungen erkannten. Alle Zeichen sprechen dafür, daß viele dieser Gerichtsbeschreibungen auf echte Visionen zurückgehen, in denen Birgitta mit allen Sinnen, auch dem Geruchs- und dem Geschmackssinn, von einem visionären Impuls überfallen wird, die geistigen Erscheinungsformen des Sterbenden oder Verstorbenen registriert und auf dieser Grundlage die allegorische Deutung der Eindrücke, die sie erhalten hat, anzuhängen weiß. Oft, obgleich nicht immer, trifft man auf eine Schlußbemerkung, die sich besonders an die Umwelt richtet und der Szene die Zielrichtung auf die Umwelt hin verleiht. Großartig ist z. B. das Bühnenbild im 4. Buch, Kap. 7: der Richter thront in seinem unermeßlichen Palast, von den Heerscharen der Engel umgeben; vor ihn tritt das dunkle Wesen, der sogenannte *Aethiops,* der Teufel, der Anspruch erhebt auf die Seele eines im Sterben liegenden Ritters und deshalb auf die Untaten des Betreffenden hinweist. Er kann viele Teufel zur Unterstützung seiner These heranziehen, aber auch hier erscheint die Gottesmutter vor dem Thron und verändert das Bild. Der Sterbende bekennt seine Sünden, und die Leidenden im Reinigungsort treten für ihn ein.

Die herangezogenen Beispiele machen deutlich, daß es nötig ist, hier weitere Fragen zu stellen, um näher bestimmen zu können, erstens: von woher Birgitta ihre Bilder und Symbole erreichen bzw. aus welcher Lebenssphäre sich diese Bilder in ihr Seelenleben heraufdrängen, und zweitens: was macht sie daraus, welches ist das formale Medium, durch welches die Erlebnisse literarische Form und pastorale Zielrichtung erhalten? Wenn wir zuerst die letztgenannte Frage zu beantworten versuchen, ist es nötig, einen Hinweis auf die Rolle der Beichtväter einzuschalten, ein durchaus typischer Problemkreis, wie Peter Dinzelbacher eindrucksvoll aufgezeigt hat.

Es ist vielfach bezeugt worden, sowohl von Birgitta selbst als auch von den Zeugen im Heiligsprechungsprozeß[3], daß zwei schwedische Theologen, zuerst Magister Matthias, dann Magister Peter Olavsson, ferner auch der gleichnamige Zisterzienserprior Peter Olavsson aus Alvastra die schwedisch konzipierten Texte Birgittas ins Lateinische übersetzt und niedergeschrieben haben, entweder sofort nach mündlichem Diktat oder auf Grund einer altschwedisch abgefaßten Niederschrift Birgittas, von denen einige wenige Beispiele erhalten geblieben sind. Durch den Prozeß von Diktat, lateinischer Umstilisierung und Rücksprache mit der Urheberin entstand eine Form- und Formelsprache, die der scholastischen Bildung dieser Beichtväter entsprach.[4]

Um sodann auf die Frage nach dem seelischen Ursprung der Bilder und Wahrnehmungen Birgittas etwas näher einzugehen, kann ein Studium des so geschaffenen Formelsystems der Offenbarungstexte weiterhelfen. Birgitta hat drei große und etwa 600 mittlere und kleinere Offenbarungstexte hinterlassen.[5] Alle drei großen und viele der übrigen Texte enthalten Angaben darüber, unter welchen Umständen Birgitta die Vision gehabt hat, die dem Text zugrunde liegt. Die drei großen Visionen sind: einmal das sogenannte Buch der Fragen, das 5. Buch der Redaktion, das so anfängt: „Ich sah einen Thron im Himmel, auf dem der Herr Jesus Christus als Richter saß. Zu seinen Füßen saß die Jungfrau Maria, und rund um den Thron war eine Heerschar von Engeln und eine unendliche Menge von Heiligen. Ein Mönch, ein sehr gelehrter Theologe, stand hoch auf einer Leiter, die fest auf den Boden gestellt war, aber bis in den Himmel hinaufreichte. Er hatte sehr ungeduldige und unruhige Gebärden, als wäre er voll von Trug und Bosheit, und stellte Fragen an den Richter." Die zweite große Vision, die Regel ihres Ordens, empfing Birgitta im Schloß von Vadstena, das durch den Einsatz des Königs in ein Kloster zu verwandeln war. Die dritte große Vision endlich, die Engelsrede, die zu den 21 Lesungen für das Wochenoffizium der Birgittennonnen wurde, ist, wie der Name sagt, das Diktat eines Engels.[6] Der visionäre Charakter und der besondere Seelenzustand Birgittas beim Empfang dieser drei großen Visionen wird in den Texten selbst bezeugt und steht also außer jedem Zweifel.

Von den etwa 600 sonstigen Textstücken weisen etwa ein Zehntel schon im Ingreß eine Form von *videre, visum est* oder *apparuit* auf: die Braut hat gesehen, oder jemand zeigte sich ihr. Das heißt jedoch nicht immer, daß das Gesehene ausführlich geschildert worden wäre. Oft ist die Schilderung selbst ganz kurz, während die allegorische Deutung mehr als die Hälfte des Textes ausmacht. Mit diesem Zehntel auf visionäre Erlebnisse zurückgehender Texte ist die große Masse der Texte zu vergleichen, die durch eine Formel des Redens oder Sprechens eingeleitet werden: *loquitur, loquebatur, loquebat* u. ä. Absolut vorherrschend unter den zu Birgitta Sprechenden sind hier Gott und die Gottesmutter unter den Bezeichnungen *Filius* und *Mater* — oft auch *Filius Dei, Mater Dei* —, hierher gehören gut ein Drittel der etwa 600 Textstücke. Dazu kommen dann die etwa 40 Stücke, in denen Christus oder die Gottesmutter ohne Einleitung mit einem *Ego sum* anfangen — in diesen Fällen haben die Beichtväter in der Überschrift mitgeteilt, wer Birgitta nun anredet. Äußerst selten spricht der Vater zu Birgitta, dagegen häufig Gott als *Creator* — der Text zeigt aber dabei fast ausnahmslos, daß nicht Gottvater, sondern der Herr und Erlöser als Schöpfer angesprochen wird.

Birgittas sozusagen alltägliches Gottesverhältnis, so wie man es in den mittleren und kleineren Texten verfolgen kann, erscheint damit in hohem Maße als von der Grundspannung Mutter–Sohn bestimmt. In den oft dialogartig ausgearbeiteten Texten, wo Gottessohn und Gottesmutter das Bildfeld beherrschen, tritt Birgitta immer als Braut des Sohnes auf, sowohl im Munde Christi als auch im Munde Mariens: „die Braut meines Sohnes". In den großen Visionen dagegen dominiert dieses Begriffspaar nicht. Vielleicht ergibt sich auf diese Weise eine Abstufung zwischen einer großen Masse von Gottesbegegnungen einerseits, in denen das Verhältnis Gottessohn–Gottesmutter den Grundton angibt, und einer geringeren Zahl von größeren, zukunftsträchtigen Visionen anderseits, bei denen Birgittas Rolle als Seherin bei ihr nur das Grundgefühl der Unwürdigkeit erzeugt.

Unter diesen Umständen ist es begründet, die Frage zu stellen: aus welcher inneren Seelenlage heraus werden dann diese ganz großen Visionen Birgittas geboren? Ich glaube, man muß hier auf das religiöse Grundproblem bei Birgitta zurückgreifen: auf die von ihr so stark erlebte Spannung im überlieferten Glaubensgut der Kirche, in den Mysterien von Gottes Gerechtigkeit und Barmherzigkeit, von dem einen Gott, der sich tätig in der Dreiheit realisiert, von der Kirche der Heiligen und der Sünder, der Gerechten und der Bußfertigen, der Hochmütigen und der Demütigen. Im Prozeß der geistigen Verarbeitung dieser Grundprobleme zeigen sich einige für Birgitta charakteristische Merkmale, die zu Kennzeichen ihres geistigen Erscheinungsbildes werden. Zuerst ist bemerkenswert, in welchem Ausmaß Birgitta die göttliche Barmherzigkeit und Liebe, oder sagen wir ganz einfach: die göttliche Freundlichkeit, auf die Gottesmutter projiziert, auf Maria, die auf diese Weise nicht nur vordergründig, sondern auch in tieferer Hinsicht als die Mutter der Barmherzigkeit und die Vermittlerin der Gnade erscheint. Der hervorragende Raum, den Maria auch in den großen Offenbarungen einnimmt, hat im Laufe der Zeit zu Abhandlungen über Birgittas Beitrag zur Mariologie inspiriert. Die in Schweden tätige Mittelalterspezialistin Toni Schmid machte schon vor 40 Jahren die schwedische Öfentlichkeit auf diese in der evangelischen Tradition sonst nur historisch behandelte Dimension aufmerksam.[7] Jüngst hat zum Jubiläumsjahr 1973 in Rom der Servitenpater Gabriele Roschini ein Büchlein über das Marienbild bei Birgitta herausgebracht.[8] Er zeigt dort, daß Birgitta nicht nur ihrem Glauben an die unbefleckte Empfängnis und die leibliche Aufnahme Mariens in den Himmel Ausdruck gegeben hat. Sehr hervorstechend in Birgittas Schriften ist, wie P. Roschini hervorhebt, Marias Rolle als Mutter der Christen, wobei Birgitta mehrmals an das Pfingstwunder und den alten Marientitel „Mutter der Apostel" anknüpft. Maria als Vermittlerin der Gnade ist besonders deutlich in all denjenigen Gerichtsszenen greifbar, in denen Birgitta die Gottesmutter auftreten sieht, um gegen den Rechtsanspruch des Teufels den zerknirschten und bekehrten Menschen zum Eigentum Gottes zu erklären. Aber schon im Heilsgeschehen selbst — dafür ist der lange ‚Sermo angelicus' die beste Quelle — steht Maria, ein *mundus minor*, als Modell für die Welt bei der Schöpfung, und ihre begleitende Rolle in der Heilsgeschichte bis zur Geburt des Sohnes, dem Leidensweg, dem Kreuzestod und der Auferstehung wird ausführlich gewürdigt.

Diese mariologische Ausrichtung der birgittinischen Anschauung führt natürlich dazu, daß eine Gnadenlehre paulinischer Gattung sich hier nicht entwickeln kann. Auch Birgittas eigenes Gottesverhältnis, ihr Schwanken zwischen Überheblichkeit und Stolz ihres Standes auf der einen, Selbstverachtung, Demütigung und Gehorsam in brennender Gottesliebe auf der anderen Seite läßt sich nicht in paulinische Kategorien übertragen. Daher nimmt ein Problem wie das vom Verhältnis des Glaubens zu den Guten Werken auch nicht reformatorische Gestalt an. Birgitta löst das Problem insofern anders auf, als sie den Glauben durchgehend als Glaube, Hoffnung und brennende Gottesliebe beschreibt. Bei einem so verstandenen Glauben werden die im paulinischen Sinne toten Werke des Gesetzes eher zu Werken der Ichsucht und des Hochmutes. Die Alternative bilden die echten guten Werke, die aus Glaube, Hoffnung und Liebe geboren sind und von daher ihre Kraft und Zielrichtung erhalten. Schon die Bereitschaft zu solchen Werken, z. B. bei der Bekehrung auf dem Sterbebett, bewirkt die Gnade voll und ganz, obwohl die Sühne für begangene Sünden noch aussteht und im Reinigungsort bzw. von den Gebeten der Nachlebenden zu erbringen ist.

Diese auf Bekehrung der Sünder ausgerichtete Mariologie mit ihrer aktiv-pastoralen Zielrichtung ist also in der Eigenart von Birgittas Gottesverhältnis verankert. Gott als der gerechte Vater tritt stark zurück und bleibt ungreifbar hinter der Gestalt des Sohnes, der eine Reihe sonst dem Vater zugesprochener Rollen übernimmt. Christus ist König und Herr der Welt und der ganzen Schöpfung, ja, er nennt sich sogar öfters, besonders in direkter Anrede an Birgitta, „Schöpfer von Himmel und Erde". Er ist zugleich der Erlöser durch seine Menschwerdung und durch sein Leiden, seine Auferstehung und Geistsendung. Aber vor allem trägt er in Birgittas Innerem die Rolle des Weltenrichters, vor welchem sowohl die Gottesmutter als auch die Engel und die Heiligen die Vergebung der Sünden und die bevorstehende und versprochene Versöhnung des Menschen mit Gott in Erinnerung rufen und sozusagen dramatisch präsent machen.

Vor diesem Hintergrund ist die Brautmystik Birgittas leichter verständlich. Wenn Christus als *sponsus* hervortritt, so handelt es sich nicht nur um die zweite Person der Gottheit, die Mensch geworden ist. Sondern Gott schlechthin hat Birgitta als Braut auserkoren, Gott als Herr über die ganze Welt, als leiblicher Mensch und als kosmischer Menschensohn, als Liebe schlechthin. Charakteristisch ist nun, daß Birgitta nicht lange im schönen Genuß der Gegenwart des Bräutigams verbleibt. Oft taucht eine Frage bei ihr auf, die sie offenbar viel beschäftigt: die mißtrauische und selbstkritische Frage, warum ihr solche Erlebnisse der Nähe Gottes zuteil werden. Die Antwort nimmt immer auf einen Auftrag, eine Sendung Bezug. Birgitta solle fest und unbekümmert um die Welt Gott vollkommenen Gehorsam erweisen, sich selbst verneinen, alles in Gottes Hand legen, mit dem einen Ziel: als Sprachrohr Gottes von seiner Wahrheit Zeugnis abzulegen.

Dem Pionier der schwedischen Birgittenforschung in neuerer Zeit, Knut B. Westman, lag es sehr daran, diesen aktiven Zug der Brautmystik als besonderes Kennzeichen Birgittas hervorzuheben, als er 1911 seine immer noch gültigen Birgitta-Studien herausgab.[9] Dieser evangelische Theologe und Kirchenhistoriker war aber vor allem gegenüber dem vermeintlichen Quietismus sonstiger Brautmystik auf der Hut und arbeitete daher die starke ethische Zielrichtung bei Birgitta heraus. Dabei übersah er jedoch erstens, daß Birgitta dem Grundtypus nach nur eine von einer ganzen Reihe ähnlich begabter Frauen ihres Zeitalters war, ferner daß ihre Texte voll intellektueller und theologischer Betrachtungen sind, die oft einen Wert an sich darstellen. Wenn wir, wie schon angedeutet, die vielen, aus den inneren Spannungen der Glaubensaussagen geborenen Überlegungen, Glaubensbetrachtungen und allegorischen Bilddeutungen beachten, die quantitativ so sehr das äußere Erscheinungsbild von Birgittas Schrifttum bestimmen, erst dann sind wir in der Lage, das Gewicht der aktiven Zielrichtung der Offenbarungen richtiger einzuschätzen und zu bewerten. Es wird uns dann klar, daß dieser von Westman so genannte „ethische Grundzug" erst durch langjährige Übung und Askese zustande gekommen ist. Nicht nur ihre bekannte Kindheitsvision des Gekreuzigten, sondern auch die Visionen auf der Pilgerfahrt der fast Siebzigjährigen ins Heilige Land im Jahre vor ihrem Tode sind voll von meditativen Elementen, die die Vision in eine Betrachtung ausmünden lassen, deren Vielfalt von Einzelheiten augenscheinlich nichts anderem als der Betrachtung selbst dient. Die aktive Zielrichtung ergibt sich nur aus dem Appell der Ganzheit und vielleicht aus dem einzigen kommentierenden Satz am Schluß des Textes, von dem oben die Rede war. In Birgittas zweiter Lebenshälfte werden in einer Vielfalt von kurzen und längeren Stücken ethische Probleme so stark in diskursiv-belehrender Form behandelt, daß kaum an eine echte Vision als Ausgangspunkt zu denken ist. In vielen Fällen hat vielmehr eine äußere Situation Birgitta herausgefordert, sie hat gebetet, und sie vernimmt daraufhin das, was sie als Gottes Urteil in der betreffenden Frage betrachten muß. Erst die Niederschrift und evtl. die Redigierung solcher Betrachtungen verleiht ihnen dann den Charakter einer Botschaft, die zum Seelenheil anderer im Hinblick auf einen Empfänger stilisiert wird.

Wie Peter Dinzelbacher in seiner Arbeit schon gezeigt hat, sind diese Züge vielen visionär begabten Frauen des 14. und 15. Jahrhunderts gemeinsam. Ich möchte deshalb zum Schluß nochmals auf die drei großen Offenbarungen zurückkommen, die durch die übergreifende Spannkraft der Vision, durch den Umfang der daraus resultierenden Textmasse und durch deren spätere geschichtliche Bedeutung hervorragen. Es sind Visionen, die Birgitta einem frühmittelalterlichen Typus des Visionärs zuzuordnen scheinen. Vom Mönch auf der Leiter war schon die Rede. Diese Vision, die zum 5. Buch der Offenbarungen wurde, spielt eine Hauptrolle bei der im Jubiläumsjahr 1973 erschienenen Interpretation von Professor Hjalmar Sundén im Sinne der Tiefenpsychologie nach C. G. Jung.[10] Sundén meint, daß die hier aufgeworfenen theologischen Probleme und Fallgruben der Glaubensinterpretation eigentlich Birgittas eigene, unterbewußte Zweifel zum Vorschein brächten und daß diese dadurch, daß sie auf den ungläubigen Mönch projiziert wurden, auch zu einer Lösung und zum inneren Ausgleich tiefenpsychologisch erfaßbarer Spannungen in Birgittas eigenem Seelenleben führten. Hier sollten also die Niederschrift und die Ausarbeitung des Textes als solche die Tat sein, worauf die Vision abzielte.

Anders verhält es sich mit der zweiten großen Vision Birgittas, der Ordensvision, worauf ich selber mehrmals eingegangen bin.[11] Auch diese Vision dauerte nach Angaben Birgittas nur einen Augenblick, hinterließ aber einen so dauerhaften Eindruck, daß sie nicht nur zur Niederschrift der ‚Regula Salvatoris‘ mit Hilfe des Zisterzienserpriors Peter Olavsson führte, sondern in Birgittas späterem Leben sozusagen ein „visionäres Kapital" darstellte, aus dessen „Zinsen" — wenn man sich so ausdrücken darf – Birgitta immer wieder Einsichten zu ihrem Ordensleben und zum Bau des geplanten Klosters bezog. Die Ordensvision wies unmittelbar auf das Königsschloß hin, in dem sich Birgitta als Hofmeisterin des Königspaares zeitweise aufhielt. Die Vision ließ vor Birgittas innerem Auge eine große Klosterkirche für 60 Nonnen und 25 Priester und Laienbrüder auf dem offenen Platz vor dem Schloß entstehen, das Schloß selbst sich in das Nonnenkloster verwandeln. Mehrere zeitbedingte Mängel des Ordenslebens sollten durch den neuen Orden beseitigt werden: streng beobachteter Klausurbereich, eine pastorale Aufgabe durch Predigt und Abnahme der Beichte, Selbstversorgung jedes Klosters auf agrarer Grundlage, aber doch jedes Jahr Entäußerung des Jahresüberschusses durch Gaben an die Armen. Aber vor allem sollte der Orden ein Zeichen der Gottesmutter setzen: unter der Leitung einer Äbtissin, die Maria symbolisiert, sollten beide Konvente zusammen die vollkommene apostolische Gemeinde darstellen. Es verdient, nebenbei bemerkt, Beachtung, daß bis zu Birgittas Zeiten in Skandinavien viele Nonnenklöster von Priorinnen geleitet wurden, so daß schon die Äbtissinnenwürde in diesem Milieu ein Zeichen für die neue Stellung der Frau in Kirche und Gesellschaft setzte. Darüber hinaus verband sich mit dem großen Priesterkonvent die Neuentdeckung von Predigt und Seelsorge für das monastische Ordensleben in der Nachfolge der Apostel.

Wiewohl die dritte große Vision kraft der Benennung ‚Engelsrede‘, *Sermo angelicus,* zunächst den Gedanken auf etwas nicht Gesehenes, aber Gehörtes lenkt, führt das anschauliche Bild vom wiederholten Besuch des Engels bei Birgitta doch zur begründeten Annahme einer echten Vision, so wie es auch die Kunst immer wieder dargestellt hat. Die liturgischen Lesungen für die Nonnen im Kloster des Erlöserordens nahmen duch diese Vision die Gestalt einer auf eine Woche konzentrierten Heilsgeschichte an, die am Sonntag mit der Schöpfung der Welt anfing und im Laufe der Woche die verschiedenen Elemente der Erschaffung der Engel, Sündenfall, Sendung des Sohnes, Kreuzestod und Vervollkommnung am Ende der Zeit durchläuft. Der Samstag als Tag der Gottesmutter bildet in diesem Heilsgeschehen die Schlußszene, wodurch die mariologische Ausrichtung der Gesamtbetrachtung Birgittas noch stärker hervortritt: als Tag der Himmelfahrt Mariens ist der Samstag Zeichen der endgültigen Erlösung des Menschengeschlechtes, Zeichen der Aufnahme ins Paradies zur Rechten des ewigen Richters, durch die Aufnahme Mariens in den Himmel und ihre Krönung vorgeformt.

Die Vorstellungswelt Birgittas ist also, um nun zum Abschluß zu kommen, nicht als eigene Größe, sondern als Funktion der grundlegenden Zielrichtung ihrer großen Visionen zu betrachten. Die vielen Texte mittleren und kleineren Umfangs, die sie hinterlassen hat, sollten nicht wegen ihrer großen Zahl das Bild bestimmen dürfen — zumal sehr viele davon, wie schon angeführt, des eigentlich visionären Charakters entbehren. Bei Birgitta erhebt sich die Frage, ob sie dem Typus des frühmittelalterlichen Visionärs nach der Einteilung von Dinzelbacher vielleicht näher steht als dem ihres eigenen Zeitalters. Der Unterschied zum älteren Typus bestünde dann lediglich im Ausmaß der Schriftlichkeit ihrer Epoche. Nicht nur gelangten, wie früher auch, die großen, spektakulären Erlebnisse zur Niederschrift, aufgezeichnet wurden zusätzlich Hunderte von täglichen Aussagen einer prophetischen Persönlichkeit zu den laufenden Tagesereignissen — Aussagen, die wohl bei visionär begabten Heiligen aller Epochen nicht gefehlt haben dürften, jedoch der oft bezeugten Erteilung von mündlichen Ratschlägen und Seelenweisungen vorbehalten blieben. Damit steht Birgitta als ein Glied in der großen Gemeinschaft von Menschen, die der prophetische Auftrag Gottes zu geschichtstragenden, ihrer eigenen Zeit jedoch auch unbequemen und aneckenden Gestalten gemacht hat. Den großen Auftrag von den individuellen Zügen zu unterscheiden bleibt hier wie sonst die Aufgabe der Erforschung solcher Prophetengestalten und ihrer Schriften.

Anmerkungen

[1] Generell wird auf die Bibliographie zum Stichwort Birgitta/Birgittenorden in Theologische Realenzyklopaedie 6, 1980, hingewiesen. Nachher erschienen: Jan Liedgren, Föreställningarna om den heliga Birgittas släkt. Traditioner och konstruktioner (Die Vorstellungen über die Verwandtschaft der hl. Birgitta. Überlieferungen und Konstruktionen), Personhistorisk tidskrift 79, 1983, 1—19. [A. Vauchez, Sainte Brigitte de Suède et sainte Catherine de Sienne: La mystique et l'église aux derniers siècles du moyen âge, in: Temi e problemi nella mistica femminile trecentesca, Todi 1983, 227—248. Anm. d. Hrsg.] Für die Lage der Klöster s. Karte bei T. Nyberg, Lists of monasteries in some thirteenth-century wills. Monastic history and historical method: a contribution, Mediaeval Scandinavia 5, 1972, 49—74.
[2] Der letzte vollständige Druck erschien 1680 in München. Die moderne kritische Edition erscheint in der Reihe Samlingar utgivna av Svenska Fornskriftsällskapet, Ser. 2: Latinska skrifter. Es liegen vor: Buch 1, hrsg. v. Carl-Gustaf Undhagen, 1977; Buch 5, hrsg. v. Birger Bergh, 1971; Buch 7, hrsg. v. Birger Bergh, 1967; Reuelaciones extrauagantes (eine Sammlung „überschüssiger" Texte, gelegentlich ungenau als „Buch 9" bezeichnet), hrsg. v. Lennart Hollman, 1956; Opera minora I: Regvla Salvatoris, hrsg. v. Sten Eklund, 1975; Opera minora II: Sermo angelicvs, hrsg. v. Sten Eklund, 1972. Eine deutsche Übersetzung erschien zuletzt in Regensburg 1888, hrsg. v. Ludwig Clarus. Auszüge, neu übersetzt und kommentiert, in: Die heilige Birgitta in ihren Offenbarungen und Botschaften. Aus ihren eigenen Texten zusammengestellt von Dr. Aron Andersson, Köln 1981.

[3] Acta et processus canonizacionis beate Birgitte, hrsg. v. Isak Collijn, Uppsala 1924—1931, in der Reihe Samlingar (wie Anm. 2), Bd. I.

[4] Die Rolle der Beichtväter besonders bei Salomon Kraft, Textstudier till Birgittas revelationer, Diss. Uppsala 1929 (mit deutscher Zusammenfassung 192—196). (Auch in Kyrkohistorisk Årsskrift 1929 gedruckt.)

[5] Abgesehen von den drei großen Texten, die in Kapitel gegliedert sind, wird unter „Text" jedes Stück verstanden, das ein eigenes Initium hat und von den mittelalterlichen Herausgebern als eigenes Textstück behandelt worden ist.

[6] Außer in der in Anm. 2 erwähnten Edition wird der Text in Verbindung mit dem gesamten Nonnenoffizium gebracht, z. B. The Bridgettine Breviary of Syon Abbey, hrsg. v. A. Jefferies Collins, Worcester 1969 (Henry Bradshaw Society Vol. XCVI), und Den heliga Birgitta och den helige Petrus av Skänninge: Officium parvum beate Marie Virginis, hrsg. v. Tryggve Lundén, I—II, Lund 1976 (Acta Unversitatis Upsaliensis, Studia Historico-Ecclesiastica Upsaliensia 27—28).

[7] Toni Schmid, Birgitta och hennes uppenbarelser, Lund 1940.

[8] Gabriele M. Roschini, La madonna nelle „rivelazioni di S. Brigida" nel sesto centenario della sua morte (23 luglio 1373). Roma 1973.

[9] Knut B. Westman, Birgitta-Studier I, Uppsala 1911.

[10] Hjalmar Sundén, Den heliga Birgitta. Ormungens moder som blev Kristi brud, Stockholm1973.

[11] Tore Nyberg, Birgittinische Klostergründungen des Mittelalters. Lund 1965 (Bibliotheca historica Lundensis 15). Ders., Analyse der Klosterregel der hl. Birgitta, in: Festschrift Altomünster 1973, hrsg. v. Toni Grad, Aichach 1973, 19—34. Ders., Den heliga Birgitta och klostertanken, in: Birgitta klostergrunderskan, verket och dess aktualitet, Kumla 1974, 43—60., Ders., Dokumente und Untersuchungen zur inneren Geschichte der drei Birgittenklöster Bayerns (1420—1570), München 1972—74 (Quellen und Erörterungen zur bayerischen Geschichte 26 I/II).

Roswitha Schneider

KATHARINA VON SIENA ALS MYSTIKERIN

> „Wer von Katharina von Siena redet,
> der singt das Hohelied der Frau,
> ob er es weiß oder nicht."
>
> (Walter Nigg)

Katharina Benincasa, die Heilige aus Siena, das 23. Kind des Färbers Jacopo, eines stillen, ausgeglichenen, frommen Mannes, und der sehr rührigen, vitalen, heftigen Lapa, erblickte 1347 in Siena das Licht der Welt und starb 1380 als eine der treuesten Töchter der katholischen Kirche in Rom.

Ihre Lebensjahre fielen in ein durch Machtkämpfe, Unruhen, Seuchen aufgewühltes und doch wirtschaftlich und kulturell aufblühendes Jahrhundert und in eine düstere Zeit der Kirchengeschichte. Nur 33 Jahre wurde sie alt. Wie ein Meteor leuchtete sie auf, aber die Lichtspur, die sie hinterließ, ist geblieben.

Großes hatte sie geleistet, die babylonische Gefangenschaft der Päpste beendet, in die politischen Wirren ihrer Zeit eingegriffen, verfeindete Parteien und Städte versöhnt, Frieden gestiftet, Kranke gepflegt und geheilt, Verurteilte und Gefangene besucht und gefürchtete Verbrecher bekehrt.

Und schließlich hat sie uns Schriften hinterlassen, 380 Briefe, wunderbare Gebete, den Dialog, die ihr, der 1461 Heiliggesprochenen, 1970 den Titel einer „Kirchenlehrerin" eingetragen haben, weil sie hier Antwort gibt auf letzte Menschheitsfragen, auf das Woher und Wohin und den Sinn des Lebens.

Aber all das wäre sie nicht und hätte sie nicht geleistet, wäre sie nicht primär Mystikerin gewesen. Das beweisen schon ihre Schriften, Dokumente eigener Art, nicht erdacht, nicht gemacht, sondern empfangen. Sie gibt weiter, was ihr geschenkt wurde, was sie in der Ekstase gehört und „in Seinem Licht geschaut hatte"[1], „unbewegt und gekrümmt am Boden liegend, so daß man ihre Glieder eher brechen als ausstrecken hätte können"[2], wie uns einmal berichtet wird. Umstehende schrieben dann auf, was sie hörten. Katharina war zeitlebens Mystikerin, eine Frau von Großformat, deren Leben kurz nach ihrem Tod von ihrem Beichtvater, dem seligen Raimund von Capua, geschrieben wurde. Ist diese Legenda maior auch nicht ein erschöpfender Bericht, so ist sie doch eine zuverlässige Quelle, zudem Raimund hier auch noch die verlorengegangenen Aufzeichnungen ihres früheren Beichtvaters Tommaso della Fonte, die sogenannten Miracula, verwertet hat.

Auch Raimund hat immer wieder erfahren, daß Katharina nicht mit herkömmlichen Maßstäben gemessen werden darf und daß sie in kein Schema und keine Schablone paßt und jedes Maß menschlicher Erfahrung sprengt.[3] Aber darf man sich darüber wundern? Gott kommt immer neu. Das wußte auch Katharina: „Du führst Deine Diener auf verschiedenen Weisen und Wegen [. . .] Die Seele freut sich, weil sie in Deinem Licht das Licht der unterschiedlichen und unendlichen Weisen und Wege sieht [. . .] Obwohl Deine Diener auf verschiedenen Wegen wandeln, eilen sie doch alle auf der *flammenden Straße Deiner Liebe* voran."[4] Damit gibt sie uns zwei Schlüsselworte in die Hand, mit denen wir uns ihr nähern, zu ihr vordringen können. Diese beiden Schlüsselworte heißen Feuer und Liebe, die schließlich in eins zusammenfallen und sowohl Katharinas Lehre als auch ihr Wesen erschließen. Auch hier gilt: das eine ist Spiegelbild des anderen.

Katharinas Lehre, die in ihrem wachen Sinn für theologische Weisheit, im Glauben der Kirche und in der biblischen Gedankenwelt wurzelt, ist kein starres System, eher eine Philosophie des Herzens.[5] Nur durch die besinnliche Lektüre ihrer in hinreißender Sprache und grandiosen Bildern geschriebenen Werke kann sie in ihrer glut- und blutvollen Fülle erfahren werden. Im Rahmen dieses Vortrags kann ich sie nur skizzenhaft umreißen. Katharinas Lehre fällt nicht auf durch Mannigfaltigkeit, sondern durch ihren Höhenflug und ihre Tiefgründigkeit. Unermüdlich umkreist sie die Glaubensgeheimnisse Gott, Schöpfung, Erlösung. Von ihnen läßt sie sich erfassen, ergreifen, in ihrem Wesenskern treffen und tief beglücken, z. B. von der urchristlichen Botschaft: 1. *Gott ist die Liebe,* „unauslotbare Liebe"[6], „unergründliche und unendlich süße Liebe"[7], „Feuer und Abgrund der Liebe", „Liebesnarr"[8]. 2. *Alle Geschöpfe sind als Bild und Gleichnis Gottes aus Liebe erschaffen.* Er ist „vernarrt in sein Geschöpf"[9]. Du hast „als ein in Dein Geschöpf vernarrter Liebhaber das ganze göttliche Wesen hergeschenkt"[10]. „Du hast Dein Auge auf der Schönheit deines Geschöpfes ruhen lassen und Dich wie verrückt und trunken von Liebe in es verliebt. Aus Liebe hast Du es aus Dir hervorgezogen und ihm das Sein nach Deinem Bild und Gleichnis geschenkt."[11] Und weil die Menschen aus Liebe erschaffen sind, können sie ohne Liebe nicht leben. „Euer Stoff ist die Liebe, denn ich schuf euch aus Liebe und darum könnt ihr ohne Liebe nicht leben."[12] 3. *Menschwerdung und Erlösung* bedeuten nach der Katastrophe des Sündenfalls eine *neue Offenbarung der Liebe Gottes.* Jesus Christus als unser „Versöhner, Erneuerer und Erlöser"[13] ist zur Brücke geworden zwischen Himmel und Erde. Durch die Sakramente der Kirche fließt uns das Erlöserblut zu. „Du hast das Blut im Vorratskeller der heiligen Kirche aufbewahrt, dessen Schlüssel und Obhut Du Deinem obersten Stellvertreter auf Erden anvertraut hast."[14] Gerade das Blut Christi wird für Katharina Zeichen und geheimnisvoller Träger der sich uns stets von neuem schenkenden, lebenspendenden Liebe Christi. Es ist „mit dem Feuer der göttlichen Liebe durchtränkt und vermischt"[15], „es berauscht die Seele und bekleidet sie mit dem Feuer der göttlichen Liebe"[16]. Es wird zum unversieglichen Lebensquell, durch den uns unaufhörlich Gottes Erbarmen zuströmt. In „seinem kostbaren Blut" schreibt Katharina ihre Briefe[17], und in Seinem Blut kommt sie selbst ins Strömen und Sich-Verströmen. Wesen und Werk und auch ihr Stil sind davon geprägt.

Katharinas Wesen und Leben sind von ihrer Lehre ganz durchdrungen, ja eins mit ihr. „Was ist meine Natur?" fragt sie und sie antwortet: „Feuer ist sie, weil Du nichts anderes bist als ein Feuer der Liebe."[18] So sind ihr schon von ihrer Natur her Weg und Ziel gewiesen: glühende Liebe zu Gott und zum Nächsten. „Liebe, Liebe, das ist die süßeste Sache, die es gibt."[19] In der Nachfolge des Gekreuzigten lebt sie immer intensiver aus dem Geheimnis ihrer Berufung. Das macht sie zur ganzheitlichen, kraftvollen, geschlossenen Persönlichkeit, eins mit sich, mit Gott und der Welt[20], die kompromißlos, unbeirrbar, entschlossen, voll Mut und Tatkraft ihren Weg geht, um das als Gottes Willen Erkannte in die Tat umzusetzen. Ihr mit wachsender Intensität gelebtes Leben wird oft bis an die Grenzen des Menschenmöglichen getrieben, ja darüber hinaus, dorthin, wo Gegensätze sich berühren und zusammenfallen. Das mag uns befremden und erschrecken, weil uns die Vorstellungskraft für die Wucht der göttlichen Geheimnisse und Verheißungen fehlt. Katharina besitzt einerseits den nüchternen Blick für den Alltag und die rauhe Wirklichkeit, andrerseits ist für sie der Mensch ein auf Unendlichkeit gestimmtes Wesen[21], das sich „unablässig mit der Zeit wandelt, bis es seinen endgültigen Zustand erreicht hat"[22]. All diese Spannungen schlagen sich in Katharinas Weg, Wesen und Stil nieder. Das Maßlose, Sich-Übersteigende und Überbietende, das Atemberaubende und Leidenschaftliche, all das bricht aus dieser Feuerseele, aus der unaufhörlich Flammen schlagen, das sengende und brennende Feuer einer immerwährenden Läuterung und Reinigung, das ihr Sündenbewußtsein wachhält, aber auch das ihr eingegossene hellstrahlende Licht der übernatürlichen Erleuchtung, aus dem ihr Geistesgaben aller Art, wie Prophetie und Herzensschau, zufließen, und endlich die aus dem Abgrund der göttlichen Liebe auflodernde, sie ergreifende heilige Flamme der unio mystica. „Alles ist Feuer", ruft sie aus, „weil du alles aus der Feuersglut der Liebe heraus geschaffen hast". (G 90) Alles wird Freude, jedes Ding [...] jedes duftet wie die Rose [...] „D'ogni cosa gode e traie l'odore della rosa [...]" (D Nr. 100)

Aber wenden wir uns nach dieser mehr allgemein gehaltenen Einführung Katharina ganz persönlich zu, d. h. einzelnen aussagekräftigen, prägenden mystischenErlebnissen und Erfahrungen.

Da ist zunächst eine *Kindheitsvision*, ein Schlüsselerlebnis, das in nuce Katharinas Berufung und Auserwählung enthält und enthüllt. Raimund von Capua berichtet von der Vision der Sechsjährigen.[23] In Siena über der Dominikanerkirche schaut sie Jesus Christus, den Erlöser der Welt, in herrscherlicher Pracht, mit der Tiara gekrönt, vom Himmelsglanz umstrahlt, von Aposteln umgeben. Er ließ seine Augen auf ihr ruhen. Voll zärtlichster Liebe lächelte er sie an und segnete sie. In seinem Erbarmen wollte er ihre Liebe für sich gewinnen.

Versuchen wir, die wichtigsten Elemente herauszuschälen. Mystik kommt von „schauen". Wir treffen Katharina als eine Schauende. Sie darf Christus in seiner Herrlichkeit schauen. Es beginnt mit einem Blick. Er schaut sie an. Die Initiative geht von Christus aus. Sein Blick trifft sie in ihrem Wesenskern. Nun ist sie herausgehoben aus der Anonymität, sie ist eine Angenommene, „Angesehene", Bejahte, Auserwählte, Umworbene. Wie oft hört sie sich später angesprochen als „liebstes Kind"[24]. Sie erfährt Liebe. Das große Du ihres Lebens leuchtet auf. Eine personale Beziehung ist angebahnt, die unaufhörlich wachsen und blühen und zum Liebesbund reifen will. Das Mysterium caritatis, aus dessen Tiefen jede sich selbst treue Frau lebt, beginnt sie zu ergreifen und in Besitz zu nehmen. Katharinas Persönlichkeit wird — wie ihr Leben und Werk — zur grandiosen Offenbarung dieses Mysteriums. Ist es ein Wunder, daß die vom Liebesblick des Herrn Getroffene und Verwundete ausschließlich Ihm gehören will für Zeit und Ewigkeit, als Siebenjährige ihre Antwort gibt im Gelübde der Jungfräulichkeit[25] und auch später den elterlichen Bemühungen, sie zu verheiraten, widersteht[26]?

Katharina erfährt Liebe und will sie beantworten. Ihr Leben wird wesentlich Beziehung, es wird zum Dialog, zum immerwährenden Dialog mit Gott und den Menschen. Ist es nicht bezeichnend, daß auch ihr Hauptwerk, il libro, den Titel „Dialog" trägt! Katharina ist Fragende, Antwortende, Mitteilende, Hörende und Erhörte.

Das ging so weit, daß sie das, was sie wollte, von ihrem Gott empfing.[27] Damit ist ein neues beherrschendes Element in ihr Leben eingebrochen. Ein ungemein dynamischer Prozeß bahnt sich an, der sich spiralenartig weitet, übersteigert, denn dieses Verlangen zielt auf Unendlichkeit. Katharinas Leben wird zum unaufhörlichen Nehmen und Geben, Verlangen und Empfangen. Es beginnt zu fluten, zu kreisen, zu strömen. Es drängt ruhelos vorwärts und aufwärts und wird zum heißen Feueratem, der uns heute noch aus dem leidenschaftlichen Rhythmus ihrer geschriebenen Worte entgegenweht. Der Herr schaute Katharina an. Dieser erweckende Blick hat wandelnde Kraft. Raimund spricht davon, daß dieses Kind von Natur aus schüchtern gewesen sei, „di natura molto timida".[28] Was aber ist aus diesem furchtsamen Kind geworden? Wir kennen Katharina nur als eine mutige, kraftvolle Persönlichkeit, die in der Öffentlichkeit spricht, furchtlos vor den Großen der Welt und der Kirche steht, gelegen oder ungelegen für die Wahrheit eintritt, auch bei drohender Lebensgefahr unter streitenden Parteien erscheint. In Florenz wäre sie beinahe ermordet worden. Sie hat alle Furcht abgelegt. Wie oft ruft sie dem Papst zu: „Handelt als Mann!"[29] In ihren Briefen findet sich 381 mal das Wort „virile".[30]

Eine andere wichtige Dimension dieser ihrer ersten Schau ist die *kirchliche*. Christus erscheint mit der Tiara gekrönt und trägt Pontifikalgewänder. Die Identifikation Christi mit dem Papsttum wird ihr bildhaft eingeprägt. Sie spricht vom „Christus auf Erden".[31] Ihre Liebe zu Christus überträgt sie auf die Kirche und auf den Papst. Christus erscheint ihr sozusagen amtlich als das Haupt der Kirche, der einen, heiligen, katholischen und apostolischen Kirche, die aufgebaut ist auf dem Fundament der Propheten und Apostel. Sie erblickt Petrus; zu dessen Nachfolgern im Apostelamt, den römischen Päpsten, wird Katharina als Botin Gottes gesandt, um die Kirche zu retten. Ihre kirchenpolitische Sendung leuchtet auf.

Katharina hat auch mächtige *Schutzheilige* an die Seite gestellt bekommen. Den größten Einfluß auf sie übt der Apostel Paulus aus. Sogar sein Stil färbt auf sie ab. „Ihr Stil scheint mehr der des Paulus als Katharinas, mehr der eines Apostels als eines jungen Mädchens zu sein."[32]

Die Tatsache, daß Katharina diese Vision über der Dominikanerkirche erblickt, deutet auf ihre apostolische Sendung im Predigerorden, dessen Mitglied sie werden wird, nicht als klausurierte Nonne, sondern — um freier verfügbar zu sein — als die zeitlebens in ihrem Elternhaus lebende Angehörige des sog. weltlichen dritten Ordens, wie man früher sagte, oder modern ausgedrückt als Laie der Familia Dominicana.

Katharina entwickelte, aktiv wie sie war, hochfliegende Pläne. Sie wollte das Leben der Wüstenväter erneuern, allen Menschen helfen, das Heil zu erwerben, und daher Predigerbruder werden. Und weil das für sie als Frau nicht möglich war, wollte sie sich als

Mann verkleiden und wie die heilige Eufrosyna weit weg in ein Mönchskloster eintreten. Natürlich wurde der Plan nicht verwirklicht. Katharina rüttelte auch nicht an ihrem Frauentum, sondern an den Gitterstäben der gesellschaftlich errichteten Schranken. Durfte doch nach der in Siena herrschenden Sitte ein Mädchen ab 12 Jahren das Haus seines Vaters nicht mehr verlassen. Unverheiratete Töchter trifft man dort nie außerhalb des Elternhauses an.[33] Dabei lebte Katharina aus der Tiefe des Bewußtseins, daß die edelste Gabe des Menschen die Freiheit ist, vor allem wenn er in der Gnade lebt.[34]

Katharina war zunächst ein körperlich kräftiges, stämmiges Mädchen. Später wurde das anders. Durch ihre ungemein harte Körperdisziplin, unter der jeder andere zusammengebrochen wäre, änderte sich ihre Erscheinung. Sie lebte nahrungslos und schlief etwa nur eine Viertelstunde. Raimund verweist darauf, daß die Kraft hiezu nicht einer übermenschlichen Anstrengung entstammt, überhaupt aus keiner natürlichen Quelle fließt, sondern aus der Fülle des Geistes. Dies seien äußerst seltene Dinge.[35] Ihr Geist hat mit seiner unversieglichen Kraft den hinfälligen Körper stets gestärkt und belebt.[36] Gespräche über Gott erfrischten sie und brachten ihr Erholung.[37]

Nachdem Katharina um 1363 als Mantellata in den Orden des heiligen Dominikus aufgenommen worden war, zog sie sich drei Jahre lang in Gebet und Schweigen ganz von der Welt zurück. Immer wacher und intensiver wurden die Begegnungen mit dem Herrn. „Während sie einst betete, trat der Herr Jesus Christus zu ihr und fragte sie: Meine Tochter, weißt du, wer du bist und wer ich bin? Es gibt kein seligeres Glück, als dies zu wissen. Du bist die, die nicht ist. Ich bin der, der ist. Bist du von diesem Wissen lebendig durchdrungen, kann dir der Böse nichts anhaben [. . .] Was meine Gesetze verbieten, davon wirst du nichts wissen wollen. Aber allem, was wahr, was lichterfüllt, was Gnade ist, dem wird dein Herz wie ein Pfeil zufliegen."[38] Ein andermal wurde ihr gesagt: „Meine Tochter, denk an mich! Wenn du stets an mich denkst, werde auch ich stets an dich denken [. . .] Kümmere dich weder um das Wohl deines Leibes noch deiner Seele. Ich verstehe das besser als du. Ich will es selbst in die Hand nehmen."[39] Das bedeutet Abschied vom Ich, von der ungeordneten Eigenliebe. Das ist das Entwerden der Mystiker, keineswegs für das „Nichts", sondern personal für das geliebte Du. Konsequent ging Katharina den Weg der Nachfolge Christi, des Gekreuzigten. Ihm zuliebe solle ihr das Süße bitter und das Bittere süß werden, wurde ihr geraten.[40] Und weil sie nicht mehr an sich selbst festhielt, konnte seine Anziehungskraft sich entfalten. „Die Erscheinungen des Herrn ließen sich bald nicht mehr zählen. Er kam, um mit ihr sein Leben zu teilen wie ein Freund, der mit seinem Freund ein Herz und eine Seele ist."[41] Er lehrte sie, die des Lesens und Schreibens unkundig war, lesen und betete mit ihr wechselweise Psalmen.[42] Wie ihr Geist, so war auch ihr Leib ganz leicht und licht geworden, ganz auf Wellenlänge Übernatur eingestellt gleich einer hoch empfindsamen Antenne. Häufig schwanden ihr die Sinne. Ekstasen, Visionen, Offenbarungen wurden ihr überaus oft zuteil.[43] Raimund berichtet von einer unglaublichen Vertraulichkeit mit dem Herrn.[44] Es muß diese Beziehung von solchem Reichtum und Glanz, solcher Innigkeit und Zartheit gewesen sein, daß nur der sie erfassen kann, „der bereits verkostet hat, wie der Herr über jede menschliche Vorstellung hinaus gut und liebreich ist", wie Raimund schreibt.[45]

Wir treffen immer wieder auf eine ganz menschliche Note in dieser Freundschaft, die auch gelöste Heiterkeit und feinen Humor kennt. „Neckte sie da ihr himmlischer Bräutigam schon wieder?"[46] Katharina erfuhr von ihrer Umwelt Mißverständnisse und Widerstände. Sie wurde 1374 sogar vor das Generalkapitel in Florenz zitiert, um ihre Lehre und ihr Leben zu rechtfertigen, was ihr auch gelang. Schon Raimund weist darauf hin, daß dieser vertraute Umgang mit Christus allein die Quelle sei, der all ihre Taten entsprungen seien. Nur so können wir ihr außergewöhnliches Leben einigermaßen erklären.[47]

Ein weiteres prägendes Ereignis ist das mystische Geschehen der *geistlichen Vermählung,* die wohl auf Fastnacht 1367 anzusetzen ist. Katharina zählte etwa 20 Jahre. Raimund hat uns darüber ausführlich berichtet. Diese mystische Vermählung bedeutet letzte Erfüllung, Frucht und Sinn ihres Jungfräulichkeitsgelübdes. Hungerte doch Katharina nach der Gnade und Liebe ihres Gottes, dem sie immer ausschließlicher und inniger angehören wollte. Den Weg hiezu erblickte sie in einem lebendigen Glauben. Deshalb betete sie unentwegt um Vermehrung des Glaubens. Und sie erhielt vom Herrn die immer gleichlautende Antwort: „Ich werde mich dir im Glauben vermählen."[48] Immer drängender und stürmischer brachte sie diese Bitte vor, bis sie eines Tages erfüllt wurde und sie dies in einem hochzeitlichen Geschehen erleben durfte – als Vorspiel der nie endenden Vermählung im Himmel.[49] Maria als Gnadenvermittlerin reichte ihrem Sohn Katharinas Hand, der an ihren Ringfinger einen funkelnden Ring steckte, den sie, nur ihr allein sichtbar, zeitlebens an ihrem Ringfinger leuchten sah. Daß in dieser Vision Maria und einige Apostel als Vertreter des Neuen Bundes, David, die Harfe schlagend, als Vertreter des Alten Bundes erscheinen, symbolisiert die „objektive Hochzeit Alten und Neuen Bundes (in Christus im Fleisch) und ihr entsprechend ‚dieser hochzeitliche Glauben‘, – das allein und ausschließlich ist echte Offenbarungsmystik".[50]

Dieses Ereignis bedeutet *Ende und Wende,* eine neue Stufe, einen neuen Ansatz auf ihrem spiralenartigen Höhenweg. Klar hatte der Herr ihr das zu verstehen gegeben. „Was ich dir zu tun auftrage, das vollbringe zuversichtlich und ohne Zaudern. Jetzt nämlich stählt dich die Kraft des Glaubens. Was dir widersteht, wirst du überwinden."[51]

Dieses Ereignis brachte das Ende ihres Einsiedlerlebens, der stillen, ungestörten Zurückgezogenheit, wo sie in Gebet, Buße und Kontemplation ausschließlich für ihren Geliebten lebte. Nun rief er sie aus dem süßen Frieden zur harten Arbeit, heraus und hinaus zu Aktivität und Apostolat, hin zu den Menschen, hinaus in die Welt, um seine Zeugin zu sein. Das wirkte zunächst wie ein Schock auf Katharina. Sie fürchtete, von ihm getrennt zu werden. „Das tu mir nicht an, mein liebster Gemahl!"[52] Er muß ihr erst klarmachen, daß dies keineswegs geschieht und daß es auch ein Gebot der Nächstenliebe gibt. „Ich will dich doch nicht von mir wegschicken, im Gegenteil, die Liebe zu den Menschen wird dich noch fester an mich binden."[53] Katharina gehorcht. Sie läßt sich wegschicken, sie läßt sich senden, ob sie nun den Besen in die Hand nimmt, in der Küche arbeitet, zu den Armen geht und sie beschenkt, Kranke versorgt und in aufopferndster, ja heroischer Weise pflegt. Sie darf erfahren, daß der Herr sein Wort hält, er bleibt bei ihr, hilft ihr und schenkt ihr seine Kraft. So ruht reicher Segen auf ihrem Tun. „Herr, du weißt, niemals kam zu mir irgendein Mensch, der so verstört gewesen wäre, daß er dank deiner Gnade nicht getröstet von mir schied, um was für eine Betrübnis es sich auch handelte.“[54] Contemplatio und Actio werden eins, die eine erweist sich als Kehrseite der anderen. Es heißt nicht mehr „entweder — oder“, sondern nur noch „sowohl — als auch“. Damit ist eine Spaltung geheilt, ein tiefgreifender Gegensatz, ob das eine oder andere zu tun und zu lassen sei. Einheit, Harmonie erblühen aus dieser Haltung. Katharina durfte sich auch weiterhin — inmitten aller Beschäftigung — des vertrauten Umgangs mit dem Herrn erfreuen.[55] Sie sprach im Geiste zu gleicher Zeit mit dem Herrn und mit der Zunge mit den Menschen.[56] Ursache: ihre Liebe.[57]

Der Gedanke, daß sie eines Tages auch in der Öffentlichkeit aufzutreten habe und vor den Großen der Welt und Kirche sprechen müsse, erschreckte sie. Ob sie hierfür überhaupt die geeignete Person sei? Schon ihr Geschlecht sei ein Hindernis. Er wisse doch, wie geringschätzig die Männer von den Frauen dächten und wie sehr es gegen die Schranken des Anstandes verstoße, wenn die Frauen sich die gleichen Rechte herausnähmen wie die Männer.[58]

Katharina erhält vom Herrn zunächst eine grundlegende Antwort: „Bin nicht ich es, der alle Menschen erschaffen hat, Männer und Frauen? Ich gieße die Gnade meines Geistes ein, wo ich will. Vor mir gibt es weder Mann noch Frau, vor mir sind alle gleich.“[59]

Die zweite Antwort, die ihr gegeben wird, ist eine mehr zeitbedingte. Stehen wir doch am Vorabend der Renaissance, die wir als diesseitig und männlich geprägt kennen. Eine ungesunde, einseitige Entwicklung und Kräfteverschiebung im Verhältnis der Geschlechter zu Gott und zueinander bahnt sich an, in Verwirrung gebracht durch den Geistesstolz und die Überheblichkeit der Männer, die, berauscht von ihrer Selbstherrlichkeit, sich gebildet und gelehrt dünken, aber blind geworden sind für die göttliche Wahrheit.[60] Der Herr will in seinem Erbarmen dieses Mißverhältnis heilen und diesen Männern eine heilsame Lehre erteilen, „una salutare lezione“.[61] Wodurch? Durch wahre, ihrem Wesen getreue

Frauen. Ihre Aufgabe ist es, dort, wo Männer Unordnung und Verwirrung stiften, die rechte Ordnung wiederherzustellen. Warum? Frauen, die wahrhaft demütig sind, d. h. um die Wirklichkeit ihrer Geschöpflichkeit und die ihnen von Natur gesetzten Grenzen wissen und daher eher Zugang zum Apostelwort haben von der Schwachheit, deren man sich rühmen darf, damit Gottes Kraft sich offenbare[62], können, als unwissend und gebrechlich betrachtet, zu auserlesenen Gefäßen werden, in die der Herr seine göttliche Kraft und Weisheit gießen kann.[63] Das hier gebrauchte Wort von den „vasi fragili, ma scelti" trifft den Wesenskern der Frau, die ihrem Wesen nach Empfangende ist, durchlässig für Gottes Gnade und Weisheit, der man sich nur öffnen, die man nur aufnehmen kann. Und der Herr verspricht jenen, die in Demut und Ehrfurcht seine in zwar gebrechlichen, aber auserlesenen Gefäßen dargebotene Lehre annehmen, sein Heil, während andere zum Gespött der Menschen werden.[64] Welch auserwähltes Gefäß voll der Gnade und des Heiligen Geistes ist Katharina geworden, eine wahrhafte Offenbarung des Unendlichen! Damit hat Katharina auch als Frau ihren Ort in der Zeit- und Kirchengeschichte zugewiesen bekommen. Der Herr ermutigt sie zu dieser Sendung, indem er ihr seine Gegenwart, seine Hilfe und seinen Rat verspricht, damit sie seine Aufträge auch ausführen könne.[65]

Nicht von ungefähr bildete sich seit 1368 ein fester Freundeskreis um Katharina, dem Geistliche, Ordensleute, Laien, Verheiratete und Unverheiratete angehörten, unter ihnen bedeutende Theologen, Philosophen, Universitätsdozenten. Sie wuchsen zusammen zur geistlichen Familie, zur „famiglia", in der sich alle in herzlicher Freundschaft verbunden wußten. Katharina wurde von ihnen einfach „mamma" genannt. Sie waren gerne um sie, lauschten ihren Worten, ließen sich von ihr beraten und führen, begleiteten sie auf ihren Reisen und dienten ihr als Sekretäre, eine Beschäftigung, die sie voll in Anspruch nahm, denn Katharina diktierte sehr rasch, zwei, ja sogar drei und vier Sekretären zugleich, ohne Pause, ohne nachzudenken — als läse sie in einem aufgeschlagenen Buch.[66] Katharina wiederum liebte sie alle und jeden und jede einzelne als wahre Mutter und betrachtete sie als ihr gegeben, um sie mit besonderer Liebe zu lieben. „Ich bitte dich für alle, die du mir gegeben hast, daß ich sie mit besonderer Liebe und Sorge umhege. Durchflute sie mit deinem Licht und nimm jede Unvollkommenheit von ihnen [. . .] Strafe und räche an mir ihre Sünden und Mängel, ich bin ja daran schuld."[67] Ihre Söhne und Töchter fühlten sich auf geistliche Weise im Herrn durch sie zu neuem Leben erweckt.[68] Es ist eigenartig, wie Begriffe und Wörter aus dem Sprachschatz der leiblichen Mutterschaft Katharinas Ausdrucksweise durchwirken.[69]

Wir sehen also, wie sich für Katharina alle Dimensionen fraulichen Wesens auftun. Sie ist „die geliebte Tochter", Jungfrau, Braut[70], die Erwählte und Vermählte, für die der Herr „Sposo" ist, und schließlich Mutter, Mutter vieler Seelen, „gesegnete Jungfrau und dennoch Mutter von tausend Seelen", wie Barduccio di Piero dei Canigiani in seinem Bericht schreibt[71]. So war Katharina wirklich erweckt worden zur wahren Frau. Die Gnade hat die Natur vollendet.

Der Herzenstausch (scambio del cuore col Signore): Im Jahr 1370 häufen und verdichten sich die mystischen Erlebnisse. Unaufhörlich geht die Entwicklung weiter. Die dem Herrn gehören, sind eine neue Schöpfung, werden zu neuen Menschen. Das bedeutet fortwährende Wandlung und Umwandlung, eine Umwandlung, die von innen kommt, die vom Herzen ausgeht und von der Personmitte aus Geist, Leib und Leben durchformt. Dieses Wunder der Neuschöpfung, ein ständig fortschreitender Prozeß, ist unverdiente Gnadengabe, Geschenk des Herrn, das man nur erbitten kann.

Katharina flehte unaufhörlich zum Herrn mit den Worten des 50. Psalms: „Schaffe in mir, o Gott, ein reines Herz und erneure in meinem Innern den rechten Geist." Inständig richtete sie an den Herrn die Bitte, ihr das eigensinnige Herz und den verkehrten Eigenwillen zu nehmen, „il proprio cuore e la propria volontà"[72]. Mit „propria volontà" meint sie keineswegs den freien Willen, diese edle Gottesgabe, die mit Gedächtnis und Verstand die naturhafte Gottesebenbildlichkeit begründet, sondern den verkehrten Eigenwillen, der dem Willen Gottes widerstreitet. Sie spricht vom „Gift des verkehrten Eigenwillens. Er ist es, der die Seele vergiftet und ihr den Tod bringt."[73] Er ist „der Grund allen Übels, weil er mit der Eigensucht bekleidet ist."[74] Daher muß „das üble und stinkende Kleid des verkehrten Eigenwillens ausgezogen werden [. . .] Es macht uns uneinsichtig, daß wir das Gute schlecht und das Schlechte gut nennen."[75] Die gefallene menschliche Natur ist schwach und zu allem Bösen fähig.[76] Niemand kann die Abgründe des menschlichen Herzens durchschauen.[77] Katharina wußte, wie tief hinab in die rätselhaften Schichten des Unbewußten die Wurzeln der Eigenliebe und der Eigensucht reichen und wieviel Unheiles und Unerlöstes dort brütet und wuchert und jederzeit aufbrechen kann. Sind doch größtenteils diese Bereiche unserm Zugriff entzogen. Hier wird der Mensch allein nicht fertig. Er braucht tiefgreifende Hilfe, die ihm zuteil wird durch Jesus Christus, der die verdorbene Natur von innen heraus heilen und erneuern kann. Darauf deutet das von Katharina so gern gebrauchte, aus der Natur genommene Bild vom „Einpfropfen". Der tote Baum unseres Menschseins, dem das süße, milde Reis der Gottheit eingepfropft wird, erblüht von neuem zum Lebensbaum, in dem sich der Lichtglanz mit der Finsternis, die Weisheit mit der Torheit, das Leben mit dem Tod, der Unendliche mit uns Endlichen vermählt hat.[78] Für das Wunder der Neuschaffung durch den menschgewordenen Gottessohn, das dieses Bild meint, steht auch das mystische Geschehen vom Herzenstausch. Der alte Mensch muß abgelegt, der neue angezogen werden. Darauf deutet das Erlebnis, daß ihr das eigene Herz genommen wurde und sie ohne Herz zu sein glaubte, bis sie nach einigen Tagen ein neues Herz geschenkt bekam, wie Raimund berichtet.[79] Es war in der Predigerkirche. Jäh umzuckte sie himmlisches Licht. Der Herr erschien, neigte sich zu ihr herab, öffnete abermals die linke Seite ihrer Brust und bettete behutsam das strahlende Herz hinein, das er in Händen hielt. „Schau, meine liebe Tochter, sagte er, ich habe dir dein Herz genommen, um dir dafür meines zu geben." Es blieb eine Narbe an ihrer Brust als sichtbares Zeichen für dieses unglaubliche Geschehen, das ganzheitlich zugleich Leib, Seele und Geist erfaßte, indem das eine Instrument für das andere wurde.

Es offenbart sich in diesem Erlebnis neu das Urgeheimnis der Liebe, das Hineingetauchtwerden in den Urstrom des Gebens und

Nehmens, des Liebens und Geliebtwerdens, der Hingabe und des Einswerdens im Personkern. „Nicht mehr ich lebe, Christus lebt in mir." Welch bewegendes Ereignis für eine Frau, die naturgemäß aus dem Geheimnis des Herzens lebt! Der Herzenstausch vollbrachte ein Wandlungswunder; er hob Katharina auf eine neue Stufe ihres spiralenartigen Höhenwegs, hinein in einen neuen Lebenskreis, der immer neu sich auftun will. Sie wurde eine andere, ihr Wesen änderte sich, ihr Denken, Tun und Lassen, wie sie selber sagt: „Ich bin nicht mehr die, die ich war. Ich bin in eine andere Person verwandelt."[80] Ihr Wille steht ganz im Einklang mit dem göttlichen Willen, und ihr Herz schlägt in seinem Takt.[81] Das Herz, Inbegriff für das fühlende, denkende, wollende und strebende Ich, den Kern der Person und seine innerste Mitte, bekommt gleichsam neue Dimensionen. „Es wird weit, so weit, daß darin jede vernunftbegabte Kreatur Platz findet."[82] Eine innere Glut ergreift dieses Herz, die einerseits eine Reinigung und Erneuerung all ihrer Kräfte bewirkt und andererseits eine glühende Liebe zu Gott und zum Nächsten entfacht, daß sie, wie sie sagt, für jeden gern den Tod erleiden würde.[83] Und schließlich erfüllt Freude und unsagbarer Jubel dieses so begnadete Herz.[84] Durch den Herzenstausch brach in Katharina auch auf ein neuer Sinn für Glaubenswahrheiten. Sie durfte Gottes Geheimnisse schauen. „Vidi arcana Dei", so hört Raimund sie eines Tages stammeln, sie kann ihm aber keine nähere Erklärung geben. Das käme ihr wie eine Lästerung vor. Was der Geist gewahr wird, wenn Gott ihn entrückt und erleuchtet, das überragt himmelhoch alles, was unsere Sprache ausdrücken kann. Es sind wahrhaftig zwei schier unvereinbare Welten.[85] Dieses Geschehen schlägt sich auch nieder in einem erweiterten und intensiveren Dienst an den Menschen, in der Politik und ihrem Einsatz für Papst und Kirche.

Es sei auch noch ein anderes mystisches Erlebnis erwähnt. Es ist der *mystische Tod,* der so schockierend auf ihre Umgebung wirkte, daß verschiedene ihrer Anhänger sich von ihr trennten. Ursache des mystischen Todes war die übermächtige göttliche Liebe. Ein rasender Liebesstrom hatte ihr das Herz in der Brust von oben bis unten aufgerissen. Fast vier Stunden war sie tot. Sie durfte das Licht der Ewigkeit erblicken und das Jenseits erfahren. Aber sie mußte wieder zurück ins Leben, ins „finstere Verlies", weil sie noch vielen Seelen helfen sollte.[86] Dieses Erlebnis verfeinerte und verstärkte ihre Verantwortung für das Heil der Seelen, machte sie noch wacher und hellhöriger für fremde Not und für die vielfältigen Einsatzmöglichkeiten in Welt und Kirche. Als in Siena 1374 die Pest ausbrach, pflegte sie unermüdlich, tapfer und mit aller Hingabe die Erkrankten und durfte einige auf wunderbare Weise heilen.[87] Die brennende Sorge um den Frieden in Italien und die Reform der Kirche trieb sie, die des Schreibens Unkundige, dazu, Briefe zu diktieren und den Großen ins Gewissen zu reden. Sie trat öffentlich auf, um Bekehrungsansprachen zu halten und die Kreuzzugsidee zu verbreiten. Raimund berichtet von ihrer Anziehungskraft. Männer und Frauen strömten zu Tausenden herbei. Als ob eine unsichtbare Posaune das Signal geblasen hätte, stiegen sie von ihren Bergen herab und kamen aus ihren Dörfern rund um Siena hervor, um Katharina zu sehen und zu hören. Ihr bloßer Anblick genügte, daß sich viele bekehrten und ein neues Leben begannen. Priester, die Katharina begleiteten und mit besonderen Beichtvollmachten ausgestattet waren, wurden ununterbrochen von Bußfertigen umlagert. Katharinas jauchzende Freude über die Bekehrung eines Sünders war so groß, daß sie unmöglich in Worten beschrieben werden kann. Sie steckte auch ihre Begleiter an, die oft stöhnten unter der aufreibenden Seelsorge. Diese Besuchermengen bildeten durchaus keine Ausnahme, dafür kamen sie viel zu häufig vor.[88]

Die *Stigmatisation* ist eine andere Gnade, die Katharina zuteil wurde. Am 1. April 1375 empfing sie in Pisa die heiligen Wundmale. Es war an einem Sonntag während des Meßopfers nach der heiligen Kommunion, wo sie fast immer in Verzückung fiel. Raimund war Zeuge und berichtet ausführlich darüber.[89] Katharinas Wundmale, durch hellglänzende Lichtstrahlen verursacht, waren zu ihren Lebzeiten unsichtbar. Während sie am Anfang heftige Schmerzen verursacht hatten, wurde sie später durch sie erquickt und gekräftigt und mit neuem Leben durchflutet.[90] Vom Herrn war Katharina auf diese Gnade vorbereitet worden. In einem ihrer Gebete heißt es, ich möchte mich „an deine Verheißung klam-

mern, du werdest mich dir gleichförmig machen und mir deine süßen Wundmale an meinem Leib zu spüren geben"[91]. Am 20. Juli
1370 erlebte sie in einem Gesicht, wie ihr Herz sich mit dem Herzen Christi vereinte und ihre Seele von göttlicher Liebesglut erfaßt wurde. Sie konnte nur noch stöhnen: „Du hast mein Herz verwundet, o Herr [...]"[92] Der Empfang der Wundmale in Pisa bedeutete eine weitere Verähnlichung mit dem gekreuzigten, aber
zugleich auch mit dem auferstandenen Herrn. Reicher begannen
die Erlösungsgnaden zu fließen. In einem Brief lesen wir: „Die
Braut Christi aber, die durch diesen Pfeil der Liebe verwundet ist,
wirkt ohne Unterlaß."[93] Katharina ließ sich noch mehr einfordern
von ihren karitativen und politischen Aktivitäten. Sie stieg mit
dem verurteilten Nikolaus Tuldo aufs Schafott, setzte ihre Frie-
densbemühungen fort, ging im Sommer 1376 nach Avignon, um
dort Gregor XI. für die Reform der Kirche und die Rückkehr nach
Rom zu bewegen. Raimund konnte den Freimut, mit dem Katharina zum Papst sprach, nie mehr vergessen. Gregor hörte auf sie
und hielt am 17. Januar 1377 seinen Einzug in Rom. Inzwischen
diktierte Katharina ihr Buch, den Dialog, dessen Inhalt sie nicht
aus sich entwickelt hatte, sondern von Gott geschenkt bekam.

Ihre Freunde und Jünger verlangten ständig Unterweisung von
ihr. Sie wollte und mußte das, was sie von oben empfangen durfte,
was ihr Christus in einem fortwährenden Gespräch mitteilte, was
sie in Beschauung und Ekstase an neuen Einsichten gewonnen
hatte, weitergeben an die Menschen der damaligen Zeit, aber auch
der kommenden. Freilich wußte Katharina um die Grenzen, die
ihr gesetzt waren, um die Schwierigkeit, all das Geschaute in
Worte zu kleiden, „weil die begrenzte Zungenfertigkeit den
Überschwang der Seele nicht auszudrücken vermag"[94]. Aber sie
versuchte es, und es gelang. Der ‚Dialog' ist ein Zwiegespräch, in
dem Gott selbst in einer ruhigen theologischen Betrachtung mit
scharfer Logik argumentiert und die Seele unterweist, die glühend
nach Gottes Ehre und dem Heil der Menschen verlangt, die fragt
und fleht und dankt und preist und mit ihrem geöffneten Geistesauge Gottes Liebe zu den Menschen schauen darf. Schon im Vorwort erklingt gleich einer Ouvertüre das Hohelied der Vergöttlichung der Seele „per affetto d'amore"[95]. Vier Bitten, die immer

umfassender werden und sich schließlich auf alle Menschen und die ganze Welt erstrecken, richtet die von Schmerz und frohgemuter Zuversicht erfüllte Seele an den himmlischen Vater, der sie ausführlich belehrt und ihrem Geistesauge, dem natürlichen Licht der Vernunft, neue Kenntnisse erschließt. Erkenntnis ist notwendig, denn sie nährt die Liebe, die Gottes- und Nächstenliebe zugleich umfaßt, sich zur „caritas" läutern und stets uneigennütziger werden muß. „Ich kann dich zwar aus dem Überschwang deiner Liebe verspüren, dich aber nicht in deinem Wesen schauen", ruft Katharina aus.[96] Unersättlich ist das Verlangen der durch das Licht des Glaubens erleuchteten und von der Liebe zum Unendlichen entflammten Seele, das Freude und Schmerz zugleich ist und sich nur äußern kann in einem ständigen Crescendo, einer Bewegung in Gegensätzen, in stets neuen Aufbrüchen, Aufstiegen, Aufschwüngen. — Der Dialog klingt aus in einem Gebet. Lassen wir uns von Katharina, der Mystikerin, gleichsam an die Hand nehmen und uns mit diesem Gebet hinauf- und hinausführen in die einsame, grandiose Urlandschaft der mystischen Schau, wo, vom weißen Licht überflutet, das kristallene Meer erglänzt, der Abgrund gähnt und das Urfeuer lodert.

O ewige Dreifaltigkeit! O Gottheit; diese Deine Gottheit, Deine göttliche Natur ist es, die dem Blut Deines Sohnes seinen Preis verleiht! Dreifaltigkeit, abgründiges Meer! Je tiefer ich mich in Dich versenke, desto inniger finde ich Dich, und je inniger ich Dich finde, desto tiefer suche ich Dich. Du bist unersättlich, und die Seele, die sich an Deinem Abgrund ersättigt, ist nie gestillt, sondern hungert immerfort nach Dir und dürstet nach Dir. Ewige Dreifaltigkeit, sie sehnt sich mit dem Lichte, Dich in Deinem Licht zu schauen [. . .] O ewige Dreifaltigkeit, Feuer und Abgrund der Liebe! Löse endlich die Wolke meines Leibes auf! [. . .] O Abgrund, o ewige Gottheit, o tiefes Meer! Was konntest Du mir Größeres schenken als Dich selbst? Du bist das Feuer, das immer brennt und sich nie verzehrt; Du bist das Feuer, das in seiner Glut jede Eigensucht der Seele versengt [. . .] Du erleuchtest. Mit Deinem Licht hast Du mir die Wahrheit zu erkennen gegeben, Du Licht über allem Licht [. . .] Dieses Licht ist ein Meer, weil die Seele in Dir schwimmt, friedvolles Meer, ewige Dreifaltigkeit. Dieses Wasser ist nicht getrübt, und darum hat sie keine Furcht, weil sie die Wahrheit kennt. Es ist klar, denn es offenbart die verborgenen Dinge. Dort im überströmenden Glaubenslicht bestätigt sich, was der Glaube lehrt. Es ist ein Spiegel, in welchem Du mich, ewige Dreifaltigkeit, mich selbst erkennen läßt, denn wenn ich in diesen Spiegel schaue, ihn mit der Hand der Liebe haltend, stellt er mich in Dir vor, die ich Dein Geschöpf bin, und Dich in mir, durch die Vereinigung, die Deine Gottheit mit unserer Menschheit eingegangen ist. In diesem Licht erkenne ich Dich und stelle ich Dich mir vor, Du höchstes, unendliches Gut, Gut über jedem Gut, glückseliges Gut, unfaßbares, unermeßliches Gut, Schönheit über jeder Schönheit, Weisheit über jeder Weisheit [...] Weide die Hungernden in Deiner Süße, denn süß bist Du ohne jede Bitternis! Mit Deinem Licht löst Du meine Finsternis auf. Bekleide mich, bekleide mich mit Dir, ewige Wahrheit, daß ich dieses sterbliche Leben aufs neue durcheile im Licht des heiligen Glaubens, das immer wieder meine Seele berauscht.[97]

Der ‚Dialog' stellt den Höhepunkt in Katharinas Schrifttum dar. Sie hat als Mystikerin ihr wesentliches Wort gesprochen. Kann sie, die das Glück der Seligen verkosten durfte, noch mehr sagen? Zweifellos nicht. So sollte man eigentlich den Schlußpunkt setzen in dem Vortrag, der Katharina als Mystikerin gilt. Aber zu ihrer Mystik gehört nicht nur das Verweilen auf dem weltfernen Gipfel der Beschauung, sondern auch das Stehen im bunten Gewühl und Gewirr des Alltags und in der erregten und bewegten Welt der Politik. Darum noch ein kurzer Blick auf die letzten Jahre ihres irdischen Daseins, die wir als Ausklang ihres Lebens und Wirkens bezeichnen können. Gregors Einzug in Rom bedeutete zweifellos den Höhepunkt ihres Lebens, die Erfüllung ihrer geschichtlichen Sendung. Damit hatte sie im Auftrag Gottes als sein Werkzeug verändernd eingegriffen in den Lauf der Geschichte. Freilich stieß Katharina immer wieder auf menschliche Grenzen und Begrenztheiten. „Kommt nicht mit Kriegstruppen, sondern mit dem Kreuz in der Hand, sanftmütig wie ein Lamm"[98], hatte sie an Gregor geschrieben. Aber für Gewaltlosigkeit in diesem Sinn fehlte das Verständnis.

Im März 1378 starb Gregor, im April wurde Urban VI. zum Papst gewählt, der Katharina sehr schätzte und sie nach Rom rief, wo sie am 28. November eintraf. Er besprach sich öfters mit ihr. Es war vor allem die Erneuerung der Kirche, die Katharina am Herzen lag und für die sie dem Papst reale Vorschläge machte, die sich dann aber leider nicht verwirklichten. Im September 1378 war Clemens VII. als Gegenpapst aufgestellt worden, und damit war das abendländische Schisma ausgebrochen. Katharina verfocht leidenschaftlich die Sache Urbans VI. als des wahren Papstes, schrieb bewegte Briefe an die Kardinäle, Prälaten, Mönche und Staatsmänner. Sie war bereit, alles zu wagen, zu opfern, zu leiden. Aber sie mußte erfahren, daß die Bewältigung des Schismas ihre Kräfte überstieg, sie war nicht die ihr von Gott gesetzte Aufgabe. Das zeigte ihr klar die Vision, die sie auf ihrem alltäglichen Gang nach St. Peter einmal wahrnahm, wo sie so gern das große Mosaikbild betrachtete über der Fassade der Basilika, das ein Schiff auf bewegtem Meer darstellte. Plötzlich schien das mit allem Unheil beladene Schiff, in dem sie die dem Untergang nahe Kirche erblickte, auf sie zuzukommen, immer näher, immer bedrohlicher. Schon fühlte sie die übergroße Last auf ihren Schultern. Immer drückender wurde sie, um jeden Preis wollte Katharina sie stützen und halten, aber ihre Kräfte versagten, sie stürzte unter der unerträglichen Last tot zu Boden. — In dieser Vision erblickte die Heilige eine Ankündigung ihres nahen Endes. Nun sind ihre Waffen nur noch Gebet und Opfer. „Mein Leben verglimmt und zerrinnt in dieser süßen Braut."[99] Sie war bereit zum letzten Einsatz, zur vollkommenen Hingabe auch des eigenen Lebens. Unsäglich waren die Leiden und körperlichen Schmerzen, die ihr die Dämonen zufügten. Sie erflehte vom Herrn, er wolle an ihrem Leib strafen, was die Stifter eines solch unermeßlichen Unheils für ihre Sünden verdient hätten ... Sie fügte hinzu: „Glaubt mir, wenn ich jetzt sterbe, so ist nichts anderes schuld an meinem Tod als unauslöschliche Glut und Liebe zur Kirche; sie verbrennt mein Herz und verzehrt das Mark meiner Gebeine. Für die Befreiung der Kiche erdulde ich dies alles gern und sterbe willig dafür."[100] Am 29. April 1380 erlosch Katharinas Leben für die Kirche[101], aus deren Geheimnis sie gelebt und geliebt hatte und deren lebendiges Abbild sie geworden war als Jungfrau, Braut und Mutter.

Einst hatte ihr Christus in einer Vision das Kreuz auf die Schulter gelegt und in die Hand den Ölzweig, das Zeichen des Friedens, um beides den Christen und den Nichtchristen zu bringen. Und sie durfte schauen, wie sie alle vereint in ihrer Begleitung eintraten in die geöffnete Seite des Gekreuzigten, und er forderte sie auf: „Sag ihnen, ich verkünde euch eine große Freude."[102]

In unseren Tagen will sich diese frohe Botschaft verwirklichen in der ökumenischen Vereinigung der Caterinati, deren Hauptanliegen die Wiedervereinigung aller Christen ist und deren Wahlspruch lautet: „Versöhnung durch Mut und tatkräftige Hilfe."[103] Katharina ist nicht tot, ihr Licht leuchtet weiter.

Anmerkungen

[1] G 95ff. (Die Abkürzungen sind S. 312 f. aufgelöst.)

[2] G 52.

[3] V Nr. 90, 102: All' udire cose tanto straordinarie, che non capitano a nessuno [. . .] dissi fra me: Ma sarà vero tutto quello che dice?

[4] G 71.

[5] Vgl. Gertz-Hoffmann 15.

[6] G 67.

[7] G 72.

[8] G 75.

[9] G 75.

[10] G 76.

[11] G 94.

[12] D Nr. 110, 143: La materia vostra èl'amore, perch'io vi creai per amore, e però non potete vivere senza amore.

[13] G 52, 47.

[14] G 128.

[15] il sangue è intriso e impastato col fuoco delle divina carità [. . .] (D Nr. 75).

[16] D Nr. 66: il quale sangue inebria l'anima e vestela del fuoco della divina carità.

[17] Ep Nr. 90, 206: scrivo a voi nel prezioso sangue suo.

[18] G 89.

[19] G 43.

[20] G 89: vollkommen in sich geeint, weil ganz eins geworden mit Dir und ihrem Nächsten durch die Einung und Anziehungskraft der Liebe [. . .]

[21] D Nr. 92: Io, che so' Dio infinito, voglio essere servito da voi con cosa infinita, e infinito altro non avete se non l'affetto e il desiderio vostro dell' anima.

[22] D Nr. 136: sempre si muta di tempo in tempo [. . .]

[23] V Nr. 29, 30.

[24] D Nr. 150, 31: carissima figliuola.

[25] V capitolo III, Nr. 37.

[26] V capitolo IV, Nr. 41ff., 47, 48.

[27] G 42.

[28] V Nr. 30.

[29] Ep Nr. 370: siatemi tuto virile [. . .]

[30] ATTI: Umberto Mattioli: La tipologia virile nella biografia e nella letteratura cateriniana, 209.

[31] Ep Nr. 373: a Cristo in terra.

[32] V Nr. 7.

[33] L 48.

[34] D Nr. 14; vgl. ATTI: Primato della libertà in S. Caterina, 145ff.

[35] Vgl. L 58.

[36] Vgl. L 62.

[37] Vgl. L 60.

[38] L 75, V Nr. 92.

[39] V 97.

[40] V Nr. 104:[. . .] prendete per vostro sollievo la croce come feci io [. . .] rende per amor mio il dolce per amaro e l'amaro per dolce [. . .]

[41] V Nr. 112.

[42] V Nr. 112.

[43] V Nr. 126: Perciò frequentissimamente soffriva di quell' eccesso che si chiama estasi, come mille volte ho visto io e i fratri [. . .]

[44] V Nr. 112.

[45] V Nr. 112: [. . .] cominciò il santissimo Sposo a conversare tanto familiarmente con lei, che [. . .] parebbe una cosa incredibile [. . .] Ma ad un anima che gusti sopra ogni umana estimazione quanto sia soave e buono il Signore, non solo sembra possibile e conveniente, ma anche ragionevole.

[46] V Nr. 133: Lo sposo celeste continuava la celia con lei [. . .] sorridente disse allo Sposo: Perchè, o dolcissimo, mi hai ingannata cosi? [. . .]

[47] V Nr. 86: Essendo qui il fondamento, la radice e l'origine di tutte le sue sante gesta, e il mezzo dimostrativo dell' ammirevole sua vita [. . .]

[48] Os 2/20.

[49] V Nr. 115: in cielo celebrare con me le nozze eterne.

[50] Przywara, zitiert bei Gertz-Hoffmann, 36.

[51] L 91; V Nr. 115: Da qui in avanti, o figliola, agisci virilmente e senza alcuna titubanza in tutto quello che, per disposizione della mia providenza, ti sarà messo davanti. Armata come sei della fortezza della fede, vincerai felicemente tutti i tuoi nemici.

[52] V Nr. 120.

[53] V Nr. 121: Io non intendo di separarti da me; anzi desidero di stringerti più forte mediante la carità del prossimo.

[54] G 40.

[55] V Nr. 125: Affeccendata com'era, non abbandonava un momento le delizie dell'eterno Sposo.

[56] V Nr. 86.

[57] V Nr. 130: Il fondamento e la causa di tutte le sue opere era l'amore; la carità del prossimo andava avanti a tutte le sue azioni.

[58] V Nr. 121: Il mio sesso, lo sai, vi ripugna per molti versi: sia perchè, per ragioni di onestà, non è bene che una donna se ne stia in mezzo a loro.

[59] V Nr. 122: Non sono forse Colui che creò il genere umano e lo divise in maschio e femmina? Io diffondo dove voglio la grazia del mio spirito. Davanti a me [. . .] tutti sono uguali [. . .]

310

[60] V Nr. 122: in questi ultimi tempi ha straboccato tanto la superbia, specie negli uomini che si credono letterati o sapienti, che la mia giustizia non li può sopportare [...]

[61] V Nr. 122.

[62] 2 Kor. 12,9 f.

[63] V Nr. 122: Per confondere la loro temerità, susciterò donne naturalmente deboli e incolte, ma però dotate di virtù e di sapienza divina [...] offerta loro in vasi fragili, ma scelti [...]

[64] V Nr. 122.

[65] V Nr. 122: Perciò ubbidisci con corraggio, quando in seguito ti manderò fra la gente. Dovunque ti troverai, non ti abbandonerò, nè mancherò secondo il solito di visitarti, e di indirizzarti in tutto quello che dovrai fare.

[66] V Prologo I, 7, 22.

[67] G 84.

[68] V Nr. 126: [...] che eravamo stati rigenerati spiritualmente nel Signore da lei con la parola di vita.

[69] G 41; D Nr. 7, Nr. 11: come la donna che à conceputo in sè il figliuolo, che se ella no'l partorisce, che venga dinanzi all'occhio della creatura, non si reputa lo sposo d'avere figliuolo. Cosí Io che so' Sposo dellanima [...]; D Nr. 96; D Nr. 46; B 291: „O meine Kinder, empfangt und gebärt das Menschengeschlecht wie einen Sohn [...]; Ep Nr. 271, 1316 (vgl. Mamma, mamma cara, mamma spirituale, dolcissima mamma V Nr. 375, 376f.).

[70] G 100: „Ich bekenne, daß deine Güte mich als deine Braut bewahrt hat."

[71] L 161.

[72] V Nr. 179.

[73] D Nr. 47.

[74] G 84.

[75] G 128.

[76] G 107.

[77] V Nr. 100: che neuno è che possa giudicare l'occulto cuore de l'uomo.

[78] Vgl. G 110.

[79] V Nr. 179.

[80] V Nr. 182: io non sono più quella che ero, ma sono cambiata in un'altra persona [...]

[81] V Nr. 183: Signore, tu lo sai che cosa voglio: tu lo sai, perchè non ho altra volontà che la tua, non ho altro cuore che il tuo [...]

[82] G 103.

[83] V Nr. 182.

[84] V Nr. 182: la mia mente è piena gioia e di tanta allegrezza, che io mi meraviglio forte che l'anima mi resti nel corpo [...]

[85] V Nr. 185.

[86] V Nr. 213f.

[87] Z. B. messer Matteo, Raimund von Capua, V Nr. 247.

[88] Vgl. L 136ff.; V Nr. 239f.

[89] V Nr. 194ff.

[90] V Nr. 198: e quelle ferite non recano più al mio corpo nessuna pena, ma lo rendono più forte e robusto, e sento bene che il vigore nasce proprio da dove prima derivava lo spasimo.

[91] G 36.

[92] V Nr. 186: Signore, hai ferito il mio cuore.

[93] B 47.

[94] G 154.

[95] D Nr. 1: l'anima s'unisce in Dio per affetto d'amore.

[96] G 120.

[97] D Nr. 167. Vgl. V Nr. 199: Ora è lo stesso Salvatore, che introduce l'anima di lei nel proprio costato, dove le rivela perfino il mistero della Trinità [...] (Einst schien es Katharina, daß der Erlöser ihre Seele in seiner eigenen Seite verbarg und sie darin über das Geheimnis der Dreifaltigkeit erleuchtete [...])

[98] B 234.

[99] Vgl. B 325 (an Raimund).

[100] Laurent, Processo castellano, 347. (Vgl. L 192.)

[101] Barduccio berichtete über ihren Tod: Am 3. Fastensonntag während der Nacht begann der Todeskampf. Mehr als anderthalb Stunden focht sie noch einmal mit den Dämonen einen grauenhaften Kampf. Dann aber wandelte sich jäh ihr Gesicht. Schatten und Düsternis wichen, und himmlische Freude breitete sich darüber aus. Fortwährend verharrte sie im Gebet [...] Zuletzt rief sie wieder holt: Blut! Blut! Sie starb etwa um die Stunde der Sext. Wir haben sie bis Dienstagabend bei uns behalten. Kein menschlicher Geruch war zu spüren. So haben sie ihren Leichnam bewahrt. Er war rein, unversehrt und duftete [...] (Vgl. L 161ff., 168.)

[102] Ep Nr. 219, 1276.

[103] Landesgruppe Belgien, Sekretariat: Neustr. 7–9, B 4700 Eupen; Hauptsitz: Santuario Casa di S. Caterina, Siena.

Literatur-Verzeichnis

D: S. Caterina da Siena. Il *Dialogo* della Divina Provvidenza ovvero libro della divina Dottrina, a cura di Giuliana Cavallini, Roma 1980.

Gespr: Caterina von Siena. *Gespräch* von Gottes Vorsehung, eingeleitet von Ellen Sommer-von Seckendorff und Hans Urs von Balthasar, Einsiedeln 1964.

Ep: S. Caterina da Siena. *Epistolario*, terza edizione 1979, Roma 1979.

B: Briefe der Hl. Katharina v. Siena, eingeleitet und übertragen v. P. Thomas M. Käppeli OP, Vechta in O. 1931.

Klassiker der Meditation: Katharina von Siena, engagiert aus Glauben. Briefe, übersetzt und eingeleitet von Ferdinand Strobel, Zürich, Einsiedeln, Köln 1979.

Caterina von Siena. Gotteserfahrung und Weg in die Welt, herausgegeben, eingeleitet und übersetzt von Louise Gnädinger, Olten und Freiburg 1980.

G: Caterina von Siena. Meditative *Gebete,* herausgegeben und übersetzt von P. Hilarius M. Barth, Einsiedeln 1980.

V: S. Caterina da Siena. *Vita* scritta dal beato Raimondo da Capua, confessore della Santa, tradotta dal P. Guiseppe Tinagli, 5ª edizione riveduta con prefazione del P. Giacinto d'Urso OP, Siena 1982.

L: Adrian Schenker, Das *Leben* der heiligen Katharina von Siena (Legenda Maior des Raimund von Capua), herausgegeben, eingeleitet und übersetzt von A. Schenker, Düsseldorf 1965 (Reihe: Heilige der ungeteilten Christenheit).

Bernhard Gertz, Adolf Hoffmann, Katharina von Siena. Ausgewählte Texte aus den Schriften einer großen Heiligen, Düsseldorf 1981.

ATTI: Congresso Internazionale di Studi Cateriniani, Siena-Roma, 24.–29. Aprile 1980 ATTI, Curia Generalizia OP, piazza Pietro d'Illira, 1, Roma 1981.

Arrigo Levasti, Katharina von Siena, Regensburg 1952.

[Eine gute Bibliographie gibt Massimo Petrocchi: Storia della Spiritualità italiana I, Roma 1978, 67ff., vgl. weiters laufend die Zeitschrift: S. Catarina da Siena. Rassegna di ascetica e mistica. Anm. d. Hrsg.]

Franz Wöhrer

ASPEKTE DER ENGLISCHEN FRAUENMYSTIK IM SPÄTEN 14. UND BEGINNENDEN 15. JAHRHUNDERT

> MYSTICISM is [...] the expression of the innate
> tendency of the human spirit towards complete har-
> mony with the transcendental order; whatever be the
> theological formula under which that order is under-
> stood. This tendency, in great mystics, gradually cap-
> tures the whole field of consciousness; it dominates
> their life and, in the experience called „mystic union",
> attains its end. Whether the end be called the God of
> Christianity, the World-soul of Pantheism, the Abso-
> lute of Philosophy, the desire to attain it and the
> movement towards it — so long as this is a genuine life
> process and not an intellectual speculation — is the
> proper subject of mysticism.
>
> Evelyn Underhill[1]

In diesem Vortrag soll versucht werden, einige zentrale Wesensmerkmale der englischen Frauenmystik des späten 14. und beginnenden 15. Jahrhunderts, wie diese in der Mystik der beiden bedeutendsten spätmittelalterlichen Visionärinnen Englands, Juliana von Norwich (ca. 1343 bis nach 1416) und Margery Kempe
(ca. 1373 bis nach 1438), belegt sind, darzulegen und sie phänomenologisch der zeitgenössischen ‚männlichen' Mystik Englands ge-
genüberzustellen. Selbstverständlich kann in diesem beschränk-
ten Rahmen keine erschöpfende differentielle Analyse individueller Manifestationsformen ‚männlicher' und ‚weiblicher' Erfahrungsweisen des Göttlichen, wie sie in den mystographischen
Texten dieser Periode belegt sind, geboten werden. Es wird auch
nicht möglich sein, auf alle relevanten Aspekte, die für ein umfassendes Verständnis des visionären Erlebens der genannten Charismatikerinnen von Bedeutung und Interesse wären — wie etwa

auf spezifisch theologische, historische, biographische, literaturwissenschaftliche oder psychologische Problemstellungen —, einzugehen. Vom interdisziplinäten Gesichtspunkt einer *bewußtseinspsychologisch* fundierten Literaturwissenschaft dargelegt[2], werden sich die folgenden Ausführungen vornehmlich auf bildstrukturelle, thematische, biographische sowie bewußtseinsphänomenologische Einzelaspekte des mystisch-visionären Erlebens der beiden Seherinnen beschränken.

Die spätmittelalterliche englische Mystik, ein integraler Bestandteil eines gesamteuropäischen geistes- und kulturhistorischen Phänomens, erreicht ihren Höhepunkt im 14. Jahrhundert. Insgesamt umfaßt die Blütezeit eine Periode von etwa 1330 bis 1416.[3] Etwas arbiträrer ließe sich der Zeitraum nach oben hin bis 1440 erweitern, wenn man als ‚terminus ad quem‘ nicht das (vermutliche) Todesjahr Julianas, sondern das (ebenfalls vermutliche) Todesjahr Margery Kempes annimmt. Der ‚terminus a quo‘ der Blütezeit ist mit dem Wirken Richard Rolles (ca. 1300—1349) gegeben, dessen überwiegend noch in lateinischer Sprache verfaßter Kanon mystischer Werke[4] in der Zeit zwischen 1320 und 1349 entstand. Selbst Mystiker und, nach seinem Studium in Oxford, Eremit in Hampole (Yorkshire), war Rolle — was in diesem Zusammenhang nicht unerwähnt bleiben darf — auch geistlicher Berater von Reklusinnen. Für Margaret Kirkeby, eine der Reklusinnen von Hampole, verfaßte er beispielsweise eine von drei Episteln[5] in der Volkssprache, die im wesentlichen eine Anleitung zum kontemplativen Leben darstellt. Sein Einfluß auf das spirituelle Leben nicht nur monastischer, sondern auch laikaler Kreise reichte weit über das 14. Jahrhundert hinaus und erstreckte sich weit über die Grenzen Englands.[6] Margery Kempe ist nur ein Beispiel, das die laikale Rezeption von Rolles Werk im späten 14. Jahrhundert dokumentiert. Interne Evidenz aus ihrer Autobiographie zeigt, daß sie das ‚Incendium Amoris‘ zumindest auszugsweise kannte.[7]

Noch bedeutender und in ihrer mysto-praktischen Wirkung weitreichender als Rolle waren jedoch die mystagogischen Werke des ‚Cloud‘-Autors und Walter Hiltons. Beiden geht es vornehmlich nicht um eine Darlegung einer christlich-mystischen Theologie, sondern vielmehr um eine theoretisch-praktische Hinleitung von Kontemplativen zur *cognitio Dei experimentalis*. Obwohl der anonyme Autor von ‚The Cloud of Unknowing' und ‚The Book of Privy Counselling' (beide im späten 14. Jahrhundert entstanden) seine Werke an einen ihm bekannten jungen Kontemplativen richtet, war sein Kanon, ebenso wie jener von Walter Hilton, dessen ‚Scale of Perfection' an eine Reklusin adressiert ist, für einen breiten Leserkreis, auch und besonders für Laien, intendiert. Sowohl der ‚Cloud'-Autor, als auch der Augustinerchorherr Walter Hilton († 1396) waren mit großer Wahrscheinlichkeit Priester[8], doch identifizierten sich beide weitgehend mit der zeitgenössischen Bewegung der Laienmystik. Sie verstehen sich aber als Mystagogen auch als kritisches Korrektiv gegenüber Fehlformen spirituellen Lebens. So wendet sich der ‚Cloud'-Autor zum Beispiel entschieden gegen jede Art extremer Askese und warnt vehement davor, Visionen intentional evozieren zu wollen. Er kommentiert sarkastisch jede Art von exhibitionistisch-theatralischer Meditationspraxis und warnt, ebenso wie Hilton, eindringlich davor, das Ziel des kontemplativen Weges in visionären und auditiven Manifestationsformen des Göttlichen zu suchen.[9]

Das beiden Mystagogen gemeinsame, tiefe Mißtrauen gegen jede Art sinnlich-konkreter, insbesonders bildhafter, Gotteserfahrung ist Erbe einer nachhaltig neoplatonisch beeinflußten christlich mystischen Tradition. Sie gründet letztlich in der Mystiktheorie des Augustinus, wurde aber in der Folge besonders von Pseudo-Dionysius, Richard von St. Viktor und Bernhard von Clairvaux (um nur einige Theologen zu nennen) überformt. Diese ungebrochene Tradition bildkritischer Mystik wird im ‚Cloud'-Autor, sowie bei Hilton, nahezu zu einer bildfeindlichen mystischen Theologie. Der ‚Cloud'-Autor anerkennt zwar implizit (in Übereinstimmung mit Hilton) die von Augustinus erstellte hierarchische Dreigliederung visionären Erlebens — eine ‚*visio corporalis*' (körperliche Vision, d. h. „Erscheinung" per definitionem Dinzelbacher, siehe unten), eine ‚*visio spiritualis*' oder ‚*imaginaria*' (einbildliche Vision des ‚inneren', d. h. geistigen Sehraumes) und eine ‚*visio intellectualis*' (ein rein geistiges Vernehmen des Göttlichen in einer bildlosen ‚Schau')[10] —, insoferne er bildliche Manifestationsformen des Göttlichen, wie sie in der Bibel oder in Heiligenlegenden belegt sind, als in der Menschheitsgeschichte wiederholbare, wenn auch selten auftretende charismatische Phänomene anerkennt, doch ordnet er diesen nur einen ‚mittelbaren‘, sekundären spirituellen Erfahrungswert zu.[11] Denn nur in der ‚visio intellectualis‘ kann Gott unmittelbar erfahren werden — sei es in Form einer bloßen ‚Berührung‘ der Seele durch die unanschauliche göttliche Wesenheit in einer Augenblickserfahrung, sei es durch ein längerwährendes „Präsenzerleben" (z. B. das ‚Innewohnen‘ des göttlichen Geistes in der Seele im Sinne von Paulus)[12] oder in Form eines ekstatischen Überwältigtwerdens von göttlicher Liebe, die die Seele des begnadeten Mystikers überströmt, oder in Form eines die Kategorien von Sprache, Denken, Raum und Zeit transzendierenden ekstatischen ‚Einigungserlebens‘. In welcher Form sich diese rein geistig-affektive, bild- und mittellose Gotteserfahrung im einzelnen auch immer manifestieren mag, sie allein gilt für Hilton und den ‚Cloud‘-Autor als das absolute Telos des kontemplativen Lebens. Bildlich-konkrete Gottesschau hingegen bedarf eines ‚vermittelnden Mediums‘ und ist daher grundsätzlich truggefährdet. Echte Visionen können zwar, wie Hilton und der ‚Cloud‘-Autor einräumen, Begleiterscheinungen („tokens") auf dem ‚mystischen Wege‘ zum ersehnten gnadenhaften Erleben der ‚unio mystica‘ sein, nicht aber dessen Ziel. Die Beurteilung der Authentizität solcher gelegentlich auftretenden visionären ‚Begleiterscheinungen‘ bedarf, wie beide betonen, der eingehenden Prüfung von Visionär und visionärem Erlebnisbericht durch einen erfahrenen geistlichen Berater. Subjektives Evidenzerleben allein gilt für sie nicht als hinreichendes Echtheitskriterium.

Angesichts dieses Hintergrundes betont bildlos-affektiver Spiritualität sowie angesichts des weitreichenden Einflusses und der außerordentlich großen Autorität dieser beiden Mystagogen ist es nicht verwunderlich, daß die größte Visionärin der englischen Mystik, Juliana von Norwich, es vorerst nicht wagte, ihr Charisma bildhafter und auditiver Gotteserfahrung Außenstehenden mitzuteilen, geschweige denn einen Erlebnisbericht zu verfassen. Selbst ihrem Beichtvater verschweigt sie ihre „shewings" aus Furcht, auch er könnte die Wahrhaftigkeit ihrer Aussage oder gar die Integrität ihrer Persönlichkeit in Frage stellen. Sie zieht sich daraufhin mit ihrem Geheimnis in die Klause nächst der St.-Julian- und St.-Eduard-Kirche von Conisford bei Norwich zurück. Zur Verfassung eines Erlebnisberichtes entschließt sie sich erst, nachdem sie — geläutert durch mehrjähriges Inklusenleben sowie bestärkt durch Gebet und Meditation und einen fortwährenden Prozeß innerer Erleuchtung über den Sinngehalt ihrer Schauungen — erkennt, daß die ihr gewährte mystisch-visionäre Erfahrung konkrete Manifestation einer für *alle* Christen intendierten Offenbarungswahrheit ist. Sie veröffentlicht 15 Jahre nach dem Ereignis, auf ausdrücklichen Auftag Gottes, einen ersten kurzen Erlebnisbericht. Fünf Jahre später (1393), nach einer weiteren Erleuchtung über den komplexen allegorischen Sinngehalt der bis dahin für sie teilweise enigmatischen allegorischen Bildvision von ,Herr und Diener'[13], verfaßt Juliana eine überarbeitete und beträchtlich erweiterte zweite Version („The Long Text").[14] Die unerschütterliche Erfahrungsgewißheit des ihr von Gott auferlegten ,medialen Auftrages' gibt ihr die Kraft, schwer auf ihr lastende Bedenken zu überwinden, die insbesonders aus ihrem konventionellen Selbstverständnis als Frau innerhalb der Kirche entspringen. Sie war sich dessen bewußt, daß ihr Werk nicht nur einen visionären Erlebnisbericht darstellt, sondern auch eine Offenbarungstheologie darlegt. Dadurch sah sie sich der Gefahr ausgesetzt, von der Kirche der Hybris bezichtigt oder als Ketzerin gebrandmarkt zu werden. Es mußte für die Autoritäten der Kirche auch so erscheinen, als würde sie als Frau sich eine mit der Orthodoxie unvereinbare Pastoralfunktion anmaßen. Sie erachtet es daher als unabdingbar, solchen Vorwürfen a priori zu begegnen, indem sie apologetisch und ausdrücklich ihre bloße Vermittlerfunktion betont. Nicht sie ist es — eine unwürdige, sündige und theologisch ungebildete („vnlettyrde", 285,1) Frau — die eine Offenbarungstheologie darlegt und Antworten auf die letzten Fragen des Menschseins gibt, sondern Christus, vermittelt durch sie:

> Botte god for bede that ȝe schulde saye or take it so that I am a techere, for I meene nouȝt soo, no I mente nevere so; for I am a womann, leued, febille and freylle. Botte I wate wele, this that I saye, I hafe it of the schewynge of hym that es souerayne techare.

[...] Botte for I am a womann, schulde I therefore leve that I schulde nouȝt telle yowe the goodenes of god, syne that I sawe in that same tyme that is his wille, that is be knawenn? (Short Text, 222,40—48)

Juliana empfing ihre 16 „Revelations" nach eigenen Angaben am 13. Mai 1373[15], im Alter von 30½ Jahren, wobei dem Erleben eine, wie man es bewußtseinspsychologisch formulieren könnte, submentale Erwartungshaltung zu Grunde lag. Denn Juliana hatte ihr Leben vermutlich schon in jungen Jahren der ‚imitatio Christi‘ geweiht und einige Jahre vor ihren ‚Schauungen‘ von Gott folgende drei Gnadengeschenke erbeten:

1. „mynd of the passion" (285,5): die Bitte um ein tieferes religiöses Verständnis der Passion Christi mittels einer „bodily syght" des Passions-Christus;
2. „bodilie sicknes" (285,6): der Wunsch nach einer körperlichen Krankheit; also einer physischen *com-passio*. Diese Krankheit sollte nach Julianas Wunsch lebensbedrohlich sein und im Alter von 30 Jahren (also dem Sterbealter Christi) auftreten;
3. drei „wounds": die Bitte um drei (seelische) ‚Wunden‘ — die ‚Wunden‘ der Reue, des Mitleids und der immerwährenden Sehnsucht nach Gott.

Juliana war sich offensichtlich des ungewöhnlichen Charakters ihrer ersten beiden Wünsche bewußt und schränkt in ihrem Gebet daher ein, daß ihr Gott diese nur dann gewähren möge, wenn auch er sie gutheißen könne. Sollten diese Bitten aber sein Mißfallen erwecken, so bittet sie Gott um Vergebung, denn nicht ihr, sondern allein sein Wille möge geschehen:

[...] if it be not thy will, good Lord, be not displesed, for I will not but as thou wilt. (288,36—8)

Juliana betont, daß nur die Bitte um Gewährung der drei ‚seelischen Wunden‘ fortwährend in ihrem Bewußtsein verweilte, während der Wunsch nach Krankheit und der Wunsch nach einem visionären Erleben des leidenden Erlösers bald wieder aus ihrem Gedächtnis entschwand („[...] passid from my mynd"). Tatsächlich erkrankt Juliana im Alter von 30½ Jahren und wird vier Tage nach Beginn der Erkrankung in Erwartung des Todes mit den heiligen Sakramenten versehen. Als ihr im Todeskampf der Priester zum Trost ein Kruzifix zur Betrachtung vor die Augen hält, tritt Spontanheilung und, gleichzeitig damit, das visionäre Erleben ein. Die äußeren Sinne bleiben während der Abfolge der ersten Serie von fünfzehn „Revelations" auf die am Kreuz des Priesters dargestellte Christusfigur gerichtet. Ihre ‚geistigen Sinne' aber empfangen während der folgenden fünf Stunden (von vier bis neun Uhr früh)[16] (Kap. 65), eine Reihe von bildlichen, auditiven und rein geistigen Gotteserfahrungen. In der darauffolgenden Nacht (also etwa 15 Stunden später) folgt — nach einem kurzen Rückfall in körperliche Krankheit, verbunden mit schwerwiegenden Zweifeln über die Echtheit ihrer Visionen — zunächst eine Traumvision des Teufels (Kap. 67) und im Anschluß daran eine im Wachzustand erlebte olfaktorisch-symbolhafte Teufelserscheinung („[. . .] a lyttyll smoke cam in at þe dorre with a greete heet and a foule stynch [. . .]" 637,16—7), die schließlich von der 16. und letzten „Revelation" abgelöst wird.

Inhaltlich zeigen die Mehrzahl ihrer Visionen den PassionsChristus und nicht, wie bei vielen anderen spätmittelalterlichen Charismatikerinnen, den ‚Seelenbräutigam' oder ‚Minne-Christus'. Eindringliche, naturalistische Bilder mit minutiös gezeichneten Details des leidenden Erlösers, die ihn bei einzelnen Stationen seines Leidensweges zeigen, insbesonders Bilder der Dornenkrönung, der Geißelung und des Leidens und Sterbens am Kreuze, jeweils mit besonderer Fokussierung auf Haupt und Antlitz, sind in hohem Maße merkmalstypisch für die Schauungen dieser englischen Visionärin. Zur Illustration ein Beispiel aus der achten Offenbarung (Kap. 16), in der sich der Charismatikerin das Antlitz des Gekreuzigten mit minutiös gezeichneten Details der Spuren des Todeskampfes sowie der einsetzenden Verwesung zeigt:

I saw the swete face as it were drye and blodeles with pale dyeng and deede pale, langhuryng and than turned more deede in to blew, and after in browne blew, as the flessch turned more depe dede. For his passion shewde to me most propyrly in his blessyd face, and namely in hys lyppes. Ther in saw I these iiij colours: tho þat were be fore fressch and rody, lyuely and lykyng to my syght. This was a peinfulle chaungyng, to se this depe/dying, and also hys nose clo(n)gyn to geder and dryed to

my syght; and the swete body waxid browne and blacke, alle chaungyd
and turned ou3te of þe feyer fressch and lyuely coloure of hym selfe in
to drye dyeng [. . .] (357—8, 1—13)

Das empfindsame Miterleben des Leidensweges in der visionären Schau ist ein Wesensmerkmal, das Juliana mit zahlreichen
Charismatikerinnen des Spätmittelalters verbindet.[17] Die Erlebnisqualität ihrer *com-passio* unterscheidet sich allerdings signifi-
kant von der vieler zeitgenössischer Seherinnen, insbesonders
aber von jener Margery Kempes. Während für die *com-passio* Margerys körperlich-seelisches Schmerzerleben höchster Intensität
sowie eruptiv hervorbrechende Weinkrämpfe kennzeichnend
sind, evoziert die Vision des Passions-Christus bei Juliana nicht allein tiefe, verinnerlichte Gefühle von Schmerz und Leid, sondern
auch ,paradoxe' Gefühle der *,jubilatio'*. In einzelnen ihrer Schauungen wandelt sich die Qualität ihres antwortenden Fühlens zugleich mit dem visionär erlebten Wandel der Bildstruktur: das
Umschlagen ihrer Gefühlsreaktion von Schmerz zu Freude, von
Trauer zu Trost und von Leid zu Glückseligkeit wird ausgelöst
durch die geschaute Transfiguration des sterbenden Erlösers. Ein
derartiges Erleben berichtet Juliana zum Beispiel in Kapitel 21:

And I lokyd after the departyng with alle my myghtes, and wende to
haue seen the body alle deed; butt I saw him nott so. And right in the
same tyme that me thought by semyng/that the lyfe mygth no lenger
last, and the shewyng of the ende behovyd nydes to be nye, sodenly
I beholdyng in the same crosse he channgyd in blessydfulle chere. The
channgyng of hys blessyd chere channgyd myne, and I was as glad and
mery as it was possible. (379,1—9)

Es gibt bei Juliana aber auch ,bild-dissonante' oder ,bild-kon-
träre' Gefühlsreaktionen. Das bei vielen ihrer Schauungen des leidenden Erlösers evozierte und akzentuierend hervortretende
,Fascinosum' ist dabei nicht emotionale Reaktion auf den Bildgehalt, sondern Reaktion auf das die *,visio imaginaria'* begleitende,
nicht-visuelle mystische Erleben (*,visio intellectualis'*). Das heißt
mit anderen Worten, daß die paradoxe, bild-dissonante Gefühlsreaktion Julianas aus der spezifischen bewußtseinsphänomenolo-
gischen Stuktur ihres mystisch-visionären Erlebens entspringt —

einer Struktur, der sich die Charismaterikerin selbst klar bewußt war. Denn sie unterscheidet (wenn diese Unterscheidung auch nicht durchgehend aufrechterhalten wird) — wohl nicht in Unkenntnis der Mystiktheorie des Augustinus — drei ‚Visionsmodi‘ oder Erfahrungsweisen des Göttlichen, die in ihrem mystisch-visionären Erleben zusammenwirken:

1. die *bildlich konkrete Schauung* („by bodely syght", 666,2) — vergleichbar der augustinischen *‚visio imaginaria‘*;

2. die *rein geistige Erfahrung* des Göttlichen („by gostely syght", 666,3), die der *‚visio intellectualis‘* des Augustinus entspricht und sich bei Juliana vornehmlich in Gestalt einer sprachlich nicht erfaßbaren ‚Präsenzerfahrung‘ des Göttlichen, in Form eines ‚Angemutetwerdens‘ von göttlicher Liebe oder in Form einer Illumination manifestiert;

3. das *auditive ‚Vernehmen‘* göttlicher ‚Einsprachen‘ („by worde formyd in myne vnderstondyng", 666,2—3), wobei der Sprecher fast ausschließlich die zweite göttliche Person ist.

An Hand einzelner Umschreibungen ihrer visionären Erfahrung läßt sich zeigen, daß die im mystischen Erleben ausgelöste Gefühlsreaktion jeweils bestimmt wird von der relativen Bewußtseinsdominanz der jeweils gleichzeitig erfahrenen und zu einem ‚mystischen Erlebnisgesamt‘ ‚verschränkten‘ ‚Visionsmodi‘. Als Beispiel soll Julianas erste Vision (Kap. 4) herangezogen werden. In dieser Schauung erscheint das blutüberströmte Haupt Christi unter der Dornenkrone. Diese Bildvision ist verschränkt mit einer rein geistigen ‚Präsenzerfahrung‘ Gottes — eine mystische Erfahrung, die Gefühle eines hochgradigen Fascinosums auslöst. Die von Juliana erfahrene und in ihrer Erlebnisbeschreibung zum Ausdruck gebrachte emotionale Reaktion ist nun nicht bildkonforme *‚com-passio‘*, nicht antwortendes Mitfühlen mit dem geschauten Bild des leidenden Erlösers, sondern bilddissonante *‚jubilatio‘*:

> And in this sodenly I saw the reed bloud rynnyng downe from vnder the garlande, hote and freyshely, plentuously and liuely, right as it was in the tyme that the garland of thornes was pressed on his blessed head. Right so, both god and man, the same that sufferd for me, I conceived truly and mightly that it was him selfe that shewed it me without anie meane.

And in the same shewing sodeinly the trinitie fulfilled my hart most of ioy, and so I vnderstode it shall be in heauen without end to all that shall come ther. [. . .]

[. . .] With this sight of his blessed passion, with the godhead that I saw in my vnderstanding, I knew well that it was strenght inough to me, ye, and to all creaturs, liuyng that sould be saued, against all the fiendes of hell, and against all ghostely enemies.   (294—7, 1—11; 23—7)

Formal haben die meisten Bildvisionen Julianas ikonographischen Charakter, doch finden sich vereinzelt auch Bilder mit szenisch-dramatischer Struktur, in denen neben dem Gekreuzigten die leidende Gottesmutter als Hauptfigur auftritt. Weiters finden sich allegorische Bilder, denen die Visionärin eine ausführliche Allegorese anschließt[18], sowie sogenannte ‚Himmelsvisionen‘. In einer solchen ‚Himmelsvision‘ (Kap. 38) werden Juliana Figuren der anderen Welt vorgeführt — in einer Weise, die sich in ihrer dramatischen Präsentationsform mit einer ‚dumb-show‘ (Pantomime) vergleichen läßt. Christus fungiert dabei als Präsentator. Er stellt ihr unter anderen David, Maria Magdalena, Paulus sowie St. John von Beverley, einen englischen Heiligen aus dem frühen 8. Jahrhundert[19], vor. Diese ‚Himmelsvision‘ hat didaktische Funktion, insoferne alle vorgeführten ‚dramatis personae‘ Paradigmata des von Gott zum Heiligen auserwählten, bekehrten Sünders darstellen. Thematisch gehört diese Bildvision zum theologischen Themenkreis ‚Sünde‘. Von den drei zentralen Themenkreisen ihres Werkes — mystische Liebe, Gebet und Sünde — widmet sich Juliana letzterem am ausführlichsten, wobei ihre optimistische Theologie der Sünde, mit dem zentralen Motiv der ‚felix culpa‘, insbesonders von der 14. Offenbarung (Allegorie von ‚Herr und Diener‘), sowie von der 13. „Revelation" getragen wird. In letzterer verheißt Jesus der Visionärin als Antwort auf die sie unablässig bedrängende Frage der Sündhaftigkeit des Menschen und deren Überwindung:

Synne is behouely, but alle shalle be wele, and alle shalle be wele, and alle maner of thynge shalle be wele. (405,13—4)

Aufgrund dieser Offenbarungen wird für Juliana zur unerschütterlichen Glaubensgewißheit, daß selbst der schwerste Sünder die Liebe jenes Gottes, der die Liebe ist, niemals verlieren kann. Diese

Offenbarungswahrheit verkündet sie als Heilsbotschaft an alle Menschen am Ende ihres Werkes:

> Thus was I lernyd, þat loue is oure lordes menyng. And I sawe fulle surely in this and in alle that or god made vs he lovyd vs, whych loue was nevyr slekyd ne nevyr shalle. And in this loue he hath done alle his werkes, and in this loue he hath made alle thynges profytable to vs, and in this loue oure lyfe is evyr lastyng. I oure makyng we had begynnyng, but the loue wher in he made vs was in hym fro with out begynnyng. In whych loue we haue oure begynnyng, and alle this shalle we see in god withoutyn ende. (733—4, 20—7)

Schließlich darf in einer, wenn auch nur kursorischen und selektiven Darstellung der zentralen Wesensmerkmale von Julianas Mystik ein Verweis auf einen bemerkenswerten Aspekt ihrer mystischen *Theologie*, nämlich das Motiv der ‚Mutterschaft Gottes‘, nicht fehlen. In ihrer ‚langen Version‘ widmet Juliana sechs der insgesamt 86 Kapitel (Kapitel 58 bis 63) der allegorischen Exegese der mütterlichen Attribute Gottes. Juliana sieht — in Anlehnung an eine lange Tradition christlich spekulativer Theologie[20] — in der Trinität die drei „propertes" der Vaterschaft, „faderhed" (583,20), der „mother hed" (584,21) und der „lordschyppe" (584,21—2) vereint. Das väterliche Attribut wird von Gott Vater als dem Allmächtigen, Richter und Gesetzgeber repräsentiert, das mütterliche Prinzip von Christus, der ‚Mutter‘ des neuen Menschen, während der Heilige Geist allegorisch als ‚Herr‘ gesehen wird, der den ihm in Treue, Gehorsam und Liebe ergebenen Menschen mit Liebe und Gnadengeschenken belohnt.

Das Motiv der Mutterschaft Gottes als solches war zur Zeit Julianas keineswegs originell, wenn auch Clifton Wolters behauptet, dem Leser des 14. Jahrhunderts wäre dieser Gedanke gänzlich fremd gewesen. Diese Spekulation bedeutet auch keinen „shock to most Christians of whatever age, and not least Julian's own"[21], denn die Devotion von Gott beziehungsweise Christus als ‚Mutter‘ war im Spätmittelalter bereits Teil einer volkstümlichen Tradition:

> [. . .] the title ‚Mother‘ given to Christ would occasion no surprise in the thirteenth century [. . .]

[...] the devotion, if not the theological implications, was well estab-lishd among Julian's immediate precursors such as the author of the *Ancrene Riwle*, Mechthild of Hackborn and the editor-translator of *The Chastising of God's Children*. Of particular importance here is the evidence that the devotion had found expression in popular preaching in England over a century and a half earlier [...] [and] had won a place in popular piety.[22]

Die Frage, inwiefern die mannigfaltigen Analogien zwischen Christus und dem Mütterlichen in Julianas Darstellung originelle Züge aufweisen, könnte erst nach einer vergleichenden Studie al-ler als Quellen und Einflüsse in Betracht kommenden Werke (un-ter ihnen Werke von Augustinus, Gregor von Nyssa, Clemens von Alexandrien, Anselm von Canterbury, William von St. Thierry u. a. m.)[23] beantwortet werden. In Ermangelung einer solchen Stu-die ließe sich hypothetisch die besondere Akzentuierung der müt-terlichen Attribute im Vergleich zu den väterlichen als ein mög-liches originelles Wesensmerkmal bezeichnen. Colledge/Walsh jedenfalls nennen Juliana tentativ „the first theologian to call mot-herhood an ‚essential attribute'"[24].

Juliana sieht insbesonders in der Mutter-Kind-Beziehung ein Analogon (sowohl im moralischen wie auch im anagogischen Sinne) zu der Beziehung zwischen Christus und dem Menschen. Sie expliziert diese Edukator-Funktion der ‚Mutter' Jesu in Kapi-tel 61 wie folgt:

> He kyndelyth oure vnderstondyng, he prepareth oure weyes, he esyth oure consciens, he confortyth oure soule, he lyghteth oure harte and gevyth vs in party knowyng and louyng in his blessydfull godhede, [...] and makyth us to loue all that he louyth for his loue [...]
> And whan we falle, hastely he reysyth vs by his louely beclepyng and his gracyous touchyng [...] (601—2, 4—9)

Insgesamt verkörpert Christus „ all the swete kyndly officis of dereworthy motherhed", denn in ihm „we haue this goodly wylle, hole and safe without ende, both in kynde and in grace, of his owne propyr goodnesse" (593,39—42). Jesus als ‚Mutter' ist aber nicht nur liebende, gütige, weise und verzeihende ‚Erzieherin', sondern auch ‚mystische' ‚Nährmutter':

The moder may geue her chylde sucke hyr mylke, but oure precyous moder Jhesu, he may fede vs wyth hym selfe, and doth full curtesly and full tendyrly with the blessyd sacrament . . . and with all the swete sacramentes he systeynyth vs full mercyfully [. . .]

The moder may ley hyr chylde tenderly to hyr brest, but oure tender mother Jhesu, he may homely lede vs in to his blessyd brest by his swet opyn syde, and shewe vs there in perty of the godhed and þe joyes of hevyn, with gostely suernesse of endlesse blysse. (596—8, 29—41)

Als drittes Analogon akzentuiert Juliana schließlich das Attribut der ‚Gebärerin‘:

We wytt that alle oure moders bere vs to payne and to dyeng. A, what is that? But oure very moder Jhesu, he alone beryth vs to joye and to endlesse levyng, blessyd mot he be. Thus he susteyneth vs with in hym in loue and traveyle, in to the full tyme þat he wolde suffer the sharpyst thornes and grevous paynes that evyr were or evyr shalle be, and dyed at the last. (595—6, 18—23)

Das Juliana gewährte Gnadengeschenk einer ‚cognitio Dei experimentalis‘ bestimmte nachhaltig ihren weiteren praktischen Lebensvollzug. Sie entsagt der Welt und zieht sich für den Rest ihres Lebens zu Gebet und Kontemplation in die Klause von Conisford zurück.

Während für Juliana Weltabkehr und Wendung in die Innerlichkeit unmittelbare praktische Auswirkung ihrer ‚cognitio Dei experimentalis‘ sind, manifestiert sich diese bei Julianas jüngerer Zeitgenossin Margery Kempe betont affektiv und extrovertiert, in einem rastlosen Pilgerstreben hinaus in die Welt, in demonstrativer Gottesverehrung. Diese sehr schillernde, impulsive und wohl auch exzentrische Seherin wird vor allem in der literaturwissenschaftlichen Fachliteratur — teilweise aber auch in religionsgeschichtlichen Darstellungen —[25] nicht oder nur mit Vorbehalten als echte Charismatikerin anerkannt. Ihre Mystik ist bisher wiederholt mit Attributen wie „krankhaft-neurotisch" (Riehle 29) oder „hysterisch-exhibitionistisch" versehen worden. Ewald Standop, zum Beispiel, bezeichnet in seiner als Standardwerk anerkannten ‚Englischen Literaturgeschichte‘[26] Margerys Weinkrämpfe und „krampfartigen Anfälle" als „pathologische Erscheinungen".

Er sieht ihr Werk nicht als mystograhischen Offenbarungsbericht, sondern bloß als ein kulturhistorisch und genregeschichtlich interessantes literarisches Dokument:

> Eine moderne Analyse ihres Werkes würde nicht ohne Bezeichnungen wie „Neurose" und „Hysterie" auskommen. Solche pathologische Erscheinungen [d. h. „Depressionen, die sich in Weinen und krampfartigen Anfällen äußern"] treten jedoch zurück hinter dem großen kulturhistorischen Interesse des Werkes, das darüber hinaus [. . .] auch als die erste Autobiographie und als der erste Reisebericht der englischen Literatur bezeichnet werden könnte. (84)

Aber auch von anderen Kritikern werden Margerys Visionen, Auditionen und Weinkrämpfe nicht als Charismata anerkannt, sondern als pseudo-mystische Phänomene, als bloß mimetische Produkte ihr bekannter Heiligenviten und Autobiographien kontinentaler *mulieres sanctae*[27] oder als bloße Projektion ihres Bewußtseins abqualifiziert. Nicht nur psycho-analytisch vorbelastete oder ideologisch voreingenommene Literaturwissenschaftler, sondern auch Theologen haben die Authentizität des mystischen Erlebens dieser Visionärin in Frage gestellt. So der Benediktiner und anerkannte Experte auf dem Gebiete der mittelalterlichen Mystik Englands, Dom David Knowles. Er gesteht Margery zwar tiefe religiöse Sensibilität und aufrichtige Frömmigkeit zu, beurteilt sie aber auch als eine wesenhaft hysterische Frau, deren Schauungen und Auditionen nicht Ausdruck echter Gotteserfahrung, sondern bloß Produkt schöpferischer Phantasie sind:

> There existed quite clearly, [. . .] a large hysterical element in Margery's personality, and the fluid repetitive language and the insignificant content of many of the sayings attributed to Christ or to God the Father and the prominent place taken in them by tributes to her excellence, contrast very strongly with the depth and sobriety of the *Dialogue* of St. Catherine of Siena, the *Life* of St. Theresa of Avila, and even with the *Revelations* of Juliana of Norwich.
> [. . .] In general, we may perhaps say that there is nothing in the words themselves that suggest any other origin than the vivid imagination and retentive memory of a sincere and devout, but very hysterical woman.[28]

Gewiß könnte man, wenn man die erst 1934 entdeckte und erstmals 1940[29] veröffentlichte Autobiographie Margery Kempes im direkten Vergleich mit den genannten großen Visionärinnen liest, versucht sein, sich dem Urteil von Knowles anzuschließen. Ein solcher Vergleich erscheint jedoch als Grundlage für ein Authentizitätsurteil nicht geeignet. Denn gerade jene Charismata, die in der Beurteilung von Margerys Mystik bisher am meisten Anstoß erregt haben — nämlich ihre Weinkrämpfe und somatischen Krampfzustände —, können trotz aller äußeren Ähnlichkeit mit hysterischen Symptomen nicht a priori und kategorisch als Ausdruck pathologischen Verhaltens diagnostiziert werden. Für die moderne Psychologie der Mystik steht außer Frage, daß eine „Leibwahrnehmung"[30] ebenso eine authentische Manifestationsform des Mystischen sein kann wie beispielsweise eine Vision, Audition oder eine rein geistige ‚Präsenzerfahrung'. Darüber hinaus wäre ein solcher Vergleich insofern problematisch, als Margery einen gänzlich andersgearteten Persönlichkeitstypus darstellt als die drei Seherinnen, mit der sie Knowles vergleicht. Es steht psychologisch außer Frage, daß jeder Mensch eine individuelle Eigenart hat, ein Mystisches zu erleben[31], also ein und dasselbe mystische Phänomen in verschiedenen Persönlichkeitstypen unterschiedlich zum Ausdruck und Durchbruch kommen kann. In einer introvertierten asketisch-kontemplativen Persönlichkeit (wie es etwa Juliana, Katharina von Siena und Theresa von Avila waren) manifestiert sich dieses Erleben des Mystischen eben gänzlich anders als zum Beispiel bei einer extrovertierten Sanguinikerin mit inhärent hysterischen Zügen wie Margery. Auch die moderne Theologie der Mystik, insbesondere wie sie von Hans Urs von Balthasar vertreten wird[32], anerkennt und akzeptiert diese Erkenntnisse. Balthasar macht sie mit zur Grundlage für seine Konzeption der ‚Unterscheidung der Geister'. Er betont, daß bei sinnlich-konkreten Gotteserweisen die ‚discretio' wohl sehr schwierig ist, da das Mystische im Einzelfall auf mannigfaltige Weise ‚überformt' und ‚verfremdet' zum Ausdruck kommen kann. Aber selbst wenn ein hoher „Prozentsatz" an subjektiver „Verfälschung" gegeben sein sollte, darf, nach seiner Ansicht, das Gesamterleben nicht grundsätzlich als ‚pseudo-mystisch' beurteil werden. Insbesondere dann nicht, wenn das mystische Erleben eingebettet ist in einen in Gesinnungsreinheit auf Gott ausgerichteten praktischen Lebensvollzug oder wenn der Gotteserweis einen solchen theozentrischen Lebensvollzug bewirkt:

> Ein Kern ist eine echte Eingebung, echte Vision usf., aber weil die subjektiven Dispositionen des Empfangs mangelhaft sind, ist es auch die Auffassung und die Durchgabe; der Empfänger mischt eigene Zutaten hinein, er erfaßt statt des Zentrums die Peripherie; [...] die Verfälschung kann in jedem beliebigen Prozentsatz erfolgen. Deshalb hat hier alles Schwergewicht auf der Lauterkeit der Seele, ihrer liebenden Selbstlosigkeit, ihrer schlichten Empfangsbereitschaft zu liegen. Der von Gott mit einem ‚mystischen‘ Auftrag Betraute wird vor allem von sich her nichts derartiges erwarten oder gar anstreben. Er wird in Glaube, Liebe, Hoffnung zu wachsen suchen, was gleichzeitig heißt, daß er vor Gott in der *humilitas* wandelt, die sich nicht als ‚Tugend der Demut‘ versteht, sondern als die Niedrigkeit der Magd im Magnifikat.[33]

Gewiß wird man im mystischen Erleben Julianas, Theresas oder Katharinas einen höheren Grad an Gesinnungsreinheit als gegeben annehmen müssen als bei Margery. Und die Erlebnisdarstellung der großen Charismatikerinnen wird wohl entschieden erlebniskonformer gestaltet sein als die Autobiographie Margerys, in der ein gewisses Element subjektiver Überformung imaginativer und mimetischer Art nicht ausgeschlossen werden kann. Aber selbst wenn in Margerys mystischer Erfahrung ein hoher „Prozentsatz" an „Verfälschung" gegeben sein sollte, so weist das Erlebnisgesamt dennoch auf einen „Kern echter Eingebung" hin, denn ohne den tragenden Impetus echter Gotteserfahrung ließe sich der dramatische Wandel Margerys von einer weltverfallenen Sünderin zu einer „vor Gott in der ‚humilitas‘" wandelnden „Magd" nicht verstehen.

Eine a-priorische Ausklammerung oder Negativbeurteilung sinnlich-konkreter Gotteserweise (wie sie dem Mystikverständnis zahlreicher Kritiker Margerys zugrunde liegt), ist nach Balthasar mit einem biblisch (insbesonders paulinisch) fundierten Mystikbegriff nicht in Einklang zu bringen.[34]

Für die Echtheit des mystischen Erlebens Margerys gibt es aber noch andere Anhaltspunkte. Zum einen die eigene kritische Haltung der Seherin zu all ihren charismatischen Erfahrungen und, zum anderen, ein ausdrückliches ‚Authentizitätszeugnis‘, aus dem berufenen Munde von Juliana von Norwich. Margery berichtet in ihrem ‚*Book*‘ (Kap. 18), daß sie, als sie von Zweifeln über die Echtheit ihrer sinnlich-konkreten Gotteserfahrungen gequält wurde, von Gott den Auftrag erhielt, die Reklusin von Norwich aufzusuchen und von ihr eine ‚discretio‘ zu erbitten. Juliana befindet nach eingehender Unterredung mit Margery, daß die Echtheit ihrer Gotteserfahrung — auch und besonders des Charismas der Tränen — über jeden Zweifel erhaben ist:

[. . .] þan sche was bodyn be owyr Lord for to gon to an ankres in þe same cyte whych hyte Dame Ielyan. & so sche dede & schewyd hir þe grace þat God put in hir sowle of compunccyon, contricyon, swetnesse & deuocyon, compassyon wyth holy meditacyon & hy contemplacyon, & ful many holy spechys & dalyawns þat owyr Lord spak to hir sowle, and many wondirful reuelacyons whech sche schewyd to þe ankres to wetyn yf þer wer any deceyte in hem, for þe ankres was expert in swech thyngys & good cownsel cowd ʒeuyn. þe ankres, heryng þe meruelyows goodnes of owyr Lord, hyly thankyd God wyth al hir hert for hys visitacyon, cownselyng þis creatur to be obedyent to þe wyl of owyr Lord God & fulfyllyn wyth al hir myghthys what-euyr he put in hir sowle yf it wer not a-geyn þe worshep of God & profyte of hir euyncristen, for yf it wer, þan it wer nowt þe mevyng of a good spyryte but raþar of an euyl spyrit. þe Holy Gost meuyth neuyr a þing a-geyn charite, &, yf he dede, he wer contraryows to hys owyn self, for he is al charite. Also he meuyth a sowle to al chastnesse, for chast leuars be clepyd þe temple of þe Holy Gost, & þe Holy Gost makyth a sowle stabyl & stedfast in þe rygth feyth & þe rygth beleue [. . .]
What creatur þat hath þes tokenys he m[uste] stedfastlych belevyn þat þe Holy Gost dwellyth in hys sowle. And mech mor, whan God visyteth a creatur wyth terys of contrisyon, deuosyon, er compassyon, he may & owyth to leuyn þat þe Holy Gost is in hys sowle. Seynt Powyl seyth þat þe Holy Gost askyth for vs wyth mornynggys & wepyngys vnspekable, þat is to seyn, he makyth vs to askyn & preyn wyth mornynggys & wepyngys so plentyvowsly þat þe terys may not be nowmeryd. Ther may non euyl spyrit euyn þes tokenys, for Ierom seyth þat terys turmentyn mor þe Devylle þan don þe peynes of Helle. God & þe Deuyl ben euyrmor contraryows, & þei xal neuyr dwellyn to-gedyr in

330

on place, & þe Devyl hath no powyr in a mannys sowle. Holy Wryt seyth þat þe sowle of a rytful man is þe sete of God, & so I trust, syster,
þat ʒe ben. I prey God grawnt ʒow perseuerawns. Settyth al ʒowr trust
in God & feryth not þe langage of þe world, for þe mor despyte,
schame, & repref þat ʒe hauc in þe world þe mor is owr meryte in þe
sygth of God. Pacyens is necessary vn-to ʒow, for in þat schal ʒe kepyn
ʒowr sowle. (Kap. 18, 42—3)

Juliana anerkennt also audrücklich *alle* Charismata Margerys
als echte Gnadenerweise, wobei die ‚Gabe der Tränen' als ganz besonderes Gnadengeschenk des Heiligen Geistes hervorgehoben
wird.

Vor allem in der literaturwissenschaftlichen Forschung wird
dennoch die Frage nach der Authentizität der Mystik dieser idio-
synkratischen Visionärin immer wieder gestellt werden. Nicht
nur die Biographie, sondern auch die Genese und Phänomenologie ihres mystisch-visionären, somatischen und gleichsam ad libi-
tum ‚abrufbaren' auditiven Gotteserlebens werden, wenn ohne
Rückbezug auf die Theologie und Psychologie der Mystik beurteilt, wohl weiterhin Anlaß geben, den genuinen Charakter der
Mystik dieser ersten großen Pilgerin der englischen Geschichte in
Frage zu stellen.

Als Margery im Alter von 20 Jahren ihre erste Gotteserfahrung
zuteil wird, ist sie, wie Juliana, von schwerer Krankheit gezeichnet. Ihren Schauungen geht jedoch, ganz im Gegensatz zu Juliana,
weder eine Wunsch- oder Erwartungshaltung voraus noch eine religiöse Lebensweise. Sie führt, im Gegenteil, ein sehr ausschwei-
fendes, lasterhaftes und weltverfallenes Leben, dem sie sich vorerst ohne Reue und Schuldgefühl hingibt. Erst als sie im Kindbett,
vor Geburt ihres ersten Kindes (von insgesamt 14 Kindern), von
Todesangst und der Furcht vor ewiger Verdammnis gequält wird,
ist sie bereit, ihre Sünden vor einem Priester zu bekennen. Doch
noch ehe Margery dem Beichtvater ihre schwerste Sünde bekennen kann, ist dieser über die bereits gehörten so entsetzt, daß sie
nicht mehr wagt, ihm auch diese Sünde anzuvertrauen. Sie fällt
daraufhin in einen geistigen Dämmerzustand, aus dem sie erst
nach mehr als acht Monaten wieder erwacht („þis creatur went
owt of hir mende & was wondyrlye vexid & labowryd wyth spyri-

tys half ʒer viij wekys & odde days", Kap. 1, 7). Wieder bei vollem Bewußtsein, findet sie sich allein in ihrem Zimmer, als ihr plötzlich Christus, in einen purpurroten Seidenmantel gehüllt, erscheint.[35] Er sitzt an ihrer Seite auf dem Bett und spricht zu ihr:

[. . .]" þan on a tym, as sche lay a-loone and hir kepars wer fro hir, owyr mercyful Lord Christ Ihesu, [. . .] aperyd to hys creatur whych had forsakyn hym in lyknesse of a man, most semly, most bewtyuows, & most amyable þat euyr mygth be seen wyth mannys eye, clad in a mantyl of purpyl sylke, syttyng up-on hir beddys syde, lokyng vp-on hir wyth so blyssyd a chere þat sche was strengthyd in alle hir spyritys, seyd to hir þes wordys: „Dowtyr, why hast þow forsakyn me, and I forsoke neuyr þe?" (Kap. 1, 8)

Auf Grund dieser Christusbegegnung tritt, ebenso wie bei Juliana, Spontanheilung ein („And a-noon þe creature was stabelyd in hir wyttys & in hir reson as wel as euyr sche was be-forn", Kap. 1, 8). Diese Begegnung mit Gott bewirkt allerdings keine unmittelbare moralische Umkehr und auch nur eine partielle religiöse Bekehrung. Margery fühlt sich zwar fortan als Dienerin Gottes, doch ihr praktischer Lebensvollzug ist gekennzeichnet durch wiederholte Rückfälle in ihre frühere Weltverfallenheit. Sie bleibt die eitle, frivol-verführerische, nach Ruhm, Ansehen und Reichtum strebende, ebenso aufbrausende wie starrsinnige Gemahlin des Handelskaufmannes John Kempe. Bewirkt wird ihre endgültige Konversion durch ein weiteres mystisches Erleben — in Form einer während der Nacht (jedoch im Zustand des Wachbewußtseins) vernommenen paradiesischen Melodie. Zu Tränen gerührt und innerlich zutiefst bewegt, bereut sie nun all ihre schweren Sünden und Laster und lebt fortan ein christozentrisches Leben in Selbstaufgabe aus Liebe, Gehorsam und Demut zu Gott, geleitet von den mystisch erfahrenen ‚Einsprachen' Christi. Ihr weiteres Leben bleibt bestimmt von der Bewußtheit der ihr gewährten gnadenhaften ‚dialogischen Beziehung' zu Christus und von der daraus resultierenden Dialektik von ‚Horchen' und ‚Ge-horchen'. Um sich gänzlich frei zu machen für die Liebe zu Gott, drängt sie mehrere Jahre nach dem ersten visionären Erleben auf ein Leben in völliger ehelicher Enthaltsamkeit — ein Verlangen, das schließlich ab dem Jahre 1413, besiegelt durch einen Eid beider Ehepartner, erfüllt wird.[36]

Für Margery folgen ab diesem Zeitpunkt Jahre entbehrungsreicher Pilgerfahrten sowie Jahre der Demütigung, der Verfolgung und der körperlichen Entsagung. Sie wird durch ihr unerschütterliches Gottvertrauen zum „perfect fool"[37] Gottes, zur Provokation für laue Gewohnheitschristen ebenso wie für korrupte, weltverfallene Vertreter des Klerus und für scheinheilige, sündige Bürger. Sie wird verspottet, als sie auf Geheiß Christi nur noch weiße Kleider trägt, sie wird als vermeintliche Ketzerin verhört, als sie Mißstände in der Kirche anprangert und von ihren gnadenhaften Gotteserweisen berichtet. Ungeachtet aller Schmähungen und Gefahren folgt sie treu dem Willen Gottes und zögert auch nicht, als ihr aufgetragen wird, auch außerhalb Englands auf Pilgerfahrt zu gehen. Sie besucht unter anderem die heiligen Stätten im Heiligen Land (1413—15), pilgert nach Assisi (1414), nach Rom zum Schrein der heiligen Birgitta (1414), nach Compostella zur Kirche des heiligen Jakobus (1417) und nach Aachen, zu einer Ausstellung heiliger Reliquien (1433).

Auf all ihren abenteuerlichen Pilgerreisen werden Margery zahlreiche Auditionen und Visionen zuteil, wobei die Visionen überwiegend Szenen aus der Passion zeigen. Das Charisma der Tränen manifestiert sich, wie die Seherin in Kapitel 28 berichtet, erstmals während der Pilgerfahrt in Jerusalem und begleitet sie ab diesem Zeitpunkt als leibhaft-konkreter Gotteserweis, trotz ihrer Bitte, Gott möge ihr dieses Charisma nicht weiter auferlegen, für viele weitere Jahre. Während einer Prozession auf den „Mownt of Caluarye" kommt dieses Charisma, zusammen mit einer Vision der Kreuzigung, dramatisch zum Durchbruch. Die Seherin wird spontan von ekstatischen Gefühlen der *com-passio* überwältigt und erlebt seelisch und somatisch das Leid der Schmerzensmutter mit:

> [. . .] whan þei [i. e. die Prozession der Pilger] cam vp-on þe Mownt of Caluarye, sche fel down þat sche mygth not stondyn ne knelyn but walwyd & wrestyd wyth hir body, spredyng hir armys a-brode & cryed wyth a lowde voys as þow hir hert xulde a brostyn a-sundyr, for in þe cite of hir sowle sche saw veryly & freschly how owyr Lord was cruci-

fyed. Beforn hir face sche herd and saw in hir gostly syght þe mornyng
of owyr Lady, of Sen Iohn & Mary Mawdelyn, and of many oþer þat
louyd owyr Lord. & sche had so gret compassyon & so gret peyn to se
owyr Lordys peyn þat sche myt not kepe hirself fro krying & roryng
þow sche xuld a be ded þerfor. And þis was þe fyrst cry þat euyr sche
cryed in any contemplacyon. And þis maner of crying enduryd many
ȝerys aftyr þis tyme for owt þat any man myt do [. . .] (Kap. 28, 68)

Im Gegensatz zu den „shewings" der Juliana zeigen die Visionen und Erscheinungen Margerys nicht allein den Passions-Christus als zentrale Bildfigur, sondern auch den Minne-Christus.
Darüber hinaus sind Margerys Bilder, verglichen mit jenen von
Juliana, weniger ikonographisch als vielmehr szenisch-dramatisch
strukturiert und sind in ihrer Darstellung mit Szenen aus Myste-
rienspielen vergleichbar.[38] Eine ausgesprochen zentrale Stellung in
ihren Visionen nimmt weiters Maria ein, die sowohl in der Persona der Schmerzensmutter als auch in jener der mildreichen Gottesmutter erscheint. Das Spektrum der anderen in ihren Visionen
— (insbesonders den ‚Himmelsvisionen') — auftretenden ‚dramatis
personae' reicht u. a. von Maria Magdalena über die zwölf Apostel, die hl. Katharina bis zur hl. Margareta und der hl. Anna.
Schließlich darf die Vision der mystischen Hochzeit der Charismatikerin (Kap. 35) nicht unerwähnt bleiben, insbesonders deshalb, weil darin, abweichend von der christlichen Tradition der
Brautmystik, der Seelenbräutigam nicht Christus, sondern Gott
Vater ist. Diese Vision ereignete sich am 9. November 1414[39] in der
Apostelkirche von Rom und wird von Margery wie folgt beschrieben:

As þis creatur was in þe Postelys Cherch at Rome on Seynt Laterynes
Day, þe Fadyr of Hevyn seyd to hir [. . .] „Dowtyr, I wil han þe weddyd
to my Godhede, for I schal schewyn þe my preuyteys & my cownselys,
for þu xalt wonyn wyth me wyth-owtyn ende." Pan þe creatur kept sy-
lens in hir sowle & answeryd not þerto, for sche was ful sor aferd of þe
Godhede [. . .] for al hir lofe & al hir affeccyon was set in þe manhode of
Crist & þerof cowde sche good skylle & sche wolde for no-thyng a par-
tyd þerfro [. . .] Than þe Secunde Persone in Trinite answeryd to hys
Fadyr for hir & seyde, „Fadyr, haue hir excused, for sche is ȝet but ȝong
& not fully lernyd how sche xulde answeryn". And þan þe Fadyr toke

hir be þe hand in hir sowle be-for þe Sone & þe Holy Gost & þe Modyr of Ihesu and alle þe xij apostelys & Seynt Kateryn & Seynt Margarete & many oþer seyntys & holy virgynes [. . .] seying to hir sowle, „I take þe, Margery, for my weddyd wyf, for fayrar, for fowelar, for richar, for powrar, so þat þu be buxom & bonyr to do what I byd þe do. For, dowtyr, þer was neuyr childe so buxom to þe modyr as I xal be to þe boþe in wel & in wo, — to help þe and comfor þe. And þerto I make þe suyrte". (Kap. 35, 86–7)

Stellt man nun abschließend die Frage, ob man legitimerweise von einer ‚Frauenmystik' sprechen kann, die phänomenologisch von einer spezifisch ‚männlichen' Mystik unterschieden werden kann, so müßte diese Frage auf den ersten Blick auf Grund der obigen Ausführungen bejaht werden. Eine derartige Schlußfolgerung würde allerdings eine unfundierte Generalisierung implizieren und wäre daher wissenschaftlich nicht haltbar. Die wissenschaftlich hinreichend abgesicherte Schlußfolgerung kann lediglich lauten: *Die englische ‚Frauenmystik' des späten 14. und frühen 15. Jahrhunderts weist spezifische Wesensmerkmale auf, welche in der zeitgenössischen ‚männlichen' Mystik Englands nicht, oder in anderer Ausprägung, belegt sind.* Die phänomenologischen Unterschiede bestehen vornehmlich in der formalen und inhaltlichen Struktur der mystischen Erfahrungsmodi sowie in den Erlebnisqualitäten der durch das Mystische evozierten emotionalen Reaktion: Das Göttliche offenbart sich in der Frauenmystik überwiegend *sinnlich konkret* — sei es in Form einer Vision, einer Erscheinung, einer Audition oder einer ‚Leibwahrnehmung'. All diese Manifestationsformen sind in der ‚männlichen' Mystik Englands in dieser Zeit nicht belegt. Rein geistige, unanschauliche Erfahrungsweisen des Göttlichen sind zwar auch integraler Bestandteil der Mystik der Charismatikerinnen, treten aber gegenüber sinnlich konkreten Erscheinungen deutlich zurück. Rein geistige Präsenzerfahrung des Göttlichen, das Überwältigtwerden von urgründiger Liebe, die Begegnung mit einem *unanschaulichen* göttlichen Du, das das passiv vernehmende Ich mit Verantwortung belastet, aufruft, führt, tröstet, liebt, treten als Manifestationsformen des Mystischen in der ‚männlichen' Mystik akzentuierend hervor.

Der visionäre Bildgehalt mit seiner Zentrierung auf den Passions- oder Minne-Christus bedingt weitere phänomenologische Unterschiede. Erlebnisweisen, die dem Bereich der ‚Brautmystik‘ zuzuordnen sind, finden sich in der ‚männlichen‘ Mystik nur sporadisch, ebenso das ekstatische Miterleben des Leidens des Erlösers. *Com-passio* hingegen ist ein spezifisches Wesensmerkmal der emotionalen Reaktion in der Frauenmystik. Während Gefühle der *jubilatio* sowie der Zustand ekstatischer Verzückung bei Visionärinnen und Charismatikern in gleicher Weise belegt sind, sind Gefühle und emotionale Befindlichkeiten, wie ein ‚stummes Ergriffensein‘ oder ein ‚Überwältigtwerden mit tiefer Ruhe‘, spezifische Erlebnisqualitäten der emotionalen Reaktion bei den Mystikern. Gemeinsam ist Seherinnen und Mystikern die Erlebnisweise des Mystischen als eines ‚Ankommenden‘, als eines von außerhalb der Subjektivität herkommenden und in den individuellen Bewußtseinsraum eindringenden Phänomens, von dem das passiv vernehmende Ich überwältigt wird. Während jedoch dieses ‚Einbrechen‘ oder ‚Entbergen‘ des Mystischen bei den Mystikern fast ausschließlich im Zustand meditativer Versunkenheit geschieht, manifestiert sich das Mystische bei den Carismatikerinnen (soferne sich dies aus ihrer Erlebnisbeschreibung ableiten läßt) fast ausschließlich als ‚Einschaltung‘ im Wachbewußtsein. Parallelen bestehen schließlich auch in der Auswirkung des mystischen Erlebens auf Persönlichkeitsstruktur und Lebenspraxis. Sowohl bei den Visionärinnen als auch bei den Mystikern bestimmt das mystische ‚Urereignis‘ den künftigen Lebensvollzug im Sinne einer Selbstaufgabe aus Liebe zu Gott und dem Nächsten.

Anmerkungen

[1] Evelyn Underhill, Mysticism. A Study in the Nature and Development of Man's Spiritual Consciousness, London 1911 (Nachdruck London 1977).
[2] Das heißt: die interdisziplinäre Analyse der diskutierten mystischen Texte basiert auf den Erkenntnissen der Bewußtseinspsychologie des deutschen Psychologen, Arztes und Mystikers Carl Albrecht (1902–65), wie sie dieser in den Studien ‚Psychologie des Mystischen Bewußtseins‘ Bremen 1951 (Nachdruck Mainz 1976) und ‚Das Mystische Erkennen‘, Bremen 1958 (Nachdruck Mainz 1982) dargelegt hat.

Das Ziel von Albrechts empirischer Mystikforschung war es weder, das Phänomen Mystik *erklären*, noch es auf eine rein psychologische Erscheinung der Subjektivität reduzieren zu wollen. Ihm ging es nicht im entferntesten um eine Profanierung eines heiligen Geheimnisses, sondern im Gegenteil darum, eben dieses heilige Geheimnis psychologisch als eine integrale Dimension gesunden menschlichen Erlebens auszuweisen und Teilbereiche mystischen Erlebens phänomenologisch zu erfassen. In jahrzehntelanger Forschungsarbeit ist es ihm mittels Fremd- und Selbstbeobachtung gelungen, innerhalb der von wissenschaftlicher Methode und Sprache gesetzten Grenzen, ein breites Spektrum spezifischer Manifestationsformen des Mystischen aufzudecken und bewußtseinsphänomenologisch „echte" mystische Erfahrungsweisen von truggefährdeten und pseudomystischen (z. B. halluzinatorischen, drogeninduzierten, pathologischen oder hypnagogischen) zu unterscheiden. Auf diesem Wege gelang ihm der Nachweis, daß das Mystische sich dem Menschen zu erkennen geben (dieses aber keinesfalls intentional evoziert werden) kann und in der Tat echtes Erkennen gewährt, das allen Zweifeln standhält. Albrecht wurde im Zuge seiner Mystikforschung selbst zum Mystiker und fand in der Folge den Weg in die katholische Kirche. Seine Psychologie der Mystik ist bis heute die einzige, die nicht allein auf der Auswertung von Erfahrungsberichten von Mystikern beruht, sondern sich auch auf die direkte Autorität persönlicher Erfahrung berufen kann. Albrechts Psychologie der Mystik, in der *Mystik* definiert ist als „Das Ankommen eines Umfassenden im Versunkenheitsbewußtsein" (Psychologie des Mystischen Bewußtseins, 254), ist — was hier besonders betont werden muß — mit der christlichen Theologie der Mystik nicht nur nicht unvereinbar, sondern wird sogar seitens der katholischen Theologie (z. B. von K. Rahner und H. U. von Balthasar) als „wichtiger Beitrag zu einer Theologie der Mystik" gewürdigt (Karl Rahner im Vorwort zu: Carl Albrecht, Das Mystische Wort. Erleben und Sprechen in Versunkenheit, dargestellt und hrsg. von H. A. Fischer-Barnicol, Mainz 1974, xiv). An Stelle eines Abrisses der beiden, insgesamt mehr als 600 Seiten umfassenden Werke Albrechts kann in diesem Rahmen nur ein bibliographischer Verweis auf meine Kurzdarstellung der „Möglichkeiten und Grenzen" seiner Psychologie „für die Erhellung des Phänomens Mystik" geboten werden: siehe Analecta Cartusiana, Bd. 106/I, hrsg. von James Hogg, Salzburg 1983, 56—69.

[3] Vgl. dazu Wolfgang Riehle, Studien zur Englischen Mystik des Mittelalters unter besonderer Berücksichtigung ihrer Metaphorik, Heidelberg 1977, 20.

[4] Als die bedeutendsten Werke Rolles wären zu nennen: Incendium Amoris, Melos Amoris Contra Amatoris Mundi, Emendatio Vitae, ein lateinischer Psalter- und Hoheliedkommentar, sowie die in englischer Sprache verfaßten Episteln Ego Dormio, The Commandment und The Form of Living. (Siehe dazu auch Riehle 22—3.)

[5] The Form of Living. (Vgl. dazu Riehle 33.)

[6] Über die Verbreitung der Manuskripte Rolles vom 14. bis zum 16. Jh. in England und am Kontinent (insbesonders im Rheinland, der Schweiz, in Böhmen, Frankreich, Italien sowie Schweden) siehe David Knowles, The English Mystical Tradition, London 1961, 65—6.

[7] Margery verweist in Kapitel sieben ihres Werkes darauf, daß ihr aus kontemplativen Werken wie ‚Stimulus Amoris', Rolles ‚Incendium Amoris' sowie aus Walter Hilton und der Autobiographie der Birgitta von Schweden „vorgelesen" wurde („herd redyn", Kap. 7, 39). (Kapitel- und Seitenangabe beziehen sich auf die kritische Standardausgabe: The Book of Margery Kempe, hrsg. v. Sanford B. Meech und Hope E. Allen (The Early English Text Society, Bd. 212), London 1940. Die

Abkürzung Meech/Allen steht im folgenden für Verweise auf bzw. Zitate aus der Einleitung bzw. dem Kommentar der Herausgeber.)

[8] Da der ‚Cloud'-Autor seine Schriften mit einem Segensspruch beschließt, nimmt man an, daß er Priester war. Seine profunden Kenntnisse der lateinischen Sprache, der Bibel sowie sein theologisches Fachwissen lassen einen hochgebildeten Theologen als Autor vermuten. Analoges gilt für Hilton, der die letzten zwölf Jahre seines Lebens (1384/5—96) als Augustinerchorherr in der Priorei von Thurgarton in Nottinghamshire verbrachte. (Vgl. dazu Riehle 26.)

[9] Vgl. z. B. The Cloud of Unknowing, Kapitel 52—56. W. Hiton, The Scale of Perfection, I, Kap. 10.

[10] Vgl. dazu Karl Rahner, Visionen und Prophezeiungen, Basel [3]1958, 32, und Aurelius Augustinus, Psychologie und Mystik (De Genesi ad Litteram 12), hrsg. und übersetzt von M. E. Korger und H. U. von Balthasar, Einsiedeln 1960.

[11] In der deutschen Mystik findet sich eine ähnlich ausgeprägte kritische Distanz zu allen einbildlichen und körperlichen Visionen bei Meister Eckhart sowie bei Seuse und seinen dominikanischen Mitbrüdern. (Vgl. dazu Alois M. Haas, Traum und Traumvision in der Deutschen Mystik, in: Analecta Cartusiana, Bd. 106/I, hrsg. von James Hogg, Salzburg 1983, 26 und 30. Siehe dazu weiters den Artikel von Otto Langer in diesem Band.)

[12] Vgl. z. B. Röm 8,9—11; 1 Kor 3,16f. u. a. m.

[13] Siehe Julianas ‚Book of Showings', Kapitel 51. Kurz und vereinfacht dargestellt, stellt die visionäre Bildallegorie eine Parabel des Sündenfalls dar. Sie zeigt in ihrem Literalsinn einen gütigen und barmherzigen Herrn, der seinen ihm in Liebe, Treue und Gehorsam ergebenen Diener auf einen Botengang entsendet. Der übereifrige Diener stürzt jedoch auf dem Wege in einem unbedachten Moment in einen Graben („fallyth in a slade", 515,15) und bleibt dort verletzt und hilflos liegen. Dank der Hilfe und des Erbarmens seines Herrn wird er gerettet. Sein mildreicher Herr tadelt ihn nicht für sein Mißgeschick, sondern belohnt ihn vielmehr für seinen ungebrochenen guten Willen, seine Reue, seinen Gehorsam sowie für die erlittenen Qualen. Die über den moralischen Sinn hinausgehende Bedeutungskomponente, sowie die komplexe moralische und/oder anagogische Bedeutung von Detailaspekten dieser Allegorie werden Juliana erst nach vielen Jahren (d. h. nach Abfassung der kurzen Version, somit nicht vor 1388 und nicht nach 1393) allmählich einsichtig oder geoffenbart. Insbesonders der spezifisch ‚christologische' Sinn, nachdem der ‚Diener' nicht allein Sinnbild für Adam und den Menschen schlechthin ist, sondern auch für Christus; der ‚Herr' steht für Gott-Vater, und die ‚Herr' und ‚Diener' verbindende Liebe ist Sinnbild für die dritte göttliche Person:

The lorde is god the father; the servant is the sonne Jesu Cryst, the holy gost is the evyn loue whych is in them both. (533,217—8)

Der ‚Fall' des ‚Dieners' schließlich repräsentiert allegorisch die Inkarnation, den ‚Fall' Gottes in die menschliche Natur, als Folge des ‚Falles' von Adam („Goddys son fell with Adam in to the slade of the mydens wombe", 534,222—3). (Alle Zitatangaben beziehen sich hier wie im folgenden auf Seite und Zeile der kritischen Ausgabe von E. Colledge und James Walsh, A Book of Showings to the Anchoress Julian of Norwich, Toronto 1978. Im folgenden abgekürzt: Colledge/Walsh.)

[14] Beide Fassungen sind überliefert. Textgrundlage beider Versionen ist die oben zitierte Edition von Colledge/Walsh.

[15] Bezüglich des Datums der visionären Erfahrung finden sich in einzelnen Editionen divergierende Lesarten. Nach Colledge/Walsh ist der Tag des Ereignisses der

„xiij daie of May" (285,3); bei Clifton Wolters (Julian of Norwich: Revelations of Divine Love, translated into Modern English and with an Introduction by Clifton Wolters, Harmondsworth 1966) und anderen findet sich „the eighth of May 1373" (63).

[16] Julianas Zeitangabe „tylle it was none of þe day or paste" (631,39—40) erlaubt zwei Lesarten. Nach Colledge/Walsh meint Juliana mit „none" „probably [. . .] usque ad horam nonam" (631, Fußnote 39). In der Fachliteratur findet sich aber auch die Lesart „noon"; so z. B. bei Marion Glasscoe, Means of Showing: An Approach to Reading Julian of Norwich, in: Analecta Cartusiana, Bd. 106/I, hrsg. von James Hogg, Salzburg 1983, 159: „The first fifteen showings occur in an unbroken sequence from about four o'clock in the morning to noon of the same day."

[17] Vgl. dazu Peter Dinzelbacher, Vision und Visionsliteratur im Mittelalter, Stuttgart 1981, 155. Dinzelbacher nennt u. a. Elisabeth von Schönau, Agnes Blannbekin, Luitgard von Wittichen, Margharita von Cortona, Veronica von Binasco und Francesca von Rom als Beispiele.

[18] Z B. die oben (Anm. 13) skizzierte und von Juliana in Kap. 51 ausführlich dargelegte Allegorese der Bildallegorie von ‚Herr und Diener'.

[19] St. John of Beverley (etwa 650 bis 721), Bischof von York, wurde 1037 heilig gesprochen. Beda (Historia Ecclesiastica Gentis Anglorum, Bd. V, Kap. 2—6 und 24) berichtet von der göttlichen Gabe des Heiligen, Kranke zu heilen, sowie von einem Fall, in dem er einen Stummen zum Sprechen bringt. Über seinen Sündenfall und seine Bekehrung, auf die Juliana verweist („god sufferyd hym to falle [. . .] and afterward [. . .] reysed hym to manyfolde more grace [. . .], 448,29—31), geben Beda und andere historische Quellen keine hinreichenden Anhaltspunkte. (Vgl. dazu Dictionary of National Biography, s. v. John, Saint of Beverley.) Jene wohl legendarisch überformte Vita des Heiligen, die Juliana gekannt haben mußte, ist nicht überliefert. Sie mußte im 14. Jh. aber weithin bekannt gewesen sein, da Juliana die Vertrautheit des Lesers mit der Lebensgeschichte St. Johns voraussetzt. (Vgl. dazu Colledge/Walsh, 447, Anm. 22: Evidently Julian expects the story of how John succumbed to temptation and yet was fully restored to divine favour to be well known to her readers; but little trace of it seems to have survived.)

[20] Vgl. dazu Colledge/Walsh 153—162.

[21] Clifton Wolters, Julian of Norwich: Revelations of Divine Love, Harmondsworth 1966, 33.

[22] Colledge/Walsh 151—2.

[23] Vgl. dazu Colledge/Walsh 582, 588, 600, 606, 612 u. a. m., sowie David Knowles, The English Mystical Tradition, London 1961, 128.

[24] Colledge/Walsh 583, Anm. 20.

[25] Vgl. z. B. David Knowles, The English Mystical Tradition, London 1961.

[26] Ewald Standop und Edgar Mertner: Englische Literaturgeschichte, Heidelberg ⁴1983.

[27] Werkinterne Evidenz zeigt, daß Margery mit Werken mehrerer spätmittelalterlicher europäischer Charismatikerinnen (zumindest auszugsweise) vertraut war. Sie verweist explizit auf Maria d'Oignies, Elisabeth von Ungarn sowie insbesondere auf Birgitta von Schweden, die Margery ganz besonders verehrte. Birgittas ‚Liber Revelationum Celestium S. Brigitte' war bereits im 15. Jahrhundert in einer englischen Übersetzung verfügbar. (Vgl. dazu: Meech/Allen, 276—7, 322—3 und 324.) [Ediert von William P. Cumming, Early English Text Society O. S., 178, 1929

= 1971. – S. auch Ute Stargardt, The Influence of Dorothea of Montau on the Mysticism of Margery Kemp. Diss. Lexington 1981. Anm. d. Hrsg.]

[28] Knowles 146–7.

[29] Einige Auszüge aus dem Originalmanuskript wurden allerdings schon 1501 in London von Wynkyn de Worde unter dem Titel: A Shorte Treatyse of Contemplacyon Taught by our Lorde Ihesu Cryste, or Taken out of the Boke of Margerie Kempe of Lynn publiziert.

[30] Vgl. dazu Carl Albrecht, Psychologie des Mystischen Bewußtseins, Bremen 1951 (Nachdruck Mainz 1976), 246–7.

[31] Vgl. dazu Carl Albrecht 190: [. . .] jeder versunkene Mensch hat eine seiner individuellen Eigenart entsprechende Gesamtform, um ein Ankommendes zu erleben.

[32] Hans Urs von Balthasar, Christliche ‚Mystik‘ heute, in: Der Weg zum Quell. Teresa von Avila 1582–1982, Düsseldorf 1982, 11–51.

[33] Balthasar, Christliche ‚Mystik‘ heute, 49f.

[34] Vgl. dazu Hans Urs von Balthasar, Zur Ortsbestimmung Christlicher Mystik, in: Grundfragen zur Mystik, Einsiedeln 1974, 38–71. (Insbesonders 62f.)

[35] Phänomenologisch handelt es sich bei dieser visionären Schau nicht um eine Christusvision, sondern per definitionem um eine Christus-Erscheinung. Vgl. dazu: Dinzelbacher 33–4: „Bei einer Erscheinung erscheint in eben dem Raum, in dem sich der Charismatiker befindet, eine natürlicherweise nicht sichtbare bzw. dort nicht vorhandene (meist himmlische oder höllische) Person oder Sache, ohne daß die Kontinuität der Perzeption des gegebenen Umraumes gestört würde. Die für Erscheinungen charakteristischen Merkmale sind demnach: *Einbruch* eines *Außerweltlichen, Bewahrung* von *Tagesbewußtsein* und *Umraum*, bildhafte *Beschreibbarkeit* und, meist, Offenbarungen oder Befehle bzw. Bitten als Inhalt der Kommunikation mit dem Erscheinenden.“

[36] Vgl. dazu Meech/Allen xlix und 269, Anm. 23,9.

[37] Roland Maisonneuve stellt Margery Kempe in die im westlichen Kulturkreis wenig ausgeprägte östliche Tradition des „perfect fool“. Gegen den Hintergrund dieser christlichen Tradition erscheint das idiosynkratische und exzentrische Element dieser Charismatikerin in neuem Licht. Maisonneuve nennt als Exponenten dieser Tradition Isaak von Niniveh,Franz von Assisi, Ramon Lull, den hl. Basilius und den hl. Benedikt Joseph Labre (1748–83). Siehe dazu Roland Maisonneuve, Margery Kempe and the Eastern and Western Tradition of the ‚Perfect Fool‘, in: The Medieval Mystical Tradition in England, hrsg. v. Marion Glasscoe, Exeter 1982, 1–17.

[38] Als repräsentatives Beispiel wäre die in Kapitel 79 beschriebene Szene des letzten Abschieds Christi von seiner Mutter zu nennen. (Meech/Allen 187ff.)

[39] Datierung nach Meech/Allen. (Vgl. dazu xlix und 301, Anm. 86,10.)

Otto Langer

ZUR DOMINIKANISCHEN FRAUENMYSTIK IM SPÄTMITTELALTERLICHEN DEUTSCHLAND

Gegenstand des folgenden Beitrags[1] ist die dominikanische Frauenmystik, wie sie sich in den ‚Nonnenbüchern' der ersten Hälfte des 14. Jahrhunderts spiegelt. Der Aspekt, unter dem diese Texte analysiert werden, läßt sich in der Frage zusammenfassen, welche Positionen die ‚Schwesternbücher' zu zentralen mystischen Sachverhalten innerhalb des zeitgenössischen religiösen Diskurses der Armutsbewegungen beziehen. Der Charakter der Spiritualität der Frauen kann dadurch schärfer konturiert werden, daß die mystische Lehre, die die ‚Viten' in legendarischer Form darbieten, der Lehre Eckharts gegenübergestellt wird. Die Nonnenmystik soll sich als eine Form der neuen Spiritualität der Armutsbewegungen erweisen, gegen deren experientielle Gotteserfahrung Meister Eckhart eine von Spiritualisierung und Ethisierung bestimmte Theologie stellt. Eckhart fordert eine radikale Selbstenteignung und setzt gegen die „palpativa et gustativa experientia" die „Erfahrung der Nichterfahrung" (v. Balthasar).

Im folgenden sollen vier Aspekte der Spiritualität der Nonnen — mit den entsprechenden Gegenpositionen Eckharts — erörtert werden, erstens der mystische ‚kêr', zweitens der Charakter ihrer ‚üebunge', drittens Fragen der ‚vita contemplativa', viertens Fragen der ‚unio mystica'.

I

1. Der Begriff mystischer ‚kêr' soll im folgenden den Akt der Bekehrung bezeichnen, durch den die Religiose einen Neuanfang ihrer Existenz setzt. Die Nonnen verstehen den ‚kêr' zwar als inneren Akt, verbinden ihn aber wie selbstverständlich mit der Abkehr von der Welt und der Flucht ins Kloster. In allen Bekehrungsgeschichten, von denen die ‚Nonnenviten' berichten, lassen

sich mehrere Elemente erkennen, die konstant wiederkehren. Der ‚kêr‘ führt zunächst in einen Zustand der Isolation von sich selbst und der Welt, in dem die Frauen sich direkt und ohne jede Vermittlung Gott als der einzig maßgebenden Instanz zuwenden. Charakteristisch ist ferner, daß die Nonnen ein Stadium des ‚kêr‘, die Selbstisolation, verabsolutieren und sich in einer weltlosen Innerlichkeit einzurichten versuchen. Die mystische Wahl ist außerdem eine Wahl zwischen einem strengen Entweder-Oder, die keine spätere Revision zuläßt. Paradigmatisch zeigen sich diese Charakteristika des ‚kêr‘ an den Bekehrungsgeschichten der Ita von Hohenfels, Elsbeth von Beggenhofen und Adelheid von Frauenberg.

2. Im Vergleich zu den ‚Nonnenviten‘ radikalisiert Eckhart den ‚kêr‘, indem er die Frage nach dem richtigen Anfang des Lebens als Frage nach dem richtigen Lassen stellt. Mit der scheinbaren Subjektivierung des ‚kêr‘, der nicht Weltflucht, sondern nur den inneren Akt der Entsagung verlangt, wehrt er die dualistisch geprägte Weltverachtung der Nonnen ab. Der wirkliche Neuanfang des Lebens besteht nicht in der Flucht ins Kloster, sondern in der Brechung des Eigenwillens. Eckhart verinnerlicht das Problem des ‚kêr‘ und versteht es primär als Auseinandersetzung mit sich selbst, nicht mit der Welt.

II

1. Bei der Untersuchung der ‚üebunge‘ der Nonnen beschränke ich mich hier auf die Bedeutung von ‚üebunge‘ als asketische Praktik. An zwei Beispielen will ich demonstrieren, wie die Frauen mit gezielten asketischen Maßnahmen sich vor allem gegen die leibnächsten Antriebe wenden, weil sie glauben, daß dem Grad der Zerstörung des Leibes der Grad des inneren Glücks entspreche.

Das ‚Ötenbacher Nonnenbuch‘ berichtet, wie der Schwester Hedwig, die einen gesunden Appetit hatte und gerne Fleisch aß, diese Lust ausgetrieben wurde, indem die Priorin das Objekt ihrer Begierde so denaturiert und dadurch die natürliche Bedürfnisbefriedigung in solchem Maße stört, daß die Nonne ihre Fixierung auf Fleischgenuß preisgibt. Auch elementare Kupidität — das ist die Moral dieser Geschichte — kann gebrochen werden.

Auch an den asketischen Praktiken der Margret Willin aus dem Kloster Töß läßt sich zeigen, daß sie dazu dienen, die mit dem ‚ker‘ eingeleitete Bewegung nach innen zu sichern und zu beschleunigen. Diese Nonne reduziert sich auf eine fast asoziale Punktualität und minimiert ihre leiblichen Grundbedürfnisse, aber über der Mortifikation des Fleisches eröffnet sich ihr, wie ihre ‚Vita‘ behauptet, die ewige Seligkeit.

2. Eckhart relativiert im Gegensatz zu den Frauen äußere Bußwerke, indem er äußeres Werk und Gesinnung unterscheidet und an der Priorität des inneren Werkes festhält. Die Liebe, nicht die Härte der ‚pênitencie‘, ist das Maß der Vollkommenheit. Das eigentliche Bußwerk ist die Selbstvernichtung, das einzige Gute der gute Wille. Mit dieser Lehre vollzieht Eckhart eine Verinnerlichung der Abtötung.

III

1. Um den vieldeutigen Begriff der ‚contemplatio‘ zu präzisieren, greife ich im folgenden auf die Distinktionen Thomas’ von Aquin zurück, der im ‚Sentenzenkommentar‘ einen zweifachen Sinn von ‚contemplatio‘ unterscheidet. ‚Contemplatio‘ im engeren Sinn bezeichnet den Akt der Vernunft, die Göttliches betrachtet, ‚contemplatio‘ im weiteren Sinn meint jeden Akt, durch den jemand sich äußeren Geschäften entzieht, um für Gott frei zu sein, was durch ‚lectio‘, ‚oratio‘ und ‚meditatio‘ geschehen kann. Im folgenden werde ich nur einige Aspekte der ‚oratio‘ erörtern.

Das Gebet der Nonnen läßt sich in zwei Hauptformen gliedern, das Chorgebet und das Privatgebet. In vielen ‚Viten‘ wird die Liebe der Nonnen zum Chorgebet betont, und viele Beispiele zeigen, daß weder dringende Arbeiten im Dienst der Allgemeinheit, noch Krankheit oder Übermüdung, noch religiöse Erlebnisse für die Frauen ein Grund waren, das Chorgebet auszulassen. Das li-

turgische Gebet galt ihnen als übergeordnete Norm, deren Erfüllung auch subjektiven Glückserfahrungen vorgezogen werden
mußte. Der gemeinsame Vollzug des ‚opus Dei‘ war für viele der
höchste Wert. Trotzdem lassen sich zahlreiche Beispiele einer
Subjektivierung des Chorgebetes nennen, so daß sich in den
‚Nonnenviten‘ ein eigenartiges Nebeneinander von zwei Fröm-
migkeitshaltungen ergibt, von denen die eine sich ganz von der Liturgie absorbieren läßt, während die andere die liturgischen Grenzen überschreitet. Exemplarisch ist der Fall der Sangmeisterin
Hailrat aus dem Kloster Engelthal, die während des Chorgebets
beim Vers „In caritate perpetua" plötzlich aus dem Latein in die
Muttersprache fällt, die alltäglichen Ordnungsgesetze damit
durchbricht und den ganzen Konvent vor „grozer andaht sinne-
los" macht. Die Glückserfahrung einer einzelnen ermöglicht einen Augenblick kollektiven Glücks. Der Vorgang ist zweideutig.
Er unterbricht einerseits die liturgische Handlung zugunsten subjektiver Zustände, die partielle Regelverletzung führt aber andererseits zu einer Vertiefung des Gebets.

2. Eckhart ist gegenüber allen Sondererfahrungen und Privatof-
fenbarungen kritisch. Das zeigt sich besonders deutlich an der
Predigt ‚Misericordia domini plena est terra‘. Im Unterschied zu
Augustinus, von dessen Einteilung der Erkenntnisarten er ausgeht, wertet er körperliche Erscheinungen und Phantasievisionen
als Möglichkeiten der Offenbarung Gottes ab zugunsten der Erkenntnis „sunder materie" und spiritualisiert dadurch in extremer
Weise den Begriff der ‚visio‘. Gegen Erlebnisse und Visionen setzt
Eckhart den ontologischen Vollzug der Hineinbildung des Menschen in Gott, statt sinnlicher Erfahrungen fordert er eine „Ent-
phantasierung des Glaubens" (v. Balthasar).

IV

1. Die ‚unio mystica‘, wie sie die ‚Nonnenviten‘ beschreiben, gilt
in der Forschung meist als Dekadenzerscheinung, als falsche Ekstase, in der sich das geistige Erlebnis zur körperlichen Sensation

wandelt. Diese Darstellungen verkennen weitgehend den Charakter des experientiellen Innewerdens Gottes und mißdeuten per consequens meist auch die gegen diese Erfahrungen polemisierenden Argumente Eckharts. Im folgenden sollen am Beispiel der ‚Vita‘ Elsbeths von Beggenhofen und Mechtilds von Stans charakteristische Züge der ‚unio‘, wie die Nonnen sie verstehen, beschrieben werden.

Die ‚Vita‘ der Elsbeth von Beggenhofen berichtet zweimal von einer ‚unio mystica‘ im Kommunionempfang. In der Eucharistie erfährt diese Schwester die Präsenz Gottes. Affekte, Gefühle, ‚süssikeit‘ bilden die subjektive Evidenz für diese Gegenwart. Die Erfahrung Gottes mit allen Sinnen bildet eine Gegenposition zur Weiselosigkeit des Gottfindens bei Eckhart, der keine Ausfaltung in verschiedene geistige Sinne annimmt.

Passionsmystik bestimmt in den ‚Nonnenviten‘ viele Lebensbeschreibungen, in exemplarischer Weise die ‚Vita‘ der Mechtild von Stans. Der erste Teil ihrer ‚Vita‘ handelt von ihrer ‚memoria passionis‘ als ‚üebunge‘. Sie bedeutet für sie Läuterung und Loslösung von der Welt. Der zweite Teil zeigt ihr Mitleiden mit Christus als Vollzug des Gleichgestaltetwerdens mit ihm. Die ‚compassio‘ steigert sich zur Christuskonformität und leiblichen ‚imitatio‘. Leiden vermittelt ihr die Erfahrung des Glücks, Gott in der Liebe präsent zu haben. Mechtild ersehnt deswegen das Leiden und genießt es leidensselig, sie ist „saeliklich und hailiklich minwund“. Zwischen der Intensität des leiblichen Schmerzes und der Intensität ihrer „minnbewegung“ besteht eine direkte Proportion. Tiefster Schmerz bedeutet tiefste Liebe.

2. Es besteht in der Forschung kein Zweifel, daß Ekstasen und andere Sondererfahrungen bei Eckhart keine Rolle spielen und daß er sie von verschiedenen Gesichtspunkten aus in Frage stellt. Im 10. Kapitel der ‚Reden der Unterweisung‘ wendet er sich gegen die Ansicht, daß ekstatische Einheitsgefühle unverwechselbare Wirkungen Gottes seien, und weist die Schlußfolgerung von der Existenz affektiver Zustände auf die Existenz von Liebe im Sinne des Einsseins mit Gott zurück, indem er zwischen ‚wesen‘ und ‚werk‘ der Liebe unterscheidet. Gott soll nicht im Gefühl, sondern im

Sein gefunden werden. Der Seinsvollzug steht über dem affektiven Einheitserlebnis, die Einheit mit Gott im Wirken über der Erlebniseinheit.

Eine Gegenposition zur Tendenz der ‚Nonnenviten‘, die Einheit mit Gott als Akt der einsamen ‚fruitio Dei‘ zu verstehen, markiert Eckharts Lehre von der Gottesgeburt. Sie geht von der kirchlichen Lehre von der hypostatischen Union aus und schließt aus der darin enthaltenen Unterscheidung zwischen ‚Natur‘ und ‚Person‘ auf die univoke Gleichheit der ‚Natur‘ im Menschen und in Christus, so daß jeder Mensch als Teilhaber an der menschlichen Natur mit Gott eins sein kann wie Christus. Voraussetzung ist die ‚abnegatio proprii‘, die Preisgabe des ‚personale‘. Der Mensch soll also sich nicht in der ‚fruitio Dei‘ zum ‚individuum ineffabile‘ kontrahieren, sondern seine Personalität abstreifen, allgemein werden und nach seiner ‚menscheit‘, die durch die Menschwerdung Gottes unendliche Dignität erhielt, als Sohn Gottes leben.

---

[1] Ich lege eine Kurzfassung vor, da ich die Ergebnisse meiner Untersuchung demnächst in meiner Bielefelder Habil.-Schrift ‚Mystische Erfahrung und spirituelle Theologie. Zu Meister Eckharts Auseinandersetzung mit der Frauenfrömmigkeit seiner Zeit‘ (1983) veröffentlichen werde.

Francis Rapp

ZUR SPIRITUALITÄT IN ELSÄSSISCHEN FRAUENKLÖSTERN AM ENDE DES MITTELALTERS

Allgemein bekannt ist die äußerst wichtige Rolle, welche das Elsaß in der Entfaltung der Mystik des 14. Jahrhunderts gespielt hat. Meister Eckhart verweilte mehrmals und längere Zeit im Straßburger Dominikanerkloster, als Prior und Prediger. Tauler, in Straßburg geboren, verbrachte in seiner Heimatstadt wohl den größten Teil seines Lebens und ist im Straßburger Frauenkloster St. Nikolaus in Undis, wo er seine Schwester besuchte, gestorben (1361).[1] Er gilt als der begabteste Redner der mystischen Bewegung und wird von guten Kennern als der „Mund der deutschen Mystik" charakterisiert. Eckhart und Tauler waren vor allem Seelsorger. Daher sind die Historiker verpflichtet, sich intensiv mit dem Kreis ihrer Zuhörer zu beschäftigen. Der bekannteste ist bestimmt der Straßburger Kaufmann Rulman Merswin, ein Beichtkind Taulers wahrscheinlich, jedenfalls der hervorragendste der Straßburger Gottesfreunde, der selbst erbauliche Traktate verfaßte und deshalb zur Berühmtheit gelangte, weil er, um seinen Schriften eine breite Wirkung zu verschaffen, sie einer geheimnisvollen, wohl von ihm erfundenen Figur, dem „Gottesfreunde vom Oberland", zuschrieb.[2] Von größerer Bedeutung für die Kenntnis der Mystik als die Gestalt des frommen Straßburger Betrügers ist jedenfalls das zahlreiche Publikum, das Eckhart, Tauler und ihre Gesinnungsgenossen in den Beginensamenungen und den Frauenklöstern des Elsaß trafen, denn die geistliche Betreuung dieser Gemeinschaften gehörte zu den Aufgaben der Mendikanten, besonders der Dominikaner, gab es doch allein in Straßburg sieben Dominikanerinnenklöster und zwei Beginenhäuser, die reiche Pfründnerinnen aufnahmen und sich unter die Obhut der in ihrer Nähe wohnenden Dominikaner gestellt hatten. Auch in kleineren Städten, in Colmar, in Schlettstadt zum Beispiel, bestanden Konvente, in denen Dominikanerinnen gerne den tiefsinnigen Spekulationen ihrer Spiritualen lauschten.[3] Zwei verschiedenen Gefah-

347

ren waren diese Frauen ausgesetzt. Einerseits konnten sie mit den Irrlehren, die von den Brüdern und Schwestern des Freien Geistes fortgepflanzt wurden, in Kontakt geraten. Andererseits, konnten der religiöse Eifer, der zur Gründung der Samenungen und Klöster geführt hatte, verflachen und die Nonnen oder Beginen dazu verleitet werden, ihre Lebensweise so bequem wie nur möglich einzurichten. Daß die Straßburger Beginen durch die ketzerischen Ideen des mystischen Pantheismus angesteckt worden waren, davon war der Bischof Johann von Dürbheim überzeugt, ging er doch sehr scharf gegen sie vor.[4] Daß aber auch in den Gemeinschaften der Dominikanerinnen und der Dominikaner die Atmosphäre manchmal ziemlich lau war, dafür lassen sich manche Beweise erbringen. Auf beiden Fronten mußten die Seelsorger tätig sein. Denjenigen Frauen, die es mit ihrem Stand und seinen Pflichten ernst nahmen, aber so krampfhaft nach dem Einswerden mit Gott trachteten, daß sie bereit waren, die Gedanken der Pantheisten aufzunehmen, sollten die Prediger die Bedingungen und die Grenzen einer mit dem rechten Glauben zu vereinbarenden mystischen Erfahrung darlegen. Diese mit großen Schwierigkeiten verbundene Aufgabe haben sowohl Meister Eckhart wie Tauler und auch Suso erfüllt; diese Seite ihrer Tätigkeit hat immer wieder das Interesse der Gelehrten, Historiker, Theologen und Philosophen angeregt. Doch nicht nur mit der Rechtgläubigkeit der Beginen und Nonnen befaßten sich ihre Seelsorger; sie bemühten sich auch, die Frömmigkeit anzufachen und die innere Kraft zu erneuern, ohne welche den Anfechtungen der klösterlichen Existenz kein fester Widerstand entgegengesetzt werden konnte. Gab diese Seite der geistlichen Betreuung nicht zu hohen Gedankenflügen Anlaß, ist sie dennoch von großer Wichtigkeit. Am Ende des 14. Jahrhunderts hatte wahrscheinlich die Gefahr der Ansteckung durch die Brüder und Schwestern des Freien Geistes an Schärfe verloren; sie wurde von den kirchlichen Behörden nicht mehr so bedrohlich eingeschätzt wie in den Jahren 1311 bis 1325. Auch die Mystik im rechten Sinne des Wortes schien in den Dominikanerklöstern eingeschlummert zu sein. Die Sorge um die gute Zucht innerhalb der Klostermauern blieb aktuell. Wie die Stifte und die Benediktinerabteien wurden die Frauenklöster immer eindeutiger zu Versorgungsanstalten für die Töchter des Adels und des Patriziats. 1370 beklagten sich die Schwestern von St. Marx, St. Nikolaus in Undis und St. Katharina über das skandalöse Treiben der Dominikaner, die unerlaubt zu ihnen kamen und mit ihnen tanzen und spielen wollten.[5] Die Nonnen, die zu ihren Eltern zurückgekehrt waren, wurden aufgefordert, wieder in ihr Kloster zu kommen und über die Affäre kein Wort mehr zu sagen. Ähnliche Vorkommnisse wurden in den beiden Straßburger Klarissinnengemeinschaften aufgedeckt, 1398 und 1412.[6] In allen drei Angelegenheiten haben bestimmt Verleumder ein bis zur Karikatur verzerrtes Bild der Verhältnisse im Kloster gezeichnet; das beweist ein aufmerksames Durchprüfen der erhaltenen Akten. Trotzdem kamen die Schwestern in Verruf. Dieser Lockerung der klösterlichen Disziplin Einhalt zu gebieten war das Anliegen der Religiosen, die sich in den meisten Orden zusammenfanden, in ihrem Konvent die ursprüngliche Strenge der Askese wiederherstellten und allmählich die für ihre Sache gewonnenen Mitbrüder in eine autonome Kongregation eingliederten. Eine der kräftigsten unter diesen Körperschaften bildete sich in der Dominikanerprovinz Teutonia. Zuerst faßte diese Bewegung im Colmarer Kloster festen Fuß (1389).[7] In den Männerkonventen waren ihre Fortschritte nicht besonders rasch; es dauerte über achtzig Jahre, bis ein Provinzial, der der strengen Richtung des Ordens angehörte, gewählt wurde. Dagegen erzielte die Observanz große Erfolge innerhalb des zweiten Ordens, d. h. im Dominikanerinnenorden. Als erstes Frauenkloster wurde 1397 der Konvent zu Schönensteinbach durch den Gründer der Kongregation, Conrad von Preußen, ins Leben gerufen. Später wurden Unterlinden in Colmar, St. Nikolaus in Undis und St. Agnes in Straßburg, Engelporten in Gebweiler, Sylo in Schlettstadt, um nur elsässische Gemeinschaften zu erwähnen, der Observantenkongregation angeschlossen. Die Reform führte diese Klöster zu einer zweiten Blüte.

Die Schwestern hatten streng nach den alten Ordensregeln zu leben, die Klausur wurde unnachsichtig eingehalten, die Vita communis ebenfalls; gemeinsam wurde im Refektorium die Mahlzeit eingenommen; die persönlichen Appartements mußten aufgegeben werden; in den Zellen gab es für Luxus und Koketterie keinen

Platz mehr. Des öfteren wurden diese Regeln den Nonnen einge-
schärft, von einem Rückfall wird für die spätere Zeit nirgends
mehr gesprochen. Die Disziplin war nicht nur vorübergehend und
oberflächlich wiederhergestellt. Dazu hätten aber Gesetze und
Verordnungen nicht genügt. Der Geist, der die ersten Generationen beseelt hatte, lebte wieder auf und wurde gestärkt. Im ,Buch
der Reformacio Predigerordens‘ hat Johannes Meyer, der viele
dieser Schwestern geistlich betreute, das Leben in den Reformklö-
stern sehr anschaulich dargestellt. Wir spüren eine Atmosphäre,
die mit derjenigen der Vitae sororum aus der Frühzeit des Ordens
nahe verwandt ist. Nicht nur das Offizium und sämtliche Zelebra-
tionen wurden sorgfältig gepflegt, worüber uns die mit Fleiß und
Kunst geschriebenen und illustrierten liturgischen Bücher unter-
richten, auch die persönliche Andacht der einzelnen Nonne
wurde beachtet, und einer jeden wurden die Mittel gegeben, diese
Devotion zu vertiefen und zu erneuern.[8] Darüber legen nicht wenige Handschriften ein beredtes Zeugnis ab. Die meisten dieser
von den Schwestern selbst geschriebenen, bemalten und eventuell
auch gebundenen Bücher stammen aus St. Nikolaus in Undis; ein
eifriger Sammler, Daniel Sudermann, hat sie sich angeeignet nach
der Auflösung des Konvents 1592, und ein bewegtes Schicksal hat
sie schließlich in die Berliner Staatsbibliothek verschlagen. Andere gelangten nach Karlsruhe oder nach Donaueschingen in die
Fürstenbergische Hofbibliothek; andere wieder kamen nach
Straßburg zurück; die im Kloster Unterlinden verfertigten blieben
in nächster Nähe ihres ursprünglichen Standorts, in der Colmarer
Stadtbücherei.[9] Insgesamt sind es 35 Handschriften, die ich einse-
hen konnte. Für die Kenntnis der Spiritualität in den reformierten
Gemeinschaften der Dominikanerinnen bilden sie eine brauchbare Unterlage, die allerdings mit der Bibliothek des Katharinenklosters in Nürnberg nur schwer den Vergleich aushält, umfaßte
doch diese Sammlung zu Ende des 15. Jahrhunderts zwischen 500
und 600 Bände, „die größte Sammlung deutschsprachiger Handschriften [. . .] aus dem Spätmittelalter", wovon die Hälfte erhalten ist, und zwar geschlossen.[10] Das Elsaß verfügt leider nur über
membra disjecta. Meinem Rekonstruktionsversuch haftet daher
ein ausgesprochen hypothetischer Zug an.

Was zuerst auffällt, wenn man dieses Codices untersucht, ist, daß jeder einzelne, zumindest im Detail, von den anderen verschieden ist. Allem Anschein nach entspricht das einzelne Buch den Bedürfnissen oder den Neigungen der Nonne, die es entweder selbst bewerkstelligte oder schreiben ließ. Was einer jeden am besten für ihr persönliches Leben erschien, wovon sie den größten Nutzen für ihr seelisches Wohl erhoffte, wurde in diese Blumenlese aufgenommen. Die Bücher, die manchmal auch Geschenkobjekte waren, waren privates Eigentum der Schwestern; obwohl die Reform gerade das Aufgeben der privaten Habe zur Pflicht gemacht hatte, waren die Handschriften von dieser Regel ausgenommen. Besitzvermerke beweisen, daß die Codices durch ihre erste Besitzerin einer, wohl jüngeren, Mitschwester vermacht wurden. Mehrere Generationen haben sie verwenden können und haben auch, hie und da, ihren Inhalt bereichert.[11]

Die Mannigfaltigkeit ihres Inhalts verbietet uns keineswegs, seine gemeinsamen Züge aufzuspüren und hervorzuheben.

Auffallend ist die Fülle des Stoffes, der den Schwestern, welche diese Bücher benutzten, dargeboten wurde. Ein sehr schlimmer Feind der klösterlichen Zucht war der Müßiggang. Zwar wurde, in den reformierten Gemeinschaften, auf handwerkliche Arbeiten wie Weben, Wirken, Sticken, Schreiben und Malen großer Wert gelegt, die Tage wurden jedoch nicht vollständig ausgefüllt. Die Freizeit sollten die Schwestern für geistliche Übungen verwenden. Denn, wie Geiler es eines Tages den Straßburger Reuerinnen erklärte (in seiner an Bildern so reichen Art), in einem Kloster muß der Unflat der Sünden mit drei Besen weggefegt werden: leibliche Übungen, Wachen, Fasten . . .; manuelle Übungen, Kochen, im Garten Arbeiten, Feuermachen, Spinnen und Nähen; geistliche Übungen schließlich, neben dem Chorgebet Beicht und Kommunion, Betrachtung.[12] Die Gedanken und Gefühle durften aber die Nonnen nicht frei schweifen lassen. Mit der Gefahr der inneren Trockenheit mußte man auch rechnen. In ihren Büchern fanden die Klosterfrauen Mittel und Wege, diesen zwei Klippen zu entkommen. Für Lektüre war gesorgt. In den reformierten Klöstern wurden oft angesehene Redner eingeladen, so daß die Nonnen nicht nur die Predigten ihrer Spiritualen anhörten. War das, was auf der Kanzel gesprochen worden war, tiefgründig gewesen, wollte man ruhig darüber nachdenken können, und am bequemsten war dann das aufmerksame Lesen des Textes, den die begeisterten Hörerinnen nach der Ansprache niedergeschrieben hatten — obwohl ihnen bewußt war, daß „die genade und das für des heiligen geistes, daz da ussging mit den lebenden worten, mag nüt ussgetrucket werden in die bustaben"[13]. Ein mit besonderer Freude empfangenes Geschenk muß die von der Straßburgerin Agnes Sachs den Dominikanerinnen in St. Nikolaus in Undis dargebotene Handschrift gewesen sein; darin hatte diese Tochter einer angesehenen Familie insgesamt 35 Predigten, die sie 1435 bis 1437 in elf verschiedenen Kirchen der Stadt angehört hatte, zusammengefaßt.[14] In die gleiche Periode gehören die Reden, welche der Dominikaner Peter von Breßlau 1445 in der Klosterkirche von St. Nikolaus dem Leiden Christi gewidmet hatte.[15] Ein gespanntes Publikum erwartete den berühmten Kanzelredner Johannes Geiler von Kaysersberg, der im Straßburger Münster von 1478 bis 1506 Inhaber einer Prädikaturstelle war, in Frauenkonventen, ganz besonders in denen, die der strengen Observanz angegliedert waren; war doch Geiler davon überzeugt, daß das Leben im Kloster ein „Seelenparadies" sein konnte; er empfand es daher als seine Pflicht, den Nonnen die notwendigen Unterweisungen zu erteilen. Bereits 1931 hat der Geilerkenner Luzian Pfleger auf die Notwendigkeit hingewiesen, in den Codices, die aus Frauenklöstern stammen, der handschriftlichen Überlieferung der Geilerschen Predigttexte nachzuspüren; er hat auch eine gewisse Anzahl ediert, so ‚Von den zwölf schefflin‘, ‚Von den XV Äst‘ und ‚Von der art der kind‘, und auf andere hingewiesen, die noch auf den Herausgeber harren.[16] Nicht nur die Niederschriften der Predigten fanden in unseren Handschriften eine gebührende Aufnahme; auch für Traktate, die die Bedingungen des geistlichen Fortschrittes zum Thema hatten, war das Interesse groß. Da ist „bruder Thomas" (von Lampertheim, oder Lamparter) besonders zu erwähnen. Thomas, der in dem reformierten Konvent von Gebweiler herangebildet worden war, wurde zum Seelsorger im observanten Dominikanerinnenkloster Obersteigen, in der Nähe von Zabern, bestellt, wo er bis 1503 bezeugt ist.[17] Geiler schätzte ihn sehr, in

Wimpfelings Vita Geilers wird Thomas als „aeterna iugiter medi-
tantem, dono consilii singulariter praeditum" charakterisiert.[18]
Von ihm stammen ‚Das ABC des Geistes' und ‚Von den sechs
stunden der nacht', zwei Traktate, denen wir noch begegnen werden.[19] In Gebweiler war auch Johannes Kreutzer geboren, der nach
einer brillanten Karriere im Weltklerus — er war in Basel Domprediger und Theologieprofessor gewesen — in den Dominikaneror-
den eintrat, das Kloster seiner Heimatstadt reformierte und 1468
starb.[20] In zwei Codices, die bestimmt in Dominikanerinnenge-
meinden entstanden, finden wir Texte dieses sprachlich hochbe-
gabten Mannes, der als Dichter von geistlichen Liedern bekannt
ist. Von besonderer Wichtigkeit ist die Auslegung des Buches der
Heiligen Schrift *Cantica canticorum*.[21] Natürlich wurde die Bibel
nicht vernachlässigt. „Jeden Tag", heißt es in einer unserer Handschriften, „lies ein Stück von dem Leben und von der Lehre Christi!" Natürlich war die Art und Weise der Lektüre nicht gleichgültig. „Zuerst sollst du die Stelle, mit lauter Stimme oder mit den Augen, vom Anfang bis zum Ende durchlesen, dann fange wieder
von vorne an; denke über jeden Punkt der Darstellung oder der
Erzählung gesondert nach; verweile dabei längere oder kürzere
Zeit, je nachdem dir Gott Andacht und Aufmerksamkeit
schenkt."[22] Lesen und Betrachten waren eng miteinander verbunden. Auch das Gebet sollte nicht mechanisches Herunterleiern
von Formeln sein. Wurden die Schwestern aufgefordert, Paternoster oder Ave-Maria massenweise zu beten, wurde ihnen immer
empfohlen, sich dabei in einen bestimmten Gedanken zu versenken. Elisabeth Grissin in Schoenensteinbach betete 80 000 Vaterunser und betrachtete während dieser geistlichen Übung die Demütigungen, die Christus ertragen mußte.[23] Manchmal wurde das
Thema, das den Schwestern zur Betrachtung anvertraut wurde,
mit dem Gebet noch enger verbunden. Zu Ehren der Leiden des
Herrn zum Beispiel schlug man den Nonnen vor, täglich 15 Paternoster zu beten; war dabei ein Jahr vergangen, so hatten sie so
oft das Gebet des Herrn gesprochen, als der Körper des Heilands
Wunden trug, 5490![24] In die Reihenfolge der Formeln wurde, dem
Geschmack der Zeit entsprechend, eine Allegorie hineingewoben.
Bekanntlich ist ja die Rosenkranzandacht damals entstanden, und

zwar ziemlich gleichzeitig in Kartausen und in Dominikanerkonventen. Für die Verbreitung dieser Gebetsweise haben die Patres der strengen Observanz viel geleistet; in ihrem Kloster in Colmar wurde eine Bruderschaft errichtet, die Tausende von Laien in ihre Reihen aufnahm und den Dominikanerinnen selbstverständlich nicht unbekannt blieb.[25] Auch sie opferten gerne der Muttergottes sinnbildlich Blumengewinde, die aus Ave-Maria und Auszügen der Heiligen Schrift bestanden. Aber auch viele andere Sinnbilder erfanden die Schwestern und ihre geistlichen Leiter. So verfertigten im Laufe des Advents die Nonnen fürs Jesuskind ein Hemdlein, das am Weihnachtsabend fertig sein sollte; dazu brauchten sie 1000 Vaterunser, ebensoviele Ave-Maria, Gloria, Benedictio et claritas, O vera summa und einen ganzen Psalter.[26]

Um ihre Aufmerksamkeit wachzuhalten und ihre Einbildungskraft anzuregen, wurde den Schwestern befohlen, bestimmte Haltungen beim Gebet einzunehmen. Während der Karwoche betrachteten die Frauen von St. Nikolaus in Undis die „Waffen Christi", eigentlich sein Wappen, die Werkzeuge seines Leidens. Am Palmsonntag beteten sie fünf Paternoster mit auf dem Kopf zusammengefalteten Händen zur Erinnerung an die Dornenkrone; sie flehten Gott an, er möge in ihrer Seele die Eitelkeit austilgen. Am Montag dachten sie an die Nägel, die Christi Glieder durchbohrten; wieder beteten sie fünf Vaterunser, diesmal mit fest zusammengedrückten Händen; den Sinn dieser Gebärde erläuterte die Anrufung, die an diesem Tage ausgesprochen werden sollte: „Schlage in unsre Seele die Merkmale deiner ewigen Weisheit ein!" Der Unkeuschheit wurde besonders der Kampf angesagt. So war für jeden Tag der Karwoche eine Form des Leidens Christi ausgewählt worden, als Betrachtungsthema, das mit einer entsprechenden körperlichen Haltung in Verbindung gebracht wurde und dazu benutzt wurde, einen seelischen Mangel zu bekämpfen.[27] Um ein Bedeutendes breiter konnte der Fächer der der geistlichen Übung gesteckten Ziele geöffnet werden. So wurde den Dominikanerinnen von St. Margareta und St. Agnes in Straßburg ein Exerzitium anempfohlen, das der Domprediger Geiler von Kayersberg für sie in deutscher Sprache verfaßt hatte, das aber sehr wahrscheinlich vom berühmten Kanzler der Pariser Universität, Johannes Gerson, übernommen war. Auch hier werden die Meditationsthemen auf die verschiedenen Tage der Woche verteilt. Der Übung konnte man sich das ganze Jahr hindurch, von Sonntag zu Sonntag, hingeben. Zuerst wurden Glauben, Vaterunser und Ave-Maria gebetet, dann betrachtete man sieben verschiedene Punkte, und zwar der Reihe nach folgende: eine der sieben Tugenden, eine der sieben Todsünden, eine der sieben Gaben des Heiligen Geistes, eines der sieben Sakramente, eine der sieben Bitten des Paternoster, einen der sieben „Fußfälle" auf der Via dolorosa zum Kalvarienberg und schließlich eine der sieben Qualen, die die Verdammten in der Hölle aushalten müssen. Mit seinen sieben mal sieben Betrachtungspunkten gab dieses Exerzitium den Schwestern die Möglichkeit, die verschiedensten Bestandteile der Glaubens- und Sittenlehre gewissermaßen durchzunehmen.[28]

Im selben Kloster, St. Margarethen und Agnes, bereiteten sich die Schwestern auf das Osterfest vor, indem sie eine geistliche „Meerfahrt", das heißt eine Wallfahrt ins Heilige Land, vollzogen. Dieses Exerzitium nahm nicht nur die einzelnen Frauen individuell in Anspruch, sondern vereinigte den gesamten Konvent dazu. Das Programm war breit angelegt: „Daz ist alte böse gewonheit und unordenlich leben zu lassen und den untugenden zu widerston." Das Heilige Grab war das Ziel, das „Gestade trostes [...]" Mittwochs wurde die ganze Reisegesellschaft zusammengerufen, die Lage wurde dann besprochen, es fand eine Art gemeinsame Gewissenserforschung statt und danach eine schwesterliche Zurechtweisung. Angst und Niedergeschlagenheit ließen sich manchmal bemerken; um zu vermeiden, daß sie die Pilger übermannten, wurde der Beistand des Heiligen Geistes angerufen: „so die winde der widerwerikeit kumen und die wellen in daz schyff wollen schlagen, so sollen ir zu dem schiffman [...] schryen und rufen: Veni Sancte. Ryscht uff die Segel, die wind sint hie." Schließlich, in der Nacht vom Karsamstag zum Ostersonntag, schlug die Stunde der Ankunft. „Wen daz schyff begynnet dem staden nahen, den so singent frolich: Alleluia und Te Deum. Der Osterliche oben ist kumen." Zum Heiligen Grabe eilten die Nonnen und jubelten. Mit dem erstandenen Christus aßen sie „honigwaben und gebroten fysch". Dazu luden sie die „zwölfbotten" ein,

„die do vast an dem riemen hant gezogen". Bevor sich die Gesellschaft auflöste, gedachte man der Schwächen, die im Laufe der
Reise festgestellt worden waren: „kere [. . .] yederman zu im selber
und loss nit ab von dem guten, daz ir die 9 wochen gesamelt hant."
Dieses Exerzitium verband die verschiedenen Gattungen der
geistlichen Übung, Entsagungen, Betrachtungen, Gebete usw.,
und machte daraus eine geschlossene Einheit.[29] Mit dem Werk, das
der Dominikaner Felix Fabri 1494 verfaßte und ‚Sionspilgerin' be-
nannte, hat diese in einem Dominikanerinnenkloster der Observanz entstandene Übung sehr viel Ähnlichkeit; Fabri wollte einer
„geistlichen junckfrow" die Möglichkeit geben „in bilgern wiss
gan Jherusalem [. . .] auss unschwaifung durch die welt" zu reisen.
Da jedoch unsere „Meerfahrt" bereits vor 1475 bestand, ist es
nicht ausgeschlossen, daß die ‚Sionspilgerin' durch sie angeregt
worden ist.[30]

In der Handschrift, die uns diese Andachtsübung überliefert
hat, treffen wir ein zweites Exerzitium, das wir nur kurz zusammenfassen werden. Die Schwestern wurden eingeladen „mit Jesus
in die Wüste zu gehen". Nachdem sie bei dem Herren zwei volle
Tage verblieben sind und die Strenge seines Fastens und seiner
Buße ermessen haben, statten sie den heiligen Einsiedlern einen
Besuch ab, täglich einem anderen; mit Moses und Elias beginnt die
Reihe, die über Johannes den Täufer, Paulus, Antonius u. a. m. bis
zu Maria der Ägypterin führt. Dann soll die fromme Beterin denselben Weg im umgekehrten Sinne zurücklegen und wieder zu Jesus zurückkehren, wo sie der Versuchung des Herrn durch den
Teufel beiwohnt. Auch dieses Exerzitium verbindet Hersagen von
Gebetsformeln, Lektüre, Betrachtungen und Kasteiungen.
Fl. Landmann, der bereits 1931 diese zwei Andachtsübungen sehr
gründlich untersuchte, hat das Ziel dieser Exerzitien treffend
charakterisiert: „es geht alles darauf hinaus, die Seele von Klosterfrauen [. . .] loszumachen von der Welt [. . .] um sie mit Christus [. . .] zu vereinigen und zu trösten". Eigentlich war eben diese
Intimität mit dem Heiland herzustellen und zu stärken die Haupt-
sorge der geistlichen Betreuer in den Gemeinschaften der Observanz.[31] Der „Lebemeister", dessen Lehre sich die Nonnen zu Herzen nehmen sollten, dem sie ständig nachfolgen sollten, war Chri-

stus, der leidende, kreuztragende, gekreuzigte Christus. Mehr
denn jemals wurde im 15. Jahrhundert den Gläubigen dringend
empfohlen, den Erlöser ohne Unterlaß zu betrachten, denn dadurch entstehen im Geiste des geretteten Menschen Dankbarkeit
und Mitleid. Denkt man an das Kreuz und an die Schmerzen Christi, begreift man besser, welch hoher Preis für die Erlösung der
Sünder bezahlt werden mußte. Deswegen wurde das Leid im irdischen Dasein Jesu nachdrücklich betont. War von der Geburt
Christi die Rede, wurden die Armut und die Einsamkeit der heiligen Familie unterstrichen; mit dem Kindlein in der Krippe froren
die Schwestern.[32] Dachten sie an die Beschneidung Christi, sahen
sie aus dem zarten Körper des Heilands die ersten Blutstropfen
rinnen, die er für die Rettung der Menschheit vergossen hatte.[33]
Natürlich wurde die Kreuzigung mit der größten Intensität betrachtet. Wie auf dem Schweißtuch der Veronica das Angesicht
des Herren zu sehen war, schimmerten für die fromme Klosterfrau durch das Tägliche hindurch die Augen Jesu Christi, und dieser Blick mahnte zur inneren Einkehr und zum inbrünstigen
Gebet.

Am unmittelbarsten war der Herr in der Liturgie zu erreichen.
Das ganze Kirchenjahr hindurch begleiteten die Nonnen Jesus
von der Krippe bis zur Himmelfahrt. Der Advent bereitete sie auf
den Empfang des Christkindes vor; Wickelzeug wurde durch die
Klosterfrauen verfertigt, natürlich auf emblematische Weise: ein
Röcklein bestand aus soundso vielen Gebeten und Akten der
Buße.[34] Eine eigenartige Ausdeutung der drei Wochen, die sich
von dem Sonntag Septuagesima bis zum Aschermittwoch er-
streckten, treffen wir in einigen Handschriften. Draußen in der
Welt lärmt der Karneval, an Jesus denkt niemand; darum kehrt er
ins Kloster ein, an der Tür der Zelle klopft er an: „Überall jagt man
mich fort; ich nehme bei dir Zuflucht." Täglich schickten die
Schwestern dem Allerheiligsten ein „Minnegrüsslin". Um die Beschimpfungen, die, draußen, Gott erleiden mußte, wiedergutzu-
machen, betete der Konvent, dem Beispiel der heiligen Mechthild
folgend, 3517mal „Tibi laus, tibi gloria, tibi gratiarum actio".[35]
Während der Fastenzeit zogen die Nonnen mit dem Heiland in
die Wüste, dann gingen sie mit ihm bis zum Kalvarienhügel hin-

auf. Mit Magdalena suchten sie den Herrn im Grabe, und wie die bekehrte Sünderin flüsterten sie, als sie den Gärtner erkannt hatten: „Rabboni:"

Nicht nur die verschiedenen Jahreszeiten, auch die Stunden wurden mit dem Leiden Christi eng verknüpft. Die „Leidensuhren" waren bereits im 14. Jahrhundert aufgekommen und durch die Mendikanten verbreitet worden. Dieser Übung blieben die Dominikanerinnen treu. Schlug die Klosterglocke die Terz, erinnerten sie sich an die Geißelung; die Non mahnte sie an Christi Tod; zur Vesperzeit dachten sie an die Muttergottes, die den Leichnam ihres Sohnes auf den Schoß genommen hatte. Die Messe wurde als die Wiederholung des Kreuzopfers erlebt. Die verschiedenen Teile der eucharistischen Handlung wurden als die verschiedenen Phasen der Passion gedeutet. Das ging nicht ohne Spitzfindigkeit. Wenn vor der Wandlung das Glöcklein des Mesners ertönte, sollte dieses Klingeln die Hammerschläge der Henker bedeuten! Auch die Kleidung des Zelebranten wurde auf diese Weise interpretiert. Daß die Casula den roten Mantel, den die Soldateska dem gequälten Schmerzensmann umhing, darstellte, war noch verständlich. Doch aus der Stola Ruten zu machen, dazu gehörte schon ein gewisses Talent für Klügeleien![36] Die Kommunion betrachteten die Schwestern als die persönliche Begegnung mit Christus. Auf einen häufigen Sakramentsempfang legten die Reformierten großen Wert. Um an diesem Mahle, an dieser geistlichen „Würtschaft", würdig teilnehmen zu können, lasen die Nonnen zahlreiche und lange Gebete. Nach der Kommunion wurde ihnen empfohlen, vor allem an das Leiden des Herrn zu denken. „Hast du Christus in dem Kämmerlein deines Herzens empfangen, laß ihm entgegenkommen, wie ein süßer Wohlgeruch, das zarte Andenken seiner Passion!"[37]

Nicht nur in der Kirche sollten die Schwestern den Herren nie aus den Augen lassen, auch die täglichen Beschäftigungen wurden mit der Betrachtung des Leidens Christi verknüpft. Eine Andachtsübung, die aus dem Kloster St. Nikolaus in Undis stammt, zeigt uns, daß in der Tat eine Nonne ihren verschiedensten Pflichten obliegen konnte, ohne ihren Geist von der Passion abzuwenden.[38] Kaum ist sie geweckt worden, denkt sie an ihren Meister,

der während der Nacht festgenommen wurde. Sie zieht ihr Ober-
kleid an und knöpft ihr Kragentuch zu, dabei spürt sie das rauhe
Seil, das die Knechte des Hohenpriesters dem Heiland anlegten;
sie setzt die Haube auf und spürt die Stacheln der Dornenkrone.
Wenn sie später in das Refektorium eintritt, ist es ihr, als würde sie
Christus zum Kalvarienberg begleiten; sie sitzt jetzt am Tisch, und
schon sieht sie den Heiland mitten im Saale stehen; die Kleider
werden ihm vom Leibe gerissen, er wird ans Kreuz genagelt, das
Marterholz wird aufgerichtet. Wie Suso einst getan, nimmt die
Schwester keinen Bissen ein, sie hätte ihn denn zuvor in das aus
den Wunden des Herren fließende Blut eingetunkt; ihren Becher
leert sie in fünf Zügen aus, weil der heilbringende Trank den fünf
Wunden des Retters wie aus fünf lebenspendenden Quellen ent-
sprang.[39] Nach der Mahlzeit kehrt die Nonne zu ihren üblichen
Beschäftigungen zurück. Christus verläßt sie jedoch nicht. Trägt
sie Reisigbündel in die Küche, übernimmt sie die Rolle Simons des
Kyreners, der das Kreuz auf seine Schultern nahm. Ist sie Krankenwärterin und pflegt ihre Mitschwester, kommt es ihr vor, als
wäre es der Heiland selbst, dem sie Erfrischungen reicht. Der Tag
geht zur Neige. Nach der Kompletzeit zieht sich die Klosterfrau in
ihre Zelle zurück. Die Wände des Zimmers verschwinden, die
stille Landschaft um Gethsemani erscheint, im Garten des Ölber-
ges kniet Jesus, blutiger Schweiß entstellt sein Gesicht, mit ihrem
Heiland zusammen bereitet sich die Dominikanerin auf ihr eigenes Lebensende vor. Nun ist es Zeit, sich etwas Ruhe zu gönnen,
aber auch jetzt noch bleibt der Wille, Jesus nicht zu verlassen,
wach; nicht ein Bett ist es, auf das sich die Schwester hinstreckt,
den Leib des Heilands umklammert sie; wie es bereits Tauler den
Gottesfreunden geraten hatte, läßt sie ihren Hauch durch die offene Seite in das Herz Jesu eindringen.[40] Dies waren nur knappe
Auszüge eines zwanzig Seiten langen Textes, der bis ins kleinste
Detail den Alltag der Klosterfrauen zergliedert und mit dem
Heilsgeschehen verbindet. In der ständigen Betrachtung des leidenden Herren waren Gottesdienst und scheinbar weltliche Beschäftigungen sozusagen verschmolzen.

Den meisten der hier untersuchten Übungen ist ein Ziel gemeinsam; sie sollen den Schwestern helfen, ihr ganzes Tun und

Wirken, das Profane wie das eigentlich Religiöse, mit dem innerlich tief erlebten Gebet eng zu verbinden. Nie sollen sich die Nonnen im Geiste vom Heiland trennen. Wurden aber die Klosterfrauen der strengen Observanz, wie die Dominikanerinnen des 14. Jahrhunderts, bis zum mystischen Erlebnis im engeren Sinn des Wortes, bis zur unio mystica geführt? Auf diese Frage muß, meines Erachtens, die Antwort negativ ausfallen. Gewiß, wir treffen in unseren Handschriften hie und da — nicht sehr oft, selbst in denen, die in St. Nikolaus in Undis verfertigt wurden — die Namen von Meister Eckhart und von Tauler — auch auf den italienischen Freund und Konfrater Taulers, Venturino de Bergamo, kann man stoßen[41]; doch ist in diesen, den Vertretern der großen Mystik zugeschriebenen Texten von der Vereinigung mit Gott im Seelengrund, vom Fünklein oder vom „etwas" nicht die Rede. Daß der Herr in dem Herzen seiner geliebten Kreatur wohnen will, wird zwar oft betont, die Vereinigung der Seele mit Gott wird aber nicht in den von mir eingesehenen Handschriften ausführlich und systematisch behandelt. Mit dem Thema der Wohnung des Herrn im Innersten des Menschen wird eher gespielt, als daß es vertieft wird. Das Emblematische überwächst gewissermaßen den Gedanken, statt ihn zu entwickeln. So wird das Kloster, das die Seele darstellt, in allen Einzelheiten geschildert, und dazu liefert die Allegorie die notwendigen Parallelen: Christus ist der Abt, die Priorin heißt Demut, die Krankenwärterin Caritas usw.[42] Wir sind weit entfernt von den kühnen Gedankenflügen des berühmten Dreigestirns der deutschen Mystik, Eckart, Tauler und Suso. Dies alles sieht sich wie eine hübsche Stickerei an und läßt sich mit den Ornamenten vergleichen, welche in den spätgotischen Gebäuden das Architektonische, das Wichtige und Wuchtige verbergen.

Was dagegen methodischer behandelt wird, ist die Vorbereitung auf die Begegnung mit dem Herrn. Diese Begegnung muß tief erlebt werden. Das Wort innig kommt in den Gebetbüchern der dominikanischen Reform oft vor.[43] Will aber die Schwester diese Innigkeit pflegen, werden ihr Mittel und Wege, besonders durch Bruder Thomas von Lampertheim, gezeigt. Ein harter Kampf wird in den „6 stunden der nacht" der Selbstsucht angesagt. „Du hast dich Gott uffgeben und lebest dir selbes" heißt es in dieser „nutzlichen lere", und weiter: „Man soll reden, tun und lon und von dir halten nach dinem gevollen [...] bist entricht gegen din oberen [...] machest domit din hertzen tempel des duffels der ist bitter und wonet in bitteren hertzen [...] Swigen bricht nieman sin rippen desgleichen sich keines dinges annemen daz nit empfollen ist [...] Setze dich zu fryden es kum wie es welle, ewige gottes fursichtikeit hat kein irrung, kein fele." Und zum Schluß: „Du must rumen, soll gott in dir wonen; Gott lydet keinen andern Gott in dir."[44] Desselben Bruder Thomas ‚ABC' stellt das Inventar des Hausrats auf, den eine Nonne ins Kloster bringen soll, die Stücke sind die Sinnbilder der inneren Vorzüge und Übungen, die für eine Schwester wichtig sind. So wird die Flachshechel dazu benutzt, ihr Tun zu säubern, damit ihr Gemüt wie ein reiner Flachs Gott gefallen kann; das Rechenschaftsbuch dient dazu, sich in der Kunst der Heiligen zu prüfen und Verlust an Zeit wie auch Schädigung des Nächsten festzustellen; mit ihrer Brille zwingt die Nonne ihre Augen, entweder in ihrem Herzen die geringsten Fehler zu entdecken oder, im Gegenteil, draußen in der Schöpfung überall Gottes Spuren zu erblicken. Das Feuerzeug erlaubt der von bösenAnfechtungen befreiten Klosterfrau, in ihrer Seele die Lust nach Heiligkeit zu entzünden.[45] Daß diese Flamme nicht immer sofort brennt, entgeht den Verfassern unserer Texte nicht. Gott kann diese Gnade vorübergehend verweigern. Bleibt ihr Herz trocken und kalt, kann sich die Nonne von den Andachtsübungen ein anderes Exerzitium heraussuchen, das ihre innere Trägheit zu überwinden besser geeignet ist; sie kann aber auch beharrlich an das Tor klopfen, in der Überzeugung, daß der himmlische Vater es schließlich doch öffnen wird. Vielleicht will er nur die Standhaftigkeit seiner Kreatur auf die Probe stellen und ihr auch zu verstehen geben, daß er allein über diese seine Gabe verfügt und sie sowohl vorenthalten wie auch freigebig schenken kann. Für jedes Ding und jedes Werk gibt es eine bestimmte Zeit. Auch die Seele muß manchmal die Winterkälte erdulden.[46]

Die Schwestern pflegten zwar mit großer Ausdauer alles, was zu ihrem geistlichen Fortschritt beitragen konnte; sie arbeiteten, wie wenn alles nur von ihren Bemühungen abhängig gewesen wäre. Sie waren sich aber bewußt, daß sie im Grunde „unnütze Dienerinnen" waren und daß ihr Heil nur von Gott abhing. Gott liebte seine Kreatur und wollte ihre Rettung, nicht ihren Untergang. Daher waren die Nonnen von Vertrauen beseelt. „Zwischen meine Sünden, Herr, und deinen Zorn stelle ich das Kreuz deines Sohnes", stand auf einem Zettel geschrieben, der zwischen die Blätter eines Urbars des Klosters St. Nikolaus in Undis gesteckt worden war.[47] Ähnlich heißt es in einem Gebet: „Vordert der herre buss und besserung über unsre sund, so wise ich dich, her, an din eigen gnug tun und besserung mit der du selber für mich 33 und ein halb jor bezalt hest alle sund [. . .] so nim her dinen [. . .] ellenden tod und din tures kosperes blut und leg es in die wog gegen mine sunden [. . .] und ob ich och alle die sund geton het die je beschohent werden, was wer daz zu schetzen gegen din barmhertzigkeit anders den ein kleines tröpfelin gegen den meres grund [. . .] dorumb so lass mich von dir gnediclich hören das seüz wörtlin daz du geworlich gesprochen hast zu der sünderin: Fides tua te salvam facit, vade in pace."[48]

Die Spiritualität, die ich darzustellen versucht habe, weist manche Züge auf, die mit der Devotio moderna eine gewisse Verwandtschaft verraten. In den reformierten Klöstern wie in den Häusern der Fraterherren war man darauf erpicht, die Frömmigkeit anzufachen und ständig zu bestärken. Dazu benutzte man, im Elsaß wie am Niederrhein, methodisch die Gedankenverknüpfungen und die Einbildungskraft. Nur ist die Stimmung im Süden verschieden von der, die uns in den stillen niederländischen Gemeinden begegnet; unsere Texte haben etwas Überschwengliches, geradezu Barockes an sich; die Exerzitien der Devotio klingen viel diskreter. Beide Richtungen der spätmittelalterlichen Spiritualität haben sich aber bewährt. Die reformierten Klöster der Dominikanerinnen blieben der strengen Richtung treu, keines fiel in das unordentliche Leben zurück, aus dem es die Observanz herausgehoben hatte. Auch den überaus starken Versuchungen, die nach 1524—25 der Protestantismus für die Schwestern und Töchter evangelisch gewordener Laien darstellte, hielten in ihrer Mehrheit die Dominikanerinnen stand. Besonders in Straßburg, wo die Reformation Triumphe feierte, wurde die Lage der Nonnen sehr schwierig. Materielle wie moralische Isolierung brachte sie in schwere Bedrängnis. Nikolaus Kniebs, der Feuer und Flamme für Luther war, hatte die größte Mühe, seine Tochter wieder aus dem Kloster St. Nikolaus in Undis zu bringen, wo er sie 1517 der Priorin anvertraut hatte; das Mädchen wollte nicht mehr fort. In St. Margaretha war die zukünftige Priorin, Anastasia Mieg, so standhaft der klösterlichen Zucht treu, daß Butzer von ihr sagte: „Sie müßte die Päpstin der Nonnen sein."[49] Der gleichaltrige Cousin von Anastasia, Daniel Mieg, war einer der tatkräftigsten Vorkämpfer der neuen Lehre in Straßburg. Untersucht man die während dieser Zeit der Prüfungen entstandenen Handschriften, stellt man fest, daß diese Treue zum alten Glauben einer sehr konservativen Haltung auf dem Gebiet der Frömmigkeit entsprach. Bis ins kleinste Detail wurde das beibehalten, was vor 1525 in Gebrauch war. Die Nonnen ließen von dem geistlichen Rüstzeug, das ihnen im Kampf für die Erhaltung der Klosterzucht von Nutzen gewesen war, nicht das kleinste Stück verlorengehen. So hielten sie durch bis ins späte 17. Jahrhundert, oder sogar bis zur Großen Revolution.[50]

Aber auch dann gab es für diese Tradition, meines Erachtens, ein Weiterwirken, und zwar in Laienkreisen. Verwandte und Freunde der Nonnen spielten eine wichtige Vermittlerrolle. Bereits am Ende des 15. Jahrhunderts weist die gedruckte Gebetbuchliteratur Züge auf, die mit der Frauenspiritualität große Ähnlichkeit haben. Die Gegenreformation hat dieses Gut übernommen und bereichert. Vor allem aber haben dann Jesuiten und Kapuziner für die Verbreitung dieser Erbauungsbücher gesorgt. In den noch vor einigen Jahrzehnten benutzten Gebetbüchern traf man einen Frömmigkeitsausdruck, der mit demjenigen, den ich schildern wollte, nah verwandt war. So muß ich dem Urteil W. Schmidts zustimmen: „Das 15. Jahrhundert hat zwar keine literarischen Meisterstücke hervorgebracht, aber die Umsetzung auf ein niedriges Niveau war die Voraussetzung, um Laien die Erfassung eines Inhalts aus der Schrift zu ermöglichen." Also hat die Frauenspiritualität in den elsässischen Klöstern nicht nur die Frömmigkeit der Nonnen wachgehalten, sondern auch für die geistliche Nahrung von vielen Generationen frommer Gläubiger gesorgt.

Anmerkungen

[1] E. Filthaut, J. Tauler, Gedenkschrift zum 600. Todestag, Essen 1961.

[2] F. Rapp, R. Merswin, in: Dictionnaire de spiritualité, X, Paris 1980, 1057 u. f.; W. Rath, Der Gottesfreund vom Oberland, Stuttgart 1962; F. W. Wentzlaff-Eggebert, Deutsche Mystik zwischen Mittelalter und Neuzeit, Berlin ³1969, 131–134.

[3] P. Adam, Histoire religieuse de Sélestat, Sélesat 1967; J. Ancelet-Hustache, Les Vitae sororum d'Unterlinden, Archives d'histoire doctrinale et littéraire du moyen âge 5, 1930, 317–509.

[4] J. Cl. Schmitt, La mort d'une hérésie, Paris 1978; A. Patchovsky, Straßburger Beginenverfolgungen im 14. Jh., Deutsches Archiv, 1974, 56–198.

[5] W. Kothe, Kirchliche Zustände Straßburgs im 14. Jh., Fribourg 1903, 72–74.

[6] K. Schmitz, Der Zustand der süddeutschen Franziskanerkonventualen am Ausgang des Mittelalters, Düsseldorf 1914, 27–30.

[7] A. Barthelme, La réforme dominicaine au XVe siècle en Alsace et dans l'ensemble de la Teutonie, Strasbourg 1931.

[8] F. Rapp, La prière dans les monastères des dominicaines observantes en Alsace au XVe siècle, in: La mystique rhénane, Paris 1963, 207–218.

[9] H. Hornung, Der Handschriftensammler D. Sudermann und die Bibliothek des Straßburger Klosters St. Nikolaus in Undis, Zeitschrift für Geschichte des Oberrheins, 1959, 338–399.

[10] K. Schneider, Die Bibliothek des Katharinenklosters in Nürnberg und die städtische Gesellschaft, in: Studien zum städtischen Bildungswesen des späten Mittelalters und der frühen Neuzeit, hrsg. v. B. Moeller, H. Patze, K. Stackmann, Göttingen 1983, 70–82.

[11] Zum Beispiel Hs. 8°44 der Berliner Staatsbibliothek.

[12] Zitiert nach L. Pfleger, Die Geschichte des Reuerinnenklosters St. Magdalena in Straßburg, Strasbourg 1935, 35.

[13] L. Pfleger, Zur handschriftlichen Überlieferung Geilerischer Predigttexte, Archiv für elsässische Kirchengeschichte, 1931, 198.

[14] Hs. germ. 4°206 (Berlin, Staatsbibl.). Dazu L. Pfleger, Zur Geschichte des Predigtwesens in Straßburg vor Geiler von Kaysersberg, Straßburg 1902.

[15] Hs. 4°22 (Berlin, Staatsbibl.).

[16] Zur handschriftlichen Überlieferung op. cit.; „Von den 12 schefflin". Eine unbekannte Predigt Geilers, Archiv für elsässische Kirchengeschichte, 1931, 206–216; „Von den 15 Aest", ibid., 1935, 139–151; „Von der art der kind". Eine unedierte Predigt Geilers, ibid., 1941/42, 129–147.

[17] W. Schmidt, Verfasserlexikon, IV, 1953, 443; H. Hornung, ibid., V, 1955, 1088.

[18] Das Leben des J. Geiler, hrsg. v. O. Herding, München 1970, 40, 41, 58.

[19] Das ABC des Geistes von Bruder Thomas, hrsg. v. Fl. Landmann, Archiv für elsässische Kirchengeschichte, 1943, 55–66; Hs. germ fol 8°200 und vom selben Thomas Hs. germ 8°63, 160 (Berlin, Staatsbibl.).

[20] W. Schmidt, J. Kreutzer, ein elsässischer Prediger des 15. Jhs, in: Festschrift für H. de Boor, Tübingen 1966, 150–192; M. Barth, J. Kreutzer und die Wiederaufrichtung des Klosters Engelgarten, Archiv für elsässische Kirchengeschichte, 1933, 181–208; Fl. Landmann, Kreutzer als Mystiker und Dichter geistlicher Lieder, ibid., 1953/1954, 21–67, 1955, 21–62.

[21] Hs. germ 4°158 und 202 (Berlin, Staatsbibl.).

[22] Hs. germ 8°31, 162 v. (Berlin, Staatsbibl.).

[23] Hs. 2934 und K 3662 passim (Straßburg, Univ.- und Landesbibl.).
[24] Hs. germ 8°31, 278 (Berlin, Staatsbibl.) und Hs. 474,2 (Colmar, Stadtbibl.).
[25] J. Cl. Schmidt, La confrérie du rosaire de Colmar (1485), Archivum Fratrum Praedicatorum, 1970, 97—124.
[26] Hs. germ. 8°31, 8v (Berlin, Staatsbibl.); Hs. 2746, 145 v. (Straßburg, Univ.- und Landesbibl.).
[27] Hs. germ 8°17, 18 (Berlin, Staatsbibl.); M. Barth, Die Haltung beim Gebet in elsässischen Dominikanerinnenklöstern des 15. und 16. Jhs., Archiv für elsässische Kirchengeschichte, 1938, 141—148.
[28] Hs. 2746, 73—42 (Straßburg, Univ.- und Landesbibl.).
[29] Hs. 563, 19 (Straßburg, Stadtbibl.); Fl. Landmann, Andachtsübungen von Straßburger Klosterfrauen am Ende des Mittelalters, Archiv für elsässische Kirchengeschichte, 1931, 217—228.
[30] Landmann, op. cit. 228 u. f.
[31] Landmann, op. cit. 221.
[32] Hs. germ 8°31, 27 (Berlin, Staatsbibl.).
[33] Hs. germ 8°31, 30, 48 (Berlin, Staatsbibl.).
[34] Hs. germ 8°31, 2—8, 4°202, 110 (Berlin, Staatsbibl.).
[35] Hs. 267,74 (Colmar, Stadtbibl.); Hs. 563, 3 (Straßburg, Stadtbibl.).
[36] Hs. 2746, 100 (Straßburg, Univ.- und Landesbibl.).
[37] Hs. 2748, 178 (Straßburg, Univ.- und Landesbibl.).
[38] Hs. germ 4°202, 160 (Berlin, Staatsbibl.).
[39] Bereits der große Mystiker Seuse dachte an die fünf Wunden des Herrn, indem er in fünf Zügen seinen Becher leerte (H. Seuse, Leben, hrsg. v. Bielmeyer, 1907, 24).
[40] Tauler gab den Gottesfreunden einen ähnlichen Rat (Taulers Predigten, Frankfurt 1826, 88). Die Herz-Jesu-Verehrung im Elsaß hat M. Barth dargestellt in seinem 1928 in Freiburg erschienenen gleichnamigen Werk.
[41] Hs. germ 8°31, 8°42, 8°55, 8°66 (Berlin, Staatsbibl.).
[42] Hs. germ 4°74, 118 (Berlin, Staatsbibl.).
[43] Z. B. Hs. germ 4°74, 36 u. f., 8°31, 253 (Berlin, Staatsbibl.).
[44] Hs. germ 8°63, 160 (Berlin, Staatsbibl).
[45] Landmann, op. cit. 62–66.
[46] Hs. germ 8°31, 162 u. f. (Berlin, Staatsbibl.).
[47] K N 50, 229 (Straßburger Stadtarchiv).
[48] Hs. germ 8°44, 60 (Berlin, Staatsbibl.).
[49] F. Rapp, L'observance et la Réformation en Alsace (1522—60), Revue d'histoire de l'Eglise de France, 1979, 41—54; Ph. Mieg, Histoire généalogique de la fmille Mieg, Mulhouse 1934, 4.
[50] F. Rapp, La vie religieuse du couvent de St Nicolas-aux-Ondes à Strasbourg de 1525 à 1592, Etudes de Sociologie religieuse, Strasbourg 1962, 1—6.

Dieter R. Bauer

DISKUSSIONSÜBERBLICK

Die Diskussionen im Anschluß an die Referate wie auch die große
Schlußdiskussion bei der Wissenschaftlichen Studientagung in
Weingarten waren teilweise geradezu spannend, insgesamt jedenfalls interessant und fruchtbar, machten aber auch deutlich, wie
schwierig die Verständigung im hier angegangenen Bereich noch
ist – zwischen den verschiedenen Disziplinen wie selbst innerhalb
einzelner Fachwissenschaften. Sosehr vielleicht gerade die dadurch bedingte Offenheit des Gesprächs den Erfolg der Veranstaltung ausmachte, so schwierig ist es nun, dessen gültigen Ertrag zu
benennen und zusammenzufassen.

Dem für den vorliegenden Band gewählten Rahmen hätte es
nicht entsprochen, eine vollständige Tonbandabschrift anzufü-
gen; dies wurde schon durch die teilweise ungenügende Bandqua-
lität verhindert, wäre aber auch für die meisten der potentiellen
Leser des Buches kaum sinnvoll gewesen. Dem Tagungsverlauf
folgend (Referate in der Reihenfolge der Aufsätze des Dokumentationsbandes, dann Schlußdiskussion) werden also wichtige und
interessante Beiträge in Auswahl referiert, meist zusammenfassend und ohne Namensnennung (Referenten ausgenommen).
Wissenschaftliche Benutzer werden vielleicht diese im einzelnen
nicht ausgearbeitete und nicht genau belegende Form als ungenü-
gend empfinden. Hinweise weiterzugeben, Spuren aufzuzeigen,
denen nachzugehen sich lohnen könnte – mehr ist hier nicht ge-
wollt.

I

Zur unterschiedlichen Rezeption der Schriften Hildegards von
Bingen und Elisabeths von Schönau läßt sich – wie Gössmann
feststellte – wenig Präzises sagen; den Zitaten bei anderen Autoren etwa müßte noch weiter nachgegangen werden. Daß Elisa-

beth in ihrer Zeit wesentlich bekannter war als Hildegard, beruht wohl darauf, daß sie eher Anregungen für die Volksfrömmigkeit bot und deshalb gerne aufgegriffen wurde. Hildegard schrieb demgegenüber karg und monumental und vielleicht doch über das Niveau der allgemeinen Bevölkerung hinausgehend. Sie wirkte aber sehr stark nach und wurde eigentlich durch die Jahrhunderte immer gelesen, wurde z. B. vom Frühprotestantismus, von der protestantischen Geschichtsschreibung erfreut zitiert als die große Kritikerin der Papstkirche. Insgesamt läßt sich sagen, daß zunächst die Breitenwirkung Elisabeths viel größer, die Rezeption Hildegards aber durch die Jahrhunderte wesentlich gewichtiger war.

Auch wenn nicht klar ist, ob Hildegards frauenspezifische Äußerungen von zeitgenössischen Theologen überhaupt wahrgenommen wurden, so scheint jedenfalls das von Gössmann Vorgetragene nicht von Männern in Frage gestellt. In ihren Predigtreisen, in ihrem Briefwechsel (mit Bernhard von Clairvaux, mit Papst Eugen III.) wie auch allgemein sonst erweist sich Hildegard als anerkannte Autorität.

Zur Ausbildung der Frauen in dieser Zeit: Frauen studierten die „septem artes liberales" wie die Männer; sie hatten ihre „magistrae". Sie konnten meist rudimentäres Latein, kannten den Vulgata-Text der Bibel und lasen das Psalterium. (Das Latein Hildegards erinnert ja an das Vulgata-Latein, doch das Latein Bernhards wohl ebenso.) Nicht mehr zugänglich war den monastischen Frauen zunächst das, was mit der zunehmenden Spezialisierung in Philosophie und Theologie an den Hohen Schulen (beginnend im 12. Jahrhundert in Paris u. a.) gelehrt wurde. Doch hatten sie große Klosterbibliotheken, und auch wenn dies im einzelnen (etwa bezogen auf den Rupertsberg) nicht mehr zu konstruieren ist, so besteht grundsätzlich die Möglichkeit, daß sie sich Bücher ausliehen, in ihren Schreibstuben abschrieben und auf diese Weise Zugriff auf Werke der Hohen Schulen hatten. Gössmann betonte, daß sich in der Männertheologie der Zeit – logisch nicht aufzulösen – misogyne Argumente und Gleichheitsargumente durchdringen. Sie unterstrich ihre Auffassung, daß die Gleichheitselemente von der Schöpfungs- und Erlösungslehre des Christentums herkommen, während die misogynen Elemente durch Aufnahme antiker, vorchristlicher Schriften (vgl. Hieronymus, Adversus Jovianum) erheblich angefüllt wurden. Da blieb es dem einzelnen männlichen Schriftinterpreten überlassen, wie sehr er mit dem Hintergrund des antiken „Antifeminismus" an die Bibel heranging oder wie sehr er sich davon befreite; jedenfalls sind diesbezüglich große Unterschiede auch unter männlichen Theologen feststellbar.

Erwähnt wurden Stellen bei Eriugena – im Zusammenhang mit der Rückkehr der Schöpfung zu ihren Ursprüngen, eine Art Apokatastasis, die er von Origenes übernimmt – , die dafür sprechen, daß Mann und Frau zu einer neuen Einheit finden, die nicht asexuell, sondern eigentlich übersexuell ist, eine höhere Einheit von Mann und Frau. Dies in Absetzung zu der vorgetragenen Rezeption des Eriugena und mit Blick auf dessen Bedeutung für eine ganze von ihm (vielleicht schon von Origenes) ausgehende Tradition, die im 13. Jahrhundert in der Beginenbewegung eine große Rolle spielte und die bezüglich der Rolle der Frau weit über das hinausging, was Hildegard sagte. (Schweitzer)

Hildegard ging es um die ganzheitliche Schau des Menschen, so daß auch der Leib mit dem Geist erlöst, verherrlicht wird: also Verherrlichung und nicht Verachtung des Leibes und von daher auch eine Bewertung der Geschlechter. Nicht ein Geschlechterkampf wird thematisiert, vielmehr geht es um das Problem der Liebe, der Liebe zum dreifaltigen Gott, die sich auch im menschlichen Eros darstellt. Wenn sie etwa sagt, die Frau, die den Mann anschaue, in seine Augen schaue, schaue wie in einen Himmel, so ist dies nicht patriarchalisch gemeint, sondern weist darauf hin, daß diese Liebe unter dem Gesetz der göttlichen Liebe steht. Geschlechtlichkeit wird da aufgehoben – nicht im Sinne der Verachtung, sondern der Erhöhung. (Schmidt)

Noch eine Ergänzung: Hildegard sagt in ihrer Ekklesiologie, die Kirche werde erbaut von Männern und Frauen. Sie kennt also nicht das Ideal einer Klerikerkirche; Männer und Frauen bilden die Kirche. Eine für das 12. Jahrhundert erstaunliche Aussage.

Köpf unterstrich seine Einschätzung von der Vollwertigkeit der monastischen Theologie eines Bernhard von Clairvaux neben der scholastischen. Bei der Beurteilung der wirkungsgeschichtlich höchst bedeutsamen pseudobernhardinischen Schriften ist zu beachten, daß diese zweifellos häufig unmittelbar von Bernhard abhängen, von ihm inspiriert sind, seine Gedanken getreu aufnehmen, aber im Vereinfachen und Schematisieren nicht mehr getreuer Ausdruck seiner Art, Theologie zu treiben, sind. Ausführlich besprochen wurde die – vielleicht eigentliche – Wirkungsmacht Bernhards aufgrund der Texte, die über ihn geschrieben wurden – Viten, Legenden (bei der Tischlesung aus Legendaren kam Bernhard wohl mindestens einmal im Jahr vor), Gedichte auf ihn, Gebete an und über ihn, Predigten über ihn (zahlreiche erhalten) – und aufgrund des breiten Stroms mündlicher Mitteilungen, der nur selten einmal greifbar ist, meist nur vermutet werden kann.

Wenn in den bettelarmen Dominikanerinnenklöstern ohne Schreibstuben und Schreibtradition, ohne Geld für Pergament oder auch Papier keine schriftlichen Bernhard-Überlieferungen zu finden sind, so entspricht dies nur den selbstverständlichen Erwartungen. Dennoch sind unter Umständen Einflüsse nachweisbar; so bestand beispielsweise im Falle von Engelthal 80 Jahre lang eine ganz enge Verbindung zu einem Zisterzienserkloster, und der Klosterkaplan war geradezu ein „Bernhard-Fan". (Ringler)

Die Vermenschlichung des Göttlichen war eine ausgesprochene Zeitströmung. Gott wird als Mensch erfahren. Bernhards überragende Bedeutung für die christliche Mystik gründet wohl in seiner ungeheueren Sensibilität, zu erspüren, was an der Zeit war, und seiner außerordentlichen Fähigkeit, dies auch auszudrücken – in erotischen Bildern wie in Bildern des Leidens. Falls dies Frauen stärker ansprach (was noch zu beweisen wäre), zeigt sich vielleicht darin deren feineres Gespür für das Menschliche. (Ringler)

Vekeman unterstrich, daß es ihm darum gegangen sei, die Diskussion um die Begriffe in die Tagung einzuführen. Auf diese Diskussion – spannend und für den Fortgang des Tagungsgeschehens wichtig, aber recht heterogen und in vielem unklar – kann hier nicht angemessen eingegangen werden. Die für Vekeman zentrale Frage, was eigentlich ein mystisches Wort sei bzw. ob jedes Wort eines Mystikers schon ein mystisches Wort sei, fand jedenfalls keine Antwort.

Auch im Mittelalter war es zweifellos vorherrschende Lehre, daß einerseits von unten her der Mensch die Prädisposition für das mystische Erlebnis schafft und dann von oben her die göttliche Gnade frei geschenkt dazukommen kann. Mit Blick auf die Praxis mancher Mystiker bleibt allerdings zu fragen, ob diese – ohne die Lehre theoretisch zu bestreiten – nicht doch glaubten, durch ein besonders extensives asketisches Leben und ebenso extensives Beten solche Gnaden auch herabzwingen zu können.

Der Begriff „*christliche* Mystik" wurde als unhistorisch und polemisch abgrenzend in seiner Eignung bei der Interpretation mittelalterlicher Texte in Frage gestellt. Darauf eine Antwort: Der Begriff „mystische Theologie" wurde zuerst bei Pseudo-Dionysios geprägt, dann im 13. Jahrhundert bei Lullus. Nicht über mystische Dinge wurde dabei aber gesprochen, sondern über dogmatische. Erst Ende des 14. und dann im 15. Jahrhundert setzte eine Theologie der Mystik ein. Wenn wir heute von christlicher Mystik sprechen, so meint dies Mystik, „unio mystica" unter dem Vorzeichen eines christlichen Gottesbildes des dreifaltigen Gottes und des menschgewordenen Logos. Dieses Phänomen – Gott ist die Liebe als dreifaltiger Gott und als inkarniertes Wort – bestimmt den Inhalt christlicher Mystik. Denn in jeder Religion gibt es mystische Phänomene, die aber inhaltlich verschieden gefüllt sind. Insofern geht es nicht um polemische, sondern um sachliche Abgrenzung, ist die Rede von christlicher Mystik (auch wenn der Begriff im christlichen Abendland des 12./13. Jahrhunderts nicht existierte) sinnvoll und legitim. (Schmidt)

IV

Bei der Begegnung mit Hadewijch irritierte manchen die Systematik, gerade dann, wenn das Überschreiten von Grenzen und also auch von Strukturen als typisch weiblich empfunden wird. Dennoch ist sicherlich nicht auszuschließen, daß diese Frau ihre punktuellen Erfahrungen als in einem Lebenszusammenhang stehend empfand und bei der ganz selbstverständlich einsetzenden Verarbeitung und Interpretation ihrer Erfahrungen eine Systematik entwickelte. Doch selbst wenn man annehmen wollte – meinte Heszler –, daß ein späterer Schreiber die Anordnung vornahm, so stünde dahinter immer noch mittelalterliches Denken, das vielleicht – mehr als heutiges – an das der Hadewijch heranreicht.

Faszinierend auch ihre Aufnahme profaner höfischer Traditionen, in die sie die Seele bzw. das liebende Ich in der Rolle des Mannes, des Ritters hineinstellt – oder (eine andere Interpretation) die sie mit dem vorgegebenen männlichen Vokabular aufnimmt, dann aber umpolt und für ihre fraulichen Zwecke umarbeitet, um nun eine neue Existenz darauf zu gründen, die sich gerade von diesen traditionellen männlichen Existenzformen der Adelsgesellschaft ihrer Zeit abhebt.

V

An Schmidts Beschreibung der Tradition der „sensus spirituales dei" anknüpfend wurde auf zwei unterschiedliche Theologiebegriffe hingewiesen: Zum einen wird Theologie definiert als beruhend auf „intellectus" und „affectus"; Theologie ist da per se „scientia" und „sapientia" (von „sapere") und Theologie ist »experientia«. Es gibt also keine Grenze zwischen Theologie und Mystik. Gemeint ist hier die Summa Halensis, also die unter dem Namen des Alexander Halensis zusammengefaßte frühfranziskanische Schule, die eine ausgesprochene Einarbeitung der Tradition der „sensus spirituales" vollzieht; gemeint sind auch der frühe Albertus Magnus und Bonaventura. Bei Thomas verschwindet dann der „affectus" aus dem Theologiebegriff; Theologie wird intellektualisiert. Sie ist zwar noch „sapientia", aber nicht wegen ihrer Gründung auf „sapere" und „experientia", sondern weil sie von der „causa causarum" handelt und nicht vom „causatum". Hier liegt wohl der Grund, warum – weniger bei Thomas selbst als in der auf ihm gründenden Tradition – Theologie und Mystik auseinandertreten. Nicht von ungefähr bleiben aber die Frauen auf der Linie, wo „intellectus" und „affectus" beieinander sind. (Gössmann)

Dabei ist festzuhalten, daß auch Thomas (in der „Summa") für die Gotteserkenntnis den Vorrang der inneren Erfahrung vor der intellektuellen Erkenntnis feststellt, doch so knapp, daß seine Nachfolger dies nicht mehr zur Kenntnis nahmen. (Schmidt)

Frömmigkeit, Mystik oder religiöses Leben überhaupt – so betonte Schmidt – ist auch eine Frage der Bildung; religiöse Erfahrung ohne Bildung wird schnell zur Gefühlsduselei. Mechthild von Magdeburg ist ein Glücksfall: von großer natürlicher Begabung, eignete sie sich bildungsmäßig viel an und war dann in der Lage, von diesem Hintergrund her ihre Erfahrungen mit den sprachlichen Mitteln ihrer Zeit zu artikulieren. Ihre Lateinkenntnisse sind umstritten, doch kannte sie sicherlich die lateinischen Quellen aus der Liturgie. In Stundengebet und Lesungen flossen damals viel mehr Texte als heute ein. Wahrscheinlich hatte sie darüber hinaus auch schon als Begine Tischlesungen.

Ausführlich ging Schmidt auf das Werk Rudolfs von Biberach ein, das lange Bonaventura zugeschrieben wurde und deshalb eine immense Verbreitung in ganz Europa fand. Diese aszetisch-mystische Summe vermittelt einen breiten Traditionshintergrund, der auch beim „Fließenden Licht" vorausgesetzt werden muß, obgleich die Vermittlung bei Mechthild schwer nachzuweisen ist.

Bei Rudolf von Biberach ist die höchste Spitze die „affectio principalis", der durch die Gnade überhöhte Affekt – bei Eckhart ist es die „ratio superior", der überhöhte Verstand. Bei Rudolf werden immer wieder beide geistigen Kräfte zusammengenommen, doch ist die affektive Gotteserkenntnis überlegen, weil die „suspiria", das „desiderium", weiter tragen als die „intelligentia" (d. h. die „intelligentia" bricht zusammen, aber die „suspiria", die Seufzer, das unendliche Verlangen, sind der letzte Ausdruck des

Menschen gegenüber Gott). Die Richtung, die sich hier manifestiert, wurde in Frauenklöstern zum Teil (nicht überall) mißverstanden und führte zu visionären Formen, gegen die dann Tauler
und Eckhart ihre Stimme erhoben. (Schmidt)

Die These, daß das, was Scholastiker mit dem Intellekt sagten,
von Frauen unmittelbar erfahren und dadurch wesentlich verändert wurde, schien etwas gewagt. Innerhalb des mystischen Bereichs kann man zwar sagen – so Schmidt –, daß Mechthild mit ihrer Erfahrung das verifizierte, was eine breite Tradition immer
wieder vortrug, doch kann man den Männern in dieser Tradition,
christlichen Autoren, diese Erfahrung nicht absprechen. Die Erfahrung in der Mystik ist der Sache nach nicht geschlechtsgebun-
den, vielleicht in der Formulierung mehr oder weniger geschlechtsspezifisch, wobei Ausbildung bzw. Bildung eine entscheidende Rolle spielen könnte.

Frauen scheinen zunächst eine bestimmte Rolle zu besetzen,
eben die der unmittelbar Erlebenden, nicht der Lehrenden – sicherlich durch äußere Umstände mitbedingt, aber vielleicht dadurch noch nicht hinreichend erklärt. Immerhin erstaunlich, daß
sich trotz der durch die gegebene Ordnung aufgerichteten Barrie-
ren immer wieder Frauen zu Wort melden wollten und konnten
(teilweise ermutigt durch männlichen Beistand). Für die Beurteilung der Persönlichkeit einer Mystikerin und ihrer Intention ist es
natürlich entscheidend wichtig, inwieweit ein vorliegender Text
auf diese selbst zurückgeht; ein komplexes und meist schwer zu
lösendes Problem, auf das hin jeder Text jeweils für sich neu zu
prüfen ist. Mechthild ist auch da ein Glücksfall: man kann noch
ganz deutlich erkennen, daß sie selbst formuliert hat; die Übertragung innerhalb der Volkssprache vom (verlorenen) mittelniederdeutschen Original in eine oberdeutsche Fassung scheint wenig
verändert zu haben. Auffallend ist der Bruch zur später entstandenen lateinischen Textfassung; diese wurde systematisiert, umge-
ordnet nach sachlichen Gesichtspunkten.

Interessant in diesem Zusammenhang das Beispiel der Elsbeth
von Oye, Dominikanerin in Zürich, Mystikerin des 14. Jahrhunderts (eingebracht von Peter Ochsenbein, St. Gallen, der die Edition vorbereitet). Von ihr ist – mit hoher Wahrscheinlichkeit –

noch ein Autograph erhalten. Bei einer Schriftuntersuchung läßt sich feststellen, daß die ersten zwei Drittel ziemlich rein geschrieben sind: wohl bereits eine Abschrift Elsbeths selbst. Nur der letzte Teil zeigt eine unmittelbare Niederschrift mit immer wieder neuen Schreibansätzen, auffallend mehr Abkürzungen als vorher u. a. Bei einem Vergleich der beiden Teile kann man beobachten, daß Elsbeth im ersten Teil deutlich systematisierte, wohl ein ursprüngliches (verlorenes) Konzept bei der nochmaligen Niederschrift überarbeitete. Ein solches Vorgehen ist sicherlich auch bei anderen Mystikerinnen zu vermuten.

VI

Immer wieder brach das Problem der Authentizität der Texte bzw. die Frage, inwieweit diese reales Erleben widerspiegeln, durch – besonders ausführlich diskutiert im Anschluß an das Referat von Dinzelbacher. Dieser faßte hier seine Vorstellung vom Zustandekommen solcher Schriften zusammen: Die erste Phase bildet das Erleben selbst, nach Auskunft aller Mystiker nicht adäquat beschreibbar. Erst im nachhinein – vom Geschehen in ähnlicher Weise getrennt, wie dies jedem Menschen vom Erinnern an Träume vertraut ist – versucht der Mystiker sich sein Erlebnis zu vergegenwärtigen und eine möglichst angemessene sprachliche Form dafür zu finden. Diese schreibt er dann nieder oder erzählt sie jemandem, der sie seinerseits niederschreibt. Mit der Niederschrift und im Anschluß daran beginnt ein Prozeß der Überarbeitung – teilweise noch durch den Mystiker selbst (wie beispielsweise im Falle von Juliane von Norwich, die dazu 20 Jahre brauchte). Etwas verfälschen muß auch – nolens volens – die häufig gegebene Aufzeichnung in Latein und nicht in der Volkssprache. Zweifellos ist also die Erlebnisqualität vielfach gebrochen, dennoch kann die Literaturgattung keinesfalls verstanden werden, wenn sie als rein literarisches Gebilde betrachtet wird und nicht als etwas, das aus der Lebenswirklichkeit, aus der Erfahrung Gottes in charismatischer Begegnung entstand.

Wie sich im Laufe der Forschungsgeschichte die Einschätzung

der Eigenleistung einer Mystikerin wandeln kann, zeigt das Beispiel Hildegards. Ihre Aussagen über die eigene Minderwertigkeit führten dazu, daß noch Otto Karrer (1929/30) meinte, der Mönch Volmar habe größtenteils die Interpretation der Visionen geleistet. Heute nimmt man weitgehend die Bescheidenheitstopoi als bewußt eingesetzte Instrumente zur Autoritätsverschaffung für eine Frau und rechnet entsprechend weniger (oder auch gar nicht mehr) mit aktiver männlicher Mitarbeit. Auch Elisabeth von Schönau machte zunächst eigene Aufzeichnungen, wie aus einem Brief an Hildegard hervorgeht. (Gössmann)

Der Prozeß der Bearbeitung durch die Mystikerin selbst oder durch andere in der Folge ist vielfach belegbar. Im Falle der Elsbeth von Oye ist interessant, daß sie selbst nur Offenbarungen (Auditionen) niederschreibt, kurz eingeleitet durch ihre Leidenspeinigung. Eine spätere lateinische Fassung – die ihrerseits wohl auf eine mittelhochdeutsche Bearbeitung des 15. Jahrhunderts zurückgeht – kann auf mehr Text zurückgreifen, als ursprünglich erhalten ist. Der Titel lautet nun „Büchlein des Lebens und der Offenbarungen Elsbeths von Oyes" („vita et revelationes") und deutet so schon die literarische Verarbeitung an.

VII

Die vorgetragene Nonnenmystik – dies unterstrich Ringler – zeigt eine andere Möglichkeit der Klosterwirklichkeit gegenüber einer sonst eher als mittelalterlich vertrauten. Zweifellos entstand die Figur der Nonne etwa bei Boccaccio nicht als reine literarische Fiktion, sondern auf einem konkreten gesellschaftlich-institutionellen Hintergrund; dies weist eben auf die verschiedenen Möglichkeiten klösterlicher Verfaßtheit und klösterlichen Lebens hin. Sicherlich gab es gute und schlechte Klöster, gab es welche, wo mehr neurotischer Geist herrschte, wo Frauen sich eingesperrt vorkamen, weil sie vielleicht auch eingesperrt werden sollten, abgeschoben, um versorgt zu sein. Aber es gab eben auch die anderen, in denen Frauen eine Möglichkeit zur Selbstverwirklichung fanden wie sonst nirgendwo in der damaligen Gesellschaft. Und

Frauen (in ähnlicher Situation auch Männer) hatten durchaus ein Gespür für diese Chance. Vielleicht täuscht sogar der Eindruck nicht, daß selbst Kinder im Alter von 6 oder 7 Jahren, die sich in den Bereich des Religiösen stürzten, spürten, daß sie da etwas erfahren konnten, in einer Weise angeregt wurden, wie ihnen dies das übrige Leben damals nicht bieten konnte. Dies wäre jedenfalls auch eine Erklärung für die großen Scharen von Frauen, die sich ohne Not und teilweise gegen den Druck ihrer Umgebung aus der Gesellschaft entfernten und an asketische Lebensformen banden.

Interessant die Vermutung, daß eventuell die ganze mystische Bewegung, bei Männern wie bei Frauen, verstärkt aber bei Frauen, auch als eine Replik zu interpretieren sei auf die Klerikalisierung und Hierarchisierung der Kirche in der Folge der gregorianischen Reform, die mit einer ausgesprochenen Vorherrschaft oder doch Betonung des Männlichen einhergeht.

Die gesellschaftlich wie kirchlich geforderte strenge Klausurierung der Nonnen schränkte selbstverständlich die Möglichkeiten einer „vita activa" ein. Dennoch bildet der Übergang dazu ein wesentliches Element der Mystik – wie Ringler unterstrich. Wo dieses Element ganz fehlt, liegt eine sehr fragwürdige Mystik vor.

Wie wenig die äußere Wirklichkeit in diesen Nonnenviten faßbar wird, läßt sich auch mit Elsbeth von Oye belegen. Ihre Sprache ist ganz verinnerlicht, nie fällt das Wort „Kloster" oder „Mitschwester". Es ist eine rein persönliche, man könnte sogar sagen ichsüchtige Beschreibung und Rechtfertigung ihrer Leidensaskese. Wenn man nicht um die historischen Umstände Elsbeths wüßte, man könnte diesen Text nirgendwo zuordnen – keine Jahreszahl, nichts wird genannt.

VIII

Vavra wies auf die im Spätmittelalter immer komplizierter werdenden Verschränkungen von religiösem Theater, bildender Kunst und mystischen bzw. überhaupt christlich-meditativen Texten hin. Dabei entwickelte sich ja das Theater zum Teil aus der Liturgie (z. B. Karfreitagsliturgie). Wenn etwa in den Regieanweisungen eines Passionsspiels ausdrücklich erwähnt wird, daß dem Darsteller der Maria eine Plastik des toten Christus in den Schoß gelegt wird, so wird deutlich, daß ein solcher in die Aktion einbezogener Umgang mit Plastik für den mittelalterlichen Menschen nichts Ungewöhnliches darstellte. Es würde wohl den Inhalt mancher Visionen erklären, wenn man wüßte, ob in den entsprechenden Klöstern Handlungen, wie sie in den Visionen beschrieben wurden, in der Liturgie tatsächlich vorkamen.

Wie weit die Beeinflussung einer Visionärin durch Bildwerk gehen kann, zeigt eindrucksvoll eine Schau der Agnes Blannbekin, in der sie den Eindruck hat, daß der Leib Mariens durchsichtig wird, sie in den Uterus hineinschauen kann und drinnen das Kind sieht. Dies korrespondiert mit gotischen Plastiken der Maria Gravida, in deren Bauch ein Kristall eingelassen ist, unter dem das Jesuskind gezeigt wird. (Dinzelbacher)

Schwestern beteten (mit Sicherheit in der zweiten Hälfte des 14. und im 15. Jahrhundert) vor allem vor Bildwerken – nicht nur auswendige Reihengebete, sondern auch Andachtstexte, größere Meditationstexte, beispielsweise zum Leben Christi. Eine noch wenig beachtete Quelle hierfür sind die Gebet- und Andachtbücher. Bei einer Untersuchung handgeschriebener Privat- und Stundengebetbücher bis 1550 (die meisten dieser Handschriften kommen übrigens aus Frauenklöstern) fanden sich immer wieder entsprechende Anleitungen (dieses Gebet sollst du beten vor einem Vesperbild, vor dem Kruzifix ...). Schwestern haben also auch ihre Privatgebete vor Bildwerken verrichtet.

IX

Breure unterstrich sein Anliegen, gegenüber dem geläufigen, aus den Traktaten zu gewinnenden Bild der „devotio moderna" den Blick stärker auf die Praxis, die Realität, zu richten, die oft in großer Spannung zum erwünschten Ideal stand. Vorrangig herrschten Angst und Furcht vor Gott. Die Kontrollmaßnahmen wurden in den letzten Jahrzehnten des 14. Jahrhunderts verschärft aus Angst vor Verdächtigungen. Man stand immer in der Gefahr, auf eine Stufe mit Beginen und Begarden gesetzt zu werden, und wünschte doch eine sehr orthodoxe Bewegung zu sein. In irritierender Weise wurde immer wieder betont, daß besonders Frauen gehorchen müßten. Die Männer waren bemüht, das für sie typisch weibliche Element, die Emotionalität, zu eliminieren oder wenigstens in Grenzen zu halten. Männer wachten ständig über die Rechtgläubigkeit von Frauen. Eine ausgearbeitete Mystik konnte sich auf dieser Grundlage nicht entwickeln, nur mystische Elemente sind zu finden.

Vielleicht läßt sich diese eigentümliche Frömmigkeit (holländische Empfindsamkeit zur Zeit der frühen „devotio moderna") mindestens teilweise auch erklären als durchaus positive religiöse Antwort auf die spezielle kulturelle Situation in der Grafschaft Holland – ohne große Klostertradition, ein Wasserland mit dezentraler Gesellschaftsstruktur, wo man nicht wußte, was Autorität ist. (Vekeman)

Bei einem Vergleich der Gebetbücher aus Frauenklöstern im oberdeutschen und im niederländischen Bereich stellt man fest, daß im oberdeutschen Raum weitaus das Privatgebetbuch überwiegt, im niederländischen jedoch das Stundenbuch mit seinen festgefügten Texten: vielleicht auch Hinweis auf eine jeweils eigentümliche Frömmigkeit.

Da sich bei den hier vorgestellten Quellen zur „devotio moderna" bezüglich der Geschlechter die traditionellen Stereotypen zeigen (Männer sind sachlich, nüchtern, intellektuell – Frauen sind emotional und phantasievoll), wäre wohl quellenkritisch noch genauer zu untersuchen, inwieweit Aussagen über Männerklöster von Männern, Aussagen über Frauenklöster von Frauen stammen oder ob hier nicht Männer bei der Schilderung der Verhältnisse in Frauenklöstern ein vorgegebenes Klischee übernehmen.

X

In kritischer Auseinandersetzung mit Schweitzers Vergleich von Hadewijch und Margarete von Porète wurde ein Bild Hadewijchs aus ihren Briefen zitiert, in dem der Kaiser, der selbst in Ruhe ist, seine Beamten wirken läßt. Ruhe und Aktivität dürfen einander nicht ausschließen, doch darf eine Konzentration nur auf die Tugenden (um ihrer selbst willen) nicht die Sicht auf Gott verstellen. Dabei meint Hadewijch wohl keinen vorübergehenden Zustand, sondern eine Zustandshöhe mystischer Perfektion, die sie bei ihrer Freundin realisiert zu sehen wünscht, für die sie den Brief schreibt.

Schweitzer sah hier den Unterschied zu Hadewijch bei Margarete darin, daß dieser die schwermütige Sehnsucht nach Gott fehlt, daß sie vielmehr vollkommen in einer Gewißheit steht und insofern eine Stufe weiter ist, daß sie eigentlich jede Vorstellung von Tugend verloren hat, die sie in Zukunft noch zu wirken hätte.

Margarete hat auf keinen Fall ein apostolisches Sendungsbewußtsein, höchstens ein Bewußtsein, andere Menschen eben durch ihr didaktisch-pädagogisches Werk zum beschriebenen Zustand zu heben, allerdings nur einen esoterischen Zirkel – ähnlich wie Hadewijch.

Auf Ähnlichkeiten mit den Katharern hin angesprochen, machte Schweitzer deutlich, daß man bei den Katharern philosophisch ja von einem Dualismus sprechen muß, von einer Materiefeindlichkeit, wovon aber bei Margarete von Anfang an nichts zu spüren ist. Allerdings gibt es bei den Katharern unter den „perfecti" auch ein Miteinbeziehen des Materiellen derart, daß diese sündelos werden können. Insofern kann man von einer Vergleichbarkeit auf dieser höchsten Stufe sprechen; doch wollte man Margarete den Katharern zuordnen, müßte man eine lange Phase der Läuterung annehmen, von der bei ihr nicht die Rede ist.

Als Folge eines kurzen Aufleuchtens – dem die Nacht der Seele vorausgehen kann – wird bei Margarete ein Zustand erreicht, aus dem kein Rückfall möglich ist. Eine Sicherheit und eine Freiheit im Verhältnis zu den Kreaturen, zu allen Dingen wird gefunden, die es vorher nicht gab. Die Bezeichnung „conubium spirituale" ist dabei wohl unangemessen – ein Begriff, mit dem manche Mystikforscher den Zustand dauernder Gottverbundenheit bezeichnen in Absetzung von „unio mystica", nach der ein Rückfall noch möglich ist.

Kritisiert wurde das Bild Blommaerdines, das in der vorgestellten Form auf Pomerius, den Biographen Ruysbroeks, zurückgeht. Neuere Untersuchungen stellten klar, daß dies ein Phantasiebild ist oder wenigstens eine Art epische Konzentration, durch die die Realität des Lebens des freien Geistes in Brüssel zur Zeit Ruysbroeks in dieser Person verdichtet dargestellt wurde. Nach zeitgenössischen Quellen hatte Blommaerdine ein sehr gutes Verhältnis zum Klerus, gründete ein Altersheim und erhielt ein ehrenvolles Begräbnis. Schweitzer unterstrich, daß der Streit mit Brüsseler Klerikern wohl „ein Sturm im Wasserglas" und Blommaerdine eine hochgeachtete Frau war. Im Vortrag sollte das Klischee des Ketzers dargestellt werden, dessen seraphische Liebe immer gleich sinnliche Liebe, Venusliebe, sein mußte. Pomerius subsumierte verschiedene Frauen unter ein solches Klischee, ungeachtet der Subtilität ihrer Bücher.

Eine an sich wichtige Diskussion über den Aussagewert der Quellen (besonders der Inquisitionsprotokolle) kann hier nicht nachgezeichnet werden.

Schweitzer wies auf seine Vorsicht bei der Interpretation hin; sexuelle Praktiken in der häretischen Frauenmystik bis zum Ende des 14. Jahrhunderts wurden in keiner Hinsicht unterstellt. Immerhin scheint klar, daß der Vorwurf der Anbetung eines Dämons oder ähnliche Dinge gegenüber den „homines intelligentiae" nicht bewiesen und auch ein Dualismus, wie er aus den Frageschemata an die Katharer herauszulesen ist, nicht verfolgt werden kann. Die Perversität sexueller Verfehlungen, Spitzfindigkeiten, geboren aus krankhafter Phantasie, fehlen hier. Der positive Bezug der Sexualität zur Spiritualität wurde aber wohl tatsächlich so gesehen. Wenn hier Freiheit bei Frauen gleich wieder in einen Zusammenhang zu sexueller Freiheit gebracht wird, mögen männliche Projektionen im Einzelfall die Akzente setzen (dies ein Vorwurf). Die Erscheinung einer positiven Verbindung von Geschlechtlichkeit und Geistigkeit bleibt gegeben.

Nyberg unterstrich die Bedeutung zisterziensischer Tradition für Birgitta. Die Seherin – die als solche auch von der schwedischen Forschung tatsächlich als recht einmalige Persönlichkeit gesehen wird – wurde zweifellos von dieser Überlieferung her inspiriert, auch wenn dies im einzelnen schwer nachzuweisen ist; immerhin kann man von Anregung und Führung durch die Beichtväter ausgehen. Auch bei der Strukturierung ihres Ordens orientierte sie sich an den Zisterziensern: wenn man deren Generalkapitelbeschlüsse zusammenfügt, dann bekommt man ein recht deutliches Bild einer Männergruppe im Anschluß an zisterziensische Frauenklöster, bestehend aus Priestern und Laienbrüdern mit bestimmten Funktionen (Beichtväter, Vorsteher der Wirtschaft u. a.).

Bei vielen Offenbarungen Birgittas fällt auf, daß gewissermaßen als Vorspann eine konkrete Situation geschildert wird – wohl nicht nur Beiwerk zur Beglaubigung der Offenbarung, sondern historisches Faktum (oft sehr alltäglicher Art: Gewahrwerden eines bestimmten Platzes, eines Gebetes, eines Kruzifixes . . .), das sie jeweils anregte und inspirierte. Zu diesen äußeren Ereignissen zählen natürlich auch die Gravamina der Zeit, zu denen sie in prophetischer Rede Stellung nahm, also als begnadete Persönlichkeit Wort Gottes offenbarte.

Bei der hohen Bedeutung Marias im Werk Birgittas, gerade auch als Fürsprecherin bei Gerichtsszenen, stellt sich die Frage nach deren Wirkkraft. Im vielleicht ältesten deutschen Text, der das ganze Programm des Jüngsten Gerichts vorstellt, bei Heinrich von Neustadt, bitten Maria und Johannes der Täufer für die Verdammten (ein in der bildenden Kunst ja geläufiges Motiv). Hier – wie auch in späteren Jüngst-Gericht-Spielen – bleibt aber die Fürbitte Marias vergeblich. Bei Birgitta – so Nyberg dazu – ist dies gar nicht vorstellbar. Maria spricht nur, wenn Rettung möglich ist, und dies tritt dann selbstverständlich auch ein. Die Stellung Marias bei Birgitta wird sehr deutlich in der Engelsrede: Maria ist auf jeder Stufe der Heilsgeschichte dabei – Miterlöserin wohl nicht in dem Sinne, daß ohne sie keine Erlösung möglich wäre, Miterlöserin jedoch insofern, als sie die ganze Zeit am gesamten Werk mitwirkt.

In der Einschätzung Marias steht Birgitta in einer Entwicklung, die sich vielleicht am deutlichsten an der Theophilus-Legende aufzeigen läßt, der klassischen Marienlegende des Mittelalters, die mit einer Gerichtsszene verbunden ist. Die steigende Marienverehrung verläuft parallel zu einer Vereinseitigung des Gottesbildes; Christus wird immer mehr nur als Gott gesehen, seine Menschheit tritt zurück. Die Hilfsmacht Marias wächst ins Ungeheure an, bis im Spätmittelalter Jesus fast hinter diese zurücktritt. Eigentlich vermittelt dann Maria den Menschen die Gnade. (Ringler)

Als der Priester-Laien-Ordnung exemt oder mindestens als der Priesterwürde gleichgestellt wurde Maria schon in der älteren kirchlichen Tradition gesehen. Neben anderen bildlichen Darstellungen belegt dies auch eine Vision Elisabeths von Schönau, die Maria in priesterlichen Gewändern zeigt.

Die Stellung Marias prägt – nach Nyberg – das ganze Ordenskonzept: In diesem Erlöserorden (Ordo Sanctissimi Salvatoris) ist der Salvator an keinem Ort der Klosterkirche lokalisiert, es gibt etwa keinen Erlöseraltar (der Hauptaltar ist Petrus, der Hauptaltar der Nonnen auf der anderen Seite Maria geweiht). Der ganze Orden also ist dem Erlöser geweiht; ihm, Christus, steht als Vorsteherin des Ganzen Maria gegenüber – konkret: die Äbtissin. Erst darunter kommen die Apostel und alle übrigen.

Die Feststellung einer Verbesserung der sozialen Lage der Frau durch den Eintritt in ein Kloster galt wohl uneingeschränkt gerade für die Birgittinnen. Ein Höchstmaß der Selbständigkeit der Frau wurde hier verwirklicht – selbstverständlich in strengster Klausur. Sicherlich gab es dennoch Wirkungen nach außen, doch sind diese kaum nachzuweisen. Immerhin war die Klosterkirche auch Pilgerkirche und lockte große Menschenscharen an.

Birgittas Konzeption mit einer relativ starken Stellung der Frau läßt sich auch als Reaktion auf die patriarchale Struktur der Kirche interpretieren – vielleicht gründend auf eigenen Erfahrungen der Ohnmacht oder auch auf Beobachtungen der Machtlosigkeit etwa von Zisterzienserpriorinnen, jedenfalls auf dem Hintergrund der Stellung der Frau in Skandinavien. Diese relativ bessere Stellung der Frau in Skandinavien (und noch mehr in Island) mit der Möglichkeit zu selbständiger Betätigung in verschiedenen Bereichen erklärt vielleicht, warum es der befreienden Funktion mystischen Erlebens in diesem Raum kaum bedurfte und Birgitta als Visionärin so singulär erscheint.

XII

Wie schon Rosa von Viterbo, die dafür aus der Stadt vertrieben wurde, und dann Birgitta, die teilweise immerhin in große Schwierigkeiten kam, predigte auch Katharina von Siena öffentlich, übte also eine Funktion aus, die in der mittelalterlichen Gesellschaft sonst eigentlich nur Männern zukam. Zwar gab es auch ihr gegenüber erhebliche Widerstände – so Schneider –, doch wurde sie in ihrem Auftreten insgesamt letztlich vom Papst selbst gedeckt und bestätigt. Mit welchen Schwierigkeiten sie aber doch rechnen mußte, zeigte sich etwa, als sie um die schriftliche Bestätigung einer Einladung des Papstes bat, um sich gegen Kritik in ihrer Umgebung behaupten zu können.

XIII

Da die Nonnenviten wohl nicht in der Absicht verfaßt wurden – wie häufig angenommen –, ein Spiegelbild des Innenlebens abzugeben (im Sinne moderner Selbsterfahrungsliteratur), stellt sich die Frage, welche didaktische Funktion, welche Gebrauchsfunktion diese Texte hatten. Juliane schrieb vermutlich – so Wöhrer – in ihrer Funktion als geistliche Beraterin unmittelbar für (weibliche) Religiosen. Sie betonte aber selbst, daß ihre Offenbarungen Allgemeingut, also grundsätzlich auf jeden Christen hin gesprochen seien. Die volkssprachliche Literatur des späten 14. und des 15. Jahrhunderts richtete sich sowohl an einen monastischen als auch an einen laikalen Leserkreis. Dies schließt Margery ein, die im übrigen den Auftrag, ihr Erleben darzulegen, auch durch eine Audition erhielt, also durch eine göttliche Ansprache. Wöhrer unterstrich, daß es sich hier nicht nur um mystographische Texte handelt, also nicht nur um reine Selbsterlebnisbeschreibungen, sondern auch um mystologische: Erfahrung wird reflektierend ausgewertet – theologisch im Falle von Juliane, die offensichtlich einen höheren Bildungsgrad hatte. Margery fehlten die spekulativen Elemente einer Offenbarungstheologie; ihr Bericht wird heute primär geschätzt als historisches Dokument, als erster Reisebericht der englischen Literatur und als erste Autobiographie.

Zur Vorstellung Gottes als Mutter ebenso wie als Vater bei Juliane (Shewings, längere Fassung, Kap. 59–61) läßt sich derzeit – nach Meinung Wöhrers – über das Zitat des Textes hinaus wenig sagen. Die komparatistischen Ansätze für einen hier notwendigen Vergleich der Motive in der Frauenmystik dieser Zeit in ganz Europa sind noch zu dürftig. Ohne die Spur der Wirkung auf Juliane verfolgen zu können, weist diese inhaltlich natürlich auf östliche mystische, letztlich im biblisch-urchristlichen Bereich gründende Traditionen (Sophia-Lehre, Gott als Weisheit).

Neben verschiedenen – nicht weiter belegten – Stellenhinweisen (Herr-Gott und Frau-Gott bei Nikolaus von der Flüe, Gott als König und Königin bei manchen Mystikern) und einer Verstärkung der Bedeutung der alttestamentlichen Tradition in diesem Zusammenhang durch Aufzeigen weiblicher Elemente im Gottesbild der hebräischen Bibel wurde die weiterführende Möglichkeit aufgezeigt, der Auslegungsgeschichte einzelner Schrifttexte nachzugehen. Für das Problem der weiblichen Benennungen Gottes könnte sich die Auslegungsgeschichte von Luk. 15,8 als besonders ergiebig erweisen. (Gössmann)

XIV

Ohne dies im einzelnen stringent nachweisen zu wollen, schilderte Rapp eine Entwicklung von der im Zusammenhang mit der Anfechtung des freien Geistes und der Ausbildung der Scholastik entstehenden Mystik des hohen Mittelalters über deren Verflachung und Zersetzung bis hin zur Gebetbuchliteratur des 19. und beginnenden 20. Jahrhunderts. Auffallend in den spätmittelalterlichen elsässischen Texten ist das überschwenglich Emblematische, etwa wenn Kreutzer „cantica canticorum" kommentiert oder auch einen Käse, eine geistliche Ernte, eine geistliche Weinlese usw. – voll des breiten Gemeingutes an Bildhaftem, an Symbolischem, aber rein affektiv und nicht mehr tiefgründend. Vieles bei Geiler wie bei Kreutzer bleibt pädagogische Spielerei, dient als Mnemotechnik, so wenn die Passion als Lebkuchen dargestellt wird oder – ein besonders eindrucksvolles Beispiel – das ganze geistliche Leben als Hasenpfeffer: da mahnen des Hasen lange Ohren, auf Gottes Wort zu hören, macht dessen Angst deutlich „timor domini est initium sapientiae", wird der Hase abgezogen, wie man den alten Menschen abgezogen bekam, wird auch der Christ durch die verschiedenen Prüfungen gebraten und schließlich dem Herrn im Himmel aufgetischt. Dies über 40 Tage (täglich eine Stunde) zu entfalten, verlangt zweifellos eine hohe Kunstfertigkeit, bleibt aber flach; doch genügte dies offensichtlich den Ansprüchen.

Einer geäußerten Vermutung folgend hielt es Rapp für denkbar, daß die wieder stärker geschlossenen und einheitlichen Observanten-Konvente des 15. Jahrhunderts mit ihren gemeinsam inszenierten Übungen und Exerzitien mystisches Erleben und besonders die „unio mystica" weitgehend ausschlossen. Eine entsprechende individuelle Disposition konnte sich in den insgesamt laueren Klöstern des Jahrhunderts davor wohl eher entwickeln, ohne daß die Gemeinschaft davon geprägt worden wäre. – Es wirft ein bezeichnendes Licht auf die Zustände auch schon zu Taulers Lebzeiten, daß bereits neun Jahre nach dessen Tod die Nonnen dreier Klöster nach Hause gingen, weil sie die Belästigungen durch die Dominikaner nicht mehr aushielten.

Der Selbstdisziplinierung in der Zeit der Alltagsgeschäfte bzw. des Müßiggangs zwischen den festen Gebetszeiten dienten jene Gedankenverknüpfungen, die bei den alltäglichsten Gegebenheiten einen Schwall von Bildern und Gefühlen provozierten. In diesem Zusammenhang wurde darauf hingewiesen, daß das angesprochene didaktische Bemühen im Zug der Zeit lag, festzustellen bei den Humanisten, zum Ausdruck kommend im Katechismusgedanken und in der Entstehung des Gymnasiums.

Wie weit eine verfremdende Bildersprache über eine fromme Innigkeit hinaus noch starkes und tiefes Erleben widerspiegelt – etwa die Trunkenheit durch den Most beim geistlichen Herbst metaphorisch intensives mystisches Erleben beschreibt –, ist schwer zu beurteilen, müßte auf jeden Fall genauer untersucht werden.

Keines der Straßburger Dominikanerinnenklöster wurde in der Reformation aufgelöst (eines gezwungenerweise am Ende des 16. Jahrhunderts) – eine erstaunliche Tatsache, da es lange streng verboten war, Novizinnen aufzunehmen, und die Nonnen auch jeden Sonntag gezielter Umerziehung, nämlich der Predigt eines evangelischen Prädikanten, beiwohnen mußten. Die gemeinschaftlich-geschlossene fromme Lebensform blieb positiv wirksam.

XV

Probleme der Textkritik blieben auch in der Schlußdiskussion gewichtig. Unterstrichen wurde nochmals die vielfache Gebrochenheit der Erfahrung in den uns vorliegenden Texten – zunächst durch die Verbalisierung mit den Mitteln einer vorgegebenen, durch bestimmte (theologische) Traditionen geprägten Sprache (stark bildungsabhängig), dann durch die dem mündlichen oder schriftlichen Originalbericht oft nachfolgende Übersetzung ins Lateinische, schließlich durch Einformung in bestimmte literarische Gattungen (Vita, Legende, Traktat) oder andere vom veränderten Interesse einer späteren Zeit ausgehende Bearbeitungen. Bei allem Bemühen um (innere und äußere) Kriterien zur Beurteilung kann die zugrundeliegende Wirklichkeit nur wahrscheinlich gemacht werden, doch muß es legitim bleiben – notwendige Voraussetzung für jedes geschichtliche Forschen –, über den Text hinaus die Frage nach der historischen Realität zu stellen. Wie im Falle der Legenden wird man auch bei mystischen Texten mit der Möglichkeit von reinen Stilübungen rechnen müssen (der Bereich scheint dafür besonders reizvoll), doch muß ein Text so lange als echter Erfahrungsbericht akzeptiert werden, bis er als solcher falsifiziert werden kann.

In vielem unklar blieb der Begriff „Mystik" selbst. Hier wurde zunächst der wissenschaftstheoretische Anspruch verdeutlicht: Naturwissenschaften können fixierende Begriffe setzen, können also eine Sache genau abgrenzen und definieren. In den Geisteswissenschaften haben wir nie genau abgrenzbare Phänomene vor uns, sondern können immer nur einen Idealtypus herauskristallisieren, um den Kern einer Sache klar zu bezeichnen. Inwieweit dann eine konkrete Gegebenheit dem Idealtypus entspricht, wo Grenzen zu ziehen sind, läßt sich meist nicht klar entscheiden. (Ringler)

Die Frage, was eigentlich unter mittelalterlicher Mystik (und speziell Frauenmystik) zu verstehen sei, blieb aber auch im Sinne einer idealtypischen Klärung unbeantwortet – wohl notwendigerweise. Fast jeder Referent brachte ein eigenes Vorverständnis von Mystik mit, das weite, kaum eingrenzbare Bereiche der Spiritualität umfassen konnte oder mystisches Erleben auf die „unio mystica" festlegte. Es zeigt sich also ein breites Feld verschiedenartiger mystischer Phänomene, die aber wohl alle – wenigstens ihrer Zielrichtung nach – Elemente unmittelbarer Gotteserfahrung enthalten.

Daß mystisches Leben die „vita activa" zwingend mit einschloß, machte Langers Schilderung dessen deutlich, wogegen sich Eckhart bei bestimmten Teilen gerade der Frauenmystik richtete. Auch in den Engelthaler Viten läßt sich diese Haltung belegen: Einer Schwester ist ihre Vision wichtiger als der Dienst an anderen; sie wird von Gott hart bestraft, nämlich durch den Entzug künftiger Gnaden. (Ringler)

Kritisiert wurde die Definition von Mystik als „cognitio experimentalis dei", da diese ja auch den im monastischen Bereich breiten Strom von einerseits Unheils- und speziell Anfechtungserfahrungen, andererseits von Heilserfahrungen umfaßt, die als solche noch keine mystischen Erfahrungen zu sein brauchen. Gefragt ist also eine spezielle „cognitio experimentalis mystica" (vielleicht der „excessus mentis"?). Wenn häufig von einem – mindestens dreigestuften – mystischen Weg mit einer Fülle von Phänomenen die Rede ist, so bleibt hier zu fragen, wo auf diesem Weg der eigentlich mystische Abschnitt beginnt.

Mystik als Ankommen des Umfassenden im Versunkenheitsbewußtsein: mit diesem engeren Mystikbegriff bei Carl Albrecht wies Wöhrer auf dessen Entwurf einer Bewußtseinspsychologie hin, das in der Kenntnis der psychologischen Phänomenologie der Mystik bisher vollständigste auf empirischer Grundlage erstellte Werk. Das Wissen darüber, was das Phänomen Mystik psychologisch bedeutet, ermöglicht eine systematische psychophänomenologische Analyse – nach Meinung Wöhrers die Voraussetzung für die Beurteilung der empirischen Grundlagen eines Textes. Grundsätzlich sollte streng unterschieden werden zwischen Mystographie, also dem Erlebnisbericht, der Erlebnisbeschreibung, und Mystologie, der Reflexion über dieses Erleben aus der Tradition.

Eine Bedingung der Möglichkeit zu mystischem Erleben ist zweifellos – in der Mystologie wie auch in der Bewußtseinspsychologie – das Vorliegen eines sogenannten Versunkenheitszustandes. Wobei dies nicht ausschließlich gemeint ist, denn es gibt wohl auch andere echte Erscheinungen (Traumerlebnisse, Traumvisionen u. a.). Die Psychologie kann über diese nichts sagen, doch hat auch die negative Theologie der Mystik (von Augustin bis ins 14. Jahrhundert) diese Erscheinungen nicht oder nur mit Vorbehalten akzeptiert. (Wöhrer)

Die eigentliche mystische Erfahrung als reines Gnadenphänomen – so Schmidt – kann mit den Kategorien der Psychologie nicht mehr adäquat beschrieben werden. Im Moment der Trennung (von Seele und Leib oder Seele und Geist) ergibt sich die mystische Erfahrung, die zwar mit den geistlichen Sinnen noch wahrgenommen werden kann, aber eben nicht mehr mit den natürlichen Sinnen. Sie liegt also jenseits dessen, was Psychologie fassen kann; die für diese beschreibbaren Phänomene liegen davor oder danach.

Abschließend mußte noch die Frage angeschnitten werden, ob und in welcher Weise Mystik von Frauen und Mystik von Männern im Mittelalter different erscheinen.

Unter dem Eindruck der Referate, die im gegebenen Rahmen selbstverständlich die weibliche Seite der Mystik thematisierten, Wirkstrukturen bei Frauen aufzeigten, wurde vor der Gefahr gewarnt, nun vorschnell Elemente wie „raptus", „unio", erotische Sprache usw. als Eigenart von Frauenmystik aufzufassen, da diese gleichermaßen in der Männermystik – besser wohl: Mystik von Männern – vorkommen, ausgehend von der griechisch-syrisch-augustinischen Tradition über die Viktoriner bis zu Wilhelm von St. Thierry u. a., etwa aus Anlaß von Hohelied-Exegese (vgl. auch „amor extaticus" bei Pseudo-Dionysios).

Hier kann es wohl kaum um klare, jeden Einzelfall einschließende Abgrenzung gehen, vielmehr um Tendenzen, die sich – vielleicht – statistisch festmachen lassen. Immerhin fällt auf, daß sich in Männerklöstern nichts Paralleles zu den berühmten Schwesternviten visionärer Dominikanerinnen findet. So scheint etwa für das 14. Jahrhundert offenkundig, daß sehr viel mehr Frauen zur Erlebnismystik neigten, Ekstasen hatten als in derselben Zeit Männer. Umgekehrt äußerten sich sehr viel mehr Männer in theoretischen Arbeiten zu diesem Bereich als Frauen. Strittig ist dabei, ob hinter diesen theoretischen Abhandlungen ebenfalls – mindestens zum Teil – eigene religiöse Erfahrung, mystisches Erleben steht, das nur in anderer, Männern näherliegender Weise zur Sprache gebracht wird, oder ob solche Eigenerfahrungen ganz fehlen; immerhin berufen sich Bernhard, die Viktoriner u. a. niemals auf eigene Ekstasen, auf eigene Erlebnisse, wie dies etwa Mechthild von Magdeburg oder Gertrud die Große tun.

Vermutungen über Aussagen einer Identität mit Gott oder ein verstärktes Sprechen in der Ich-Perspektive als weibliche Spezifika waren zu wenig abgesichert. Eine klare Unterscheidung von „affectus" = weiblich und „intellectus" = männlich läßt sich aus den Texten keinesfalls belegen.

Im Bereich der englischen Mystik des späten 14./beginnenden 15. Jahrhunderts ist ein Unterschied erkennbar: weibliche Mystik manifestiert sich somatisch bzw. visuell in Erscheinungen, männliche Mystik in einem Gefühl der ankommenden Ruhe, der Versunkenheit allumfassender Liebe („visio intellectualis", bildlos). (Wöhrer)

Die Ausprägung der Mystik im hohen und späten Mittelalter steht im Zusammenhang mit einem in Europa ab dem 12. Jahrhundert einsetzenden Trend, den man andeutungsweise so charakterisieren kann: Der Mensch wird sich seiner selbst mehr bewußt, möchte etwa seinen Glauben wirklich persönlich erfahren; das Humane im modernen Sinne findet Eingang in das Denken und in die Alltagspraxis. Dieser Trend wird bei Männern wie Frauen sichtbar, zeigt aber bei Frauen wesentlich stärkere Resonanz. Frauen erwiesen sich – falls dies zutrifft – als sensibler gegenüber einem langsam eintretenden Wandel gesellschaftlicher Einstellungen. Stärker betroffen von einer zunehmenden Klerikalisierung der Kirche und einer männlich exklusiven Verschulung der Theologie erlebten Frauen den mystischen Weg als gangbare, befreiende Alternative: aus den Zwängen regulierten Lebens konnte die Ekstatikerin – wenigstens subjektiv – ausbrechen, trotz allgemeinem Lehrverbot für Frauen konnte die visionär legitimierte Prophetin reden. Die klösterliche Verfaßtheit war dabei häufig hilfreich, doch gab es zweifellos solche „emanzipatorischen" Ansätze wie auch mystisches Erleben ebenso bei Frauen außerhalb von Klostermauern. Weitgehend aber wurden die Texte nur in den Klöstern aufgeschrieben, gesammelt und überliefert.

Zwei für die Einschätzung der Geschlechter bedeutungsvolle theologiegeschichtliche Spuren sollen hier noch deutlich markiert werden: zum einen die „via negativa" mit der Aufhebung von männlich und weiblich zu einem einheitlichen Menschsein, die wohl auf neuplatonische Initiativen zurückgeht, und zum anderen die Erhaltung beider Geschlechter im Eschaton, worauf Hildegard von Bingen und auch Thomas von Aquin großen Wert legen – vielleicht ein wichtiges Indiz für die Wesentlichkeit beider Geschlechter zum Menschsein und also zum Menschenbild.

Peter Dinzelbacher

KLEINER EXKURS ZUR
FEMINISTISCHEN DISKUSSION

Nach den oben S. 13 ff. vorgebrachten Überlegungen scheint es
also im Mittelalter durchaus eine frauen- bzw. männerspezifische
Form von Mystik gegeben zu haben.[1] Wenn dabei auf seiten der
Mystikerinnen eine stärker zum Konkreten neigende Tendenz
festgestellt wurde, auf seiten der Mystiker eine eher zum Abstrak-
ten hin gehende, so findet sich ebendieses Verhältnis nach dem
Urteil einer durchaus feministisch engagierten Literaturhistorike-
rin auch auf dem wohl einzigen Gebiet, auf dem ein solcher Vergleich von der Quantität des überlieferten Materials her noch
durchgeführt werden kann, nämlich auf dem der Liebeslyrik.[2] Die
Dichtungen der provenzalischen Trobairitz sind „less literary and
less sophisticated than the men's, but they have an immediacy and
a charm that are particularly their own".[3]

Dieser Unterschied ist auch in der früheren Mystikforschung
implicite oder explicite so bemerkt worden. Wenn damit freilich
recht oft ein Werturteil verknüpft wurde in dem Sinn, daß die
theoretische (also vorwiegend männliche) Mystik höherstehend
sei als die praktische (also vorwiegend weibliche) — und letztere
ist ja sogar gelegentlich wenigstens partiell als niedere oder Pseu-
domystik abqualifiziert worden —, so ist man der Frauenmystik
damit nicht gerecht geworden. Es wäre überhaupt zu fragen, ob es
zu den Aufgaben des (Literatur-)Historikers gehört, solche Urteile zu fällen, und wieso sie uns zum Verständnis jener Epoche
nützen sollen. Auch die Unterscheidung von „echter" und
„krankhafter" Mystik sollte vielleicht denjenigen Theologen und
Psychologen vorbehalten bleiben, die sich für solche Urteile tatsächlich kompetent erachten. Hat diese Abwertung der
Gottesbegegnung im konkreten, sinnlichen Erlebnisbereich des
Schaubaren, Hörbaren, Schmeckbaren . . . nicht eigentlich etwas
Paradoxes an sich, wo doch Konsens über die (auch meiner Einleitung) zugrundeliegende Definition christlicher Mystik — und eine

andere gibt es im mittelalterlichen Europa nicht — besteht, daß dies eine Frömmigkeitshaltung mit dem Ziel der Cognitio Dei *experimentalis* war? Auch ein eher abstrakter theoretischer Mystiktraktat will doch letztlich zur Unio führen, mag diese nun als Entzückung der Seele in Gott gesehen werden, als Einwohnung Gottes in der Seele oder als erleuchtete Erkenntnis. So schiene es mir treffender, den primär emotionalen Weg der Gottesbegegnung nicht in einer Werthierarchie dem vorwiegend intellektualistischen Weg der Gotteserkenntnis unterzuordnen, sondern beide als vom Individuum her gesehen gleichermaßen redliche Formen der Gottessuche nebeneinanderzustellen.

Es wäre vielleicht einfach, zwischen der negativen Bewertung mystischer Frauen durch die ausschließlich von Männern praktizierte Theologie des späten Mittelalters (z. B. Gerson) und der primär von Männern vertretenen Mediävistik des 19. und 20. Jahrhunderts Parallelen zu ziehen oder Kontinuitäten zu vermuten. Doch würde sich ein solches Denken in Stereotypen schnell falsifizieren, denn es waren ja auch wieder Theologen, die etwa die Verbreitung von Birgittas Revelationen ermöglichten und förderten (z. B. Turrecremata), und wenn man die Analogie zur Mystikforschung ziehen wollte, genügte schon ein Blick auf ihren wichtigsten Teil, nämlich die Editionsarbeit — weder ein Roth noch ein Mierlo noch andere hätten sich gerade mit Frauenmystik beschäftigen müssen. Unsere Kenntnis und unser Verständnis sowohl der Geschichte der Frau als auch der Geschichte der Mystik wird stets von der Qualifikation und dem Engagement der einzelnen Forscherin, des einzelnen Forschers abhängen und von ihrer Zusammenarbeit, nicht aber vom Zufall ihres Geschlechts. Ist es wirklich nötig zu bemerken, daß es nicht weniger unsinnig wäre, die Erarbeitung der Geschichte der Frau nur Wissenschaftlerinnen reservieren zu wollen, als es absurd wäre, die von Männern „gemachte" Geschichte als nur Männern zugänglich zu betrachten — abgesehen davon, daß es weder das eine noch das andere überhaupt gab, sondern es sich hier um eine moderne Isolierung einzelner Phänomene aus dem Insgesamt der Vergangenheit handelt (wie freilich bei jeder historischen Thematik)? Eine „feministische Mediävistik" könnte man vielleicht eine solche nennen, die bestimmte „frauenspezifische" Fragen an die Quellen richtet[4], wogegen eine ihr eigentümliche historische Methodik oder Darstellungsform nicht vorstellbar ist. Wenn daneben auch eine Beschäftigung mit mittelalterlichen Frauenthemen entstehen sollte, die frauenspezifische Essayistik, Dichtung oder eine neu zu findende Form der Auseinandersetzung mit der Vergangenheit ist, um so schöner. Auch hier wäre nicht zu sehen, wieso verschiedene Arten des Umgangs mit unserer Geschichte nicht friedlich, erfreulich und fruchtbar einander ergänzen können sollten.

Anmerkungen

[1] Erst während des Druckes erschien der für die Frage nach frauen- und männerspezifischem Schreiben (auch in der Mystik) interessante Artikel von R. Lachmann, Thesen zu einer weiblichen Ästhetik, in: Weiblichkeit oder Feminismus, ed. Claudia Opitz, Weingarten 1984, 181–194.

[2] Meg Bogin, The Women Troubadours, New York 1976, 18.

[3] ibid. 68f. Dieselbe Ansicht wird auch im neuesten Buch zum Thema geäußert: Peter Dronke, Women Writers in the Middle Ages, Cambridge 1984, X: „ the women whose texts are treated here show excellingly a quality (literary, but also ‚metaliterary') of immediacy: they look at themselves more concretely and more searchingly than many of the highly accomplished men writers who were their contemporaries." Cf. meine Besprechung in den Acta Germanica (im Druck).

[4] Namentlich für die mittelalterliche Frauenmystik, und zwar für die Helftaer Nonnen, tut dies in einem beachtenswerten Beitrag Caroline W. Bynum, Jesus as Mother, Berkeley 1982, 170 ff. Für Katharina v. Siena und Juliana v. Norwich cf. (allerdings nur aufgrund von Übersetzungen) R. Watkins, Two women visionaries and death, Numen 30, 1983, 174—198. – Die neueste Literatur zur Frage spezifisch weiblicher Religiosität bietet der sich allerdings primär mit Außereuropa beschäftigende Band Women's Religious Experience: Cross-Cultural Perspectives, ed. Pat Holden, London 1983, und künftig die für 1984 angekündigte Zeitschrift ‚Journal of Feminist Studies in Religion', Chico, Calif.

Biographische Notizen

Dieter R. Bauer studierte in Stuttgart (teilweise auch in Tübingen) Geschichte, Philosophie, Germanistik und Mathematik und arbeitet seither wissenschaftlich im Bereich der mittelalterlichen Geschichte. Er ist Referent an der (katholischen) Akademie der Diözese Rottenburg-Stuttgart.

Dr. Leen Breure hat in Utrecht Geschichte und Psychologie studiert und sich mit Fragen der Anwendung von Computeranalysen auf historische Texte beschäftigt. Sein Hauptarbeitsgebiet ist die Mentalitätsgeschichte der Devotio moderna, worüber bereits einige Artikel im ‚Spieghel historiael‘ erschienen. Eine umfangreiche Arbeit, in deren Mittelpunkt die Todeserfahrung der modernen Devoten steht, wurde eben als Dissertation abgeschlossen. Leen Breure ist Wissenschaftlicher Mitarbeiter am Institut für Geschichte der Reichsuniversität Utrecht.

Doz. Dr. Peter Dinzelbacher studierte in Graz und Wien Geschichte, Volkskunde, Latein und Kunstgeschichte und promovierte über das Motiv der ‚Jenseitsbrücke im Mittelalter‘. Danach war er Assistent für mittelalterliche Geschichte an der Universität Stuttgart, wo er sich mit der Arbeit ‚Vision und Visionsliteratur im Mittelalter‘ für mittlere und für alte Geschichte habilitierte. Zu diesem Thema sind von ihm noch weitere Publikationen erschienen bzw. befinden sich im Druck; andere Schwerpunkte seiner wissenschaftlichen Tätigkeit betreffen die mittelalterliche Religiosität generell sowie das Problem der Interpretation der bildlichen Quellen jener Epoche.

Prof. Dr. Dr. Elisabeth Gössmann ist durch zahlreiche Arbeiten auf dem Gebiet der Philosophie, Theologie, Anthropologie sowie zum Thema der historischen und gegenwärtigen Stellung der Frau bekannt. Ein weiteres Arbeitsgebiet umfaßt die japanische Religionsgeschichte. Ihre speziell mediävistischen Publikationen beschäftigen sich u. a. mit dem dogmatischen Verständnis der Verkündigung an Maria, der Summa Halensis, Glaube und Gotteserkenntnis und den Begriffen ‚antiqui‘ und ‚moderni‘. Elisabeth Gössmann hat auch an mehreren theologischen Sammelwerken, teilweise als Herausgeberin, mitgewirkt. Sie bekleidet eine Professur für Philosophie an der Seishin-Universität in Tokyo.

Cand. phil. Esther Heszler hat an der Universität Bonn Germanistik und Anglistik studiert und war dort Lektorin für Altgermanistik. Ihre Dissertation über den mystischen Aufstieg bei Hadewijch wurde von der Studienstiftung des deutschen Volkes gefördert und steht kurz vor der Veröffentlichung.

Prof. Dr. Ulrich Köpf dissertierte über ‚die Anfänge der theologischen Wissenschaftstheorie im 13. Jahrhundert‘ und habilitierte sich für evangelische Theologie an der Universität München mit dem Thema ‚Religiöse Erfahrung in der Theologie Bernhards v. Clairvaux‘. Auch seine weiteren Beiträge beschäftigen sich mit ‚homines religiosi‘ des Mittelalters, wie Franz v. Assisi, Gertrud d. Gr. und dem jungen Luther. Ulrich Köpf lehrt Kirchengeschichte an der Universität München.

Doz. Dr. Otto Langer promovierte in Heidelberg über die Philosophie Plotins und habilitierte sich in Bielefeld in Germanistik mit dem Thema ‚Mystische Erfahrung und spirituelle Theologie. Zur Auseinandersetzung Meister Eckharts mit der Frauenmystik seiner Zeit‘. Gottfried von Straßburg und Thomas Müntzer sind andere Forschungsgebiete Otto Langers. Zur Zeit vertritt er eine Professur für Altgermanistik an der Universität Düsseldorf.

Dr. Tore Nyberg verbrachte seine Studienjahre in Lund und Uppsala, wo er über die Klostergründungen des Birgittinnenordens promovierte: ein Thema, mit dem er sich auch in späteren Arbeiten beschäftigte. Die Klostergeschichte im Rahmen der mittelalterlichen Kirchengeschichte darf als sein Spezialgebiet angesprochen werden. Tore Nyberg ist Mitglied des Historischen Instituts der Universität Odense auf Fünen.

Prof. Dr. Francis Rapp studierte in Straßburg und Paris, wo er über ‚Reform und Reformation in Straßburg‘ promovierte. Sein Buch über ‚Die Kirche und das religiöse Leben im Abendland im Spätmittelalter‘ darf als Standardwerk der Mediävistik bezeichnet werden. In zahlreichen weiteren Publikationen hat sich Francis Rapp mit der allgemeinen Kirchengeschichte des Mittelalters und der elsäßischen Lokalgeschichte beschäftigt: z. Zt. arbeitet er an einer Geschichte Deutschlands im ausgehenden Mittelalter. Francis Rapp ist Professor am Institut für mittelalterliche Geschichte der Universität Straßburg.

Dr. Siegfried Ringler studierte in Würzburg Germanistik und Geschichte und behandelte in seiner Dissertation die Viten- und Offenbarungsliteratur in deutschen Frauenklöstern des Mittelalters, wobei er Stipendiat des Cusanuswerks war. Er ist in Essen im Schuldienst tätig.

Dr. Margot Schmidt hat ihr Germanistikstudium in Freiburg mit einer Arbeit über Mechthild von Magdeburg, die sie auch übersetzte, beendet. Neben der religiösen Literatur des deutschen Mittelalters hat sie besonders über die Theologie im frühchristlichen Syrien gehandelt. Ein Spezialthema ihrer Forschung bildet der Mystiker Rudolf von Biberach. Margot Schmidt ist nach ihrer Tätigkeit am Lehrstuhl für Dogmatik in Regensburg jetzt am Forschungsvorhaben ‚Geistliche Literatur des Mittelalters‘ der Katholischen Universität Eichstätt beteiligt.

Dr. Roswitha Schneider O.P. ist Priorin des Dominikanerinnenklosters Niederviehbach in Bayern. In München studierte sie Germanistik, Anglistik und Geschichte; ihre Dissertation behandelte die Sprache der Predigten Meister Eckharts. In weiteren Publikationen beschäftigte sie sich mit den dominikanischen Mystikerinnen Margareta Ebner und Katharina von Siena.

Dr. Franz-Josef Schweitzer studierte u. a. in Düsseldorf Philosophie und Germanistik. Seine Dissertation beschäftigte sich mit dem ‚Freiheitsbegriff der deutschen Mystik‘ und besonders mit dem pseudo-eckhartischen Traktat ‚Schwester Katrei‘. Weitere seiner Arbeiten handeln über Fragen der altniederländischen Mystik. Franz-Josef Schweitzer ist Akademischer Rat an der Katholischen Universität Eichstätt.

Dr. Elisabeth Vavra hat ihr Studium der Kunstgeschichte in Wien mit einer Untersuchung über die Buchmalerei des ‚Speculum humanae salvationis‘ beendet. Als Mitarbeiterin am Institut für mittelalterliche Realienkunde Österreichs in Krems und Assistentin der österreichischen Akademie der Wissenschaften befaßt sie sich vor allem mit Studien zur Kunst- und Realienkunde des späten Mittelalters und hat an mehreren Sammelbänden über diese Themen mitgearbeitet.

Prof. Dr. Herman Vekeman promovierte an der katholischen Universität in Löwen über Beatrijs von Nazareth und bekleidete eine Dozentur für Mittelniederländisch an der katholischen Universität Nijmwegen. Sein hauptsächliches Forschungsinteresse liegt auf der niederländischen Mystik des Mittelalters und der frühen Neuzeit: u. a. hat er die Visionen Hadewijchs ediert und ins heutige Niederländisch übersetzt. Hermann Vekeman ist Inhaber des Lehrstuhls für niederländische Philologie der Universität Köln.

Dr. Franz Wöhrer hat in Wien Anglistik, Psychologie und Philosophie studiert und über den mystischen Dichter Thomas Traherne promoviert. Sein Interesse gilt der Verbindung von literaturwissenschaftlichen und psychologischen Fragestellungen auf dem Gebiet der englischen Mystik. Franz Wöhrer ist am Institut für Anglistik der Wiener Universität tätig.